치과진료 후 발생하는
골치 아픈 증례들

TOUGH CASES

김욱규 김상연

Vol. 3 턱관절질환

KOONJA

치과진료 후 발생하는
골치 아픈 증례들 TOUGH CASES
Vol. 3 턱관절질환

첫째판 1쇄 인쇄   2022년 04월 20일
첫째판 1쇄 발행   2022년 05월 10일

지 은 이   김영균 김상윤
발 행 인   장주연
출 판 기 획   한수인
책 임 편 집   박은선
편집디자인   신지원
표지디자인   신지원
발 행 처   군자출판사
            등록 제 4-139호(1991. 6. 24)
            본사 (10881) **파주출판단지** 경기도 파주시 회동길 338(서패동 474-1)
            Tel. (031) 943-1888   Fax. (031) 955-9545
            홈페이지 | www.koonja.co.kr

ISBN 979-11-5955-867-2
        979-11-5955-674-6 (세트)

정가 100,000원

치과진료 후 발생하는
골치 아픈 증례들

TOUGH CASES

저자 소개

김 영 균

1986	서울대학교 치과대학 졸업
1986 - 1989	서울대학교병원 치과진료부 구강악안면외과 수련
1989 - 1992	육군 치과군의관
1992 - 1997	조선대학교 치과대학 전임강사 및 조교수
1998 - 2003	대진의료재단 분당제생병원 치과 구강악안면외과장
2009 - 2022	서울대학교 치의학대학원 치의학과 교수
2003 - 현재	분당서울대학교병원 치과 구강악안면외과 교수
	대한민국의학한림원 정회원
	대한구강악안면외과학회지 편집장
	대한검도 공인 4단
논문실적	"The role of facial trauma as a possible etiologic factor in temporomandibular joint disorder" 외 703편 [SCI(E) 140편, KCI 등재지 277편, 기타 국내학술지 255편, 기타국제학술지 31편]
저역서	"턱관절장애와 수술교정" 외 77편

2015	단국대학교 치과대학 졸업
2015 - 2019	분당서울대학교병원 치과 구강악안면외과 전공의
2019 - 현재	보건복지부 인증 구강악안면외과 전문의 오스템 faculty seminar 및 턱관절과 쁘띠성형술 강의 개인치과병원 봉직의(구강악안면외과 원장) 분당서울대학교병원 치과 구강악안면외과 외래교수 대한치과이식임플란트학회 우수임플란트임상의 대한악안면성형재건외과학회 인정의 대한구강악안면외과학회 정회원 대한악안면성형재건외과학회 정회원 대한구강악안면임플란트학회 정회원 사단법인 대한턱관절협회 회원 2021년 제5기 서울대학교 치의학대학원 고급치의학연수과정 수료
논문실적	Evaluation of the Healing Potential of Demineralized Dentin Matrix Fixed with Recombinant Human Bone Morphogenetic Protein-2 in Bone Grafts 외 29편

김 상 윤

전체 머리말

약 35년간 치과의사, 구강악안면외과 전문의로서 수많은 환자들을 진료하였습니다. 한때는 내가 치과의 특정 분야에서 최고라는 자만감에 빠져 환자 및 동료들에게 거만한 자세를 취한 적도 있었습니다. 그러나 아무리 열심히 연구하고, 양질의 진료를 하려고 노력하여도 합병증과 다양한 문제점들을 끊임없이 경험하면서 좌절감과 죄책감을 느낀 적도 많았습니다. 물론 지금까지도 계속 경험하고 있습니다. 치과의사는 치아만 치료하는 기술자가 아닌, 환자의 몸을 치료하는 의료인입니다. 사람의 몸은 매우 복잡해서 개인마다 치료에 대한 다른 반응을 보이기도 하고, 다양한 의학적 전신질환들이 동반된 경우엔 치료하는 것이 더욱 어려울 수밖에 없습니다. 이제는 과거의 나를 버리고 겸손한 자세로 환자를 대하고, 선후배 및 동료 치과의사들로부터 많은 것을 배우면서 최선의 진료를 하는 치과의사가 되고자 하는 마음으로 제가 경험한 많은 문제점들을 솔직하게 책으로 엮어서 총 11권의 연속 간행물로 출판할 예정입니다.

저서는 논문이 아니기 때문에 집필자들의 사적 의견들이 많이 제시될 수 있습니다. 따라서 독자들은 책자의 내용을 전적으로 신뢰해서는 안 되며, 비판적인 시각을 갖고 필독하시면 제가 경험했던 골치 아픈 증례들을 통해 많은 교훈을 얻을 것을 확신합니다. 가급적 참고문헌들을 기반으로 근거 있게 집필하도록 노력하였지만, 저의 의견이 잘못 기술된 부분도 많이 발견될 것입니다. 본 책자는 독자들에게 현란한 술식들과 성공적인 치료 증례들을 자랑하는 것이 목적이 아닙니다. 골치 아픈 증례들을 소개하면서 문제 목록 및 해결한 과정, 참고문헌 고찰을 통한 각각의 증례들에 대한 필자의 의견들을 작성하였고, 예상하지 못한 합병증과 다양한 문제들이 발생한 사례들을 솔직하게 제시하고 제 나름대로의 의견과 잘못된 치료에 대한 반성 등을 기록하였습니다.

명의? 실력 있고 논문을 많이 쓰고 학회에서 발표를 많이 하고 강연, 연수회를 많이 개최하는 치과의사, 의사가 명의일까요? 이들의 실력을 누가 검증할 수 있을까요? 학식이 많고 경력이 뛰어나며 봉사를 많이 하고 진료하는 환자 수가 많을수록 명의인가요? 병원장, 과장, 학장, 학회장 등 주요 보직을 했다고 해서 명의가 될 수 있을까요? 명의라고 해서 합병증 없이 모든 환자들을 잘 치료하고 그들이 치료하면 모든 환자들이 다 성공적으로 치유될 수 있을까요? 모든 치과의사, 의사들은 명의가 되고 싶은 꿈과 욕망이 있을 것이고, 필자 본인도 마찬가지입니다. 그러나 35년간 임상진료를 해 오는 가운데 많은 문제가 발생하였고 지금도 계속 발생하고 있습니다. 교과서, 문헌들에 나와있는 대로 치료되지 않는 증례들도 매우 많습니다. 인용지수가 높은 SCI(E)급 학술지에 게재된 논문을 절대적으로 신뢰할 수 있을까요? 대가들이 강의한 내용을 그대로 믿어도 될까요? 사람의 몸은 매우 복잡하고 이해하기 어려운 것이 너무 많습니다. 원칙에 입각한 양질의 치료를 수행하는 것이 기본이지만, 가장 중요한 것은 환자와 치과의사, 의사의 상호 신뢰감과 좋은 유대관계라고 생각됩니다. 환자가 의료인을 신뢰하면 치료 결과가 좋고, 설사 문제가 발생하더라도 의료분쟁이 발생하는 경우는 거의 없습니다.

저는 열심히 공부하면서 진료하고 있는 모든 치과의사들에게 다음을 강조하고자 합니다. 1) 유명한 연자의 강의, 논문, 기타 학술대회 강연 내용은 참고만 해야 합니다. 저자가 언급하는 내용들도 100% 옳은 것이 아닙니다. 2) 임상가들은 스스로 공부하면서 자신의 확고한 치료 개념을 정립하고, 최대한 근거 기반의 윤리적인 진료를 수행해야 합니다. 3) 치과분야에서 행해지는 많은 연수회는 본인의 술기를 향상시키는 데 큰 도움이 됩니다. 그러나 합병증이나 문제점들에 대한 강의나 해결방안을 제시하지 않고 술기 위주로 진행하는 연수 프로그램은 가급적 피하시는 것이 좋습니다. 4) 치과의사들은 사람(환자)을 치료하는 것이지 멋있고 현란한 술식을 자랑하는 것이 아닙니다. 치과진료뿐만 아니라 의과 분야에서도 100% 완벽한 진료를 수행할 수 없습니다. 환자들도 100% 완벽 진료를 원하는 것이 아닙니다. 최근 치과의사협회에서 발간한 "Issue report"에서 치과대학에서 학생들을 대상으로 완벽 위주의 술기와 치료를 지나치게 강조하는 교육을 문제 삼은 바 있습니다. 완벽한 치과치료를 수행하려고 노력하는 것은 당연하지만, 더욱 중요한 것은 환자-치과의사의 유대관계를 돈독하게 하면서 환자들이 치과의사를 신뢰할 수 있도록 진료하는 자세입니다.

치과 전문의들이 일반의들에 비해 실력이 월등히 우수하다고 단정할 수 있을까요? 제 생각으로는 전문의는 자신의 분야에 한해서 일반의들보다 좀 더 많이 알고 진료할 수 있지만, 전공 외 타 분야에서는 일반의들의 실력에 훨씬 미치지 못할 수도 있습니다. 오히려 포괄적 지식은 더 모자라고 다른 학자들의 의견을 수용하지 않으면서 편견에 치우친 생각을 더 많이 가질 수도 있습니다. 특히 치과의 특성상 턱관절질환, 임플란트와 같은 진료 분야는 아주 특수한 경우를 제외하곤 일반의들이 더 잘 진료할 수 있습니다.

필자는 구강악안면외과 전문의로서 턱관절장애, 턱교정수술, 골절, 감염, 임플란트 수술 등의 진료를 수행하고 있고, 타 전문의나 일반의들에 비해 합병증에 대한 경험이 좀 더 많을 수밖에 없습니다. 그렇기에 본책에는 제가 35년간 진료하면서 경험했던 다양한 합병증과 문제점들을 증례와 함께 제시하였고, comment에는 저의 개인적 의견들을 작성하였습니다. 일부러 일반의 관점에서 문제를 살펴보는 것이 중요하다고 생각하여 보철과, 치주과, 교정과, 구강내과 전문의들의 자문을 구하지 않고 집필하였습니다. 제시된 증례들을 필독하면서 나름대로의 문제점을 생각해 보고, 궁금한 부분은 문헌고찰 파트에서 찾아보시거나 관련 참고문헌들을 구해서 필독하시면 큰 도움이 될 것이라고 생각합니다.

"모르는 것은 죄가 아니다"라는 말이 있는데, 치의학(의학) 분야에서는 *"모르면 죄가 된다"*가 맞는 것 같습니다. 치과의사들은 은퇴하기 전까지는 끊임없이 공부해야 하며, 국가에서도 의료인 보수교육을 필수사항으로 정하고 있는 것은 계속 공부하면서 최신 의술을 습득하고, 환자들에게 현시점에서 최선의 진료를 하라는 의미인 것 같습니다. 이 책을 집필한 주 목적 중 하나는 "원인 불명"이거나 "분명히 치과의사의 잘못이 아님"에도 불구하고 환자나 보호자, 법조인들에게 잘 설명하지 못하고, 적절히 대처하지 못함으로 인해 모든 책임을 지게 되는 일들을 최소화하기 위함입니다. 중대한 잘못으로 문제가 발생하였을 경우엔 전적으로 의료진이 책임을 져야 하지만, 불가항력적이거나 원인 불명으로 인해 문제가 발생한 경우 의료진은 책임에서 벗어나야 합니다.

아직 필자가 열정과 힘이 남아 있는 기간 동안에 35년간의 치과 임상분야에서 경험하였던 "골치 아픈 증례들"을 최대한 많이 정리하여 문헌고찰과 함께 필자 본인의 의견과 반성을 솔직하게 제시하면서 총 11권의 책을 마무리하고자 합니다.

본 책자의 구성은 다음과 같이 계획되어 있습니다.

1. 신경손상
2. 구강안면통증
3. 턱관절질환
4. 구강 및 턱얼굴 감염
5. 상악동 관련 문제점
6. 임플란트 실패
7. 임플란트 주위질환
8. 골치 아픈 임플란트 관련 합병증 및 문제점
9. 턱교정수술 및 안면골 골절관련 문제점
10. 구강병소 및 기타 특이 질환
11. 기타 치과진료 관련 합병증 및 문제점

본 책자의 특성상 환자들의 개인정보 노출 등을 피하기 위해 일부 내용들은 사실과 다르게 수정되기도 하였습니다. 독자들이 책을 읽다 보면 "어떻게 저런 식으로 진료를 했을까? 대학교수로서 어떻게 저런 잘못된 개념을 가지고 있을까?" 등의 문제들도 발견될 것입니다. 그러나 독자들은 책을 필독하면서 문제점을 발견하고, 저자들의 치료 내용 및 기술한 의견에 대해 비판적 시각을 갖고 자신의 생각과 비교하는 것 자체가 공부에 큰 도움이 될 것임을 확신합니다. 총 11권으로 구성된 책을 읽으면서 잘못된 치료가 이루어지지 않도록 예방하고, 유사한 사례를 경험하였을 때 해결할 능력을 갖출 수 있길 희망합니다.

본 책자를 작성하는 데 가이드라인과 많은 조언을 해주신 군자출판사 한수인 팀장님과 임직원들, 원고의 편집과 일러스트 작업을 해 주신 담당자분들께 깊은 감사의 말씀을 드립니다.

2021년 2월

대표 저자 **김 영 균**

머리말

턱관절질환은 치아우식증, 치주염, 부정교합과 함께 치과 4대 질환에 속하며 환자들의 수가 계속 증가하고 있습니다. 증상이 있지만 적기에 치료를 받지 못하거나 무증상의 잠재적인 환자들까지 포함하면 치과의사들이 관리해야 할 환자들은 매우 많습니다. 머리, 얼굴, 턱의 통증과 턱관절 부위의 이상 기능이 발생하는 턱관절장애를 포함하여 감염, 종양, 외상, 기형, 강직증 등 다양한 질환들이 발생합니다. 의사, 한의사들도 턱관절질환을 진료할 수 있지만 턱관절에 대한 해부학적 지식을 포함하여 질환의 진단 및 치료에 가장 능숙한 의료인은 치과의사입니다. 턱관절질환은 병인론과 치료법이 다양하기 때문에 통합적인 개념을 가지고 접근해야 하며 다른 치과 전문의 혹은 의과 전문의들과의 협진이 필요한 경우도 많습니다. 치과의사들이 턱관절질환에 대한 관심도가 적고 어려워하는 이유는 체계적이고 통합적인 교육을 잘 받지 못했기 때문입니다. 치과대학 및 학회에서도 구강내과, 구강악안면외과, 보철과, 교정과에서 개별적으로 자신들의 이론에 중점을 두고 교육하기 때문에 치과대학을 졸업하면 단편적인 지식들은 많지만 통합적인 진단 및 치료에는 많은 어려움을 겪게 됩니다. 또한 스트레스를 포함한 정신적 요인들이 많이 관여하기 때문에 정신과적 질환이 동반되는 것으로 생각하고 매우 어렵고 골치 아픈 질환으로 간주하고 진료를 기피하는 경향을 보이기도 합니다. 치과에 내원하는 턱관절질환 환자들은 계속 증가할 것이며 이들을 관리할 책임은 치과의사들에게 있습니다. 정상적으로 보이는 환자들에게 치과치료를 시행한 후 턱관절장애 증상이 발생할 경우 치과의사들이 적절히 대처하지 못한다면 심각한 의료분쟁으로 진행될 수 있으며 실제로 이와 같은 분쟁이 급증하고 있습니다.

본 책자에서는 필자가 직면하였던 다양한 턱관절질환 증례들의 문제점들과 치료 과정을 제시함으로써 치과의사들에게 유용한 정보를 제공하고 턱관절질환의 진단과 치료를 적극적으로 시행할 수 있도록 도움을 드리고자 노력하였습니다. 턱관절질환은 모든 치과진료와 연관이 있습니다. 따라서 직접 턱관절 진료를 수행하지 않는 치과의사들도 감별진단이나 치과치료 후 발생하는 턱관절장애에 대한 지식을 갖추고 있어야 환자들과의 의료분쟁을 피할 수 있음을 강조하고 싶습니다.

2022년 4월

대표 저자 **김 영 균**

목차

저자 소개　004

전체 머리말　006

머리말　010

CHAPTER 1

골치 아픈 턱관절질환 증례들 ···· 019

1 치과치료와 턱관절장애 ··· 020

 Case 1 >> 우측 상악 구치부 임플란트 치료 중 턱관절장애가 발생한 증례 ··· 020

 Case 2 >> 상하악 다수 임플란트 치료 중 발생한 턱관절장애 ··· 026

 Case 3 >> 턱관절장애가 존재하는 환자에서 치과치료와 턱관절장애에 대한 보존적 치료가 병행된 증례 ··· 030

2 턱관절장애와 혼동되는 질환들 ··· 038

 Case 1 >> 활액막연골종증(Synovial chondromatosis) ··· 041

 Case 2 >> 골연골종(Osteochondroma) ··· 048

 Case 3 >> 활액막연골종증(Synovial chondromatosis) ··· 053

 Case 4 >> 악성말초신경초종양(Malignant peripheral nerve sheath tumor) ··· 058

 Case 5 >> 악성원형세포종(Malignant small round cell tumor) ··· 062

3 턱관절장애와 교합 변화 ··· 067

 Case 1 >> 54세 여자 환자에서 장기간의 상악 구치부 임플란트 치료 후 발생한 교합 변화 ··· 067

 Case 2 >> 58세 여자 환자에서 갑자기 발생한 구치부 교합 변화 ··· 073

 Case 3 >> 54세 여자 환자에서 개구제한 및 구치부 교합 변화가 발생한 증례 ··· 076

 Case 4 >> 68세 여자 환자에서 턱관절 치료를 위해 한의원에서 제작한 스플린트를 장기간 착용한 후 부정교합이 발생한 증례 ··· 082

 Case 5 >> 보철 및 임플란트 치료가 진행되는 과정 중 장기간 교합이상을 호소한 증례 ··· 088

 Case 6 >> 55세 여자 환자에서 장기간의 상하악 임플란트 치료 후 턱관절장애 및 교합 변화가 발생한 증례 ··· 096

 Case 7 >> 턱관절 골관절염으로 인한 교합 변화 ··· 101

4 이명(tinnitus)과 턱관절장애 ··· 106

 Case >> 우측 귀 이명이 동반된 턱관절장애 ··· 106

C O N T E N T S

5 정신적 문제가 동반된 턱관절장애 ··· 110

Case 1 ▶▶ 정신건강의학과 치료를 병행한 턱관절장애 1, 4형 ··· 110

Case 2 ▶▶ 정신건강의학과 협진을 통해 치료한 턱관절장애 1, 2, 3형 ··· 114

Case 3 ▶▶ 심한 신체화증이 동반된 턱관절장애 1, 5형 ··· 117

Case 4 ▶▶ 정신적 문제가 개입된 난치성 턱관절장애 증례 연구(Kang DW & Kim YK; 2018) ··· 124

6 턱관절장애와 청각장애 ··· 130

Case ▶▶ 2019년 대한치과의사협회지에 증례보고 논문으로 게재된 증례(강동우 & 김영균; 2019) ··· 130

7 자율신경계 관련 증상들이 발현된 턱관절장애 ··· 135

Case ▶▶ 73세 턱관절장애 환자가 안면부 감각이상을 주소로 내원한 증례 ··· 135

8 근육성 턱관절장애 ··· 139

Case 1 ▶▶ 장기간 지속된 턱관절장애 1, 3, 4형 ··· 139

Case 2 ▶▶ 임플란트 주위 통증이 동반된 근육성 턱관절장애 ··· 144

9 구강악습관이 개입된 턱관절장애 ··· 146

Case 1 ▶▶ 이갈이로 인한 임플란트 주위 변연골 소실 ··· 146

Case 2 ▶▶ 이갈이와 연관된 턱관절장애 ··· 150

Case 3 ▶▶ 이갈이와 편측저작과 연관된 턱관절장애 ··· 153

Case 4 ▶▶ 이갈이와 연관된 임플란트 반복적 실패 ··· 155

10 전신마취하에서 정복한 턱관절탈구 ··· 160

Case 1 ▶▶ 80세 여자 환자에서 1년 전부터 턱관절탈구가 발생한 상태로 방치되었던 증례 ··· 160

Case 2 ▶▶ 상하악 완전 무치악 상태의 65세 여자 환자에서 2개월 전부터 턱관절탈구가 발생한 증례 ··· 163

11 반복적으로 턱이 빠지는 증례: 습관성탈구 ··· 168

Case 1 ▶▶ 21세 지적장애 환자의 우측 습관성탈구를 관절개방수술로 치료한 증례 ··· 168

Case 2 ▶▶ 20세 여자 환자의 턱관절 습관성탈구를 양측 턱관절 개방수술로 치료한 증례 ··· 171

Case 3 ▶▶ 습관성 턱관절탈구를 턱관절경 시술로 치료한 증례 ··· 177

Case 4 ▶▶ 습관성 턱관절탈구에 대한 보존적 치료 및 턱관절경 시술 후 치료가 중단된 증례 ··· 180

12 턱관절경 시술을 병행하여 치료한 난치성 턱관절장애 ··· 184

Case 1 ▶▶ 장기간 지속되는 턱관절장애를 턱관절경 시술, 약물, 물리치료, 스플린트, 관절강 주사치료를 병행하여
치유시킨 증례 ··· 184

Case 2 ▶▶ 개구제한과 통증이 지속되는 48세 여자 환자에서 턱관절경 시술과 다양한 보존적 치료를 병행하여
치유시킨 증례 ··· 190

Case 3 ▶▶ 24세 여자 환자의 장기간 지속되는 턱관절장애를 턱관절경 시술과 다양한 보존적 치료를 병행하여
치료한 증례 ··· 194

13 턱관절 개방수술(TMJ open surgery) ⋯ 198

Case 1 >> 61세 여자 환자에서 장기간 보존적 치료에도 불구하고 지속되는 턱관절장애에 대한 턱관절 개방수술 증례 ⋯
198

Case 2 >> 44세 여자 환자의 좌측 턱관절에 발생한 활액막연골종증(Synovial chondromatosis) ⋯ 206

Case 3 >> 27세 여자 환자의 좌측 턱관절에 발생한 골연골종(Osteochondroma) ⋯ 212

Case 4 >> 44세 여자 환자에서 장기간의 보존적 치료에 반응을 보이지 않은 턱관절장애를 턱관절 개방수술을 통해 치료
한 증례 ⋯ 216

Case 5 >> 난치성 턱관절장애 환자의 턱관절 개방수술 실패 ⋯ 222

14 턱관절강직증(TMJ ankylosis) ⋯ 229

Case 1 >> 턱관절강직증으로 인해 입을 거의 못 벌리는 환자에서의 임플란트 치료: 진성 골성 턱관절 강직증(True,
bony TMJ ankylosis) ⋯ 230

Case 2 >> 9년 이상 개구제한이 지속된 54세 여자 환자의 턱관절 개방수술 증례: 가성 턱관절강직증(False TMJ
ankylosis) ⋯ 237

Case 3 >> 구강 내 협점막의 흉터 밴드(scar band)에 의한 개구제한 ⋯ 241

15 하악과두골절로 인한 개구제한 및 부정교합 ⋯ 245

Case 1 >> 41세 남자 환자에서 하악과두골절로 인한 개구제한 및 부정교합이 존재하는 상태에서 임플란트 치료가 진행
된 증례 ⋯ 245

16 잘못된 턱관절 치료 ⋯ 252

Case 1 >> 일반적으로 많이 사용하지 않는 이상한 장치를 장기간 착용하면서 교합 변화 및 턱관절장애가 악화된 증례
⋯ 252

Case 2 >> 20세 남자 환자가 장기간 한의원 치료와 정체 불명의 이상한 구강장치를 착용하면서 장기간 턱관절장애가 지
속된 증례 ⋯ 256

17 특발성 과두흡수증(Idiopathic condyle resorption, ICR) ⋯ 261

Case 1 >> 특발성 과두흡수증으로 진단된 29세 여자 환자의 양악수술 증례 ⋯ 261

Case 2 >> 19세 여자 환자에서 특발성 과두흡수증을 안정시키기 위한 치료를 시행한 후 교정치료를 동반한 양악수술이
시행된 증례 ⋯ 267

Case 3 >> 교정치료 후 과두흡수증으로 인해 부정교합이 재발된 환자를 교정치료만으로 해결한 증례 ⋯ 272

18 류마티스질환 관련 ⋯ 280

Case 1 >> 류마티스관절염으로 인한 교합이상 및 턱관절장애 발생 ⋯ 280

Case 2 >> 류마티스질환과 관련된 턱관절염의 보존적 치료 ⋯ 284

C O N T E N T S

CHAPTER 2

고찰 ···· 289

1 역학 ··· 291
2 병인론(Etiology) ··· 292
3 턱관절장애의 발병기전(Pathogenesis) ··· 297
4 분류 ··· 302
5 진단 ··· 309
6 감별진단 ··· 321
7 턱관절장애의 치료 ··· 326
8 턱관절강직증 ··· 359

CHAPTER 3

턱관절 관련 의료분쟁 ···· 365

1 사각턱축소술 등 성형수술 후 턱관절장애가 발생한 증례 ··· 366
2 임플란트 식립 후 턱관절, 잇몸 통증과 두통 발생 ··· 369
3 보철치료 후 턱관절장애 발생 ··· 372
4 스케일링 시 턱관절탈구 ··· 373
5 환자 보건소 민원 및 형사고소 사례 ··· 374

CHAPTER 4

필자의 턱관절 관련 논문 ···· 377

참고문헌   418
부록   440
INDEX   450

턱관절질환(Temporomandibular joint diseases)

　치과의사들에게 턱관절은 매우 중요한 해부학적 구조물이며 다양한 질환들이 발생하고 있다. 모든 치과치료 시 항상 관련성이 있지만 막상 치과의사들이 어려워하는 분야이기도 하다. 외상, 감염, 종양, 턱얼굴기형, 강직증, 턱관절장애 등 다양한 질환들이 발생하며 전신질환 및 정신과적 문제와도 많은 연관성이 있다. 치과의사들은 자신의 전문 분야 진료들은 성공적으로 잘 수행하고 있지만 진료 전후에 턱관절 관련 질환들에 접하게 되면 어려움을 겪는 경우가 많다. 그러나 턱관절질환을 다루는 것을 절대로 기피해선 안 된다. 정상적인 치과치료 후에 턱관절장애가 발생하는 경우가 매우 많은데 부적절하게 대처할 경우 모든 책임을 치과의사들이 떠안을 수밖에 없다. 반드시 턱관절질환에 대한 지식을 습득하고 적극적으로 진료해야 한다. 진료를 하지 않더라도 감별진단을 잘한 후 관련 전문의에게 의뢰할 수 있는 능력은 가지고 있어야 한다.

1. 턱관절질환은 턱관절장애, 외상, 감염, 종양, 전신질환과 연관된 관절염 등 다양한 질환들을 포함하고 있다.

2. 보존수복치료, 치주치료, 임플란트치료, 발치, 보철치료, 교정치료 등 치과의사들이 시행하는 모든 치과치료들은 턱관절과 관련이 있다. 턱관절은 치과진료 시 치과의사들이 피할 수 없는 해부학적 구조물이며 모든 치과의사들이 관심을 갖고 관련 지식을 습득해야 한다.

3. 턱관절장애 환자들은 턱관절 잡음, 턱 움직임 불편감(개구제한, 전방 및 측방운동 제한, 개구 시 하악 편향 혹은 편위 등), 턱관절과 주변 통증 등을 호소하면서 내원하는 경우가 많다. 그러나 증상이 없는 잠재적인 턱관절장애 환자들이 매우 많으며 소인이 관여되면 언제든지 발병할 수 있다.

4. 정상적인 치과치료 후에 증상이 없었던 잠재적인 환자 혹은 턱관절이 매우 건강했던 정상적인 환자에서 턱관절 장애가 발생할 수 있다. 턱관절장애가 발생할 경우 환자들에게 잘 설명하고 대처할 수 있는 능력을 갖춰야 한다.

5. 치과치료를 위해 내원한 모든 환자들에 대해 간단하게라도 턱관절에 대한 평가를 시행하고 치과치료 이후에 턱관절장애가 발생할 수 있다는 사전 설명을 분명히 해야 한다.

6. 모든 치과의사들은 턱관절에 발생하는 다양한 질환들에 대한 지식을 갖고 있어야 하며 감별진단할 수 있는 능력을 갖춰야 한다. 부적절한 진단이나 처치를 시행할 경우 의료분쟁이 발생할 가능성이 매우 높다.

7. 턱관절장애의 가장 기본적인 치료는 가역적인 보존치료이다. 수술, 보철, 교정과 같은 비가역적 치료는 최후의 수단으로 고려해야 한다.

8. 턱관절장애의 소인은 여러 가지가 복합적으로 관여한다. 따라서 치료법도 다양할 수밖에 없으며 절대로 한 가지 치료법으로 해결할 수 없다. 필요한 경우엔 다른 치과 전문의, 의과 전문의들과의 협진이 필요할 수 있다.

9. 정신적 문제가 개입된 난치성 턱관절장애 환자들은 복잡하고 다양한 임상 증상들을 호소한다. 보존적인 턱관절 치료만으로 호전되지 않거나, 더 효과적인 치료효과를 얻기 위해서는 신경과, 정신건강의학과, 마취통증의학과, 재활의학과 등에 적극적인 협진을 의뢰하여 병행 치료를 고려하는 것이 좋다.

10. 구강악습관(이갈이, 이악물기, 편측저작 등)이 해결되지 않고 지속된다면 턱관절장애는 치료되지 않는다. 여러 가지 임상 증상들과 객관적 소견들을 근거로 구강악습관을 진단하고 환자에게 위험성을 고지한 후 반드시 악습관이 조절되어야 턱관절장애가 잘 치료될 수 있다.

11. 턱관절장애가 보존적 치료, 턱관절세정술 및 턱관절경 시술과 같은 준외과적 치료에 반응을 보이지 않는 경우, 턱관절강직증, 턱관절 외상으로 인한 관절염 혹은 과두 골절, 턱관절 종양 등은 외과적 처치가 필요하다. 외과적 처치가 필요한 증례들을 아무 생각 없이 장기간 보존적 치료를 시행하는 행위는 절대로 금해야 한다.

12. 턱관절장애는 완치되지 않는다. 잘 치유될 수 있지만 특정 소인들이 관여되면 언제든지 재발할 수 있다.

1

골치 아픈 턱관절
질환 증례들

TOUGH CASES

치과진료 후 발생하는 골치 아픈 증례들

1

골치 아픈 턱관절질환 증례들

1. 치과치료와 턱관절장애

> ## Case 1 > 우측 상악 구치부 임플란트 치료 중
> 턱관절장애가 발생한 증례

2007년 9월 19일 52세 여자 환자가 #15-17 유동성 및 통증을 주소로 내원하였다. 특이 전신질환은 없었으며 #15-17 치조골 소실 등 치주염 진행이 심한 상태여서 발치 후 임플란트 치료를 계획하였다. 하악 양측 구치부가 소실된 상태로서 장기간 국소의치를 착용하고 있었다(Fig 1-1). 2007년 10월 16일 #14, 15, 17을 발치하고 골이식을 시행하였으나 2일 후부터 심한 종창 및 발열과 통증을 호소하였다(Fig 1-2, 3). 소염진통제(Ketoprofen 100 mg IM, Reumel 7.5 mg bid)와 항생제(Fullgram 2 mL IM, Mesexin 500 mg bid PO)를 투여하였고 봉합사를 제거할 시점에 통증 등 관련 증상들이 거의 소멸되었다. 2007년 10월 26일 전악 스케일링을 시행하였고 2007년 11월 2일부터 #32 근관치료가 시행되었으며 2008년 2월 18일 #14, 16, 17 부위에 임플란트(Osstem GS II)를 1회법으로 식립하였다(Fig 1-4). 창상 치유는 양호하였으나 2008년 4월 28일 우측 턱관절 주변의 심한 통증을 호소하면서 내원하였다. 1개월 전부터 입을 크게 벌리거나 음식을 씹을 때 통증이 시작되었고 30 mm의 개구제한을 보였다. 아침에 턱이 뻐근한 증상이 있고 귀에서 "윙"하는 소리가 들린다고 하였다. 턱관절장애 1, 3형으로 진단하고 질환의 발병 기전 및 주의사항들을 설명하고 귀가시켰다(Fig 1-5).

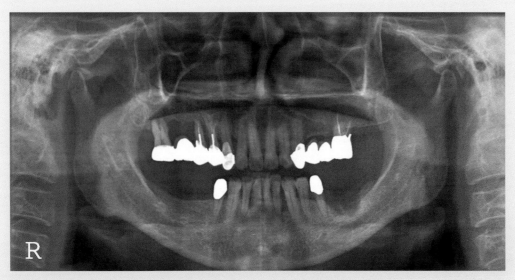

Fig. 1-1. 52세 여자 환자의 초진 시 파노라마 방사선사진. 상악 우측 구치부 통증과 유동성을 주소로 내원하였으며 양측 하악 구치부가 소실되어 임시 의치를 착용하고 있었다.

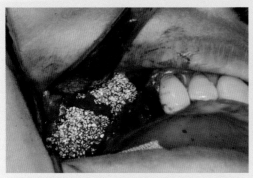 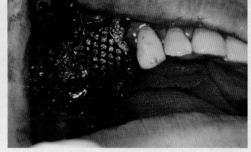

Fig. 1-2. #14-17 발치 후 치조골 수직증대술을 시행하였다.

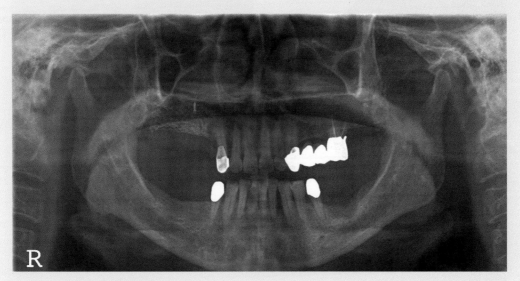

Fig. 1-3. 술 후 파노라마 방사선사진

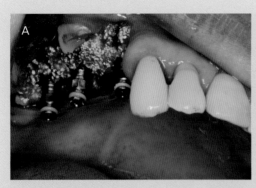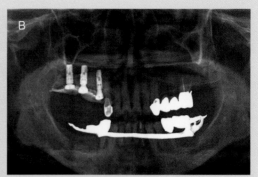

Fig. 1-4. 골이식 4개월 후 임플란트를 1회법으로 식립하였다.

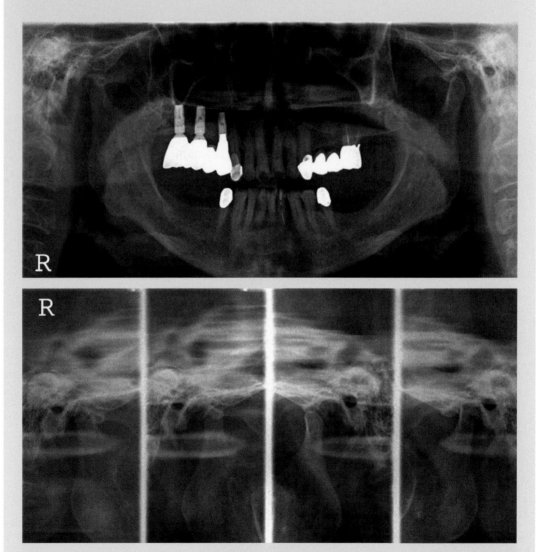

Fig. 1-5. 치과치료를 시작한 시점부터 약 7개월 후 턱관절장애 증상이 발생하였다. 방사선사진에서는 우측 과두의 모양이 초진과 비교하여 약간 변한듯한 소견을 보였으나 골흡수 등 골관절염 소견을 보이지 않아 CT 등 정밀검사는 시행하지 않았다.

2008년 6월 26일부터 보철치료가 시작되었고 **2008년 8월 12일** 상부 보철물이 장착되었으며 6개월 간격의 유지관리를 계획하였다(**Fig 1-6**). **2008년 9월 23일** 내원 시 입이 잘 안 벌어지는 증상이 계속되고 있으며 간헐적으로 양측 턱관절에서 소리가 난다고 하였다. **2008년 9월 26일** 개구량이 20 mm로 감소하였고 식사할 때, 말할 때와 입을 크게 벌릴 때 우측 턱관절 통증이 심하고 우측 턱관절 주변 촉진 시 압통이 존재하였다. 두통과 이명이 계속되며 아침에 뻐근한 증상이 더 심하다고 하여 안정위스플린트 제작을 위한 인상을 채득하고 Celebrex, Sensival을 2주 처방하였다. **2008년 10월 10일** 스플린트를 장착하였으며 **Box 1**과 같이 턱관절장애에 대한 보존적 치료가 시행되었다. **2009년 6월 29일** 턱관절장애 증상들은 거의 소멸되어 주의사항을 상세히 설명하고 1년 간격으로 임플란트 유지관리가 잘 진행되고 있다(**Fig 1-7, 8**).

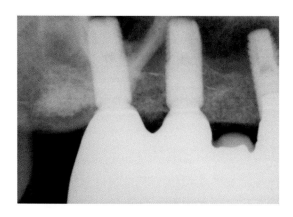

Fig. 1-6. 상부 보철물 장착 후 치근단 방사선사진

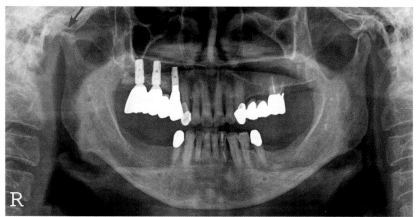

Fig. 1-7. 2009년 6월 29일 촬영한 파노라마 방사선사진. 턱관절 증상들은 거의 소멸되었으나 우측 턱관절 과두의 모양은 초진과 비교하여 약간 변한 양상을 보이고 있다(→).

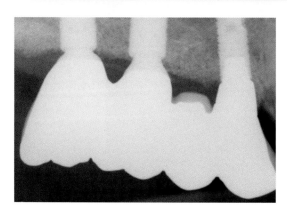

Fig. 1-8. 상부 보철물 장착 4년 후 치근단 방사선사진

Box 1	**턱관절장애 치료**

2008. 9. 26	턱관절장애 임상검사. 스플린트 제작을 위한 인상채득, 약물 처방(Celebrex, Sensival)
2008. 10. 10	안정위스플린트 장착
2008. 10. 31	스플린트 체크, 레이저치료. Rheumagel 30 mg/g (Ketoprofen) 하루 3회 통증 부위에 도포하도록 처방함.
2008. 12. 5	스플린트 체크. 개구량 30 mm, 밤에 자다가 갑자기 우측 턱관절이 아픈 경우가 있었으나 점차 호전되는 것 같다고 언급함.
2009. 1. 2	스플린트 조정, 레이저치료. Celebrex 1주 처방. *"밤에 자다가 통증이 심해서 가끔 깬다."* 우측 턱관절 측방 촉진 시 압통
2009. 3. 2	스플린트 체크, 레이저치료. 가끔 우측 턱관절 주변이 아프지만 처음에 비해 현저히 완화된 상태라고 함.
2009. 6. 29	스플린트 체크, *"하품할 때 우측 턱관절 부위가 약간 아프다. 우측으로 음식이 잘 씹히지 않아 주로 좌측으로 씹는다."* 양측으로 골고루 음식을 씹는 것이 턱관절장애 회복에 도움이 된다고 설명하였음.

⊗ Problem lists

1 초진 시 턱관절장애 관련 증상 없었음
2 장기간 다양한 치과치료(발치 후 골이식, 근관치료, 임플란트 지연식립, 임플란트 보철치료, 임플란트 유지관리) 후 턱관절장애 증상 발생
3 하악 양측 구치부 소실 및 장기간 국소의치 착용
4 만성치주염으로 인한 저작장애

치료 및 경과

1 약물, 물리치료 및 안정위스플린트 치료
2 상담 및 상세한 설명
3 예후 양호

◀))) Comment

● 턱관절장애 증상이 없는 52세 여자 환자가 약 7개월간 치과치료(발치, 골이식, 근관치료, 스케일링, 임플란트 식립 수술)를 받은 후 턱관절장애가 발생하였다. 방사선사진은 초진 시와 비교하여 우측 과두의 골개조성 변화가 관찰되긴 하였지만 피질골 소실이나 흡수 소견이 없어서 CT 촬영 등 정밀검사는 시행하지 않았다. 임상 증상들을 토대로 근육성 턱관절장애(TMD 1형)와 턱관절내장증(비정복성 관절원판 전방전위 TMD 3b형)으로 잠정 진단하고 상담 및 주의사항을 설명하고 후속 보철치료를 진행하였다.

그러나 보철치료 후 증상은 더욱 악화되어 약물, 물리치료, 스플린트 치료를 적극적으로 시행하여 정상으로 회복시킬 수 있었다. 본 증례의 발병 원인은 "장기간의 치과치료"로 인한 턱관절 과부하로 확신할 수 있다. 환자는 장기간 하악 국소의치를 장착하고 있었으며 치아 유동성 및 통증으로 인해 정상적인 저작을 하지 못하는 환자였다. **치아 상실 등으로 인한 비효율적인 저작은 턱관절장애의 위험요소**로 관여하며 의치 장착자들은 일반인들에 비해 턱관절장애가 발생할 가능성이 높다고 알려져 있다(Al-Abbashi H, et al; 1999, Johansson A, et al; 2000, 2006, Lundeen TF, et al; 1990). 초진 시 증상이 없었다 하더라도 잠재적인 턱관절장애 환자로 간주하고 치료에 임했어야 한다.

정상 환자 혹은 무증상의 잠재적인 **턱관절장애 환자들에서 치과치료가 시행될 경우 사전에 위험성을 고지하고, 발병하였을 경우 적절히 대처할 수 있는 능력을 갖추는 것이 중요하다.** 이와 같은 증례의 경우 턱관절장애가 잘 치료되지 않고 더욱 악화된다면 의료분쟁으로 진행될 가능성이 있으며 법적 다툼이 있을 경우 사전 설명 부족으로 치과의사가 패소할 가능성이 매우 높다.

Case 2 > 상하악 다수 임플란트 치료 중 발생한 턱관절장애

2006년 6월 3일 23세 여자 환자가 다수의 잔존 치근 발치 및 임플란트 치료를 목적으로 내원하였다. 어릴 때부터 치과공포증으로 인해 현재까지 치과치료를 거의 받지 못하였으며 #16, 24, 25, 36, 37, 46, 47 잔존 치근, 우식증 및 치근단 농양, #38, 48 주변 염증이 심한 상태였다. 전악 스케일링을 시행한 후 전신마취하에서 #16, 25, 36, 37, 38, 46, 47, 48을 발치하고 동시에 임플란트를 식립하기로 결정하였다(Fig 1-9). 2006년 8월 9일 전신마취하에서 발치 및 골이식을 동반한 임플란트 식립술이 시행되었다. 술 후 경과는 양호하였고 2006년 8월 21일 봉합사를 제거하였다(Fig 1-10).

2006년 9월 18일 양측 턱관절 주변 통증이 심하고 입 벌리기 힘들면서 두통이 심하다고 하였다. Amitriptyline 10 mg qd, Carol-F bid를 1주 처방하고 안정위스플린트 제작을 위한 인상을 채득한 후 2006년 10월 13일 스플린트를 장착하였다. 2006년 12월 19일 #35, 36, 37, 46, 47 임플란트 2차 수술을 시행하였는데 당일 우측 턱관절의 심한 통증과 개구제한 증상이 존재하였다. 2007년 1월 2일 #16, 24, 25 임플란트 2차 수술이 시행되었고 최종 보철물 장착을 위한 치료가 장기간 소요되었다(Box 2). 보철과에 내원하는 날마다 스플린트 체크 및 조정과 물리치료를 시행하였다. 2008년 2월 18일 30 mm 개구량과 양측 턱관절 통증이 지속되는 상태여서 최종 완성된 치열을 기준으로 인상을 다시 채득하여 안정위스플린트를 제작하였다(Fig 1-11). 1개월 간격으로 스플린트 조정 및 물리치료를 시행하였으며 2009년 8월 3일 내원 시 모든 증상들이 소멸되었다(Fig 1-12).

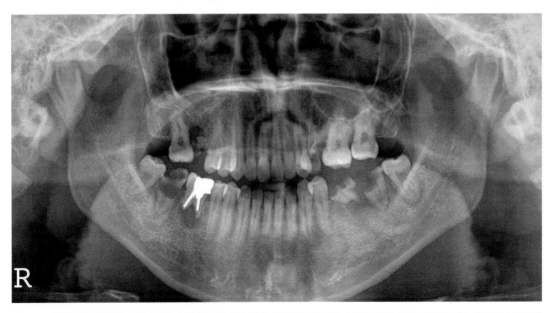

Fig. 1-9. 23세 여자 환자의 초진 시 파노라마 방사선사진. 다수 치아들의 우식증, 치근단 병변, 잔존 치근이 다수 존재하고 있으며 젊은 여자 환자의 구강 상태라고 생각되지 않는다. 정상적인 저작 기능이 불가능한 상태이기 때문에 턱관절 기능에도 나쁜 영향을 미쳤을 것으로 생각되지만 턱관절장애 관련 임상 증상은 없었고 방사선사진에서도 턱관절의 이상 소견은 관찰되지 않았다.

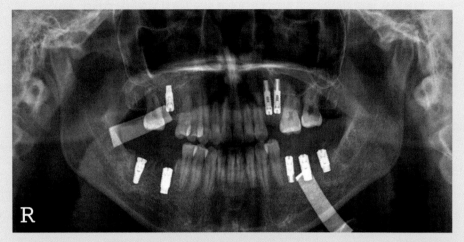

Fig. 1-10. 술 후 파노라마 방사선사진. 전신마취하에서 골이식을 동반한 임플란트 식립 수술이 시행되었다.

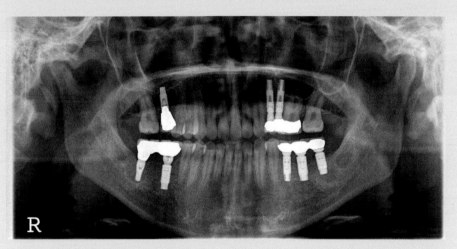

Fig. 1-11. 상하악 최종 보철물 장착 5개월 후 파노라마 방사선사진. 개구제한 및 양측 턱관절 통증을 호소하여 안정위스플린트를 다시 제작하여 장착하였다.

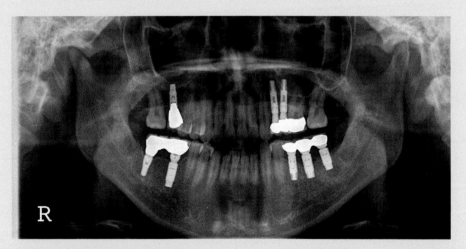

Fig. 1-12. 최종 보철물 장착 2년 후 파노라마 방사선사진. 턱관절장애 증상들은 모두 소멸되었지만 양측 과두의 형태가 초진 시점에 비해 많이 변화된 모습을 볼 수 있다. 턱관절장애가 재발할 가능성이 있으며 환자에게 병인론과 주의사항을 잘 설명하고 정기적으로 내원시켜 관찰하는 것이 좋다.

Box 2 \ **임플란트 보철치료(보철과 전문의가 기록한 의무기록지 원본에서 발췌한 내용)**

2007. 1. 9	하악 임플란트 보철을 위한 인상채득
2007. 1. 30	#26-27 치은절제술
2007. 2. 14	#17, 27 Enameloplasty, #26 PFG 제작을 위한 치아 삭제, #16 임플란트와 #26 인상채득
2007. 3. 2	#16 임플란트 상부 보철물 장착, #26 치관 임시 접착, JR recording
2007. 4. 3	Lower framework try-in, bite verification shade selection
2007. 4. 18	Try-in of bridge, bite verification
2007. 7. 28	#46, 47 재인상채득, #24, 25 임플란트 인상채득
2007. 8. 24	#24, 25 mini solid abutment occlusal reduction, temporary setting (20 N) of PFG (temp bond + vaseline), #46, 47 abutment connection (30 N) try-in of coping & pick-up impression, shade selection, temporary resin crown
2007. 9. 11	#46, 47 상부 보철물 임시 접착, #24-26 상부 보철물 영구 접착
2007. 9. 28	#35-37, 46-47 상부 보철물 영구 접착

⊗ Problem lists

1 전신마취하에서 상하악 다수 임플란트 식립 수술

2 다수 치아들의 우식증, 잔존 치근, 치근단 병변으로 인해 저작 기능이 상실된 상태로 장기간 생활하였음

3 잠재적인 턱관절장애 환자

치료 및 경과

1 안정위스플린트 및 물리치료

2 예후 양호

🔊 Comment

● 본 증례는 다수 치아들의 상실로 인한 저작장애 및 턱관절 주변 근육의 비정상적 기능이 존재하는 환자였지만 임상 증상은 없는 **잠재적인 턱관절장애** 환자였다. 초진 시 위험요인들을 간과하였고 턱관절장애 관련 검사 및 사전 설명이 전혀 이루어지지 않았다. 건강한 환자와 **무증상의 적응 환자(Asymptomatic adaptive: 환자 자신들이 잘 모르는 잠재적인 증상이 있으나 잘 적응하고 있는 경우)**들은 치과치료 중 혹은 후에 턱관절장애가 발생할 수 있으며 의료분쟁으로 진행될 위험성이 큰 그룹이다(Delcanho R; 1994).

장기간의 치과치료가 턱관절장애를 악화시켰을 가능성이 있지만 치료 중 첫 증상은 전신마취 수술 이후에 발생하였다. 전신마취를 위한 기관삽관술은 진정상태에서 과도하게 입을 벌리는 작업을 필요로 한다. 전신마취 후 턱관절장애가 발생할 위험성이 있다는 논문들이 많이 발표되었고 마취통증의학과 전문의들이 전신마취 전에 턱관절장애 위험성을 고지하고 동의를 받는 경우가 많다(Martin MD, et al; 2007). 또한 전신마취하에서 수술을 진행할 경우 환자의 의식이 없는 상태에서 과도하게 입을 벌리고 장시간 동안 치과 수술을 시행하기 때문에 양측 턱관절에 과부하가 가해지는 것은 분명하다. 본 증례에서 턱관절장애 증상이 처음 발생한 주 기여인자는 전신마취 수술이라고 단정할 수 있다.

증상이 발생한 즉시 보존적인 물리치료와 안정위스플린트 치료를 시작하였고 보철물이 완성된 후 새로운 교합에 맞는 스플린트를 다시 제작하여 턱관절을 안정시킬 수 있었다. 치료 중에는 임시 보철물이 장착되고 수시로 상부 교합이 변하기 때문에 보철치료를 받은 날 반드시 스플린트를 재조정하여 장착해야 한다. 치료 도중에 턱관절장애 발병의 원인과 발병 기전을 상세히 설명하며 보존적 치료를 적극적으로 시행하였고 환자를 안심시키면서 증상을 개선시킬 수 있었다. 이 증례 역시 **치료가 잘 되지 않고 환자의 불만이 누적되었다면 의료분쟁은 불가피하고 법적 다툼이 있을 경우 사전 설명 부족으로 치과의사가 패소할 가능성이 매우 높다고 생각된다.**

Case 3 > 턱관절장애가 존재하는 환자에서 치과치료와 턱관절장애에 대한 보존적 치료가 병행된 증례

2006년 3월 9일 24세 남자 환자가 다수 치아 우식증 치료와 구개측에 위치한 치아 발치를 목적으로 내원하였다. #35, 36 우식증은 매우 진행된 상태여서 발치하기로 결정되어 구강악안면외과로 의뢰되었다(Fig 1-13). 임상검사 시 아침에 우측 턱관절에서 소리가 크게 나고 치과치료 중에 턱이 빠진 적이 있으며 개구 시 턱이 S자형으로 틀어지면서 벌어지는 소견을 보였다. #35, 36, 47은 근관치료된 치아로서 우식증이 매우 진행되었기 때문에 발치 난이도가 높을 것으로 판단하였으며 우선 턱관절장애(3형) 관련 상담과 주의사항을 설명하고 통상적인 치과치료를 시작하기로 하였다(Fig 1-14).

2006년 4월 24일 #25, 35, 36을 발치하였고 2006년 5월 2일 #47을 발치하였다. 2006년 7월 12일부터 보존과에서 #22, 24, 16, 17 근관치료 및 보철 수복, #26 우식증 치료가 시행되었다. 2006년 8월 9일 보존치료 도중에 좌측 턱관절이 탈구되었으나 치료 종료 시점에 발견(약 10분간 탈구된 상태로 유지)되어 도수정복술(manual reduction)이 시행되었다. 그러나 이후에도 치료 도중 턱이 자주 빠지고 입을 크게 벌리지 못하여 보존치료에 상당한 어려움을 겪었다. 2006년 9월 14일 #35, 36 부위에 임플란트가 식립되었고 2006년 12월 21일 2차 수술 시행 후 2007년 1월 25일 상부 보철물이 장착되었다(Fig 1-15, 16). 2007년 2월 8일 #47 부위에 임플란트를 식립하고 경과를 관찰하던 중 2007년 3월 26일 #38 부위의 심한 통증 및 개구장애가 발생하여 Amoxapen 250 mg tid, Tylenol 80 mg tid 3일 처방하였다. 2007년 4월 12일 #28, 38을 발치하였으며 2007년 5월 26일 #47 임플란트 상부 보철물이 장착되었다(Fig 1-17).

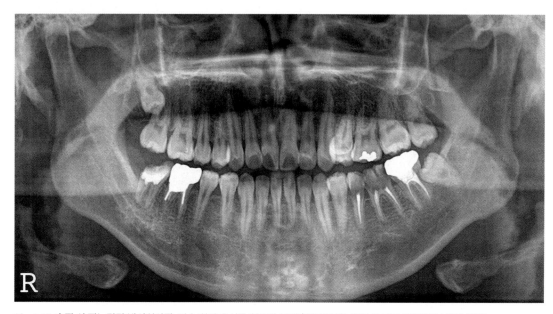

Fig. 1-13. 초진 시 파노라마 방사선사진. 다수 치아 우식증 치료와 구개측에 위치한 #25 발치를 목적으로 내원하였다.

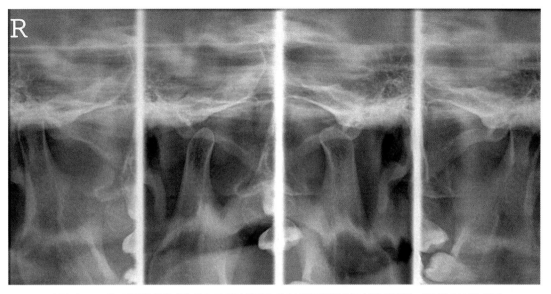

Fig. 1-14. 초진 시 TM 파노라마 방사선사진. 양측 과두가 관절융기를 넘어가면서 과도하게 움직이는 양상을 보이고 있다.

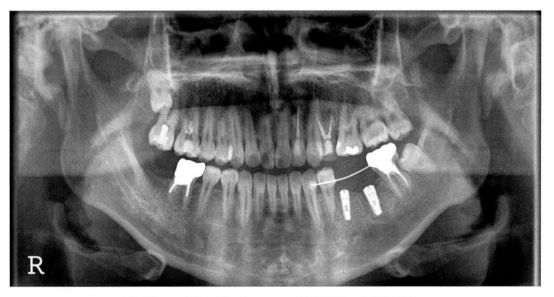

Fig. 1-15. 2006년 9월 14일 촬영한 파노라마 방사선사진. #35, 36 부위에 임플란트가 식립되었다.

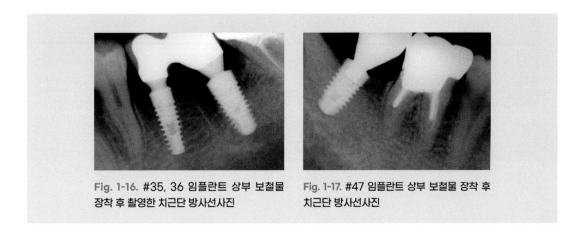

Fig. 1-16. #35, 36 임플란트 상부 보철물
장착 후 촬영한 치근단 방사선사진

Fig. 1-17. #47 임플란트 상부 보철물 장착 후
치근단 방사선사진

2008년 6월 25일 #27 우식증으로 인한 통증을 호소하면서 내원하였고 **2008년 8월 13일**까지 근관치료 후 보철치료가 시행되었다. **2008년 12월 28일** 입을 조금만 크게 벌려도 턱이 빠지는 것이 매우 걱정되어 내원하였으며 우측 턱관절에서 지속적인 관절잡음이 존재하였으나 통증은 없는 상태였다. 가급적 입을 크게 벌리지 않도록 주의시키고 6 X 6 X 6 턱 운동법을 교육시키고 임플란트 유지관리를 시행하면서 경과를 관찰하였다. **2019년 1월 18일** 최종 내원 시점까지 턱이 빠진 적은 없었고 턱관절도 안정적인 상태를 유지하고 있다 (**Fig 1-18**).

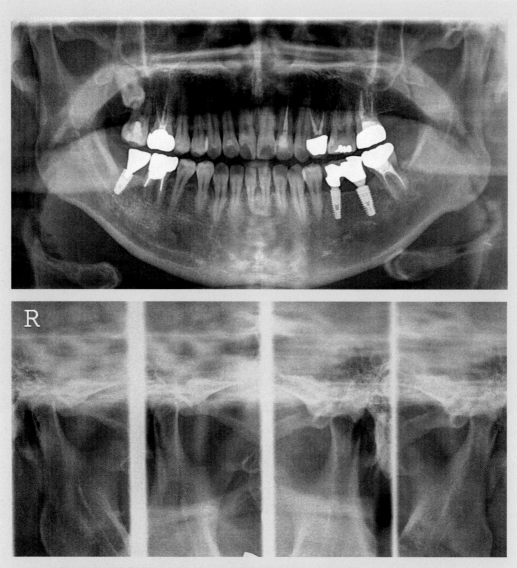

Fig. 1-18. 2019년 1월 18일 촬영한 방사선사진으로서 턱관절 불편감은 없는 상태이다.

⊗ Problem lists

▋ 턱관절탈구
▋ 장기간의 치과치료: 발치, 근관치료, 보철치료, 우식증 수복치료, 임플란트

📋 치료 및 경과

▋ 상담 및 주의사항 설명
▋ 6 X 6 X 6 턱 운동법
▋ 경과 양호

🔊 Comment

● 환자는 이전 치과치료 도중 턱이 빠진 적이 있으며 자신의 턱관절 상태에 대해 잘 알고 있었기 때문에 턱관절장애 관련 상담과 주의사항 설명을 잘 이해하고 협조적이었다. 장기간의 보존치료 중(2006. 7. 12-2007. 2. 12)에 턱이 자주 빠지는 경향을 보였으며 발치는 턱관절에 과도한 부하를 가하고 임플란트 수술은 입을 오래 벌리고 있어야 하는 등 턱관절에 무리가 가는 치료를 오랜 기간 동안 받음으로써 턱관절장애가 악화될 수밖에 없었다. 이와 같은 유형의 환자들은 **치료 시간을 짧게 여러 번 약속하여 치료하는 것이 좋다. 또한 치료 도중에 입을 다물고 쉬게 하면서 턱관절 주변을 마사지해 주고 치료가 끝난 후에는 턱관절 부위에 레이저와 같은 물리치료를 하고 귀가시키는 것이 좋다**(김영균 & 이용인; 2008, 김영균 & 윤필영; 2008). 본 증례는 습관성 턱관절탈구와 턱관절장애 3형으로 진단할 수 있으며 환자가 자신의 질환을 잘 알고 있기 때문에 사전 설명 및 주의사항, 자가운동요법 등으로 좋은 효과를 보였다. 또한 우식증과 소실 부위 임플란트 치료 등을 통해 구강 기능과 교합이 정상으로 회복된 것이 턱관절장애 치유에 좋은 영향을 미쳤을 것으로 생각된다.

Temporomandibular dysfunction 환자들은 환자 자신이 턱관절장애 증상을 인지하고 있지만 증상이 심하지 않기 때문에 특별한 치료를 받지 않은 경우이다. 이 부류의 환자들은 사전 설명만 잘 이루어지고 턱관절장애를 악화시키지 않도록 조심스럽게 치과치료를 시행한다면 큰 문제가 발생하지 않는다. 턱관절장애(**temporomandibular disorder**)를 가지고 있는 환자들은 치과치료 전에 반드시 턱관절장애 치료가 먼저 이루어져야 하며 본 증례의 경우는 상담 및 주의사항을 잘 설명한 후 치과치료를 시행하였으며 치과치료 종료 후에도 턱 운동법을 교육시키면서 주의사항을 잘 설명하였고 환자가 매우 협조적이었기 때문에 특별한 문제점 없이 모든 치과치료가 종료되었다고 생각된다(Delcanho R; 1994).

1) 증례 연구

(1) 임플란트와 턱관절장애(김영균 & 윤필영: 2008)

2003년 6월부터 2007년 12월까지 분당서울대학교병원에서 임플란트 치료를 받았던 694명의 환자들 중 턱관절장애와 연관이 있었던 환자들은 25명(3.6%)이었다. 환자들의 연령은 19세부터 70세까지로 평균 48세였으며 남자가 13명, 여자가 12명이었다. 초진 시 환자들의 턱관절 상태를 임상 및 방사선 사진을 근거로 I: healthy, II: asymptomatic adaptive, III: temporomandibular dysfunction, IV: temporomandibular disorder의 4개 그룹으로 구분하였다(Delcanho R; 1994). 그 결과 asymptomatic 'adaptive' group이 11명으로 가장 많았다 **(Table 1)**. 임상 증상은 턱관절 통증과 잡음이 수반된 경우가 가장 많았으며, 두통, 교모증, 교합이상 등 다양한 증상들이 나타났고 1명의 환자에서 최소 두 가지 이상의 증상들이 함께 나타났다**(Table 2)**.

교모증, cervical abfraction과 같은 객관적 소견이 존재하는 경우와 환자 자신 혹은 가족이 편측저작, 이 악물기, 이갈이와 같은 분명한 악습관을 인지하였던 경우는 11 증례가 있었다. 이들 중 술 전 턱관절 상태는 asymptomatic 'adptaive' 9명, temporomandibular disorder 2명이었고 임상 진단은 7명의 환자들에서 정상 소견을 보였다. 1명의 환자는 치료 전에 턱관절장애가 존재하였고 3명의 환자들은 치료 과정 중 혹은 후에 턱관절장애가 발생하였다. 임플란트 치료 전에 스플린트가 장착되었던 환자들은 3명이었으며 임플란트 상부 보철물이 완성된 후에는 11명의 환자 모두에게 스플린트가 장착되었다. 구강악습관이 임플란트 치료에 미친 영향을 조사한 결과 다양한 임플란트 관련 합병증이 발생하였고 임플란트 골유착 실패 3명, 상부 보철물의 반복적 탈락 1명, 보철물 파손이 2명에서 발생하였다.

임플란트 수술 전에 9명의 환자들에서 턱관절장애와 연관된 치료가 시행되었으며 이들의 초진 시 턱관절 상태는 asymptomatic 'adaptive' 1명, TM dysfunction 2명, TM disorder 6명이었다. 술 전 치료는 상담, 투약, 물리치료 등이 4명, 스플린트가 사용된 경우가 5명이었다. 상담, 투약 혹은 물리치료가 시행되었던 4명의 환자들 중 3명은 치료 기간 중에 특별한 증상이 발생하지 않았고 나머지 1명은 치료 기간 중에 증상이 지속되어 스플린트 치료가 추가로 시행되었다. 스플린트 치료를 받은 환자들 중 3명은 구강악습관이 존재하고 있었다. 스플린트 치료를 받았던 5명의 환자들 중 1명은 술 전부터 이갈이 방지 목적으로 장치를 착용하였고 임플란트 상부 보철물이 완성된 후에도 스플린트를 계속 장착하였으며 턱관절장애 증상은 나타나지 않았다. 1명은 술 전 스플린트 치료를 통해 관련 증상이 모두 소멸되었지만 나머지 3명은 증상이 지속되어 치료 기간 중에 스플린트 치료, Hyaluronic acid, 보툴리눔독소 주사요법이 시행되었다.

임플란트 치료 중 혹은 상부 보철물 완성 후 턱관절장애 치료는 14명의 환자들에서 이루어졌다. 임플란트 치료 중에 증상이 발생한 3명의 환자들은 술 전 턱관절장애가 지속되었으며 투약, Hyaluronic acid 주사, 보툴리눔독소 주사 및 스플린트를 이용한 치료가 진행되었다. 11명의 환자들은 임플란트 수술 0.5-37개월 후에 턱관절장애가 발생하였으며 상담, 투약, 스플린트 치료가 시행되었고 이들 중 10명은 1-12개월간의 치료 후 관련 증상들이 모두 소멸되었으나 1명의 여자 환자는 20개월의 치료에도 불구하고 증상이 해소되지 않고 지속되고 있었다. 임플란트 치료 후 턱관절장애가 발생한 환자들의 술 전 턱관절 상태는 healthy group이 6명, asymptomatic 'adaptative' group이 4명 TMD group이 1명이었다**(Table 3)**.

Table 1. Classification of TMJ status

Group	Number
I. Healthy	6 (M: 3, F: 3)
II. Asymptomatic 'adaptive'	11 (M: 8, F: 3)
III. Temporomandibular dysfunction	2 (M: 1, F: 1)
IV. Temporomandibular disorder	6 (M:1, F: 5)
Total	25 (M: 13, F: 12)

Table 2. Clinical signs and symptoms

Types	Number
Joint pain	15
Noise	9
Teeth attrition/fracture	7
Headache	4
Occlusal problem	3
Muscle tenderness	2
Limination of jaw movement	2
TMJ locking	2
Facial morphology change	2
Mouth opening deviation	2
TMJ subluxation	1
Cervical abfraction	1
Facial paresthesia	1

Table 3. Temporomandibular disorder development during or after implant treatment

Types	Number
TMD during implant treatment	3
TMD after implant treatment	11 (M: 4, F: 7)
I. Healthy	6
II. Asymptomatic adaptive	4
III. TM disorder	1
Total	14

🔊 **Comment**

● 정상적인 치과치료를 수행하였음에도 불구하고 과도한 개구량과 장시간의 치료로 인해 저작근과 턱관절에 과부하가 발생하고 하치조신경전달마취로 인해 일시적으로 내측익돌근 경련 혹은 근염이 발생하여 개구장애 및 통증 등의 증상이 나타나기도 한다. 또는 불량 수복물에 의한 교합장애, 과도한 개구기 사용 등으로 인해 턱관절장애가 유발될 수도 있다. 턱관절장애는 여자에서 압도적으로 빈발하는 것으로 알려져 있으며 다수 치아들이 상실된 경우와 이갈이를 보유한 환자들에서 턱관절 통증과 턱기능 장애가 빈발하는 경향이 있다. 따라서 **다수 치아들이 상실되어 보철 혹은 임플란트 치료를 시행하는 도중에 혹은 치료 후에 턱관절장애가 악화되면 환자들은 치과치료가 잘못된 것으로 이해하고 의료분쟁으로 진행될 수 있기 때문에 주의가 필요하다**(김영균 & 이용인; 2008, 김영균 등; 2012, Johansson A, et al; 2003).

Lundeen 등(1990)은 278명의 의치 장착자들 중 턱관절장애 발생 비율이 17-35%였음을 관찰하였으나 증상은 심하지 않았다고 보고하였다. 그러나 이와 같은 환자들은 잠재적인 임상 증상들을 가지고 있기 때문에 치과치료가 시행되는 과정에서 턱관절장애가 발병할 가능성은 충분히 있다. 건강한 환자들이라 하더라도 환자 자신이 증상을 인지하지 못하는 무증상의 턱관절장애 환자들이 많다. Dworkin 등(1990)은 일반인 집단의 약 50%에서 관절잡음, 운동 시 악골편위가 관찰되었으며 치료가 필요한 경우가 3.6-7%를 차지하였다고 보고하였다. Alexander 등(1993)은 일반 사람들 중에서 무증상 턱관절의 9-13%가 MRI 검사 시 관절원판전위가 관찰되었다고 보고하였다. Johansson 등(2006)은 50-60대 연령군에서 턱관절장애 발생 위험요소들을 조사하였다. 연구대상 군의 12.1%에서 턱관절 통증이 보고되었고 개구장애는 11.1%, 통증과 개구장애가 복합된 경우가 19.2%로 보고되었다. 여성, 전신건강상태가 좋지 않은 사람들, 치과치료에 무관심한 사람들, 치과공포증, 이갈이, 구강내 문제점들을 가진 사람들과 가철성 의치 장착자들이 턱관절 통증 및 기능이상의 높은 위험도를 보였음을 관찰하였다. 이 연구결과를 살펴볼 때 **50-60대 환자들은 치과 임플란트 치료의 대상이 되는 경우가 많으며 이와 같은 위험요소들이 치과 임플란트 혹은 보철치료 후 턱관절장애가 발생할 가능성이 있으므로 주의해야 할 것임을 시사한다.**

다른 치과치료와 턱관절장애의 연관성에 관해 여러 학자들의 보고가 있었다. Huang과 Rue (2006)는 매복지치 발치를 시행하였던 34,491명의 환자들 중 391명의 환자들이 턱관절장애 증상을 호소하였으며 매복지치 발치술은 턱관절장애의 위험요소이기 때문에 사전에 환자에게 잘 설명하고 턱관절에 과부하가 적게 발생하도록 주의할 필요가 있음을 강조하였다. 이기철(2007)은 치주치료 시기에 발생한 두통과 턱관절장애 치료 증례를 보고하였다. 이 증례에서 환자는 원래 잠재적인 턱관절장애가 존재하였음에도 불구하고 치과치료 시점에 증상의 발현이 심해져 치과치료에 대한 불신감이 팽배한 상태였음을 주지시켰다.

치과치료 후 턱관절장애 증상이 발생한 경우는 의료분쟁의 가능성이 있으며 소송이 제기된 경우엔 보상 문제가 완전히 해결되기까지 환자들의 주관적인 증상 개선이 이루어지기 어렵다. 또한 소송에 연루된 환자들은 자신의 증상을 과도하게 표현할 수 있으며 치료에도 좋지 못한 반응을 보일 수 있으므로 주의하여야 한다. 이전에 직접적인 외상을 받아 턱관절장애가 발생하였던 환자들을 조사한 결과 소송에 연루된 환자들의 상당수가 연루되지 않은 환자들에 비해 높은 통증과 불만을 호소하며 치료에 잘 반응을 보이지 않음이 확인된 바 있다(Burgess JA & Dworkin SF; 1993).

Delcanho (1994)는 치과치료 전에 모든 환자들의 턱관절 검사를 시행해야 하며, 이미 존재하고 있던 턱관절장애가 일시적으로 치과치료 후 악화될 수 있다는 점을 환자에게 설명해야 하고 치료 중 혹은 치료 후에 발생한 턱관절장애를 관리할 수 있는 능력을 갖추어야 한다고 언급하였다. 그는 턱관절의 상태에 따라 healty, asymptomatic 'adaptive', temporomandibular dysfunction, temporomandibular disorder의 4가지 군으로 분류하였다. 이들 중 **asymptomatic 'adaptive'군은 환자 자신들이 잘 모르는 잠재적인 증상이 있으나 통증이 없고 어떤 이상 기능에 대해서 환자 자신들이 잘 적응하고 있는 경우로서 'unknown risk'군이라고 언급하였다.** 이들에게 사전 설명이 이루어지지 않은 상태에서 치과치료 후 증상이 발생할 경우엔 심각한 문제 제기 가능성이 있고 턱관절장애가 잘못된 치과치료로 인해 야기된 것으로 생각하게 될 것이다. Temporomandibular dysfunction 군은 환자 자신이 턱관절장애 증상을 인지하고 있지만 증상이 심하지 않기 때문에 특별한 치료를 받지 않은 경우이다. 이 부류의 환자들은 사전 설명만 잘 이루어지고 턱관절장애를 악화시키지 않도록 조심스럽게 치과치료를 시행한다면 큰 문제가 발생하지 않는다. Temporomandibular disorder 군은 치과치료 전에 반드시 턱관절장애 치료가 먼저 이루어져야 한다.

모든 치과환자들에 대해 턱관절검사를 세밀하게 시행할 수는 없다. 그러나 통증 없이 하악을 움직일 수 있는 범위(pain free range of mandibular movement), 귀 전방부의 턱관절 촉진 시 압통(palpation for preauricular TMJ tenderness), 턱관절 잡음(TMJ sound), 교근과 측두근 촉진 시 압통(palpation for masseter and temporalis muscle tenderness), 안면 및 악골의 대칭성과 배열 형태(symmetry and alignment of the face and jaws), 구강악습관을 시사하는 구강내 소견(intraoral inspection for parafunction) 등의 검사는 반드시 시행하는 것이 좋으며 진료시간도 그다지 오래 걸리지 않는다. 또한 초진 시 촬영한 파노라마 방사선사진에서 하악과두, 관절와, 관절융기 부분을 잘 살펴보고 이상 소견이 있을 경우에는 판독 결과를 의무기록지에 기재하고 환자에게 설명해야 한다.

골유착 임플란트는 주변 골조직과 직접적인 골접촉이 이루어지며 치주 수용기가 없기 때문에 자연치에 비해 8배 이상 촉각 인지도가 저하되어 있다는 보고가 있다(Hammerle CH, et al; 1995, Jacobs R & van Steenberghe D; 1993). 따라서 과도한 교합 하중은 임플란트에 위험 요소로 관여할 수 있으며 이악물기, 이갈이와 같은 구강악습관은 임플란트에 중대한 유해 요인으로 관여하게 된다. Nonaxial loading은 임플란트 구성요소와 상부 구조물 뿐만 아니라 임플란트-골 접촉 부위에 과도한 스트레스를 유발하게 된다. 교합 과부하와 임플란트 골유착 실패, 턱관절장애 사이의 밀접한 상관관계가 명확히 입증되지는 않았지만 임상의들은 임플란트와 턱관절에 과도한 스트레스가 가해지지 않도록 조치를 취해야 한다(Isidor F; 2007). 구강악습관이 턱관절장애의 직접적 소인이 된다는 이론에는 많은 논란이 있지만 저작근의 과활성, 치아마모 및 턱관절 과부하를 유발할 가능성은 충분히 있다. 특히 턱관절장애가 발병하지 않는다 하더라도 임플란트 치유기간 중에 저작근의 과활성, 상부보철물 완료 후 nonaxial load에 의한 임플란트 골유착 파괴, 임플란트 주위염, 상부 보철물 혹은 임플란트 고정체 파절 등의 합병증이 발생할 가능성은 충분히 있다. 따라서 사전에 이갈이, 이악물기, 편측저작과 같은 악습관을 찾아내어 고치도록 유도하거나 보호용 스플린트를 제작하여 임플란트 치료 후 장착해 주는 것을 적극 고려해야 할 것이다.

2. 턱관절장애와 혼동되는 질환들

턱관절장애는 측두하악관절과 구강안면통증을 포함하는 광범위한 질환의 하나이다. 사회 환경 및 심리적 스트레스와 밀접한 연관이 있으며 계속 환자들의 수가 증가하고 있다. 턱관절장애 환자들은 대부분 통증, 악골운동장애(개구제한, 전측방 운동 장애, 개구 시 악골편위), 관절잡음을 주소로 내원하지만 질환이 만성으로 진행되면서 자율신경계와 관련된 비정형 신체증상(두통, 눈 충혈, 감각이상, 교합이상 등), 이비인후과적 증상(귀 통증, 이명, 어지럼증 등)이 동반되는 경우가 많다. 턱관절장애 환자들은 아직도 신경과, 정형외과, 이비인후과, 마취통증의학과, 내과, 정신건강의학과, 한의원 등을 처음 방문한 후 치료가 되지 않아 치과를 방문하는 경우가 매우 많다. 턱관절장애의 진단은 대부분 임상검사(증상 및 징후, 병력청취)를 통해 진단이 가능하며 방사선검사를 비롯한 부가적인 검사들은 진단의 보조역할을 하는 경우가 대부분이다. 정확한 진단과 분류가 결정되어야 적절한 치료법이 선택되며 대부분 상담, 투약, 물리치료, 스플린트와 같은 보존적인 방법으로 잘 치료할 수 있다. 보존적인 처치에 잘 반응을 보이지 않는 경우 관절강 주사, 보툴리눔독소 주사, 관절강세정술, 관절경 시술 등을 고려하게 된다. 턱관절 개방수술, 보철 혹은 교정적 치료 등과 같은 침습적인 비가역적인 치료는 최후의 방법으로 남겨두어야 한다. 간혹 턱관절장애와 거의 유사한 증상들을 보이는 질환을 보유한 환자들이 치과에 내원할 수 있으며 정확한 감별진단이 이루어지지 않을 경우 불필요한 턱관절 치료가 장기간 시행되면서 질환의 진행을 더욱 악화시킬 수 있다. 감별진단을 못한 것을 치과의사의 중대한 의료과오로 판정할 수는 없지만 적절한 진단을 못해 질환이 진행되거나 악화될 경우엔 전원의무 위반, 주의의무 위반 등으로 법적인 처벌을 받을 수 있다.

임상 증상 및 징후가 턱관절장애와 매우 유사하여 턱관절장애 관련 치료를 진행하였지만 전혀 증상이 호전되지 않고 추후 감염, 종양, 과두 골절 등으로 진단되는 경우가 종종 있으며 정확한 감별진단을 통해 부적절한 치료가 장기간 시행되지 않도록 각별히 주의할 필요가 있다. 턱관절장애는 보존적 치료를 통해 대부분 3-6개월 이내에 호전되거나 거의 치유될 수 있다. 그러나 전혀 증상이 호전되지 않고 지속된다면 재평가가 필수적이며 심도 깊은 정밀검사를 시행해야 한다(김영균 등; 2018). 치과 수술 후 개구제한 및 통증이 지속될 경우 섣불리 턱관절장애로 진단하지 말고 감염, 종양 등과 같은 질환을 감별진단하는 것이 매우 중요하다.

1) 감염

30세 남자 환자가 개구제한을 주소로 내원하였다. 10일 전 치과 의원에서 하악 좌측 매복지치를 발치하였으며 술 후 개구제한이 지속되어 턱관절장애 진단하에 소염진통제를 투여하고 물리치료가 시행되었으나 증상이 더욱 악화되어 본원으로 의뢰되었다. 초진 시 5 mm 개구량을 보였고 좌측 악하부 촉진 시 심한 통증, 연하곤란, 구강 내 악취, 좌측 턱관절 측방의 경미한 압통이 존재하였다(Fig 2-1, 2). 안면 종창은 없었으며 구강 내를 살펴본 결과 좌측 인두 부위의 종창 및 발적과 촉진 시 압통이 존재하여 측방 인두주위간극 감염(lateral parapharyngeal space infection)을 의심하고 CT를 촬영하였다. Neck CT 결과 좌측 익돌하악간극 감염이 측방 인두간극으로 파급되는 소견이 관찰되었다(Fig 2-3). 초진 다음 날 구강 내 절개 배농술을 시행하고 Clindamycin과 Ketoprofen을 근육주사하였으며 Clindamycin, Somalgen을 하루 3회 1주일 투여하면서 경과를 관찰하였다. 절개배농술 10일 후 감염 증상들이 해소되면서 개구량은 27 mm를 회복하였다. 이후 개구량 회복을 위한 물리치료를 1개월간 더 시행한 후 개구량이 40 mm로 정상 회복되었고 턱관절 관련 증상들은 전혀 없었다.

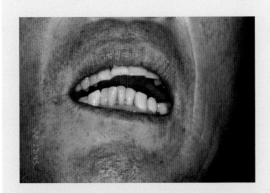

Fig. 2-1. 5 mm 개구제한을 보이는 30세 남자 환자의 안모 사진

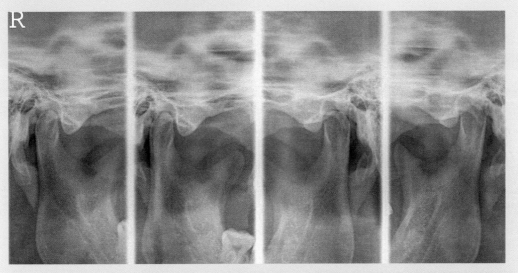

Fig. 2-2. TM 파노라마 방사선사진에서 양측 과두 움직임이 거의 없는 소견을 보이고 있다. 관절융기의 경사도가 매우 급하며 개구장애가 심하기 때문에 비정복성 관절원판 전방전위 혹은 관절원판유착증으로 인한 턱관절내장증으로 진단하는 경우가 많다.

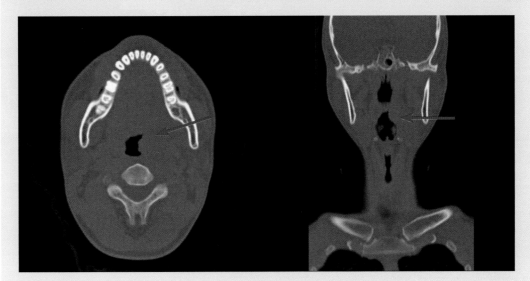

Fig. 2-3. Neck CT에서 익돌하악간극 감염이 측방 인두간극으로 파급되는 소견이 관찰되었다.

⊗ Problem lists

1 매복지치 발치 후 개구제한 지속

2 익돌하악간극 감염, 인두주위간극 감염

3 턱관절장애로 오진

치료 및 경과

1 Neck CT 검사 및 구강내 검사를 통한 감별진단

2 절개 배농술과 항생제 치료

3 예후 양호

◀)) Comment

● 익돌하악간극 감염(pterygomandibular space infection)은 안면 종창이 동반되지 않으면서 극심한 통증과 개구장애가 발생할 수 있다. 감염에 대한 조기 진단과 적절한 처치가 이루어지지 않을 경우 만성화되거나 인접 간극을 통해 감염이 파급되면서 치명적인 결과를 초래할 수도 있다. 익돌하악간극은 하악골의 내측과 내측익돌근 사이에 위치하기 때문에 하치조신경전달마취 혹은 매복지치 발치 후 감염이 발생할 위험성이 충분히 있다. 익돌하악간극 감염이 후방으로 확장되면 측인두간극(lateral pharyngeal space) 감염이 발생할 수 있다. 적절한 처치가 조기에 이루어지지 않을 경우 후인두간극으로 진행되고, 내경정맥의 혈전증, 경동맥 분지들의 부식으로 인한 출혈, 뇌신경 마비, 호흡장애 등과 같은 치명적인 합병증이 발생할 수 있다. 본 증례와 같이 발치 후 개구제한이 지속될 경우 치과치료와 연관된 턱관절장애로 진단하고 물리치료 등 턱관절장애 관련 치료를 시행하는 경우가 많다. 그러나 **치과치료 후 발생한 턱관절장애는 보존적 치료를 통해 증상들이 약간이라도 호전되어야 한다. 전혀 개구제한과 통증이 호전되지 않을 경우엔 감염을 의심해야 한다.** 익돌하악간극 감염, 인두주위 감염은 안면종창이 없기 때문에 육안으로 진단하는 것이 어려운 경우가 많다. 설압자로 혀를 누른 상태에서 "아"하고 소리를 내도록 하면서 편도선과 목구멍 주변을 살펴보면 인두주위 종창과 발적을 확인할 수 있다. 손가락으로 인두주위를 눌러보면 압통이 존재하는 것으로 감염을 쉽게 확인할 수 있는데 이와 같은 과정을 소홀히 하고 턱관절장애 진단하에 1-2개월 이상 장기간 보존적 치료를 시행하는 경우도 매우 많다(대한구강악안면외과학회; 2005, Kim YK; 2011). 두개저골수염은 일반적으로 악성 중이염과 연관되어 발생하며 중요 해부학적 구조물을 포함하기 때문에 생명에 위협을 가져올 수 있는 심각한 질환이다. 드물지만, 턱관절을 포함하는 경우 증상이 일반적인 턱관절장애와 유사하여 MRI를 이용한 감별진단을 시행하지 않으면 턱관절장애로 오인하여 두개저골수염에 대한 적절한 진단 및 치료를 놓칠 수 있으므로 주의해야 한다고 언급되었다(이상화; 2008).

2) 종양(Tumor)

> **Case 1 >** 활액막연골종증
> (Synovial chondromatosis)

2005년 2월 7일 26세 여자 환자가 턱관절 불편감을 주소로 내원하였다. 약 10년 전부터 양측 턱관절에서 관절잡음 및 간헐적 통증이 발생하였고 입을 크게 벌리면 턱이 잘 빠진다고 하였으며 여러 치과에서 진찰을 받고 보존적 치료를 받은 병력이 있었다. 방사선사진에서 우측 과두의 골개조성 변화가 관찰되었으나 임상 증상들을 고려하여 턱관절장애 3형으로 진단하였다(Fig 2-4). 상담을 진행하면서 주의사항을 설명한 후 Amitriptyline 10 mg qd, Carol-F qd를 처방하고 1개월 후 경과를 관찰하였는데 2005년 3월 14일 내원 시 양측 턱이 빠지는 빈도가 더 많아졌다고 하였다. 인상을 채득하여 안정위스플린트를 제작하여 장착해주었고 양측 턱관절 상관절강에 Hyruan (Hyaluronic acid)을 주사하고 Suprax 100 mg bid, Somalgen 370 mg bid를 5일 처방하였다. 2005년 3월 29일 턱이 빠지는 증상은 없어졌으나 우측 두통이 심하고 눈이 빠지는 듯한 느낌, 우측 다리와 어깨 통증, 양측 교근 및 측두근 통증을 호소하여 턱관절장애 1형(근육성장애)이 동반된 것으

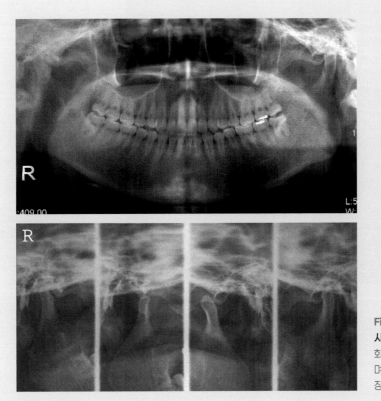

Fig. 2-4. 26세 여자 환자의 초진 시 방사선사진. 우측 과두의 편평화 및 골개조 소견이 관찰되었으며 임상 증상을 참조하여 턱관절장애 3형으로 잠정 진단하였다.

로 판단하고 Diazepam 2 mg qd, Nabuton 500 mg qd로 2주 처방하였다. **2005년 4월 12일** 스플린트 조정과 물리치료(EAST)를 시행하고 스플린트를 취침 시 계속 착용하도록 하였다. **2005년 6월 16일** 통증이 갑자기 발생하는 빈도가 많아졌으며, 우측 귀 주변, 흉쇄유돌근, 유양돌기 부위 통증이 매우 심하다고 하였다. **2005년 8월 16일** 턱관절 MRI 검사를 시행한 결과 우측 턱관절의 정복성 관절원판 전위 및 변형, 관절강 내에 방사선 불투과성 병소, 골극 소견이 관찰되어 관혈적 관절개방수술을 계획하였다(**Fig 2-5**). **2005년 9월 7일** 전신마취하에서 우측 턱관절을 노출시켰을 때 전방으로 전위된 관절원판의 천공 모습이 확인되었다. 하관절강에서 투명한 액체가 유출되었고 과두의 모양이 불규칙하게 변형되어 있었으며 1개의 딱딱한 종물이 존재하여 제거하였다. 천공된 관절원판 주변을 절제한 후 측두근근막피판을 회전 이동시켜 관절강 내에 삽입하고 주변 조직과 봉합하였다. 제거한 종물은 추후 조직병리학적 검사에서 활액막연골종증에 부합되는 소견을 보였다(**Fig 2-6~12**). **2005년 9월 20일** 봉합사를 제거하고 1주 1회씩 물리치료를 시행하였으며 **2005년 10월 11일** 턱관절 증상들은 모두 소멸되었고 정상적인 악골기능을 회복하고 치료를 종료하였다(**Fig 2-13, 14**).

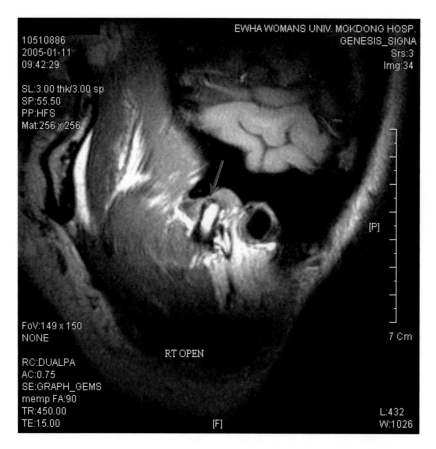

Fig. 2-5. MRI 검사에서 우측 턱관절의 하관절강 내부에 종물로 의심되는 소견이 관찰된다.

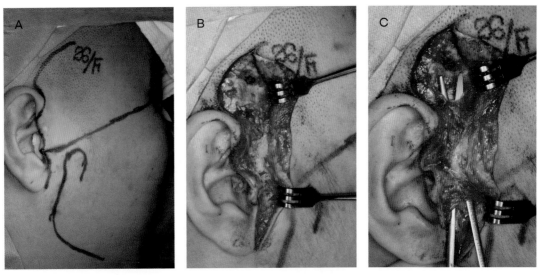

Fig. 2-6. 우측 귀 전방부에 절개를 시행하여 턱관절에 접근하는 모습. 피부 절개 후 천측두근막을 박리하고 있다.

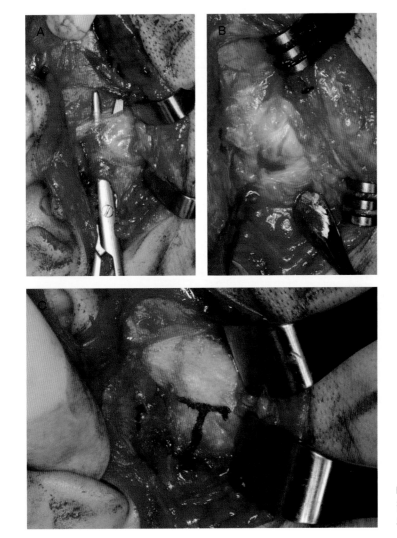

Fig. 2-7. 관절낭을 노출시킨 후 T자형 절개를 시행하여 관절강과 관절원판, 과두를 노출시킨다.

Fig. 2-8. 상관절강을 노출시킨 모습. 관절와, 관절융기 및 관절원판이 관찰된다. D: disc, E: articular eminence.

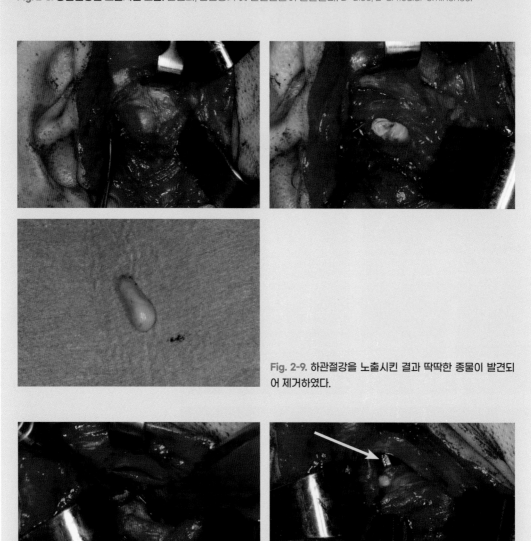

Fig. 2-9. 하관절강을 노출시킨 결과 딱딱한 종물이 발견되어 제거하였다.

Fig. 2-10. 하관절강을 노출시킨 후 생리 식염수로 내부를 세척하고 관절원판을 살펴본 결과 천공(화살표)된 소견이 관찰되었다.

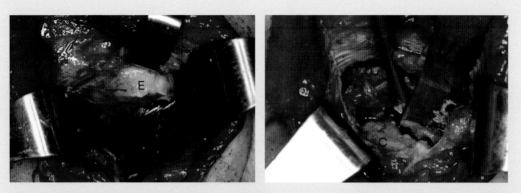

Fig. 2-11. 관절융기절제술(E)과 불규칙한 과두표면의 과두성형술을 시행하였다. C: Condyloplasty.

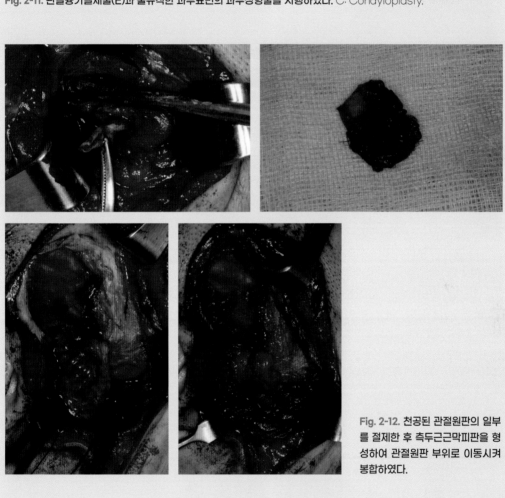

Fig. 2-12. 천공된 관절원판의 일부를 절제한 후 측두근근막피판을 형성하여 관절원판 부위로 이동시켜 봉합하였다.

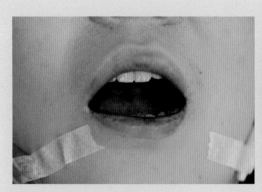

Fig. 2-13. 수술 후 적극적인 물리치료(EAST, Therabite를 이용한 개구운동)를 시행하였다.

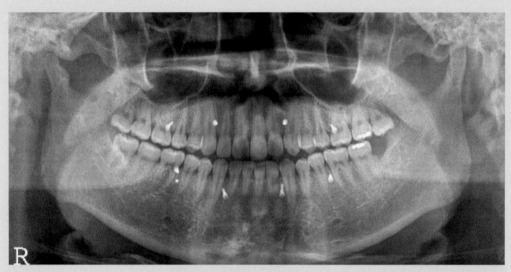

Fig. 2-14. 수술 1개월 후 파노라마 방사선사진. 상하악에 8개의 교정용 미니스크류가 삽입되어 있으며 수술 후 고무링을 이용한 견인치료를 통해 교합을 안정시킬 목적으로 사용되었다.

1 턱관절장애로 오진한 상태에서 장기간 불필요한 치료가 시행됨

2 치과 의원에서 장기간의 보존적 치료가 이루어짐

3 초진 시 방사선사진에서 관찰된 우측 과두의 골개조성 변화

✌ **치료 및 경과**

1 약 6개월의 보존적 치료 후 호전되지 않아서 MRI 검사 시행

2 종물 절제술 및 조직 검사

3 술 후 적극적인 물리치료

4 예후 양호

🔊 **Comment**

● 턱관절장애는 보존적 치료에 대부분 호전되는 반응을 보인다. 그러나 일정 기간 동안의 보존적 치료에 반응을 보이지 않을 경우엔 다른 병변을 의심하고 정밀검사를 시행한 후 외과적 치료 등을 적극 고려해야 한다. 이 환자는 지나치게 오랜 기간 동안 방치되었으며 여러 병원을 전전하면서 반복적인 검사와 동일한 치료(물리치료, 약물치료, 스플린트 치료 등)를 받아 왔으며 본원에서도 초진 시부터 7개월 동안 보존적 치료가 시행되었다. **필자는 개인적으로 턱관절장애 대부분은 3-6개월 이내에 치료될 수 있다고 생각한다. 그러나 일부 임상가들의 편견과 아집, 환자의 비협조, 오진 등으로 인해 부적절하게 장기간 보존적 치료가 시행되면서 방치될 수 있다.**

본 증례는 약 6개월 동안의 보존적 치료에 반응을 보이지 않아서 MRI 검사를 시행하였고 턱관절 내부에 종양성 병소가 존재하는 것을 확인하고 턱관절 개방수술을 시행하였다. 관절강 내에 존재하는 딱딱한 종물을 제거하였고 조직검사를 시행한 결과 활액막연골종증으로 확진할 수 있었다. **다행히 양성종양이었기 때문에 외과적 치료를 통해 완치되었지만 악성종양이었다면 심각한 문제를 초래했을 것이다.**

수술 후에는 적극적인 물리치료를 시행하면서 악골 기능을 정상화시키는 과정이 매우 중요하다. 특히 과두의 일부가 제거되고 수술 후 골개조 과정이 불가피하며 주변의 근육들이 안정화되기까지 개구제한, 개구 시 악골편위, 교합이상 등이 발생하게 된다. 특히 교합 안정을 위해 교정용 미니스크류를 식립하고 고무링을 이용한 견인치료가 유용하게 사용될 수 있다.

Case 2 > 골연골종(Osteochondroma)

2018년 9월 18일 66세 여자 환자가 좌측 귀 앞에 튀어나온 것이 있다고 하면서 진찰을 위해 내원하였다. 지금까지 특별한 증상들은 전혀 없었으며 어느 날 세수하다가 우연히 만져졌다고 하였다. 1년 전 이비인후과 에서 좌측 이석증 치료를 받은 적이 있었으며 3개월 전부터 좌측 턱관절 주변 통증과 압통, 좌측 두통, 좌측 턱관절 염발음이 발생하였고 좌측으로 음식을 잘 씹지 못한다고 하였다. 이비인후과에서 진찰을 받고 주변에 주사를 맞았으나 증상이 호전되지 않아 필자 병원으로 의뢰되었다. 방사선사진에서 좌측 과두의 관절면 형태 가 불규칙하면서 흡수되는 듯한 소견을 보여 CBCT를 촬영한 결과 좌측 과두의 증식성 형태 변화 소견이 관 찰되었다(Fig 2-15, 16). 턱관절 부위에서 빈발하는 양성종양의 일종인 골연골종으로 잠정 진단하고 외과적 절

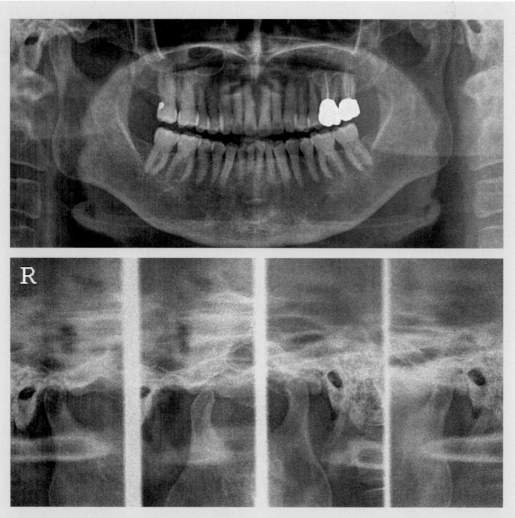

Fig. 2-15. 초진 시 방사선사진. 좌측 턱관절 부위에 방사선 불투과성 병소와 과두의 모양 변화 소견이 관찰된다.

제술을 계획하였다. **2018년 12월 26일** 전신마취하에서 상하악 치조골에 6개의 교정용 미니스크류를 식립하였다. 전이개 절개를 통해 턱관절에 접근한 후 과두 전방과 후방에 존재하던 딱딱한 종괴성 병소를 적출한 후 조직검사를 의뢰하였다. 변성된 관절원판의 일부를 절제하고 불규칙한 과두 표면을 부드럽게 다듬고 관절융기절제술을 시행한 후 과두와 관절와 사이로 측두근근막피판을 형성하여 이동시킨 후 봉합하였다**(Fig 2-17)**. 술 후 교정용 미니스크류에 고무링을 걸어서 교합을 안정시켰고 레이저와 EAST를 이용한 물리치료를 시행하였다**(Fig 2-18)**. **2019년 1월 3일** 우측 교합이 약간 뜨는 소견을 보였으나 이를 꽉 물면 정상으로 교합되었다. 좌측에 식립된 교정용 미니스크류를 제거하고 #16, 46 부위에 교정용 미니스크류를 추가로 식립한 후 고무링을 걸도록 하였다. 술 후 조직검사 결과는 골연골종으로 확진되었고 **2009년 4월 15일** 교정용 미니스크류들을 모두 제거하였다. **2019년 7월 31일** 최종 관찰 시 턱관절 증상들은 거의 소멸되었으며 방사선사진에서 양호한 골개조 소견이 관찰되어 치료를 종료하였다**(Fig 2-19, 20)**.

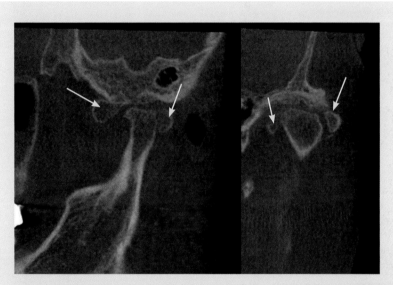

Fig. 2-16. CBCT 방사선사진에서 좌측 과두의 증식성 변화, 불규칙한 관절면, 방사선 불투과성 병소들이 관찰되었다.

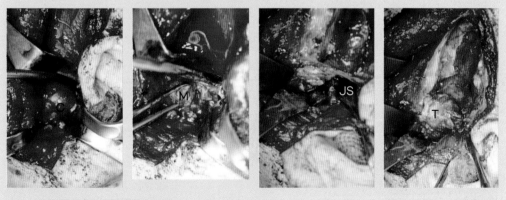

Fig. 2-17. 종물 적출술, 관절원판 부분절제술, 과두성형술 및 관절융기절제술을 시행한 후 과두와 관절와 사이로 측두근근막피판을 이동시켜 봉합하였다.
C: condyle, M: mass, JS: joint space, T: temporalis fascial flap.

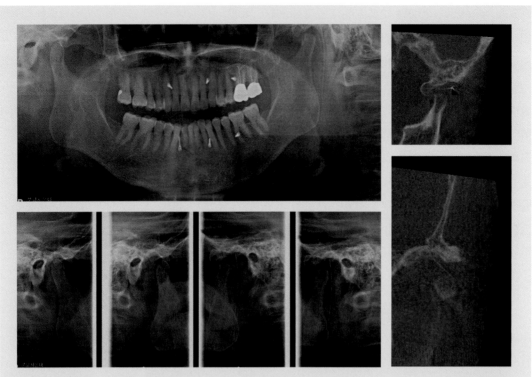

Fig. 2-18. 술 후 방사선사진. 술 후 교합 안정을 위해 상하악에 식립된 6개의 교정용 미니스크류에 고무링을 장착하여 교합을 안정시켰다.

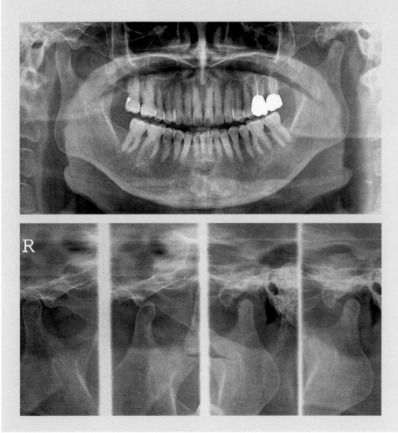

Fig. 2-19. 수술 3개월 후 방사선사진. 종물은 완전히 제거되었고 좌측 과두의 양호한 골개조 소견이 관찰된다.

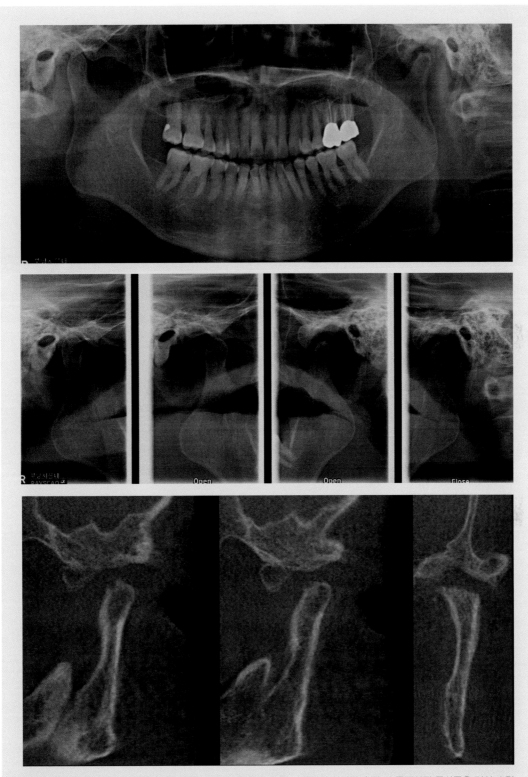

Fig. 2-20. 수술 7개월 후 방사선사진. 개구 시 하악 편위가 약간 남아있긴 하지만 초진 시 존재하던 증상들은 거의 소멸되었다.

⊗ Problem lists

1 이석증 치료 병력이 있어서 이비인후과에서 진단 및 1차 치료가 진행됨
2 골연골종의 임상 증상이 턱관절장애와 매우 유사하였음

치료 및 경과

1 초진 시 CBCT 촬영을 시행하여 적절한 감별진단이 이루어짐
2 종물절제술 및 조직검사
3 술 후 교합안정을 위한 고무링 견인치료 및 턱관절 물리치료
4 예후 양호

◀ﻬ Comment

● 골연골종과 같은 양성종양이 존재하더라도 턱관절장애와 유사한 임상 증상을 보이거나 전혀 증상이 없는 경우도 많다. 시간이 경과하면서 종물의 크기가 커질 때 외부에서 촉진되거나 귀 주변에 이상 증상이 발생하여 이비인후과 등에서 진찰 받은 후 치과로 의뢰되는 경우가 많다.

본 증례의 경우 이비인후과에서 이석증으로 치료받은 병력이 있으나 당시부터 골연골종이 존재하였을 가능성이 있다. 다행히 **이비인후과 전문의가 적절한 시기에 구강악안면외과로 의뢰함으로써 진단과 치료가 잘 진행되었으며 매우 좋은 경과를 보였다.** 턱관절 수술 후에는 관절강내 혈종과 주변 조직의 종창, 과두절제술로 인한 수직고경의 변화로 인해 교합이 불안정한 양상을 보인다. 따라서 수술을 진행할 때 교정용 미니스크류를 식립하고 수술이 끝난 후 고무링을 걸어서 교합을 회복시키는 치료가 필요하다. 수술 2-7일 후부터 통증이 존재하더라도 적극적인 개구운동과 악골기능 회복을 위한 물리치료를 시행하는 것이 좋다.

Case 3 > 활액막연골종증 (Synovial chondromatosis)

2015년 7월 8일 22세 여자 환자가 좌측 턱관절 통증 및 개구제한을 주소로 내원하였다. 약 2년간 치과 의원에서 물리치료 및 스플린트 치료를 받았으나 증상이 호전되지 않았다. 임상검사 시 입을 벌릴 때 좌측 귀 앞 부분이 항상 아프고 지글거리는 소리가 나며 가끔 양측 턱관절 부위가 걸리면서 입이 잘 안 벌어지는 경우가 많다고 하였다. 외상이나 특이 질환 병력은 없었다. 방사선사진에서 좌측 턱관절 과두 관절면이 불규칙하고 다수의 방사선 불투과성 병소들이 관찰되었다(Fig 2-21, 22). 좌측 턱관절 양성종양으로 잠정 진단하고 전이개 접근법을 통한 턱관절 개방수술을 계획하였다.

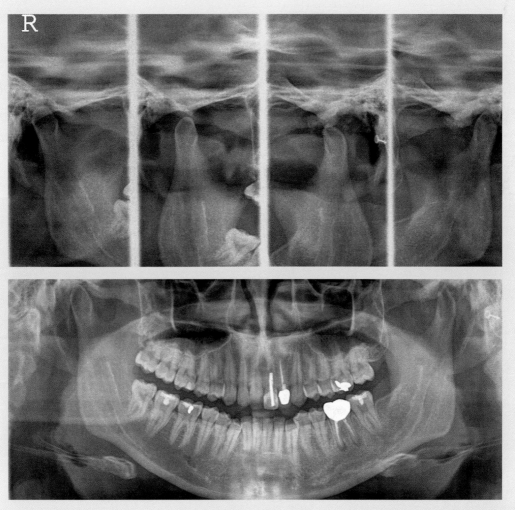

Fig. 2-21. 초진 시 방사선사진. 좌측 턱관절 과두의 불규칙한 형태와 주변에 방사선 불투과성 병소들이 관찰된다.

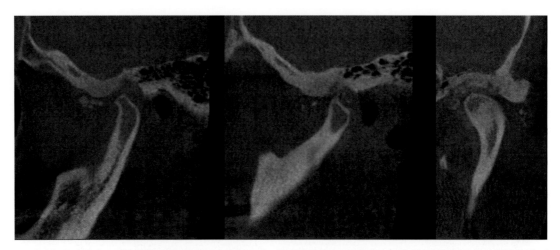

Fig. 2-22. CBCT에서 과두 주변에 방사선 불투과상을 보이는 종양성 병소들이 관찰된다. 또한 과두 관절면의 침식성 변화 및 편평화, 관절와의 골개조 소견을 보이면서 관절강 공간이 넓어진 것을 볼 수 있다.

    2015년 8월 19일 전신마취하에서 귀 전방에 절개를 시행하여 턱관절에 접근하였다. 상관절강을 노출시킨 결과 다수의 딱딱한 병소들이 확인되었고 관절융기절제술을 시행하면서 관절강 내에 존재하는 다수의 작은 병소들을 제거하였다. 제거된 종물들을 수집하여 숫자(총 124개)들을 확인한 후 조직검사를 의뢰하였다. 하관절강과 과두를 노출시킨 후 불규칙한 과두 표면의 골극을 제거하고 과두 표면을 부드럽게 다듬어 주었다. 하관절강에는 병소들이 존재하지 않았다. Silastic drain을 삽입하고 창상을 층별로 봉합하고 수술을 종료하였다 (Fig 2-23). 수술 후 교합이상이 발생하여 상하악 치조골에 교정용 미니스크류를 식립하고 고무링을 걸어서 조정하였으며 약 10일 후 정상 교합이 회복되었다. 개구량 회복과 정상적인 악골운동을 회복시키기 위해 물리치료가 시행되었으며 수술 8개월 후 턱관절 증상들이 모두 소멸되었고 교합도 정상으로 회복되어 치료를 종료하였다(Fig 2-24~27).

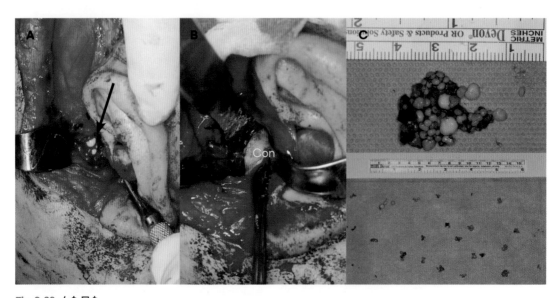

Fig. 2-23. 수술 모습
A: 상관절강을 노출시킨 후 종물(화살표)을 제거하는 모습. **B:** 하악 과두(Con)를 노출시킨 후 과두 표면을 부드럽게 다듬어 주었다.
C: 제거된 다수의 종물들(124개)로서 조직검사 결과 활액막연골종증으로 확진되었다.

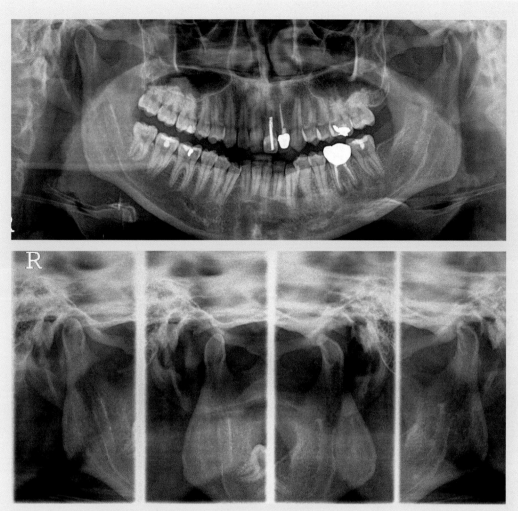

Fig. 2-24. 수술 1개월 후 방사선사진

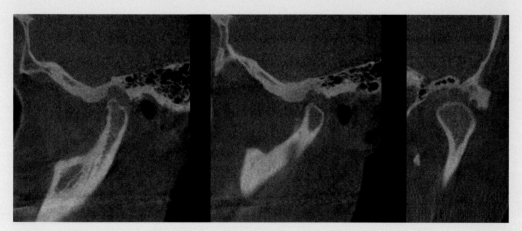

Fig. 2-25. 수술 1개월 후 CBCT 방사선사진

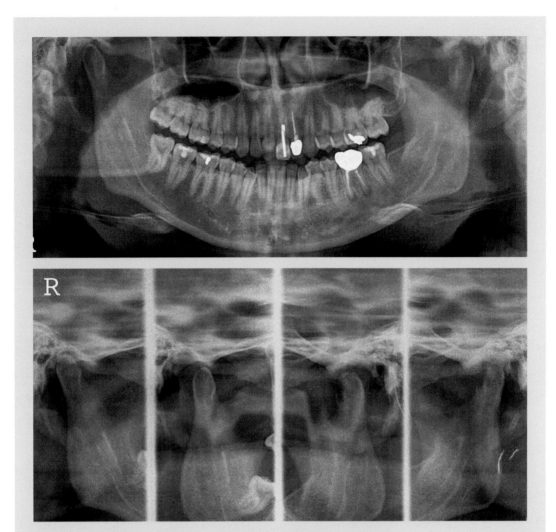

Fig. 2-26. 수술 8개월 후 방사선사진

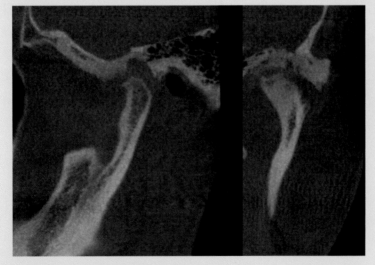

Fig. 2-27. 수술 8개월 후 CBCT 방사선사진

❶ 턱관절장애 진단하에 2년간 보존적 치료 시행

❷ 활액막연골종증

🗐 **치료 및 경과**

❶ 턱관절 개방수술

❷ 술 후 고무링을 이용한 교합안정 및 물리치료

❸ 예후 양호

🔊)) **Comment**

● 본 증례의 종양이 단기간에 갑자기 생겼다고 생각되지 않는다. 2년 동안 턱관절 치료를 진행하는 동안 방사선사진을 좀 더 자세히 살펴봤더라면 충분히 진단할 수 있었는데 아무 생각 없이 보존적 치료를 2년간 시행했던 경우이다. 임상가들은 본 증례를 통해 교훈을 얻어야 한다. **장기간 치료에 반응을 보이지 않는 경우는 다른 질환들을 의심해야 하고 본인이 해결할 수 없다면 신속히 다른 전문가에게 의뢰해야 한다. 턱관절장애 치료 실패의 원인들 중 치과의사의 편견과 고집이 하나의 요인으로 관여함을 잘 알아야 할 것이다.**

활액막골연골종증은 원인과 병인론이 잘 알려져 있지 않지만 팔꿈치, 무릎과 같은 큰 활액막 관절에 영향을 미치는 만성 양성종양이다. 여성이 남성에 비해 2.5배 정도 호발하며 환자들의 평균 연령은 46세이다. 연골성 결절들이 활액막 내에 발생하고 관절면으로부터 떨어져 나온 후 loose calcified bodies로 떠다니는 경향을 보인다. 턱관절에서는 주로 상관절강에서 발생하며 하관절강에 발생하는 경우는 거의 없다. 본 증례에서도 124개의 loose bodies이 상관절강에 존재하고 있었다. Loose bodies이 석회화되면서 악골운동을 방해하고 종창, 개구제한, 염발음 등을 유발하게 된다. 턱관절에 발생할 경우 귀 전방 통증, 종창 및 개구제한의 3가지 기본 증상들이 발생한다. 결절들의 수는 매우 다양한데 100개 이상의 결절이 존재한다고 보고된 논문들은 3개[Rootkin-Gray (2003)-110 masses, Sarlani (2004)-109 masses, and Martin-Granizo (2005) over 200 masses]가 있었으며 본 증례가 하나 더 추가될 것이다.

치료는 외과적으로 제거하는 것이며 일부 학자들은 턱관절경으로 제거한 증례를 보고하기도 하였다. 결절들이 석회화되기 전까지는 일반 방사선사진에서 발견되지 않을 수 있으며 단순히 관절면이 불규칙하거나 관절강이 넓어진 소견을 보이면서 턱관절장애로 오진될 수 있다. **본 증례도 처음에는 턱관절 부위의 석회화 병소가 방사선사진에서 발견되지 않았을 수도 있다. 그러나 2년간 치료를 하면서 턱관절장애 증상들이 전혀 개선되지 않고 지속되고 있었다면 방사선사진을 다시 촬영하거나 CT, MRI 등 정밀검사를 시행하였다면 쉽게 진단이 가능했을 것이다.**

Case 4 > 악성말초신경초종양
(Malignant peripheral nerve sheath tumor)

　2011년 1월 14일 17세 남자 환자가 10 mm 개구제한을 주소로 내원하였다. 중학교 1학년 때부터 입이 잘 안 벌어지고 얼굴이 비뚤어지기 시작하였으며 어린 시절 우측 중이염을 앓은 병력이 있었다. 개구 시 하악이 우측으로 틀어지고 occlusal canting이 존재하고 있으며 도수조작을 시행하여도 개구량은 전혀 증가되지 않았다. 방사선사진과 핵의학검사에서 좌우 하악골 비대칭, 우측 내측익돌근의 비대, 우측 접형골 증식 소견과 우측 턱관절 과두의 섭취율 증가 소견이 관찰되었다. MRI를 촬영한 결과 우측 하악신경으로부터 기원된 malignant schwannoma with metastatic lymph nodes가 의심되었다(Fig 2-28~31).

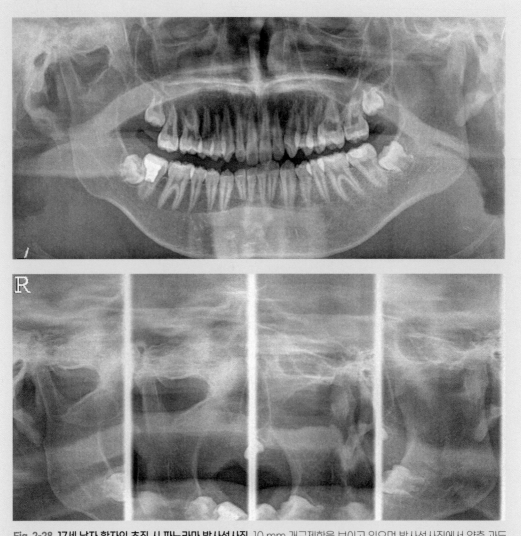

Fig. 2-28. 17세 남자 환자의 초진 시 파노라마 방사선사진. 10 mm 개구제한을 보이고 있으며 방사선사진에서 양측 과두의 움직임이 매우 제한적인 것을 확인할 수 있으나 특이한 병적 소견은 관찰되지 않았다.

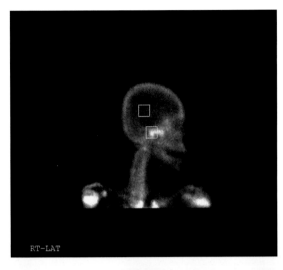

Fig. 2-29. 핵의학검사에서 우측 턱관절과 주변의 섭취율이 현저히 증가된 소견이 관찰된다.

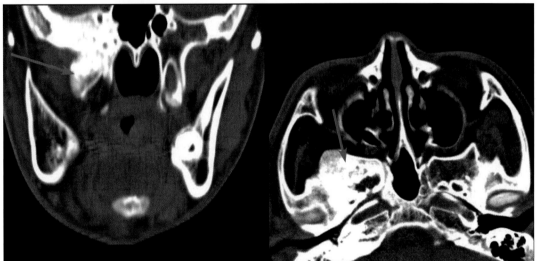

Fig. 2-30. CT에서 우측 접형골 증식(화살표)과 내측익돌근의 비대 소견이 관찰되었다.

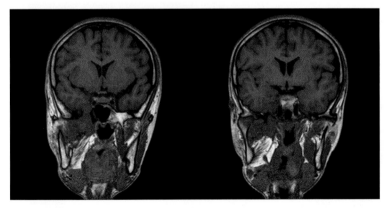

Fig. 2-31. PNS MRI 촬영 후 영상의학과 전문의에 의해 다음과 같이 판독되었다(번역하지 않고 판독지 소견을 그대로 작성하였음). Huge enhancing solid mass가 right parasella area에서 foramen ovale을 타고 아래쪽으로 pterygoid muscle space까지 확장되어 관찰됨. 이 mass는 다시 아래쪽으로 right mandibular canal 속으로 연결되고 있음. Mandibular nerve branch을 따라 발생한 neurogenic tumor에 합당한 소견으로 생각됨. 주변 masticatory muscle들이 secondary atrophy를 보임. Right neck level에서 large L/N들이 보임.
Conclusion: 1) Compatible with huge neurogenic tumor along the right mandibular nerve. R/O malignant schwannoma with metastatic L/Ns in right neck. **2)** Right pterygoid bone and sphenoid bone -> co-existent fibrous dysplasia or secondary remodeling due to tumor.

2011년 8월 4일 이비인후과–신경외과와 함께 수술을 시행하였으며 조직검사 결과 malignant peripheral nerve sheath tumor로 확진되었고 **2011년 10월 5일**부터 **2012년 7월 20일**까지 방사선치료가 시행되었다. **2012년 7월 20일** 10 mm 개구장애로 인해 음식 섭취 및 치과치료에 지장이 있어서 턱관절에 대한 평가가 시행되었다. 양측 턱관절 과두의 골관절염성 변화와 관절강이 협소해진 상태였으며 턱관절강직증과 방사선치료로 인해 저작근 섬유화증이 발생한 것으로 잠정 진단하였다. 외과적 처치는 적응증이 아니라고 판단하고 물리치료를 하면서 환자 스스로 적극적인 개구운동을 하도록 유도하였다**(Fig 2-32)**. **2017년 8월 2일** 종양은 재발 없이 완치되었으며 30 mm의 개구량이 회복되었다. **2017년 8월 31일** 우식증에 이환된 #18을 발치하였고 이후 스케일링, 치주치료 및 우식증 치료가 진행되었다. **2020년 6월 15일** 내원 시 개구량은 35 mm를 보이고 있었으며 턱관절 불편감은 없는 상태였다**(Fig 2-33)**.

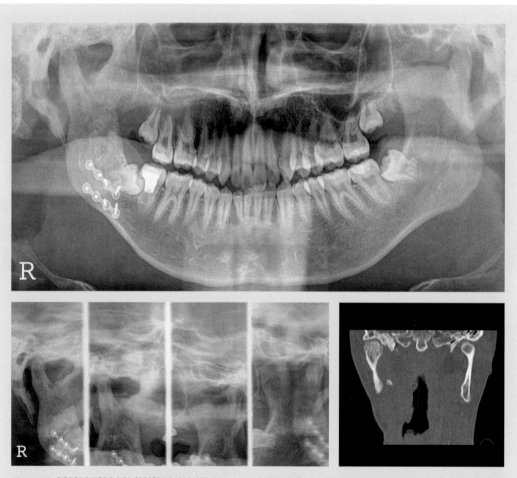

Fig. 2-32. 2012년 7월 20일 촬영한 방사선사진. 10 mm의 개구제한을 보이고 있으며 적극적인 물리치료를 통한 개구량 회복을 유도하였다.

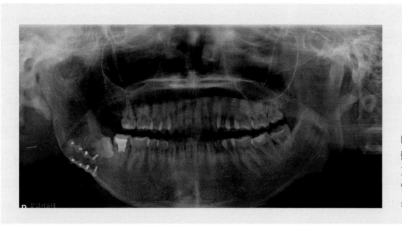

Fig. 2-33. 2020년 6월 15일 촬영한 파노라마 방사선사진. 개구량은 35mm를 보이고 있으며 턱관절 불편감은 없는 상태였다.

⊗ Problem lists

1 턱관절장애
2 안면비대칭
3 악성종양

치료 및 경과

1 악성종양절제술
2 방사선치료
3 술 후 개구제한, 저작근 섬유화증
4 술 후 적극적인 물리치료
5 예후 양호

◀)) Comment

● 17세 젊은 남자 환자에서 개구제한과 안면비대칭이 존재하였으며 임상 및 방사선검사를 토대로 턱관절 장애 및 부정교합과 안모변형증으로 잠정 진단하였다. **개구제한은 도수조작(manipulation)을 시행하여도 전혀 개선되지 않아 턱관절강직증이나 종양을 의심하고 MRI 검사를 시행한 후 악성종양을 감별할 수 있었다.** 종양이 두개저와 익돌간극, 하악관 부위까지 확산되어 있는 것으로 보아 신경기원의 악성종양으로 진단하고 신경외과-이비인후과-구강악안면외과 협진 수술을 시행하였다. 수술 후 방사선치료가 시행되었으며 저작근 과 협점막의 섬유화로 인해 술 후 개구제한이 지속되었다. **방사선치료 후 합병증으로 발생하는 개구제한을 회복시키기 위해 외과적 처치는 절대적 금기증이며 적극적인 물리치료 외 다른 치료법은 없다.** 본 증례는 수 술 및 방사선치료가 끝난 직후 개구량이 10 mm에 불과하였으나 5년 후 치과치료를 위해 내원하였을 때 35 mm의 개구량 회복을 보였다.

Malignant peripheral nerve sheath tumor는 말초신경초 세포로부터 발생하는 악성종양으로서 neurofibrosarcoma, malignant schwannoma, neurogenic sarcoma 등으로 명명되기도 하였 다. 치료는 외과적으로 완전히 절제한 후 보조적으로 방사선 및 항암치료를 시행하는 것이다.

Case 5 > 악성원형세포종
(Malignant small round cell tumor)

2010년 1월 20일 13세 남자 환자가 우측 턱관절 주변 통증을 주소로 내원하였다. 3개월 전 우측 턱에서 "딱" 하는 소리가 들린 후 불편감이 시작되었고 치과 의원에서 이갈이와 연관된 턱관절장애로 진단받고 물리 치료와 스플린트 치료를 받고 있었다. 2010년 1월 초 식사 후에 턱이 빠지고 턱관절 주변 통증과 종창이 심하여 응급실을 방문하여 치료받은 병력이 있었다. 이후부터 하루 종일 아프고 밤에 잠을 못 잘 정도로 통증이 심해진다고 하였다. 개구량은 30 mm였고 우측 턱관절 측방과 후방 촉진 시 압통이 존재하였다. 외부 병원에서 촬영한 TMJ MRI에서는 양측 턱관절의 비정복성 관절원판 전방전위 소견이 관찰되었다. 방사선사진에서는 우측 과두의 방사선 투과상이 약간 증가된 듯한 소견이 관찰되었으며 턱관절장애 1, 3, 4형과 이갈이로 잠정 진단하고 CBCT, MRI, bone scan 검사를 시행하였다(Fig 2-34, 35). 당일 통증 조절 목적으로 Ultracet와

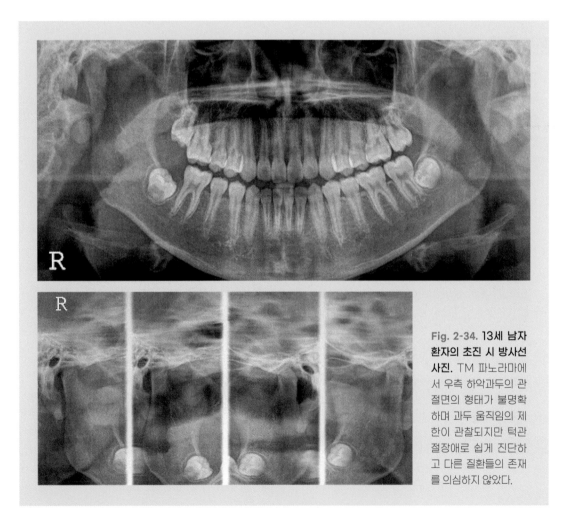

Fig. 2-34. 13세 남자 환자의 초진 시 방사선 사진. TM 파노라마에서 우측 하악과두의 관절면의 형태가 불명확하며 과두 움직임의 제한이 관찰되지만 턱관절장애로 쉽게 진단하고 다른 질환들의 존재를 의심하지 않았다.

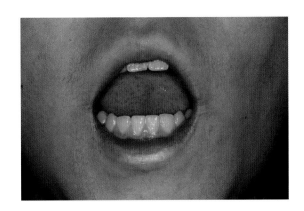

Fig. 2-35. 최대 개구량은 30 mm이며 우측 턱관절 주변의 심한 통증을 호소하였다.

Rheumagel을 처방하였다. **2010년 1월 29일** 고열과 오한 및 우측 이하선 부위 심한 종창이 발생하여 응급실에 내원하였고 폐결핵 혹은 폐렴 의증하에 소아청소년과에 입원하여 검사 및 치료가 진행되었다. **2010년 2월 5일** CT와 MRI를 판독한 결과 우측 하악골에 발생한 악성종양이 의심되어 암센터로 진료를 의뢰하였고 조직검사를 시행한 결과 malignant small round cell tumor, poorly differentiated type으로 확진되었다(Fig 2-36, 37). 이후 항암치료 및 방사선치료가 시행되면서 경과를 관찰하였으나 **2010년 9월 26일** 사망하였다.

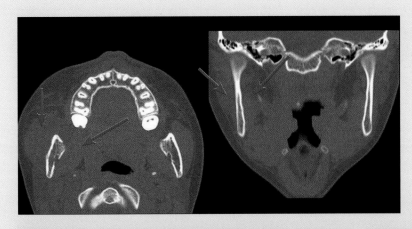

Fig. 2-36. 우측 하악지 내측과 외측을 완전히 감싸고 있는 연조직 종괴성 병소가 관찰된다. 측두근과 교근이 상당히 비후되어 있고 하악지의 골파괴 소견이 관찰된다.

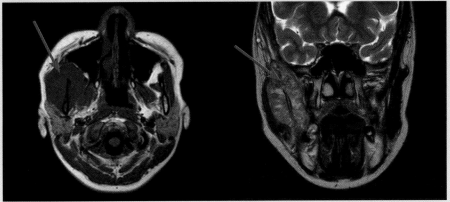

Fig. 2-37. PNS (oropharynx) MRI 사진. 우측 하악지를 360도 감싸는 종괴와 하악골 내부로 종괴(화살표)가 침투해 들어가는 소견을 참고할 때 악성종양이 강하게 의심되었다.

■ 턱관절장애와 매우 유사한 증상들로 시작
② 하루 종일 통증이 지속됨
③ 외부 병원에서 촬영한 TMJ MRI 판독에서 종양성 병소를 발견하지 못함
④ 오한, 이하선 종창 및 폐 감염성 질환 의증

치료 및 경과

■ 소아청소년과 입원 치료
② 악성종양으로 진단된 후 항암 및 방사선치료
③ 예후 불량: 사망함

◀) Comment

● 과거력과 임상 증상들을 살펴보면 전형적인 턱관절장애에 부합되며 이와 관련된 치료를 받았다. 필자도 초진 시 턱관절장애로 진단하였으며 외부에서 촬영하여 가져온 MRI 영상을 적절하게 판독하지 못하였다. 즉 외부 판독의견대로 살펴본 결과 관절원판 전위를 보이는 전형적인 턱관절내장증으로 쉽게 진단하였으며 주변의 조직 변화를 정밀하게 살펴보지 못하는 실수를 범하였다. 또한 **하루 종일 통증이 지속되고 밤에 참을 수 없는 통증이 발생한다는 환자의 진술을 소홀히 취급하였으며 13세 어린 환자에서 심한 턱관절장애 증상 이 나타나는 경우는 매우 드물기 때문에 종양과 같은 다른 질환을 의심했어야 했다.** 그나마 핵의학검사, CT, MRI를 촬영하여 정밀 진단을 시도한 것이 다행이었으며 폐 감염성 질환 의증하에 소아청소년과에 입원하여 치료를 받으면서 정밀 검사를 판독하여 악성종양을 감별할 수 있었다.

Malignant small round cell tumors에는 Ewing's sarcoma, peripheral neuroectodermal tumor, rhabdomyosarcoma, synovial sarcoma, non-Hodgkin's lymphoma, retinoblastoma, neuroblastoma, hepatoblastoma, nephroblastoma, Wilms' tumor, small cell osteosarcoma 등이 포함된다(Hameed M; 2007, Lal DR, et al; 2005, Rajwanshi A, et al; 2009). 소아들과 사춘기 연령대의 환자들에서 호발하며 두경부에 발생할 경우 장기 생존이 매우 불량한 것으로 알려져 있지만 광범위한 외과적 절제술, 항암치료 및 방사선치료를 통해 생존율을 개선시킬 수 있다는 보고가 있다. 본 증례는 진단 후 진행속도가 매우 빨랐으며 수술은 시행하지 못했고 항암치료 및 방사선치료 도중에 사망하였다.

3) 기타질환

감염, 종양 외에도 임상에서 흔히 턱관절장애로 오인될 수 있는 질환들은 Box 2-1과 같다.

Box 2-1 \ **턱관절장애로 오인될 수 있는 기타 질환들**

외상, 오훼돌기 증식, 활액막낭(synovial cyst), pseudogout, rheumatoid arthritis, psoriatic arthritis, systemic lupus erythematosus, scleroderma, ankylosing spondylitis와 같은 결체조직질환 및 자가면역성질환

골절을 포함한 모든 악안면 외상은 턱관절에 간접적인 충격을 가하면서 개구장애, 통증 등 턱관절장애와 유사한 증상들을 유발할 수 있다. 문진을 통해 과거 외상 병력을 확인하고 임상 및 방사선검사를 통해 과두 돌기 부위의 골절 유무를 잘 평가할 필요가 있다(Fig 2-38). 오훼돌기가 증식되면 관골궁과 근접하면서 개구제한을 유발할 수 있다. 파노라마 방사선, CT 검사 등을 통해 오훼돌기 증식 유무를 잘 파악해야 한다(Fig 2-39).

활액막낭은 턱관절에서 매우 드물게 발생하는 질환으로 10-30대 여성에서 주로 발생하며 개·폐구 시 통증, 전이개부 종창, 개구장애 증상을 보인다. Cho 등(2008)은 27세 남자 환자에서 발생한 턱관절의 염증성 활액막 낭종 증례를 보고하였다. Pseudogout는 calcium pyrophosphate dehydrate (CPPD) crystal deposition disease의 일종으로서 무릎, 손목과 손에서 호발한다. Nakagawa 등(1999)은 76세 남자 환자에서 발생한 턱관절 pseudogout 증례를 보고하였다. 우측 턱관절의 심한 통증과 종창을 주소로 내원하였으며 개구제한과 하악 측방 운동 제한이 있었으며 고열은 없었으나 혈액 검사에서 ESR, WBC, serum sialic acid 증가 소견이 관찰되었다. 요검사에서 ketosis 소견을 보였고 MRI 검사에서 관절삼출증 소견이 관찰되었으나 관절원판의 위치는 정상이었다. 상관절강에서 채취한 활액은 turbid & yellowish-white color를 보였으며 세균은 검출되지 않았다. Polarized LM 검사를 시행한 결과 rod-shaped crystals이 관찰되어 턱관절의 CPPD arthritis로 최종 진단되었으며 턱관절세정술을 시행하여 양호하게 치유되었다.

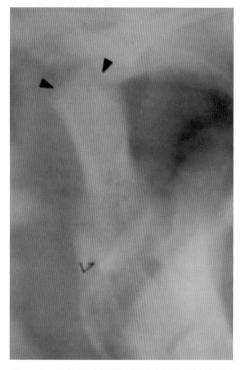

Fig. 2-38. 우측 과두 기저부 골절로 인해 외상성 관절염이 발생한 증례의 방사선사진

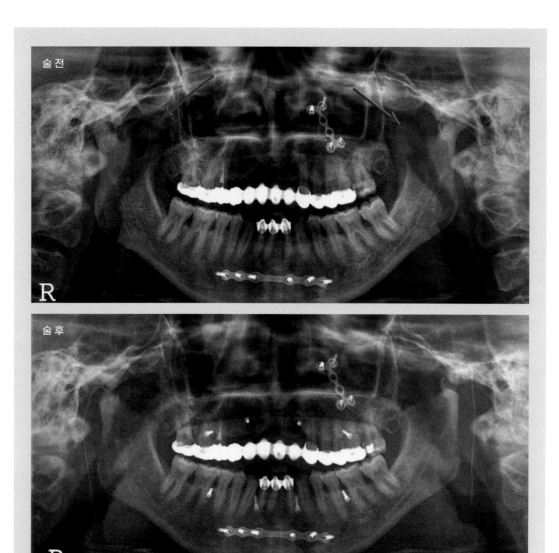

Fig. 2-39. 외상 후 턱관절강직증이 발생한 41세 여자 환자의 수술 전후 파노라마 방사선사진. 술 전 방사선사진에서 양측 하악 과두의 강직증과 오훼돌기 증식 소견이 관찰된다. 양측 과두절제술과 오훼돌기 절단술을 시행하여 개구량을 회복시켰다.

3. 턱관절장애와 교합 변화

환자가 이전에는 정상이었는데 갑자기 자신의 교합이 변했다고 호소하면서 내원하는 경우가 있다. 치과치료 도중에 혹은 치과치료 이후에 이와 같은 증상이 발생하면 환자는 치과치료가 잘못되었다고 생각할 것이고 담당 치과의사가 적절히 설명하지 못하고 해결하지 못하면 의료분쟁으로 진행될 것은 확실하다.

턱관절 주변의 근육성 장애로 인한 일시적인 교합 변화는 가역적이며 습관적인 폐구위치가 갑자기 변하면서 발생하는 경우가 많다. 즉 근육은 특정 운동이나 자세 등에 반복적으로 노출되면, 새로운 근기억(muscle memory)이 형성되고, 이로 인하여 새롭게 형성된 근기억에 맞는 습관적인 운동과 자세를 가지게 될 수 있다. 구강 내 장치를 장기간 사용한 후 발생하는 교합 변화는 대부분 근기억의 변화와 연관된 습관적 폐구위 변화로 인해 발생하는 경우가 대부분이다. 모형을 채득한 후 교합기에 장착하지 않고 손으로 교합을 맞춰 봄으로써 하악의 위치변화를 쉽게 확인할 수 있다. 하악 견인치료 혹은 턱관절장애 치료에 많이 사용하는 안정위스플린트나 전방재위치스플린트(ARS)를 이용하여 잘 해결할 수 있다. 안정위스플린트 사용 후 발생하는 전치부 개방교합은 대부분 하악의 후방이동으로 인한 경우가 많으며 ARS를 이용하여 치료할 수 있다. 반대로 ARS를 장기간 사용한 후 발생하는 교합 변화는 하악의 전방 이동으로 인한 경우가 많으며 안정위스플린트를 이용하여 회복시킬 수 있다(조성훈; 2020).

Case 1 > 54세 여자 환자에서 장기간의 상악 구치부 임플란트 치료 후 발생한 교합 변화

54세 여자 환자가 우측 구강상악동누공 치료 목적으로 내원하였다. 치과 의원에서 2003년 말 우측 상악동 골이식과 임플란트 식립이 시행되었으나 두 차례 실패하여 임플란트가 제거된 상태이며 8개월 전부터 우측 상악동염이 발생하여 치료를 받았으나 호전되지 않아 의뢰되었다. 초진 시 상악 우측 구치부 누공이 상악동과 연결된 상태이며 농이 배출되고 있었고 Nu-Gauze가 삽입된 상태였다. Water's view에서 우측 상악동의 방사선 불투과상이 증가한 양상을 보여 만성 상악동염이 수반된 구강상악동누공으로 진단하고 치료를 진행하였다(Fig 3-1, 2). 2006년 7월 12일 상악 우측 상악동염 수술과 누공폐쇄술을 시행하였고(Fig 3-3, 4), 2006년 11월 15일 자가골 블록을 이용한 우측 상악동재건술을 시행하였다(Fig 3-5). 2007년 3월 26일 2개의 임플란트(Branemark TiUnite, #16: 4D/11.5L, 18: 5D/13L)를 식립하였으며(Fig 3-6), 6개월의 치유기간을 부여한 후 2차 수술을 시행하고 상부 보철치료를 완료하였다. 2008년 2월 4일(최종 보철물 장착 2개월 후) 내원 시 좌측 측두부 통증 및 압통, 양측 교근 압통, 좌측 턱관절 부위에서 소리가 나는 증상이 발생하였다. 일본 턱관절협회의 분류 기준(사단법인 대한턱관절협회; 2004)에 따라 1, 3형의 턱관절장애로 진단하고 상담과 물리치료 및 스플린

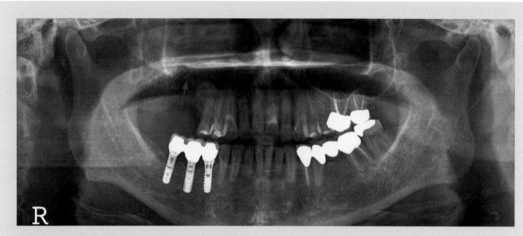

Fig. 3-1. 54세 여자 환자의 초진 시 파노라마 방사선사진. 우측에 구강상악동누공이 존재하고 있었다.

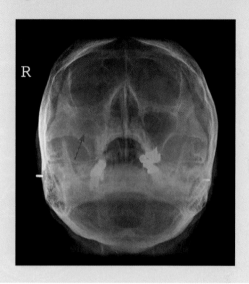

Fig. 3-2. 초진 시 Water's view. 우측 상악동의 방사선 불투과상이 현저히 증가된 것을 볼 수 있다.

트 치료를 시행하였으며 2개월 치료 후 증상이 많이 호전되었으나 양측 측두부 통증이 지속되었다(Fig 3-7). 2008년 5월 26일 좌측 측두부 통증이 존재하였고 우측 임플란트 보철물의 교합이 잘 안 되는 양상을 보였다. 정기적으로 스플린트 조정과 물리치료를 병행하면서 경과를 관찰하였으나 우측 교합이 안 맞는 증상이 더욱 심해졌다(Fig 3-8). 2009년 1월 13일 상부 보철물을 철거한 후 임시 보철물을 장착하고 스플린트 치료를 계속하였다. 우측 턱관절 부위 잡음과 임플란트 주위 잇몸이 가끔 아프다고 하였으나 턱관절 증상이 점차 호전되어서 2010년 3월 22일 스플린트 치료를 중단하고 보철물을 다시 제작하여 장착해 주었다. 2011년 9월 29일 양측 측두부 통증 및 압통, 턱관절 측방 촉진 시 심한 통증을 호소하여 스플린트를 다시 제작하여 착용하였으며 Imotun을 4주 처방하였다(Fig 3-9). 2011년 11월 25일 가끔 양측 교근이 찌릿하게 아프다고 하였으며 자세히 살펴본 결과 좌측 교근이 좀 더 발달된 양상을 보였고 환자는 거의 5년간 좌측으로 주로 저작하였다고 하였다. 2012년 1월 2일 우측 구치부 교합이 잘 안 맞는다고 호소하였고 보철물의 일부가 파절된 소견을 보였다. 당일 저작근의 이완 목적으로 양측 교근과 측두부에 Dysport (Ipsen Ltd,Slough, UK) (75 unitsX4)를 주사하였다. 이후 스플린트와 물리치료를 병행하면서 경과를 관찰하였으며 2012년 7월 26일 관련 증상들이 모두 소멸되었다. 2012년 10월 25일 양측 측두부 통증이 재발되어 스플린트 조정과 함께 Imotun을 4주 처방하였다. 2015년 4월 9일 턱관절 증상은 거의 소멸되었으나 환자가 장치를 잠잘 때 착용하는 것이 매우 편하다고 하여 취침 시에만 착용하도록 하였으며 임플란트 정기 유지관리가 지속되고 있다(Fig 3-10).

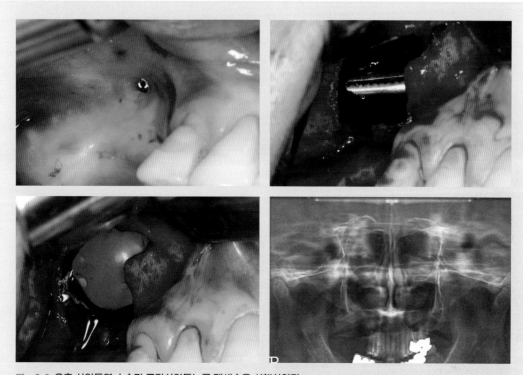

Fig. 3-3. 우측 상악동염 수술과 구강상악동누공 폐쇄술을 시행하였다.

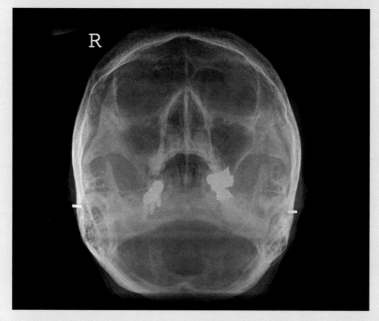

Fig. 3-4. 수술 2개월 후 Water's view. 우측 상악동의 방사선 불투과상이 많이 감소되었다.

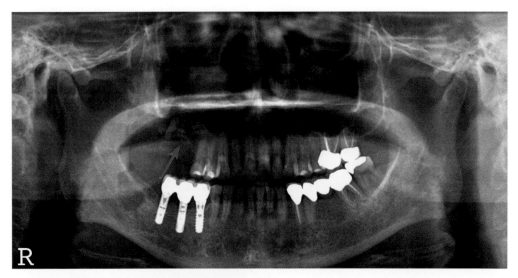

Fig. 3-5. 자가골을 이용한 상악동골이식술 후 파노라마 방사선사진

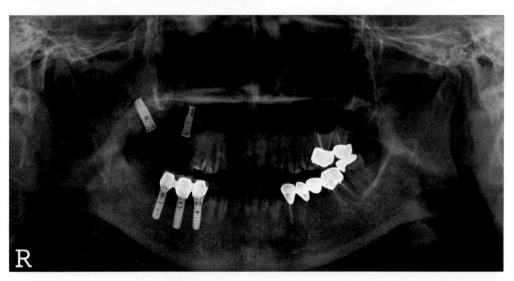

Fig. 3-6. 임플란트 식립 후 파노라마 방사선사진

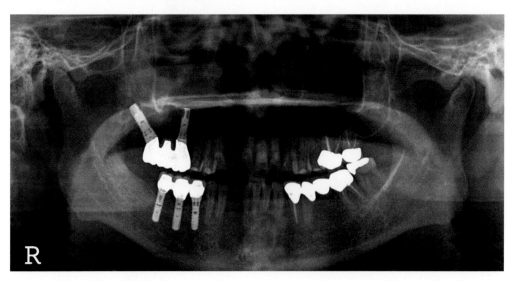

Fig. 3-7. 임플란트 최종 보철물이 완성된 후 파노라마 방사선사진. 상부 보철물 장착 2개월 후부터 턱관절장애 증상이 나타났으며 상담, 투약, 물리치료 및 스플린트 치료가 시행되었다.

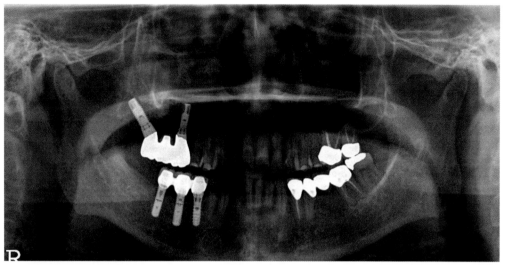

Fig. 3-8. 보철 기능 1년 후 파노라마 방사선사진. 우측 턱관절 잡음이 존재하면서 우측 구치부 교합이 안 맞는 증상이 심해졌으나 방사선사진에서는 특별한 소견이 관찰되지 않았다.

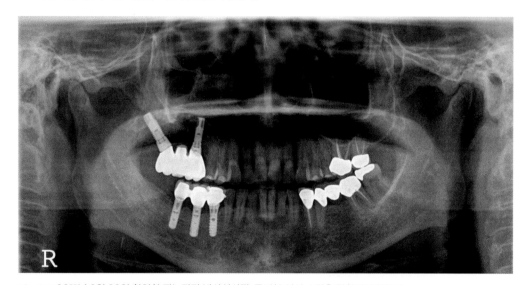

Fig. 3-9. 2011년 9월 29일 촬영한 파노라마 방사선사진. 특별한 이상 소견은 관찰되지 않았다.

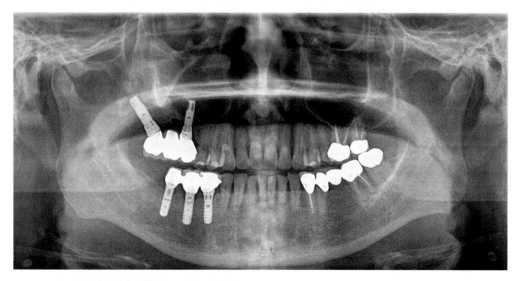

Fig. 3-10. 2018년 2월 1일 촬영한 파노라마 방사선사진

1 만성 상악동염 및 구강상악동누공
2 배농을 위해 Nu-gauze를 사용한 것은 잘못된 치료법이다.
3 턱관절장애
4 교합 변화
5 턱관절장애 진단을 위한 정밀검사 미시행

🗐 치료 및 경과

1 보존적 턱관절장애 치료: 상담, 약물, 물리치료, 스플린트 치료
2 보툴리눔독소 주사
3 상부보철 재치료
4 경과 양호

🔊 Comment

● Nu-gauze는 Iodoform 성분을 함유한 긴 스트립 형태의 거즈로서 작은 농양의 배농 목적으로 치과에서 자주 사용되던 재료이다. 그러나 범위가 넓은 감염에서는 절대로 사용해선 안 된다. 특히 상악동염 배농 목적으로 사용할 경우 오히려 상악동 내로 들어가면서 감염을 더욱 악화시킬 수 있다. **배농관은 실라스틱 혹은 고무 재질을 사용하는 것이 원칙이다.** 거즈는 적셔지는 순간부터 배농관의 역할을 상실하고 오히려 감염원으로 작용할 수 있다.

장기간의 치과치료로 인해 턱관절원판 전방전위, 관절원판 후방 부착부 조직의 염증, 골관절염 혹은 근육성 장애가 교합 변화를 유발하였을 가능성이 있다. 관절낭, 관절원판후조직, 인대 등에 염증이 발생하면서 과도한 삼출물(effusion)이나 부종, 통증이 발생하고 하악과두를 전방으로 밀어내면서 하악이 반대측으로 이동되기도 한다. 턱관절장애가 만성적으로 진행되면 관절원판의 위치변화, 과두흡수, 과두의 위치변화 등과 같은 영구적인 구조적 변화가 발생할 수 있다. 즉 관절원판의 비정복성 전방전위가 지속되면 하악과두가 후방으로 밀리면서 하악이 이환측으로 이동하고 전치부 개방교합, CR-CO discrepancy가 발생할 수 있다. 과두의 골흡수가 진행되면 하악지(mandibular ramus)의 높이가 감소되면서 이환측 구치부에서 과접촉이 발생하고, 비이환측에서는 구치부 개교합이 나타날 수 있다. 또한 골관절염이 양측성으로 진행되는 경우엔 전치부 개방교합을 초래할 수 있다(Choi JM, et al; 2002, Engström AL, et al; 2007, Huh YK, et al; 2013, Magnusson C, et al; 2010, van den Berg WB; 2011).

그러나 본 증례는 external hex implant가 사용되었기 때문에 지대주 sinking은 관련이 없다. 본 증례의 경우 보존적인 턱관절 치료를 통해 어느 정도 안정된 것을 확인하고 상부 보철치료를 다시 해서 교합을 수복한 후 보툴리눔독소 주사 및 스플린트 치료를 계속 진행함으로써 턱관절장애와 교합 변화를 잘 해결할 수 있었다. 돌이켜 생각해 볼 때 당시 턱관절장애 증상과 교합 변화가 지속됨에도 불구하고 핵의학검사나 CBCT와 같은 정밀검사를 시행하지 않은 것이 아쉽다.

Dysport는 500 Speywood units과 구성되어 있으며 Allergan 사의 BOTOX와 역가가 다르다. 3-4 Speywood units는 1 Allergan unit과 동일하다. 따라서 교근 한 부위에 BOTOX 25 units를 주사할 때 Dysport는 75-100 units를 주입하게 된다.

Case 2 > 58세 여자 환자에서 갑자기 발생한 구치부 교합 변화

    58세 여자 환자가 우측 턱관절 통증과 관절잡음을 주소로 내원하였다. 주로 좌측으로만 씹는 습관이 있으며 이갈이가 심하고 촉진 시 양측 측두부와 우측 턱관절 주변 압통이 존재하였다. 증상은 6개월 전부터 시작되었고 치과 의원에서 약물 및 물리치료를 시행 받았으나 개선되지 않아 본원에 내원하였다. BiteStrip® (Scientific Laboratory Products, Ltd., Tel Aviv, Israel)으로 이갈이 정도를 평가한 결과 Grade 3로서 심한 이갈이 양상을 보였으며 진단 목적으로 투여한 Valium과 Naxen-F에 통증이 완화되는 양상을 보였다. 임상 및 방사선검사를 토대로 턱관절장애 1형(근육성장애), 3형(턱관절내장증)으로 진단하고 5개월간 물리치료와 스플린트 치료를 시행한 후 증상이 해소되었다(Fig 3-11). 그러나 1년 10개월 후 좌측 어금니가 뜨면서 교합이 안 된다

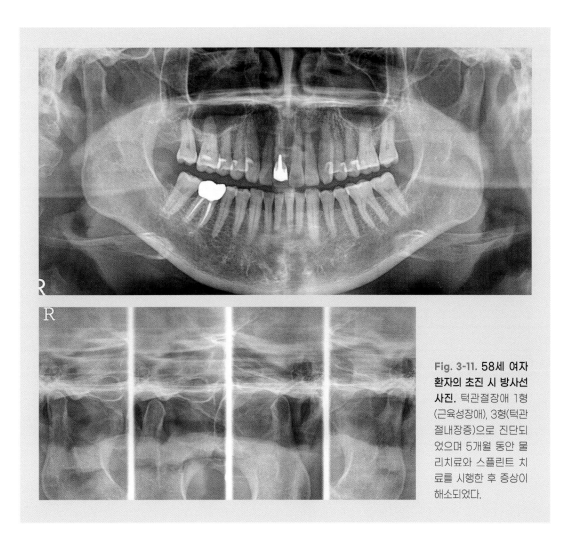

Fig. 3-11. 58세 여자 환자의 초진 시 방사선 사진. 턱관절장애 1형(근육성장애), 3형(턱관절내장증)으로 진단되었으며 5개월 동안 물리치료와 스플린트 치료를 시행한 후 증상이 해소되었다.

는 증상을 주소로 다시 내원하였다. 가볍게 물 때 구치부 교합이 뜨지만 꽉 물면 교합되는 양상을 보였고 좌측 턱관절 측방 촉진 시 압통과 불편감이 존재하였다(Fig 3-12). 인상을 채득하여 진단 모형을 분석한 결과 양측 교합이 잘 되는 것으로 보아 좌측 턱관절장애로 인한 급성 교합 변화로 잠정 진단하고 약물치료와 스플린트 치료를 다시 시행하였으며 턱관절 증상과 교합 변화는 정상으로 회복되었다. 스플린트 치료 1년 후 교합은 정상으로 잘 유지되고 있었고 음식을 잘 씹을 수 있다고 하여 치료를 종료하였다.

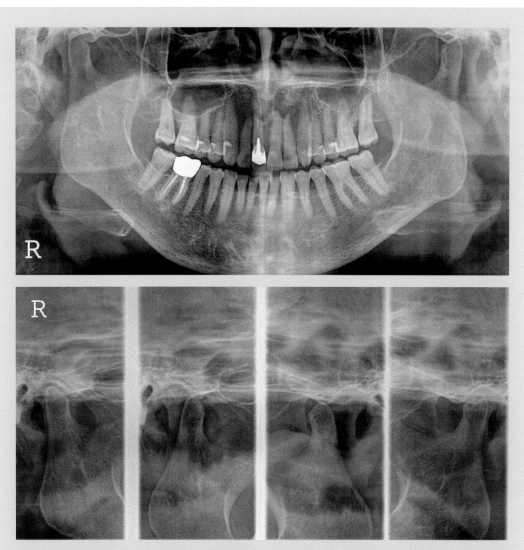

Fig. 3-12. 초진 1년 10개월 후 방사선사진. 좌측 구치부 개방교합이 발생하였으며 방사선사진은 초진 시와 비교하여 큰 차이를 보이지 않았다.

⊗ Problem lists

1 턱관절장애
2 편측저작 및 이갈이
3 급성 부정교합

🗐 치료 및 경과

1 약물, 물리치료 및 스플린트 치료
2 경과 양호

🔊 Comment

● 턱관절장애 및 이갈이가 존재하던 환자로서 1차 치료 후 증상이 개선되었지만 갑자기 부정교합이 발생하여 다시 치료가 시행된 증례이다. **정상 교합을 가지고 있던 환자에게 갑자기 교합 변화가 발생하면 턱관절장애를 우선적으로 의심해야 한다.** 턱관절 관절원판 전위 및 과두 위치 변화, 턱관절염, 특발성 과두흡수증후군, 저작근 부조화로 인해 급성 부정교합이 발생할 수 있다. 인상을 채득하여 진단모형을 제작하고 모형상에서 양측 교합이 잘 되지만 구강 내에서 교합이 잘 안 되는 경우는 대부분 턱관절장애로 인한 것이다. 초기 치료에 잘 반응을 보이지 않고 부정교합이 장기간 지속된다면 핵의학검사, CT, MRI 등의 정밀검사를 시행한 후 외과적 처치, 보철 혹은 교정치료와 같은 비가역적 처치를 고려해 볼 필요가 있다(김영균 등; 2018).

Case 3 > 54세 여자 환자에서 개구제한 및 구치부 교합 변화가 발생한 증례

2012년 8월 3일 54세 여자 환자가 개구제한을 주소로 내원하였다. 임상검사 시 입이 잘 안 벌어지는 상태로 개구량은 27–31 mm를 보였다(Fig 3-13). 양측 구치부 교합이 잘 안 되면서 음식 씹는 것이 매우 불편하다고 하였다(Fig 3-14). 양측 턱관절 잡음이 존재하였으며 촉진 시 우측 턱관절 측방 압통, 개구 시 하악 편위, 아침에 턱이 뻐근한 증상과 이명이 존재하였다. 타 치과 의원에서 스플린트 치료를 시행하였음에도 불구하

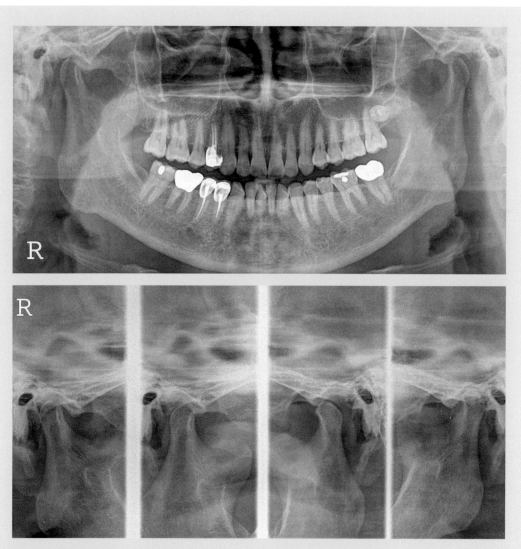

Fig. 3-13. 54세 여자 환자의 초진 시 방사선사진. 개구 시 양측 과두 움직임의 제한이 관찰된다.

고 개선되지 않아 인근 대학병원에서 방사선검사 및 약물 처방을 받은 후 본원에 내원하였다. 전신질환은 고혈압, 류마티스 관절질환과 만성 폐질환을 보유하고 있었다. MRI 검사에서 양측 턱관절 관절원판의 비정복성 전방전위 소견이 관찰되었고 핵의학검사에서 양측 턱관절에 섭취율이 약간 증가한 양상을 보였지만 골관절염을 의심할 만한 정도는 아니었다(Fig 3-15). 임상 및 방사선검사를 토대로 턱관절장애 3형(턱관절내장증: 관절원판 비정복성 전방전위)으로 인한 급성 개구제한 및 교합 변화로 진단하고 스플린트, 약물치료 및 2회 관절강 주사요법(Steroid, Hyaluronic acid)을 시행하였으나 개선되지 않았다. 따라서 **2012년 10월 10일** 전신마취하에서 양측 턱관절경 시술(arthroscopic lavage and lysis)을 시행하고 술 후 지속적인 물리치료, 약물치료 및 교정용 미니스크류를 이용한 견인치료를 시행하였고 **2013년 2월 15일** 부정교합과 개구제한이 해소되어 치료를 종료하였다. 2017년 6월 정기 검진을 위해 내원하였을 때 교합은 정상이었고 방사선검사에서 양측 과두의 골 개조 소견이 관찰되지만 골관절염성 변화는 존재하지 않았다(Fig 3-16~19).

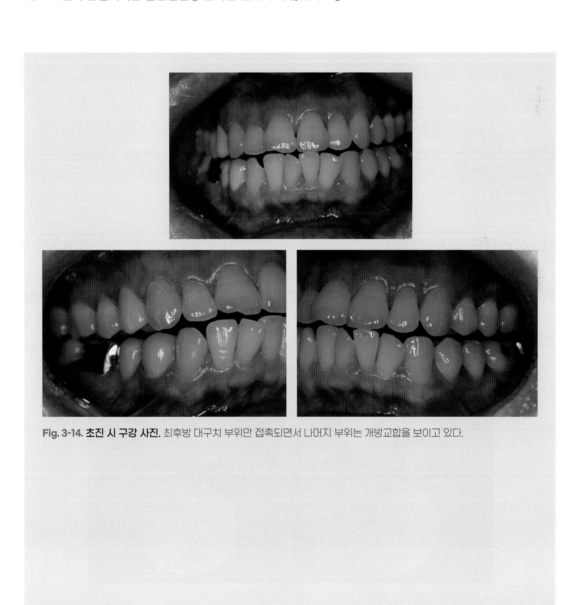

Fig. 3-14. 초진 시 구강 사진. 최후방 대구치 부위만 접촉되면서 나머지 부위는 개방교합을 보이고 있다.

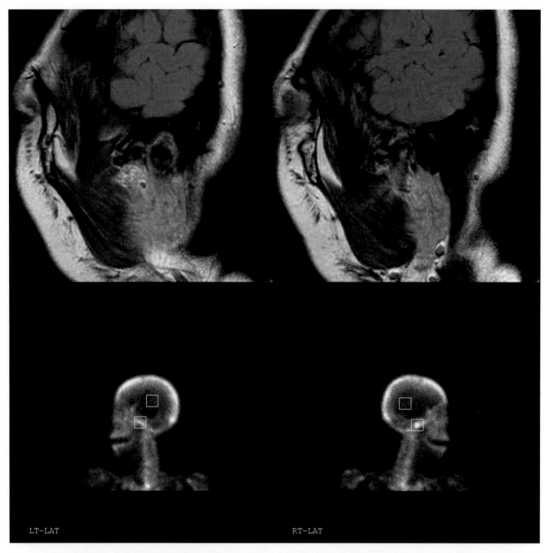

LT-LAT   RT-LAT

Fig. 3-15. MRI 검사에서 양측 턱관절 관절원판 비정복성 전방전위가 관찰되었고 핵의학검사에서는 양측 턱관절 부위의 경미한 섭취율 증가(Rt: 3.20, Lt: 3.34) 소견이 관찰되었다.

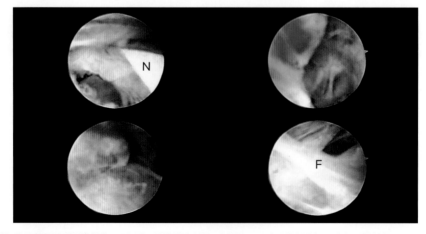

Fig. 3-16. 섬유성 유착증과 반상출혈을 보여 주는 턱관절경 사진. 세척(lavage)과 용해술(lysis)을 시행하였다.
F: fibrous adhesion, N: needle.

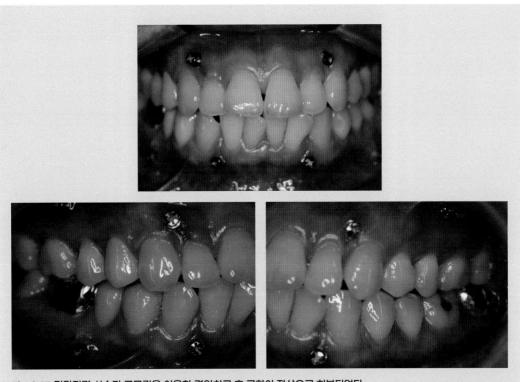

Fig. 3-17. 턱관절경 시술과 고무링을 이용한 견인치료 후 교합이 정상으로 회복되었다.

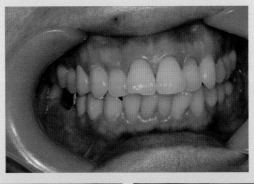

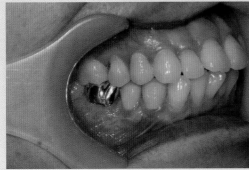
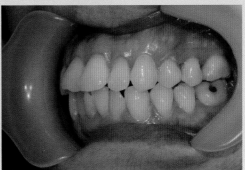

Fig. 3-18. 초진 4년 10개월 후 구강 사진. 교합이 안정적으로 잘 유지되고 있다.

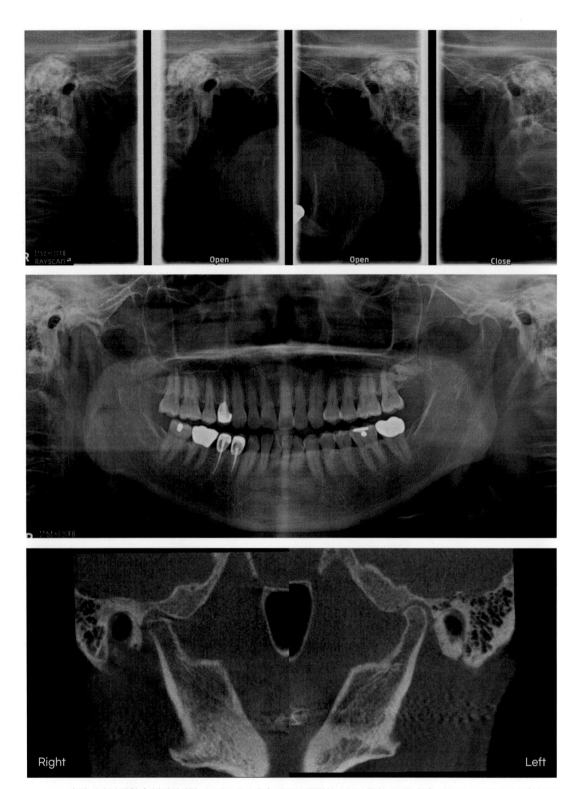

Fig. 3-19. 초진 4년 10개월 후 방사선사진. CBCT에서 우측 과두의 편평화 소견이 관찰되지만 양측 과두의 피질골선이 명확한 것으로 보아 골개조가 이루어진 후 안정적인 상태를 잘 유지하고 있는 것을 확인할 수 있다.

⊗ Problem lists

1 개구제한을 포함한 다양한 턱관절장애 증상

2 부정교합

3 보존적 치료에 반응을 보이지 않음

치료 및 경과

1 턱관절경을 이용한 세척 및 용해술

2 고무링을 이용한 견인치료

3 시술 전후 약물 및 물리치료

4 경과 양호

🔊 Comment

● 개구제한 등 다양한 턱관절장애 증상들이 존재하면서 갑자기 부정교합이 발생하였다. 환자의 진술에 의하면 이전에 자신의 교합은 정상이었고 음식도 잘 먹을 수 있었다고 하였다. MRI 검사에서 비정복성 관절원판 전위 소견이 관찰되었으며 장기간의 턱관절내장증으로 인한 교합 변화로 진단하고 보존적 치료와 턱관절경 시술을 통해 정상화시킬 수 있었다. 이런 증례를 **설불리 교정 혹은 외과적 치료를 통해 해결하려고 시도하면 심각한 결과를 초래할 수 있다. 비가역적 치료는 확실한 진단을 통해 적응증이 되는 경우에만 시도해야 한다.**

본 증례를 턱관절장애 3형으로 진단하였지만 류마티스 관절질환과의 연관성을 결코 배제할 수는 없다. 그러나 류마티스와 연관된 턱관절질환이라 하더라도 치료는 통상적인 턱관절장애 치료법과 다를 바 없다.

Case 4 > 68세 여자 환자에서 턱관절 치료를 위해
한의원에서 제작한 스플린트를 장기간 착용한 후
부정교합이 발생한 증례

2014년 6월 27일 68세 여자 환자가 교합이상 및 저작장애를 주소로 내원하였다. 1년 전부터 우측 턱관절
잡음과 불편감이 존재하여 종합병원 치과, 대학병원 치과 두 군데에서 진찰 후 스플린트 치료를 권유 받았
으나 치료를 받지 않고 유명하다고 소문이 난 한의원을 방문하였다. 환자의 진술에 의하면 한의원에서 근육
과 턱 교정치료를 받았고 4개월 전부터 soft splint를 하루에 14시간 이상 착용하고 있는 상태였다(Fig 3-20).
우측 턱관절 촉진 시 압통, 턱이 걸려서 입이 잘 안 벌어진 적이 있으며 아침에 턱이 뻐근하고 이가 안 맞아
서 음식을 씹지 못하는 상태였다. 야간 이갈이와 이악물기가 존재하는 것으로 추정되었고 #18, 28, 38, 48 부
위만 교합이 되고 나머지 부위는 모두 개방교합 양상을 보였다. 개구량은 40 mm로 정상 범주에 있었고 입
을 크게 벌릴 때 양측 턱관절에서 관절잡음(clicking)이 발생하였다. 일반 방사선사진에서는 좌측 과두의 일부
표면이 불규칙하고 경미한 침식 소견이 관찰되었으며 CBCT에서는 과두의 편평화(flattening)와 관절강이 협
소해진 소견을 보였다(Fig 3-21, 22). 의과적 병력은 중이염 치료를 받은 적이 있었고 6개월 전 턱지방제거술
을 시행 받은 후 감각이상이 잔존하고 있는 상태였다. 진단모형을 제작하여 살펴본 결과 교합이 잘 되는 상
태였는데 구강 내에서는 개방교합이 존재하는 것으로 보아 양측 턱관절장애와 연관이 있는 것으로 판단하였
다(Fig 3-23). **2014년 9월 5일** 양측 턱관절 관절원판 전방전위 및 하악과두의 상방이동, 골관절염으로 인한

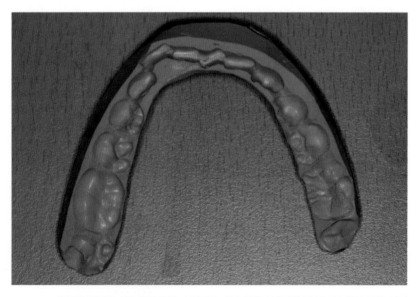

Fig. 3-20. 환자가 장기간 착용하고 있던 스플린트. 한의원에서 제작한 장치로서 이와 같은 불량
장치를 장기간 사용할 경우 부정교합이 발생하는 것은 불가피하다.

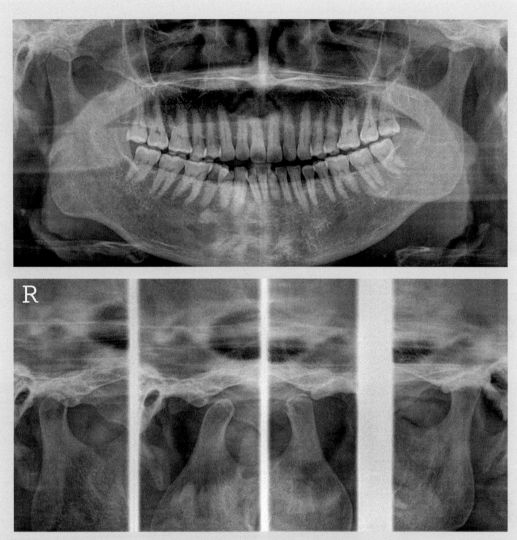

Fig. 3-21. 68세 여자 환자의 초진 시 방사선사진. 좌측 과두 전방에 경미한 침식 소견이 관찰된다.

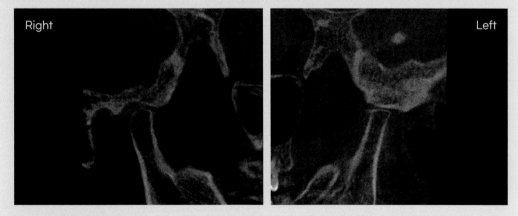

Fig. 3-22. 초진 시 CBCT 사진. 우측 과두는 약간 전방에 위치하고 있으며 좌측 과두는 편평화와 관절강의 공간이 협소해진 소견을 보이고 있다.

부정교합으로 진단하고 양측 상관절강에 Hyaluronic acid (Guardix)를 주입하고 상하악에 8개의 교정용 미니스크류를 식립하고 고무링을 걸어서 교합개선을 위한 견인치료를 시작하였다. 당일 안정위스플린트 제작을 위해 인상을 채득하고 Mesexin 500 mg bid, Reumel 7.5 mg bid, Methylon 4 mg bid을 5일 처방하였다. **2014년 9월 12일** 교합이 정상으로 거의 회복되어 교정용 미니스크류를 제거하였다. **2014년 9월 29일**부터 안정위스플린트를 밤에 잠잘 때에만 착용하도록 하였다. **2014년 11월 7일** 교합 불안정이 다시 재발되었고 CR-CO discrepancy가 큰 양상을 보였으며 스플린트를 점검한 후 다시 장착하였다. **2015년 1월 9일** 교합은 정상으로 회복되었으나 CR-CO discrepancy는 여전히 심한 양상을 보였고 음식 씹는 것이 힘들다고 하였다. 당일 TMJ MRI 촬영을 권유하였으나 검사비가 비싸서 외부에서 촬영 후 가져오겠다고 하였다. **2015년 2월 27일** 내원 시 MRI 외부 영상에서는 양측 턱관절 관절원판 정복성 전방전위 및 삼출증(effusion)과 과두가 후상방에 위치하고 있는 소견이 관찰되었다. **2015년 4월 15일** 양측 턱관절경을 이용한 세척 및 용해술(Arthroscopic lavage and lysis)이 시행되었으며 술 후 적극적인 물리치료와 아치바와 고무링(Arch bar & elastic ring)을 이용한 교합 개선 치료를 시행하였다(Fig 3-24). **2015년 5월 11일** 양측 구치부 교합이 정상으로 회복되었으며 **2015년 5월 26일** 아치바를 제거하였다. **2015년 6월 26일** 스플린트를 점검하고 야간에 계속 착용하도록 하였으며 **2015년 7월 24일** 최종 관찰 시 모든 증상들이 소멸되었다(Fig 3-25, 26).

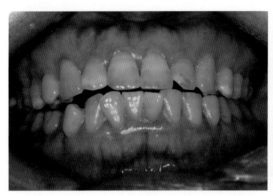
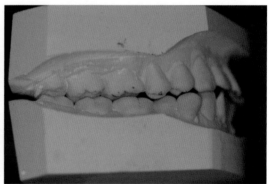

Fig. 3-23. 구강 검사 시 최후방 대구치만 교합되는 개방교합 양상이 관찰되었지만 진단 모형에서 맞춰볼 때는 정상적 교합이 재현되었다.

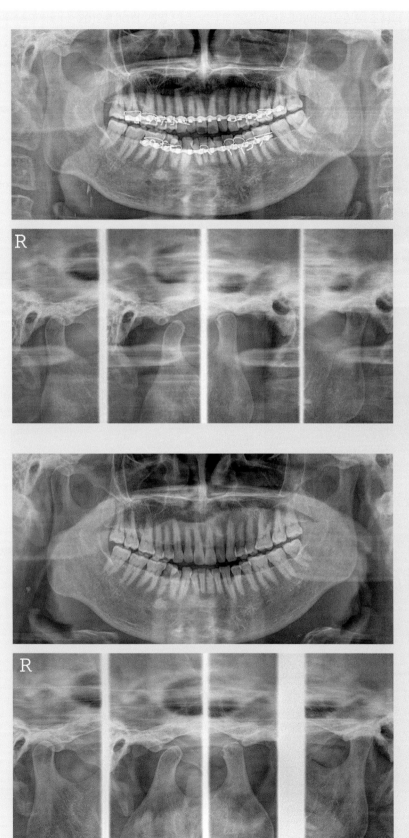

Fig. 3-24. 턱관절경 시술 후 방사선사진. 아치바를 장착하고 고무링을 이용한 견인치료를 통해 교합 개선을 시도하였다.

Fig. 3-25. 최종 관찰 시 방사선사진

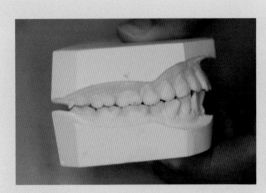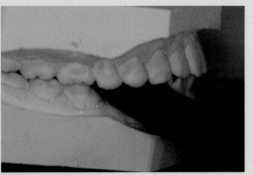

Fig. 3-26. 최종 관찰 시 모형 상에서 교합을 체크하는 모습. 교합이 거의 정상으로 회복되었다.

⊗ Problem lists

1 부정교합 및 저작장애
2 여러 명의 치과의사, 비전문가 및 무허가 시술소에서 불량한 치료를 받음
3 이갈이, 이악물기
4 치과치료에 대한 비협조
5 비정상적인 soft splint를 장기간 착용
6 턱지방제거술 후 감각이상

치료 및 경과

1 보존적 치료: 약물 및 안정위스플린트, 관절강 주사
2 교정용 미니스크류와 고무링을 이용한 견인치료
3 턱관절경을 이용한 세정 및 용해술
4 턱관절경 시술 후 적극적인 물리치료와 아치바와 고무링(Arch bar & elastic ring)을 이용한 교합 개선 치료
5 경과 양호

● 아직도 환자들은 턱관절장애 치료를 어디서 받아야 하는 지 모르는 사람들이 많다. 턱관절 잡음, 통증, 개구제한, 저작장애, 이명, 두통 등의 증상들이 동반되기 때문에 이비인후과, 신경과, 통증 클리닉, 한의원 등을 우선 방문하는 경우가 치과를 방문하는 것에 비해 월등히 많다. **턱관절질환을 잘 모르는 의료인들에게 무분별한 치료를 받음으로 인해 증상들이 전혀 호전되지 않거나 부적절한 장치를 착용함으로 인해 부정교합이 발생하는 경우도 많다.** 환자들의 증상은 만성화되면서 정신적 스트레스, 우울증 등 정신건강의학과 치료를 필요로 하는 경우까지 진행될 수 있으며 환자들은 의료인들에 대한 불신감이 팽배해진 상태에서 치과를 방문하게 되고 치과의사들의 치료에도 잘 반응을 보이지 않는 경우가 많다.

본 증례는 턱관절장애로 인해 부정교합이 발생하였고 부적절한 장기간의 치료가 시행되면서 증상이 개선되지 않고 계속 악화된 경우이다. 필자 병원에서도 1차 보존적 치료에 반응을 보이지 않아 턱관절경을 이용한 세척 및 용해술과 함께 교정적 견인치료를 통해 증상을 개선시킬 수 있었다.

본 증례는 임상 및 방사선 소견을 참고할 때 턱관절장애 3형인 턱관절내장증과 4형인 골관절염으로 쉽게 진단할 수 있다. 처음 진찰한 치과 의원에서 권유한 대로 스플린트 등을 이용한 보존적 치료를 받았다면 증상이 조기에 소멸되고 부정교합은 발생하지 않았을 것이다. **환자의 치료에 대한 비협조는 턱관절장애 치료 실패의 주원인 중 하나이다**(Kim YK; 2014). 증례에 기술된 내용을 보면 환자가 임의로 치과진료를 거부하고 비전문가 및 무허가 시설에서 장기간 치료를 받았다. 또한 비정상적으로 제작된 soft splint를 하루에 14시간 이상 동안 약 4개월 정도 착용하였다. **Soft splint는 아주 특별한 상황(상하악 의치 착용자, 딱딱한 장치를 도저히 착용할 수 없는 환자, 스포츠 마우스가드 목적 등)에서 단기간 착용해야 한다. 반드시 치과에서 인상을 채득한 후 제작되어야 하며 주기적으로 치과의사에게 점검을 받아야 한다.**

필자 병원에 내원하였을 때 CT, MRI 등 정밀검사를 시행하여 턱관절장애 3, 4형과 연관된 부정교합으로 확진하고 환자의 동의를 얻은 후 턱관절경 시술을 시행하였다. 시술 후에도 적극적인 물리치료, 고무링을 이용한 견인치료 및 안정위스플린트를 착용하여 정상으로 회복시킬 수 있었다. 관절경 시술 전에 교정용 미니스크류에 고무링을 걸어서 교합개선을 시도하였으나 교합 불안정이 재발되었기 때문에 턱관절경 시술 후에는 아치바를 상하악에 장착한 후 고무링을 이용하여 강력한 견인치료를 시행하였다.

Case 5 > 보철 및 임플란트 치료가 진행되는 과정 중 장기간 교합이상을 호소한 증례

〈임플란트 수술 및 보철치료를 필자가 한 것이 아니어서 증례 기술 시 어색한 문장과 보철 용어들이 부적절하게 사용되었을 수 있음을 이해해 주시기 바랍니다〉

2009년 8월 12일 55세 여자 환자가 상하악 틀니 불편감과 임플란트 치료 상담을 목적으로 내원하였다. 상악은 완전 무치악이었고 하악은 우측 구치부가 소실된 상태였다. 상악에 6개 임플란트를 식립한 후 fixed hybrid prosthesis, 하악 양측 구치부에 임플란트를 각각 2개씩 식립한 후 고정성 보철물을 장착하기로 결정하였다(Fig 3-27). 2009년 9월 11일 상악에 6개의 임플란트(Nobel Speedy Groovy 4 D/10 L)를 식립하고 주변 골열개 부위에 MBCP와 ICB를 이식하고 Biogide 차폐막을 피개한 후 봉합하였다.

2주 후 봉합사를 제거하고 기존의 틀니를 relining한 후 장착하였으며 유동식 위주로 음식을 섭취하도록 하였다. 수술 후부터 심한 좌측 두통을 호소하였고 약물을 처방하여도 완화되지 않아 신경과 진찰을 의뢰하였으나 특별한 이상 소견은 발견되지 않았다. 임시 의치는 2-3주 간격으로 relining을 하면서 착용하였고 2010년 1월 22일 #45, 46, 36, 37 부위에 임플란트(NobelBiocare MK III Groovy 4 D/10 L)를 1회법으로 식립하였다(Fig 3-28). 2010년 2월 5일 상악 임플란트 2차 수술을 시행하였고 2010년 4월 2일 하악 임플란트 인상을 채득하고 2010년 4월 30일 상하악 임플란트 보철물이 장착되었다. 보철물 장착 당일 양측 턱관절의 이상 소견들이 인지되었으며 개구 시 하악 편위가 존재하였고 환자가 자신의 교합을 잘 찾지 못하면서 이상 증상들을 호소하기 시작하였고 장기간 동안 다양한 치료들이 시행되었다(Fig 3-29)(Box 3-1).

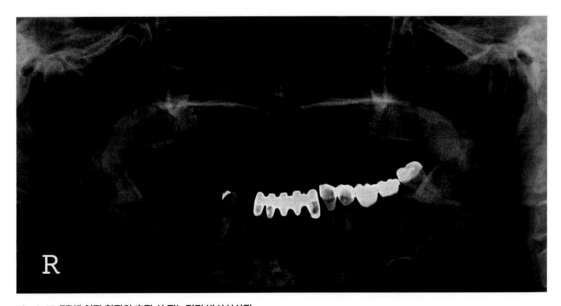

Fig. 3-27. 55세 여자 환자의 초진 시 파노라마 방사선사진

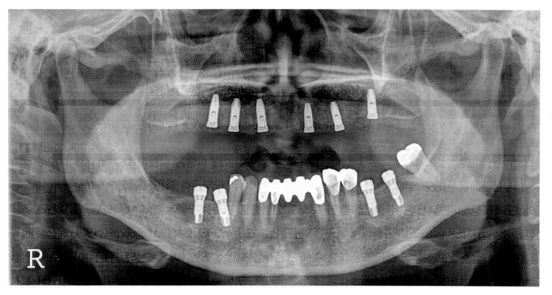

Fig. 3-28. 상하악 임플란트 식립 후 파노라마 방사선사진

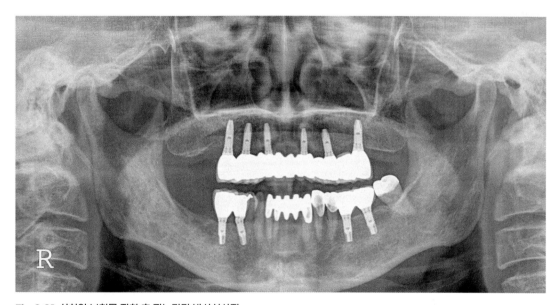

Fig. 3-29. 상하악 보철물 장착 후 파노라마 방사선사진

Box 3-1　**상부 보철물 장착 후 환자가 호소하는 증상들과 시행된 처치 요약**

1. **2010. 4. 30** 양측 턱관절 이상 감지

2. **2010. 5. 12** 이가 잘 안 맞고 입을 벌린 후 잘 안 다물어진다고 호소함. *"말할 때 특정 부위 치아들이 부딪친다."*

3. **2010. 5. 14** 수직고경을 다시 평가함. Recording the centric, Wallis dimension 65 mm

4. **2010. 6. 11** 수직고경이 65 mm로 유지되도록 제작한 상부 보철물 장착

5. **2010. 7. 8** *"좌측 뺨이 씹힌다. 상악 좌측 보철물 치경부에 음식물이 너무 많이 낀다."*

6. **2010. 7. 14** *"혀가 씹힌다."* → 교합조정

7. **2010. 8. 17** 우측 치아들이 좀 더 강하게 닿고, 인공치아의 구개측 부분이 혀에 닿아서 매우 불편하다고 호소함. → 교합조정

8. **2011. 4. 20** 보철 치과의사 교체됨. *"구개측이 말할 때마다 자꾸 혀에 닿는다. 우측이 덜 씹힌다. 우측 치아들이 너무 구개측으로 쏠려 있어서 입술과 얼굴이 꺼져 보인다."* → 교합체크 및 모형제작을 위한 인상채득, 방사선 촬영

9. **2011. 4. 27** *"우측 보철물에 혀가 많이 닿고 교합이 잘 안 된다."* → 상부 보철물의 형태 조정

10. **2011. 7. 5** 상악 상부 보철물을 철거하고 임시 레진 보철물 장착

11. **2011. 7. 13** *"우측 혀, 뺨이 계속 씹힌다. 혀가 보철물에 너무 많이 닿아서 따갑고 아프다. 우측으로 꽉 물거나 이를 가는 습관이 생겼다."* → 교합조정, 수직고경 조정

12. **2011. 7. 27** 혀, 뺨이 씹히는 것은 개선됨. 우측 교합이 더 긴밀한 것이 확인되었으며 혀 닿는 부위의 날카로운 부분을 부드럽게 다듬어 줌 → 다음 내원 시 치아 빠지기 전 얼굴 사진 가져오도록 안내함.

13. **2011. 8. 29** 우측 혀가 닿는 불편감, 우측 턱이 아프고 무겁다. 이를 꽉 무는 증상이 더 심해졌다. → 환자가 가져온 사진 스캔하여 보관하고 수직고경을 조정함.

14. **2011. 9. 7** 말할 때 혀 닿는 증상은 완화되었으나 우측 하악 구치부의 무거운 느낌과 우측 턱 통증이 심해짐 → 스플린트 장착을 위한 인상채득

15. **2011. 9. 21 - 2012. 1. 6** 안정위스플린트 장착 및 조정

16. **2012. 1. 6 - 2012. 2. 3** 상악 임시 총의치를 다시 제작하여 장착

17. **2012. 2. 16** *"말할 때 혀가 훨씬 편해졌다."* 우측 턱 통증 소멸됨. 그러나 입술 양쪽이 더 꺼진 느낌이고 씹을 때 flange 접촉 부위가 아프다고 호소

18. **2012. 2. 21 - 2012. 4. 20** Temporary FHD 장착

19. **2012. 4. 27 - 2012. 5. 17** *"혀는 편하다. 오래 씹으면 좌측 턱관절 주변이 아프다. 우측이 더 잘 씹히며 말할 때 딱딱 부딪히는 소리가 난다."* → 상악 인상채득, facebow transfer, putty index

20. **2012. 7. 24** 상악 Zirconia fixed bridge 장착

21. **2012. 7. 27 - 2012. 10. 4** 우측으로 꽉 눌리는 느낌. 치아를 좌우로 갈 때 송곳니에서 걸리는 느낌. *"우측 어금니 쪽으로 가끔 미끄러지는 소리가 난다."* 좌측으로 씹을 때 무거운 느낌. 앞니가 너무 긴 것 같으니 짧게 해달라고 요청. *"발음할 때 다시 우측 혀가 닿기 시작한다. 음식 씹고 난 후 턱관절 주변이 아프다."* 보철물 치아가 깨진 것에 대해 이의제기. *"치과치료로 인해 너무 스트레스 받아서 머리가 아프다."* #24, 25 조기접촉 관찰됨.

22. **2012. 10. 4 - 2012. 11. 6** *"양측 어금니가 불편하다. 발음할 때 우측 혀가 닿는다. 발음할 때 입을 크게 벌려야 한다. 발음이 잘 안 된다."* → Facebow transfer, 상하악 인상채득, bite taking for clinical remounting, temporary FHD

23. **2012. 11. 20 - 2013. 2. 8** *"아픈 것이 좀 나아졌다. 발음도 조금 낫다. 그러나 아래 입술을 자꾸 앞으로 내밀어 물게 된다. 우측 최후방 어금니가 눌려서 아프고 귀까지 통증이 파급된다."* → 교합조정, clinical remounting, pick-up impression taking, wax rim try-in, JR recording

Box 3-1 상부 보철물 장착 후 환자가 호소하는 증상들과 시행된 처치 요약

24. **2013. 2. 8** 우측 혀끝 부위 궤양 및 통증 발생 → Dexamethasone gargling 처방

25. **2013. 3. 6** 보철 치과의사 교체됨.

    "씹을 때 아프다. 이가 원심 측으로 길어서 우측 안면부가 불편한 것 같다. 보철물 부스러기가 깨져 나오는 것 같다. 뺨이 씹혀서 상처가 자주 난다. 우측으로 씹는 것이 불편하다. 치과치료 중 입을 오래 벌리면 양측 귀 앞부분이 아프다." → Tentative jaw relation taking. 기존 보철물 외형과 상기 증상 분석하여 wax-rim을 교합기 상에서 조정하여 jaw relation 재채득하기로 함. Provisional restoration 재제작하여 경과 관찰하기로 하고 환자 동의함.

26. **2013. 3. 26 - 2013. 4. 26** rim adjustment, facebow transfer, jaw relation taking (상악 전치부 edge to edge bite로 형성), wax denture 시적

    "좌측 턱이 아프고 소리가 난다. 이전에는 우측이 잘 안 물렸는데 이제는 우측이 잘 물리고 좌측이 안 물린다. 우측 턱관절 통증이 심해졌다. 우측 뺨이 불편하다. 식사 후 우측에서 짠물이 나온다."

27. **2013. 4. 26** 보철 치과의사 교체된 후 상담만 진행.

    기술적인 문제는 최선을 다해 도와드리겠다. 턱관절 문제는 해결이 안 되니 문제가 지속될 경우 턱관절 치료를 우선 받아야 한다. 보호자 및 환자에게 Skull 모형으로 교합과 턱관절 관계 설명

28. **2013. 5. 31** *"이제는 씹어서 먹을 수 있으나 우측으로 씹으면 귀 앞쪽이 아프고 가만히 있으면 턱 뒤쪽이 아프다. 혀 불편감은 많이 나아졌다. 발음 시 불편한 것도 조금 나아졌으나 우측 어금니가 혀에 닿아서 불편하다. 윗입술이 뒤집어지는 것 같고 앞니가 튀어나온 느낌이다. 저번에는 입 전체가 부어 있는 느낌이었는데 이제는 그런 느낌은 줄어들고 우측만 조금 튀어나온 느낌이다."* → Freeway space 1 mm로 증가시키고 교합조정 시행

29. **2013. 6. 11** *"우측 어금니 부위로 혀가 항상 스쳐서 말할 때 불편하다. 항상 우측이 먼저 닿는 느낌이다. 우측 귀 주변이 아프다."* → 필자에게 턱관절 진료 의뢰

30. **2013. 6. 21** 턱관절 초진 및 관련 검사 시행(Fig 3-30)

    양측 턱관절 잡음, 개구량 40-50 mm, 우측 교근 촉진 시 압통. 얇은 omnivac splint (일명 BruxCheck)를 1주 착용한 결과 4개 치아 부분에서 심한 마모 소견이 관찰되었고 장착 후에 심리적으로 편안한 느낌이었다고 언급함. 핵의학검사에서는 정상 소견을 보였으며 구강악습관(야간 이갈이 혹은 이악물기)이 동반된 근육성 턱관절장애로 진단하고 스플린트 및 물리치료를 계획함.

31. **2013. 8. 5 - 2013. 11. 8** 스플린트, 물리치료 및 약물치료(Eperisone 50 mg tid for 4 weeks). 통증 등 불편감이 거의 소멸됨

32. **2013. 12. 2 - 2014. 1. 27** #36-37, 45-46 재보철치료

33. **2014. 3. 14 - 2014. 4. 1** *"우측이 높아 잠을 못 잤다. 목 뒤까지 아팠다. 아래 이가 무겁게 느껴지고 답답한 느낌이 지속된다. 아직도 전체적으로 높은 느낌이 난다."* → 상악 보철물을 분리하여 구치부 기준 2 mm 삭제. 소구치 기준으로 Freeway space 1-2 mm 부여한 후 재연결

34. **2014. 4. 15 - 2014. 4. 25** *"이전 치료 후 많이 좋아졌다. 그러나 아직 우측 끝 부분에서 혀가 먼저 닿는다. 빨리 말하는 것이 힘들다."* → #47 근심설측 교두 재형성, freeway space 1 mm, 전치 모양 수정

    Facebow transfer, bite taking, #45-46, 36-37 분리하여 임시 보철물로 재연결, Articulator mounting & maxilla temporary bridge setting.

35. **2014. 5. 23** 상하악 최종 보철물 장착

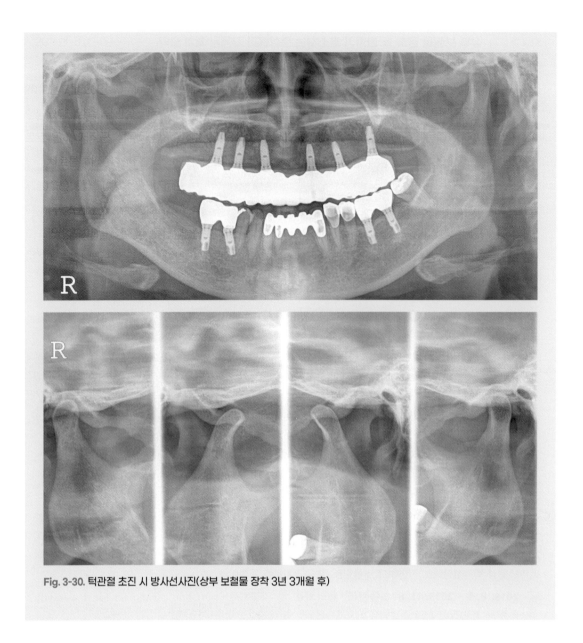

Fig. 3-30. 턱관절 초진 시 방사선사진(상부 보철물 장착 3년 3개월 후)

2014년 5월 23일 최종 보철물이 장착된 이후에도 이전과 유사한 이상 증상들을 지속적으로 호소하였으나 객관적인 교합이상과 심각한 턱관절장애 소견을 보이지 않아 정기 관리 프로그램에 따라 임플란트 유지관리 및 턱관절장애 재발에 대한 관찰을 진행하고 있다. 환자에게 근육성 턱관절장애와 연관된 증상들이며 심각한 교합장애가 없음을 확인시키고 스스로 적응하면서 지내도록 노력하라고 설명하였다(**Fig 3-31, 32**).

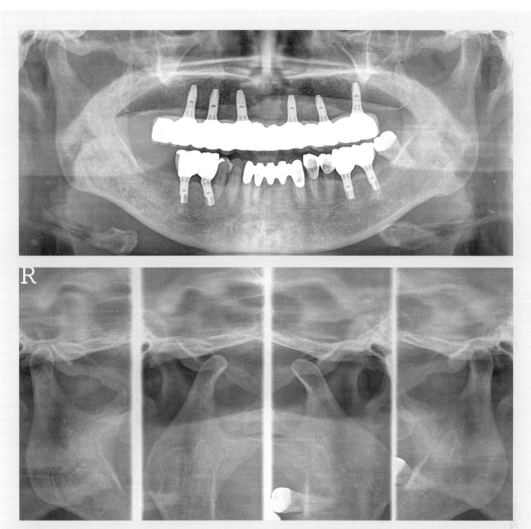

Fig. 3-31. 2015년 5월 8일 촬영한 방사선사진. 양측 턱관절 잡음과 간헐적인 우측 안면 통증, 개구 시 하악 편위가 존재하였으며 방사선사진에서는 이상 소견이 관찰되지 않았다. 근육성 턱관절장애로 진단하고 물리치료와 약물치료를 시행하였다.

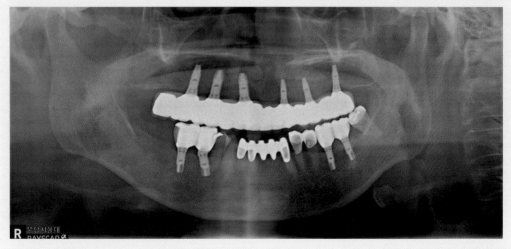

Fig. 3-32. 2019년 10월 24일 촬영한 파노라마 방사선사진. 상악 우측 임플란트 주변의 골흡수가 관찰되며 임플란트주위염에 준하는 치료 및 관리가 이루어지고 있다.

1 상악 완전 무치악, 하악 부분 무치악

2 임플란트 수술 후 두통

3 지속적인 교합이상 및 이해하기 힘든 이상 증상들을 호소함

4 약 4년간의 보철치료 및 보철 치과의사의 빈번한 교체

5 턱관절장애를 위한 검사 및 치료가 지연됨

治 치료 및 경과

1 약 3개월간 약물, 안정위스플린트 및 물리치료

2 경과 중등도

◀)) Comment

● 무치악 상태에서 장기간 틀니를 착용하고 있는 환자들은 정상적인 저작이 어렵고 잘 맞지 않는 상하악 틀니와 저작근 불균형으로 인한 턱관절장애가 이미 존재하는 경우가 많다. 이런 환자들의 턱관절장애 평가를 소홀히 하고 다수 임플란트 치료를 진행할 경우 치료 도중 혹은 보철물 장착 후 교합이상이나 턱관절장애 증상이 발생할 수 있으므로 사전 설명을 충분히 하고 치료를 시작해야 한다(Lundeen TF, et al; 1990). **본 증례는 초진 시 턱관절에 대한 평가가 전혀 이루어지지 않았고 치료 도중에 두통, 이갈이 의증, 교합이상 등 복잡한 문제들이 지속되었지만 턱관절장애 진단을 시행하지 않았고(턱관절장애 관련 초진은 턱관절장애가 의심되는 증상을 인지하고 3년 3개월 후 시행되었음), 보철의사가 4번이나 교체되는 등 많은 문제들이 발생하였다.** 환자들은 보철물이 장착된 이후에도 본 증례와 같이 다양한 증상들을 호소할 수 있으며 치과의사들은 환자의 불편감을 해소하기 위해 교합조정, 보철물의 반복적인 수정 및 재제작 등을 시행할 수 있다. 이와 같은 일이 발생하면 환자뿐만 아니라 치과의사도 지치게 되고 결국 상호 신뢰관계가 깨지면서 의료분쟁이 발생할 수밖에 없다. 이와 같은 증상들이 발생하는 원인은 무엇일까? 환자가 정신적으로 문제가 있는 것인가? 필자는 보철 전문의가 아니어서 보철적 치료 내용에 대해서는 코멘트할 것이 없다. 그러나 환자 본인과 임플란트 치료에 관여하지 않은 다른 치과의사들은 처음 치료한 치과의사의 치료법이 잘못되었다고 생각할 수밖에 없다. 한편으론 "보철 치과의사들이 환자의 요구사항을 모두 만족시키려고 지나치게 끌려 다닌 것이 아닌가" 하는 생각도 든다. 또한 왜 보철 치과의사들이 자주 바뀌었는지 이해되지 않는다. 환자 입장에서는 치료가 잘못되었기 때문이라고 의심할 수밖에 없으며 환자가 치과의사를 신뢰하지 못한다면 치료결과는 계속 나쁠 수밖에 없다. 본 증례와 같은 유형의 증상들을 교합위화감 혹은 교합이상감각(occlusal dysesthesia)의 범주로 볼 수도 있기 때문에 다음 내용들을 참고하기 바란다. 많은 문헌들에서 Occlusal discomfort syndrome (Tamaki I, et al; 2016), Occlusal Habit Nerosi (Tishler, 1928), Positive Occlusal Sense (Posselt, 1962), Occlusal neurosis (Ramfjord, 1961), Phantom Bite Syndrome (Marbach, 1976), Positive Occlusal Awareness (Okeson, 1985), Persistent uncomfortable Occlusion (Harris et al, 1985), Proprioception Dysfunction (Green, Gelb, 1994)이라는 용어들이 사용되기도 하였다. 치수질환, 치주질환, 저작근 및 턱관절질환이 없고 임상적으로 교합이상이 인정되지 않음에도 불구하고 6개월 이상 지속되는 교두감압위의 불쾌감이 존재하는 경우를 의미한다. 교합이상감각을 호소하는 환자들의 84%가 정신질환이 동반되어 있다고 한다(Clark G & Simmons M; 2003, Tamaki K, et al. 2011). 환자들은 다음과 같은 다양한 증상들을 호소한다.

① 맞물림이 불쾌하다.

② 위아래 치아들이 잘 물리지 않는다.

③ 어디로 씹어야 할지 알 수 없다.

④ 맞물림이 벗어난 느낌이다.

⑤ 맞물림이 뒤틀린 느낌이다.

⑥ 위아래 치아를 맞게 하는 것이 불가능하다.

⑦ 미끄러지면서 이가 맞물린다.

⑧ 좌우에서 닿는 방식이 다르다.

⑨ 이가 닿는 부위가 이상하다.

⑩ 이가 닿으면 불쾌하고 아프다.

⑪ 입을 다물 때 깊고 강하게 물린다.

⑫ 이 맞물림이 낮고 닿지 않는다.

⑬ 이가 맞물리는 부위의 폭이 넓거나 좁게 느껴진다.

⑭ 치아가 내측 혹은 외측으로 경사져 있다.

이와 같은 경우에는 정신건강의학과의 협진 치료가 필요하다. 심인성 요인은 모든 주관적인 통증 경험에 영향을 미치고, 통증이 아주 심하거나 장기간 지속됨으로써 발생되는 정서적 스트레스에 의하여 정상적인 통증 인식을 가진 환자라도 통증 인식이 흐려지거나 악화될 수 있다(서봉직; 1998). 적극적인 인지행동요법, 약물치료 및 안정위스플린트 치료가 도움이 될 수 있다.

근육성 턱관절장애는 정상적인 교합임에도 불구하고 환자 본인은 교합이상을 호소하는 경우가 많다. 환자가 교합이상을 호소한다고 하여 환자의 욕구를 충족시키려고 교합치료를 시작한 것이 잘못이었다고 판단된다. 환자 자신이 교합에 지나치게 집중하게 되면 어떤 치과의사들도 환자의 교합을 만족시킬 수 없다. 본 증례의 가장 큰 문제점은 턱관절장애 진단이 초기에 이루어지지 않은 것과 환자의 요구사항을 충족시키기 위해 비가역적인 보철치료를 반복적으로 시행한 것이다.

Eperisone은 근육이완제의 일종으로서 근골격계 질환에 수반하는 통증성 근육연축: 경견완 증후군, 견관절 주위염, 요통과 신경계 질환에 의한 경직성 마비(뇌혈관 장애, 경직성 척수마비, 경부척추증, 수술 후 후유증), 외상 후유증(척수손상, 두부외상), 근위축성 축색경화증, 뇌성마비, 척수소뇌변성증, 척수혈관장해, 아급성 척수시신경병변, 기타 뇌척수질환의 치료를 위해 사용된다. 본 증례는 근육성 턱관절장애가 만성적으로 장기간 지속되고 있는 것으로 진단하고 근육이완제와 안정위스플린트로 약 3개월 정도 치료하여 증상을 호전시킬 수 있었다.

필자는 이갈이, 이악물기 등 구강악습관 진단을 위해 얇은 Omnivac으로 제작한 장치를 1-2주 정도 취침 시 착용하도록 한 후 장치의 마모, 천공, 파손 유무를 평가하여 이갈이 혹은 이악물기를 진단하는 데 활용하고 있다. 이 장치를 턱관절장애 환자들을 진단할 때 많이 사용하고 있으며 편의상 "BruxCheck"라고 명명하고 있다.

Case 6 > 55세 여자 환자에서 장기간의 상하악 임플란트 치료 후 턱관절장애 및 교합 변화가 발생한 증례

2005년 10월 10일 55세 여자 환자가 오랜 기간 사용하던 상하악 의치가 불편하여 임플란트 치료가 가능한지 상담을 위해 내원하였다. 환자의 전신 건강은 양호하였으며 잔존치들을 모두 발치하고 상악에 6개 하악에 5개 임플란트를 식립한 후 fixed hybrid prosthesis를 장착하기로 계획하였다(Fig 3-33). 2006년 1월 4일 의식하진정마취하에서 하악에 1회법으로 임플란트 5개(Osstem SS II)를 식립하고 2006년 3월 10일 보철물을 장착하였다(Fig 3-34). 2006년 3월 15일 전신마취하에서 양측 상악동골이식 및 치조골증대술을 시행하였다. 골이식은 좌측 하악지에서 채취한 자가 블록골을 BioOss, Orthoblast II와 혼합하여 이식하였다. 2006년 10월 11일 전신마취하에서 상악에 6개의 임플란트(Osstem US III)를 식립하고 2007년 3월 22일 2차 수술을 시행한 후 2007년 9월 14일 상부 보철물이 장착되었다(Fig 3-35). 이후 정기 유지관리가 시행되던 중 2008년 6월 19일 턱관절 불편감을 호소하였다. 약 2개월 전 고기를 씹다가 턱관절에서 소리가 나면서 아팠고 현재는 우측 턱관절 주변이 아파서 좌측으로만 음식을 씹으며 아침에 턱이 뻐근하다고 하였다. 방사선사진을 자세히 살펴본 결과 양측 과두의 경미한 골개조 소견이 관찰되었다. 턱관절장애 3형(턱관절내장증)으로 잠정 진단하고 상담하면서 주의사항을 설명하였다(Fig 3-36). 2008년 10월 27일 저작 시 우측 턱관절 통증이 지속되어 인상을 채득한 후 안정위스플린트를 장착해 주었다. 이후 1개월 간격으로 스플린트 조정 및 물리치료를 시행하였

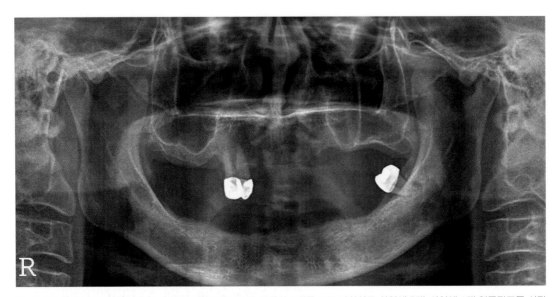

Fig. 3-33. 55세 여자 환자의 초진 시 파노라마 방사선사진. 잔존치 3개를 모두 발치하고 하악에 5개, 상악에 6개 임플란트를 식립한 후 Fixed hybrid prosthesis를 장착하기로 계획하였다. 좌측 과두의 표면이 불규칙하고 장기간 무치악 상태로 틀니를 사용하던 환자였기 때문에 턱관절장애에 대해 세밀한 평가가 이루어졌어야 했는데 간과하고 지나갔던 증례이다.

다. 2009년 3월 30일 20 mm의 개구제한과 우측 턱관절 주변의 심한 통증, 우측 측두부와 턱관절 측방 압통이 심해서 Dexamethasone 5 mg을 관절강에 주사하고 Celebrex 200 mg qd, Mesexin 500 mg bid를 투여하였다. 이후 턱관절 증상은 모두 소멸되어 임플란트 정기 유지관리가 진행되었다. 2009년 9월 14일 갑작스러운 교합 변화가 발생하여 내원하였으며 우측 소구치와 대구치 부위만 교합되는 상태였다. 파노라마 방사선사진에서는 양측 과두의 불규칙한 관절면과 침식성 흡수 소견이 관찰되었다(Fig 3-37). 이전에 제작하였던 스플린트를 다시 착용하도록 하였으며 시간이 경과하면서 정상으로 교합이 회복되었다(Fig 3-38). 정기 유지관리 일정에 맞춰 임플란트 및 턱관절 상태를 관찰하고 있으며 특별한 문제없이 정상적 기능이 유지되고 있다(Fig 3-39).

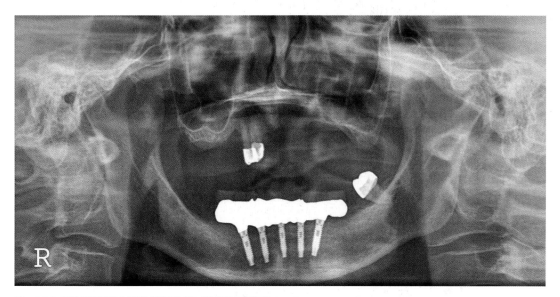

Fig. 3-34. 하악 임플란트 보철물 장착 후 파노라마 방사선사진

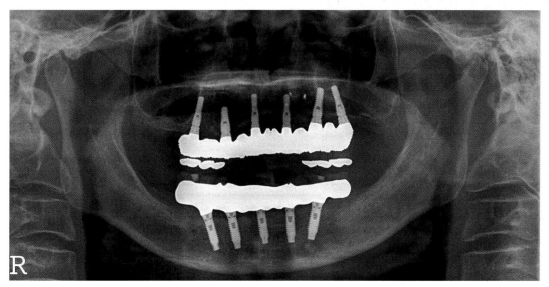

Fig. 3-35. 상악 보철물 장착 1개월 후 파노라마 방사선사진. 양측 과두의 모양이 정상과 약간 다르고 좌측 과두 전면의 침식성 흡수 소견이 의심되지만 당시에는 간과하고 특별히 신경 쓰지 않았다.

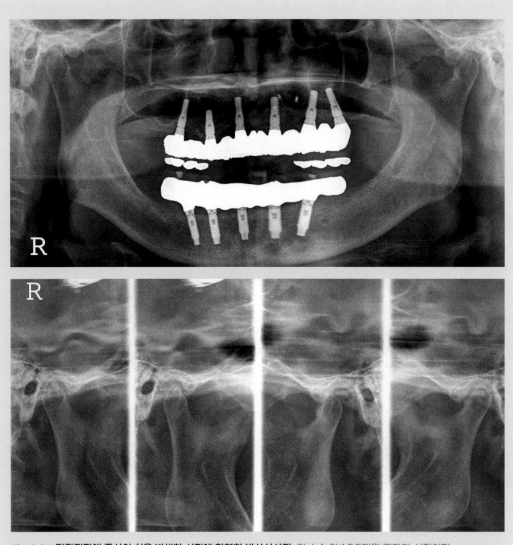

Fig. 3-36. 턱관절장애 증상이 처음 발생한 시점에 촬영한 방사선사진. 첫 수술 2년 5.5개월 경과한 시점이다.

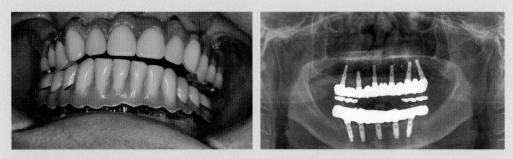

Fig. 3-37. 2009년 9월 14일(첫 수술 3년 8개월 경과 시점) 구강 및 방사선사진. 급성 부정교합이 발생하였으며 파노라마 방사선사진에서 양측 과두의 불규칙한 관절면이 관찰된다. 이전에 제작한 스플린트를 조정해서 다시 착용하도록 하였다.

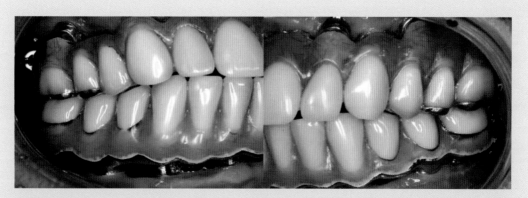

Fig. 3-38. 2010년 3월 15일 구강 사진. 교합조정이나 재보철치료는 시행되지 않았으며 교합은 정상으로 회복되었다.

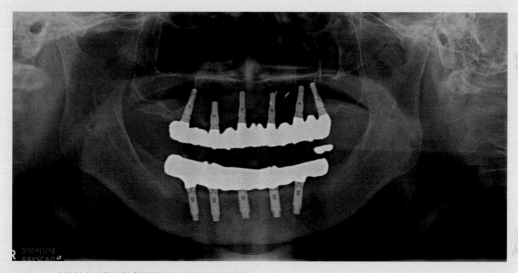

Fig. 3-39. 2018년 12월 3일 촬영한 파노라마 방사선사진

1 방사선사진에서 하악과두의 골변화가 존재하였지만 판독 시 간과되었음

2 턱관절장애

3 전신마취 수술 및 장기간의 치과치료

4 상부 보철물 장착 후 갑작스러운 교합 변화

치료 및 경과

1 안정위스플린트 및 물리치료, 약물치료, 관절강 주사

2 경과 양호

🔊 Comment

● 장기간 상하악 틀니를 사용하던 환자였으며 **초진 시 파노마라 방사선사진에서 좌측 과두의 골관절염성 변화가 존재하는 것으로 보아 증상이 없는 잠재적인 턱관절장애(4형 골관절염) 환자였지만 간과된 상태로 임플란트 치료가 시행되었다.** 상하악 골이식과 다수 임플란트 식립, 두 차례 전신마취하에서 수술이 진행되었고 장기간 치과치료가 진행되면서 턱관절에 과부하가 발생하면서 턱관절장애 증상이 시작되었다. 수차례 파노라마 방사선사진을 촬영하였음에도 불구하고 과두의 골변화를 인지하지 못하였다. 이와 같은 실수는 필자뿐만 아니라 상당수의 치과의사들도 경험하고 있을 것이다. 다행히 환자에게 합병증이 발생하지 않고 지나가는 경우가 많지만 본 증례와 같이 **치과치료 중 혹은 후에 턱관절장애와 교합 변화가 발생할 경우 치과의사들은 매우 당황할 것이고 환자는 치과치료가 잘못된 것이 원인이라고 단정하게 될 것이다. 또한 발생한 교합 변화를 교합조정, 재보철치료와 같은 비가역인 치료로 해결하려 한다면 돌이킬 수 없는 나쁜 결과를 초래할 것이다.**

모든 치과환자들은 초진 시 간단하게라도 턱관절에 대한 평가가 이루어지고 병력과 방사선 소견을 차트에 기록해 두어야 한다. 아무런 증상이 없는 환자들이라도 치과치료와 연관된 턱관절장애가 발생할 수 있음을 사전에 설명해야 한다. 당연히 모든 치과의사들은 턱관절장애의 발병기전, 원인, 진단 및 치료법을 숙지하고 있어야 한다.

Case 7 > 턱관절 골관절염으로 인한 교합 변화

63세 여자 환자가 개구제한을 주소로 내원하였다. 1년 전 자고 일어난 후 갑자기 입이 안 벌어지면서 통증이 지속되어 한의원에서 침술 및 스플린트 치료, 정형외과에서 주사치료 등을 받았으나 증상이 호전되지 않았다. 임상검사 시 좌측 턱관절 주변의 통증과 촉진 시 압통, 관절잡음(click, crepitus)이 존재하였고 아침에 턱이 뻣뻣하고 입이 잘 안 벌어지며 개구 시 하악이 좌측으로 편향되는 소견이 관찰되었다. 개구량은 32 mm였고 두통과 교합이상(좌측만 교합됨)이 존재하였다. 방사선사진에서 상악 양측 구치부와 하악 좌측 구치부 임플란트와 다수 치아 보철치료를 받은 소견과 좌측 과두의 침식 및 개구 시 과두 움직임의 제한이 관찰되었다 (Fig 3-40). 턱관절장애 3, 4형으로 잠정 진단하고 교합평가를 위한 진단모형 제작, BruxCheck, CBCT 및 핵

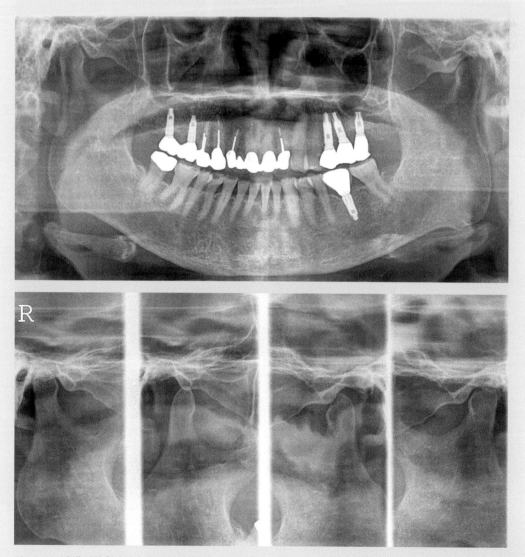

Fig. 3-40. 63세 여자 환자의 초진 시 방사선사진. 좌측 하악과두의 침식 및 움직임 제한 소견이 관찰되었다.

의학검사를 시행하였다. 핵의학검사에서 좌측 턱관절 부위 섭취율 증가와 CBCT에서 좌측 과두의 침식 소견이 명확히 관찰되었다(Fig 3-41, 42). 진단 모형에서는 특별한 교합이상이 관찰되지 않았고 BruxCheck에서는 #17 부위의 심한 마모 소견이 관찰되었다. 좌측 턱관절장애 3, 4형으로 확진하고 안정위스플린트를 제작한 후 Imotun을 4주 처방하였다. **2017년 4월 14일** 스플린트를 장착하고 정기적으로 경과를 관찰하였다. **2017년 12월 15일** 이가 안 맞아서 음식을 먹기 힘들다고 내원하였으며 구강 검사 시 좌측 제2대구치 부위만 교합되고 턱을 강제로 누르면 교합이 회복되는 소견이 관찰되었다. 방사선사진에서는 좌측 과두의 골관절염성 변화가 좀 더 진행된 양상을 보여 좌측 상관절강에 Dexamethasone을 주사하고 Mesexin 500 mg bid, Naxen–F 500 mg bid, Methylon 4 mg bid을 5일, Imotun을 4주 처방하고 교합이 정상으로 회복되지 않을 경우 교정용 미니스크류와 고무링을 이용하여 견인치료를 시행하기로 계획하였다(**Fig 3-43**). **2017년 12월 26일** 내원시 증상이 많이 호전되었기 때문에 견인치료는 보류하고 Clanza CR 200 mg qd, Imotun 2주 처방하고 레이

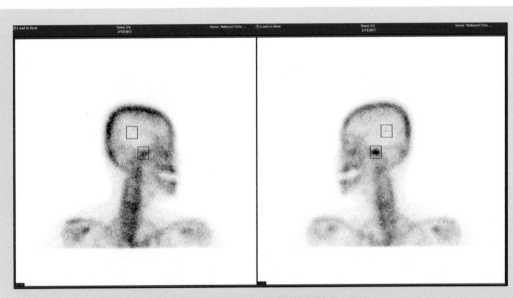

Fig. 3-41. 핵의학검사에서 좌측 턱관절 부위의 섭취율이 현저히 증가된 것을 볼 수 있다.

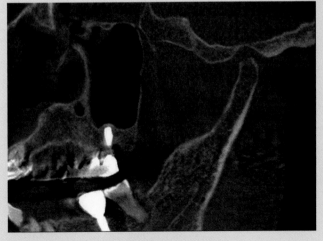

Fig. 3-42. CBCT에서 좌측 하악과두의 침식 및 편평화 소견이 관찰된다.

저 물리치료를 시행하였다. **2018년 1월 12일** 내원 시 교합은 정상으로 회복되었으며 개구제한 및 통증이 거의 소멸되어 레이저 물리치료를 시행하고 스플린트 장착을 중단시킨 후 치료를 종료하였다**(Fig 3-44)**. **2018년 8월 17일** 경과 관찰 시 방사선사진에서 좌측 과두가 안정적 상태로 변화된 것이 관찰되었다**(Fig 3-45, 46)**.

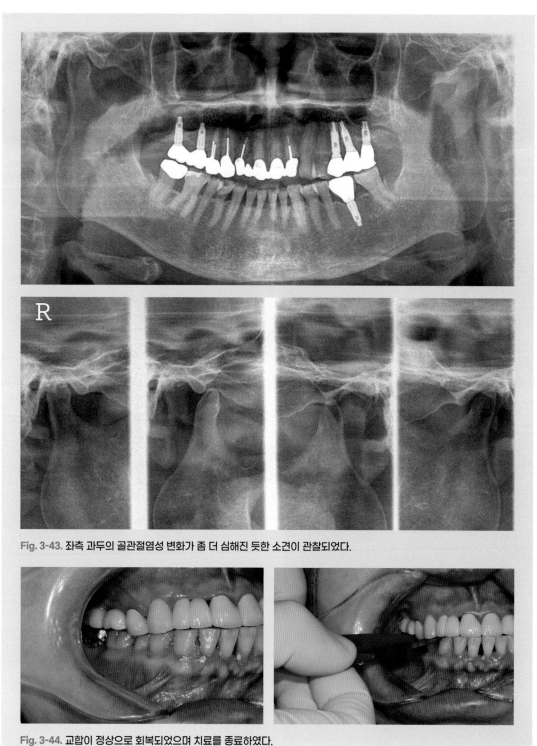

Fig. 3-43. 좌측 과두의 골관절염성 변화가 좀 더 심해진 듯한 소견이 관찰되었다.

Fig. 3-44. 교합이 정상으로 회복되었으며 치료를 종료하였다.

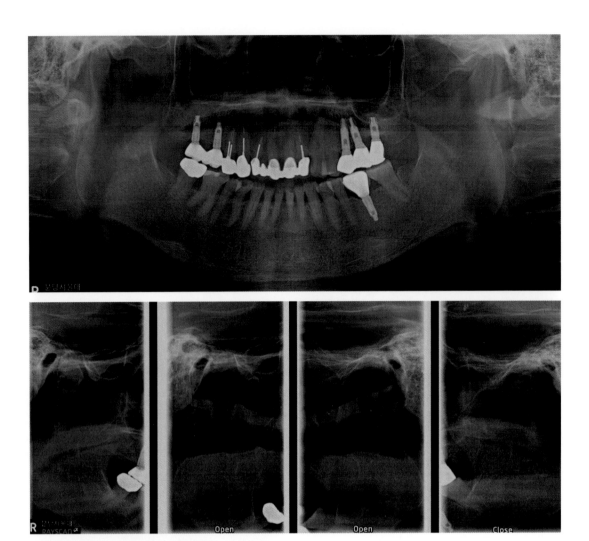

Fig. 3-45. 최종 내원 시 촬영한 방사선사진

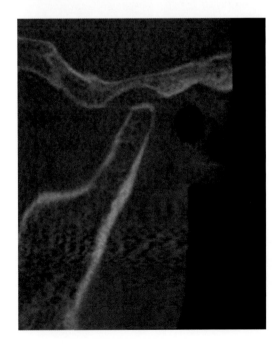

Fig. 3-46. 최종 내원 시 촬영한 CBCT 사진. 좌측 과두의 피질 골이 명확해지면서 안정적 소견을 보이고 있다.

1 턱관절장애 4형: 골관절염

2 한의원, 정형외과 치료

3 교합 변화

치료 및 경과

1 안정위스플린트 및 약물치료

2 상관절강 스테로이드 주사

3 경과 양호

Comment

● 본 증례의 갑작스러운 교합 변화는 골관절염으로 인한 과두흡수가 주원인으로 생각된다. 그러나 골관절염은 갑자기 발생하는 것이 아니며 특별한 증상 없이 장기간에 걸쳐서 서서히 진행되었을 것이다. 그러다가 턱관절에 무리가 가는 어떤 상황이 발생하면 골흡수 진행 속도가 빨라지고 관절원판 및 주변 근육에도 영향을 미치면서 다양한 턱관절장애 증상들이 발생하게 된다. 본 증례는 **턱관절장애 증상들이 먼저 나타나기 시작하였지만 환자가 비전문가들에게 치료를 받으면서 기간이 많이 경과하였고 부적절한 스플린트 등을 착용함으로 인해 교합 변화가 나타났을 것으로 추정된다.**

골관절염을 포함하여 모든 턱관절장애의 치료는 가역적인 보존적 치료가 우선적으로 시행되어야 한다. 스플린트는 부작용이 거의 없는 안정위스플린트를 사용하는 것을 원칙으로 해야 한다. ARS, Template, Soft splint와 같은 장치들은 장시간 사용할 경우 부정교합을 초래할 위험성이 매우 높다. 이런 장치들의 사용은 특별한 상황에서 선택적으로 짧은 시간 동안 사용되어야 한다. **필자는 개인적으로 턱관절장애를 치료하는 일반 치과의사들은 구태여 복잡한 장치를 사용하지 말고 부작용이 거의 없는 안정위스플린트로 치료할 것을 권장한다.** 6개월 이내에 보존적 치료에 반응을 보이지 않으면 다른 질환들이 존재할 가능성을 의심할 필요가 있으며 비가역적인 치료(수술, 보철, 교정치료) 혹은 여러 전문분야적 접근이 필요하다고 판단되면 상급병원이나 관련 전문의들에게 의뢰할 것을 권유하고 싶다.

4. 이명(tinnitus)과 턱관절장애

이명은 귀 혹은 두부에서 발생하는 주관적인 소리로 정의될 수 있으며 환자의 삶의 질에 악영향을 미치는 것으로 알려져 있다. 치과의사는 이명의 진단 및 치료를 담당하지 않는다. 그러나 턱관절장애 환자들을 임상적으로 평가할 때 "귀에서 윙하는 소리가 들린다"라고 호소하는 환자들이 매우 많으며 다양한 턱관절 잡음(click, crepitus, popping)을 이명으로 혼동할 수도 있다. 턱관절장애를 보유한 환자군에서 이명, 어지럼증과 같은 귀 관련 증상들이 좀 더 빈발한다는 논문들이 많았으며 턱관절장애와 귀 관련 증상이 동시에 존재하는 환자들에서 턱관절 치료와 이비인후과적 치료를 병행할 경우 치료 효과가 좋아질 가능성이 있다고 생각된다(김영균; 2014).

Case > 우측 귀 이명이 동반된 턱관절장애

2005년 6월 14일 49세 여자 환자가 우측 안면부 불편감을 주소로 내원하였다. 증상은 3년 전 #26, 27을 발치한 이후부터 발생하였고 우측으로만 저작하고 있으며 우측 눈이 이상하고 우측 귀 이명, 우측 팔 저림, 어지럼증 및 두통이 지속되고 있어 안과, 이비인후과, 정형외과, 한의원 등에서 진찰 및 치료를 받았으나 전혀 호전되지 않는 상태였다. 피곤하면 증상이 더 악화되고 개구 시 하악이 좌측으로 편향되며 입을 벌리고 다물 때 양측 턱관절에서 소리가 난다고 하였다. 통증은 없으며 개구량은 50 mm였다. 의과적 전신질환은 고혈압, 골다공증, 빈혈 치료를 받고 있었다. 방사선사진에서는 우측 턱관절 과두의 편평화 소견이 관찰되었다(**Fig 4-1**). 신체화증이 동반된 턱관절장애 3, 4형으로 진단하고 턱관절 치료를 우선 시행한 후 #26, 27 임플란트 치료를 진행하기로 계획하였다.

2005년 6월 21일부터 안정위스플린트 치료를 시작하였고 **2005년 7월 26일** 증상이 많이 호전되었다. **2005년 8월 25일** 상악동점막거상술과 동시에 #26, 27 부위 임플란트를 식립하였다. 임플란트 치료 기간 중에도 스플린트 조정 및 턱관절 물리치료가 계속 진행되었다. **2006년 2월 9일** 임플란트 2차 수술을 시행하였고 **2006년 4월 4일** 상부 보철물이 장착되었다(**Fig 4-2**). **2006년 4월 8일** 치아들이 꽉 쪼이고 머리 앞부분이 아프면서 왼팔이 저리다고 호소하였으며 우측 귀 이명이 더 심해졌다고 하여 임플란트 보철 교합을 체크하고 스플린트를 다시 제작하여 장착해 주었다(**Fig 4-3**). 심혈관질환 관련 통증을 감별하기 위해 심장내과에 진료를 의뢰하였으며 고혈압이 진단되어 약물치료가 시작되었다. **2006년 5월 12일** 가끔 좌측 뺨 부위가 우리하게 아프고 임플란트 보철물이 꽉 쪼이는 느낌이 지속된다고 호소하였다. **2006년 6월 2일** #26 임플란트 주위 잇몸이 자주 붓고 탐침 시 출혈 소견이 관찰되었으며 가끔 좌측 안면이 붓고 아프며 진통제를 먹으면 나아진다고 하였다. 스플린트 조정 및 임플란트 주위 소파술을 시행하고 Mesexin 500 mg bid, Catas 50 mg bid를 5일 처방하였다. 스플린트는 야간에 계속 착용하였으며 **2006년 9월 21일** 내원 시 턱관절 증상들과 이명은 거의 소멸되었다. 이후 6–12개월 간격으로 임플란트 정기 유지관리를 시행하였다.

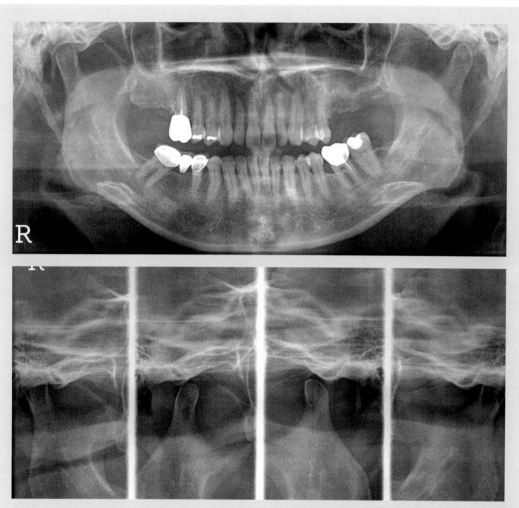

Fig. 4-1. 49세 여자 환자의 초진 시 방사선사진. 우측 턱관절 과두의 편평화 소견이 관찰되지만 피질골층은 정상적인 양상을 보이고 있다.

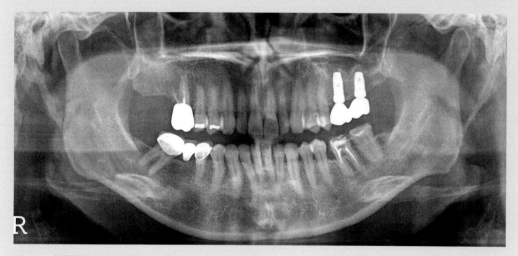

Fig. 4-2. 임플란트 상부 보철물 장착 후 파노라마 방사선사진

2010년 2월 16일 갑자기 아침에 입이 잘 안 벌어지고 몸이 피곤할 때 머리와 목 뒷부분이 많이 아프다고 하여 기존의 스플린트를 조정한 후 다시 장착하도록 하였다(Fig 4-4). 2011년 6월 23일 최근 갱년기 증상이 심해졌고 아침에 입이 잘 안 벌어지다가 저녁 때 회복되며 우측 안면부가 항상 뻐근하며 간헐적으로 이명 증상이 있고 우측으로 음식이 잘 안 씹힌다고 하였다. 야간 이갈이가 의심되어 취침 시 스플린트를 계속 착용하도록 하였고 증상이 호전되지 않을 경우 보툴리눔독소 주사치료를 시행하기로 결정하였다. 그러나 이후부터 환자는 내원하지 않고 있다.

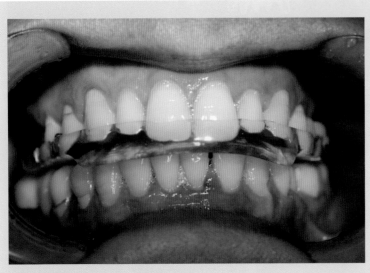

Fig. 4-3. 안정위스플린트를 장착한 모습

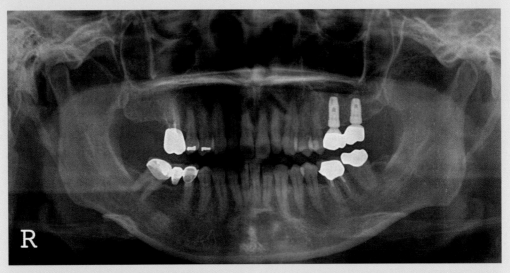

Fig. 4-4. 2010년 2월 6일 촬영한 **파노라마 방사선사진.** 임플란트와 턱관절 주변의 병적 소견은 관찰되지 않았다.

■ 턱관절장애

■ 이명 및 턱관절 잡음

■ 신체화증

■ 임플란트 치료 후 불편감

🖉 **치료 및 경과**

■ 약물, 물리치료 및 스플린트 치료

■ 경과 중등도: 턱관절장애 반복적 재발

🔊 **Comment**

● 본 증례는 발치 후 편측저작이 장기간 지속되면서 턱관절장애 및 신체화 증상들이 발생하였다. 의과와 한의과에서 치료를 받았으나 증상이 호전되지 않아 치과를 방문하게 되었으며 안정위스플린트, 약물 및 물리치료를 통해 증상을 개선시킨 후 발치 부위의 임플란트 치료를 진행하였다. 치과치료와 관련된 스트레스 및 장시간 개구로 인한 턱관절 과부하가 발생하면서 턱관절장애 증상들이 재발하는 양상을 보였다. 이 환자는 턱관절장애 증상이 발생할 때 이명이 함께 나타나는 양상을 보였고 턱관절장애가 치료되면 이명도 소실되는 경향을 보였다. 본 환자에서 발생한 이명은 턱관절 잡음일 가능성도 있다. 그러나 환자 본인은 귀에서 지속적으로 "윙"하는 소리가 들린다고 표현하였다. 이비인후과와 협진 하에 순수 이명일 경우엔 이비인후과에서 진료를 받고 그렇지 않다면 치과에서 턱관절장애 관련 치료를 받으면 좋은 경과를 보일 것으로 생각된다. 많은 문헌들에서 턱관절장애 환자들에서 귀 충만감(ear fullness), 귀 통증, 이명, 현기증, 어지럼증, 청각장애 등이 존재하는 경우가 많다고 보고되었다(Bernhardt O, et al; 2011, Chole RA & Parker WS; 1992, de Felício CM, et al; 2008, Parker WS & Chole RA; 1995, Pekkan G, et al; 2010, Wright EF; 2007). 반대로 이명이 존재하는 환자들에서 턱관절장애 증상이 빈발하는 경향을 보인다는 논문도 발표된 바 있다(Bernhardt O, et al; 2004, Hilgenberg PB, et al; 2012, Rubinstein B, et al; 1990, Tullberg M & Ernberg M; 2006). 즉 턱관절장애와 귀 관련 증상들이 동시에 발생할 경우 이비인후과 협진 하에 턱관절장애 치료를 시행하면 귀 관련 증상들도 잘 치유될 가능성이 있다(Buergers R, et al; 2014, Saldanha AD, et al; 2012).

2011년 6월 23일 호소하는 증상들을 살펴볼 때 야간 이갈이 혹은 이악물기와 근육성 턱관절장애를 의심해 볼 필요가 있다. 추후 반복적으로 증상이 재발 혹은 악화된다면 보툴리눔독소 주사와 함께 스플린트 치료를 병행하는 것도 고려할 필요가 있다.

정신적 문제가 개입된 난치성 턱관절장애 환자들은 복잡하고 다양한 임상 증상들을 호소한다. DC/TMD 설문 평가, 병력 청취, 세심한 진찰을 통해 현재 턱관절 상태를 감별진단해야 하며, 다양한 임상 증상들을 철저히 이해하여 상황에 맞게 선별적으로 보존적인 턱관절 치료들을 시행하면 좋은 예후를 보일 것이다. 보존적인 턱관절 치료만으로 호전이 없거나, 더 효과적인 턱관절 치료를 위해서는 신경과, 정신건강의학과, 마취통증의학과, 재활의학과 등에 적극적인 협진을 의뢰하여 병행 치료를 고려하는 것이 좋다. 정신적 문제가 개입된 환자들에 대한 비가역적인 치료는 가급적 시도하지 말아야 한다.

Case 1 > 정신건강의학과 치료를 병행한 턱관절장애 1, 4형

2003년 6월 9일 36세 남자 환자가 좌측 턱관절 주변이 부었다고 하면서 내원하였다. 며칠 전 치과 의원에서 아말감 수복치료를 받았으며 전반적으로 이가 시리고 잇몸에서 피가 자주 난다고 하였다. #16, 17, 26, 27의 심한 교모증 및 치아균열이 관찰되었고 deep overbite & large overjet, 전치부 개방교합, 좌측 소구치 및 대구치 부위 교합이 잘 안 되는 양상과 좌측 턱관절 측방 촉진 시 압통이 존재하였다. 직업은 사회복지사로서 극심한 스트레스에 시달린다고 호소하였으며 20대에 치열 교정치료 및 3년 정도의 턱관절 치료를 받은 병력이 있었다. 방사선사진에서는 좌측 턱관절 과두의 퇴행성 변화 소견이 관찰되었으며 턱관절장애 1, 4형과 야간 이갈이로 잠정 진단하고 안정위스플린트 치료를 계획하였다(Fig 5-1~3). 2003년 6월 24일 안정위스플린트를 착용시킨 후 관리법과 주의사항을 설명하였다. 2003년 9월 18일 현재 턱관절은 편하며 하악 설측에 부착되어 있는 와이어 교정 유지 장치 제거를 요청하였다. 공적인 업무가 매우 바쁜 환자로서 예약한 약속을 자주 어겼으며 불시에 내원하는 경우가 많았다. 2003년 12월 12일 턱관절 증상은 완전히 소멸되었고 음식 먹는 것도 편하다고 하여 치료를 종료하고 스플린트는 증상이 심할 경우에만 단기간 착용하라고 안내하였다. 2004년 1월 20일 교합이 잘 안 되고 양측 턱관절 부위 불편감과 잡음을 호소하였으며 턱을 앞으로 내밀면 편하고 소리도 나지 않는다고 하였다(Fig 5-4). 2004년 2월 26일 턱관절 통증이 매우 심해졌으며 정신적 스트레스가 매우 심하다고 하였다. 스플린트를 조정하고 정신건강의학과 진찰을 권유하였으나 환자가 거부하였다.

2004년 3월 2일 몹시 고통스럽다고 울면서 내원하였으며 교합이 불안정하여 어떻게 물어야 할지 모르겠다고 하였다. 아침에 자고 일어나면 턱관절이 빠진 것 같고 몹시 괴롭다고 호소하여 기존의 스플린트를 조정한 후 별도로 soft splint를 추가로 제작하고 외부로 정신건강의학과 협진을 의뢰하였다. 2004년 4월 1일 기존의 hard splint 대신에 soft splint를 착용해 보도록 하였으며 정신건강의학과 진료는 잘 받고 있다고 하였다. 턱관절 상태가 안정된 후 교합 안정을 위한 보철치료를 시작하기로 하였으며 보철치료는 외부 치과 의원에서 받겠다고 하여 의무기록지와 방사선사진 사본을 첨부하여 진료회송서를 작성하고 치료를 종료하였다.

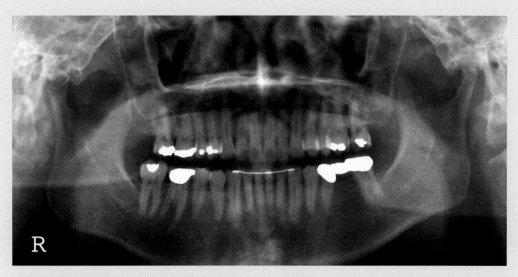

Fig. 5-1. 36세 남자 환자의 초진 시 파노라마 방사선사진. 좌측 과두의 흡수 등 퇴행성 변화 소견이 관찰된다.

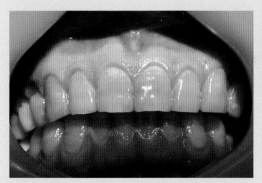
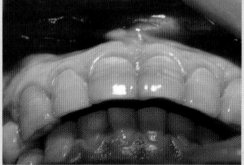

Fig. 5-2. Deep overbite & large overjet. 전치부 개방교합 소견이 관찰된다.

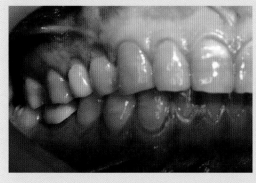
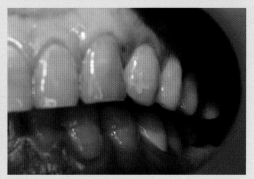

Fig. 5-3. 우측 교합은 정상이지만 좌측 소구치 및 대구치 부위 교합이 잘 안 되는 양상을 보이고 있다.

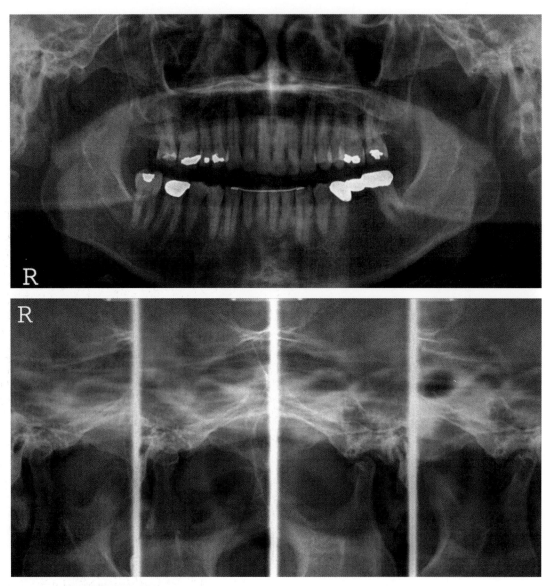

Fig. 5-4. 2004년 1월 20일 촬영한 방사선사진. 좌측 턱관절 부위의 퇴행성 변화가 명확히 관찰된다.

⊗ Problem lists

1 야간 이갈이

2 정신적 스트레스

3 턱관절장애 4형(좌측 턱관절 퇴행성 변화) 및 교합이상

4 정기적인 내원이 잘 이루어지지 않음

치료 및 경과

1 안정위스플린트

2 Soft splint

3 정신건강의학과 진료

Comment

● 본 증례의 환자는 스플린트만을 이용하여 치료하였는데 당시에 약물치료가 시행되지 않은 점이 이해가 잘 안 된다. 또한 좌측 턱관절의 퇴행성 변화가 명확히 관찰됨에도 불구하고 CT 등 정밀검사를 시행하지 않았던 것도 문제로 지적할 수 있다. 지금 이와 같은 환자를 진료한다면 CBCT, 핵의학검사를 시행하고 야간 이갈이 등 구강악습관 존재에 대한 정밀진단을 시행한 후 환자에게 현상태와 치료계획 및 예후를 상세히 설명하고 NASIDs, 항우울제, 진정제와 같은 약물과 물리치료를 병행했을 것이다. 딱딱한 재질의 안정위스플린트가 야간 이갈이 및 턱관절장애 치료 시 가장 많이 사용되는 장치이다. 그러나 장치치료에 잘 반응을 보이지 않을 경우엔 ARS 형태로 변형시켜서 단기간 사용하거나 착용감이 좋은 soft splint를 단기간 사용해 보는 것도 좋다. 본 환자는 **업무와 연관된 극심한 스트레스가 턱관절장애와 야간 이갈이의 주원인으로 생각되었으며 정신건강의학과 진료를 함께 병행한 것이 회복에 큰 도움이 된 것으로 생각된다.**

2004년 1월 12일 43세 여자 환자가 턱관절 통증과 두통을 주소로 내원하였다. 2년 전 자고 일어난 후 갑자기 우측 귀가 꽉 막히는 증상이 있은 후부터 심한 통증과 펌프질 하듯이 피가 흐르는 소리가 나고 이명이 시작되었다고 하였다. 이비인후과 진찰 결과 이상이 없었으며 3차 의료기관 치과에서 스플린트 치료를 받았음에도 불구하고 개선되지 않는다고 하였다. 의과적 병력은 본원 마취통증의학과에서 어깨와 목 디스크 통증 치료를 받고 있는 상태였다. 우측 측두부 통증이 매우 심하고 개구량은 30 mm, 좌측 턱관절 측방, 양측 교근 촉진 시 압통이 존재하였고 양측 교근과 하악 우각부가 비후된 소견을 보이고 있었다. 임상 및 방사선검사를 토대로 턱관절장애 1, 2, 3형과 야간 이갈이가 존재하는 것으로 잠정 진단하고 보존적 치료를 순차적으로 시

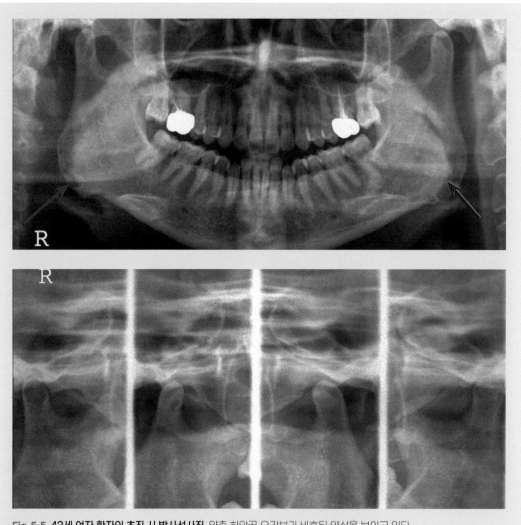

Fig. 5-5. 43세 여자 환자의 초진 시 방사선사진. 양측 하악골 우각부가 비후된 양상을 보이고 있다.

행하기로 계획하였다(Fig 5-5, 6). 당일 스플린트를 다시 제작하기 위해 인상을 채득하고 양측 턱관절에 Hyal prefilled 25 mg/2.5 mL를 주사하고 Somalgen 370 mg bid를 5일 처방하였다. **2004년 1월 30일** 스플린트를 장착하면서 양측 턱관절강에 Hyal 2차 주사를 시행하였다(Fig 5-7). 당일 개구량은 35 mm였고 우측 안면부와 잇몸의 감각이상을 호소하였다. **2004년 2월 5일** 양측 교근에 Botox (25U × 2)를 주사하였으며 **2004년 2월 12일** 내원 시 우측 측두부와 귀 주변 감각이 이상한 것 외 특이 증상은 없다고 하였다. **2004년 2월 24일** 다시 우측 하악골 후방, 측두부, 교근 및 광대뼈 부위가 우리하게 아프다고 하였으며 좌측 턱관절 측방과 후방에 경미한 압통이 존재하였다. 레진을 첨상하여 스플린트의 두께를 1 mm 정도 증가시키고 Tegretol 200 mg bid, Somalgen 370 mg bid, Beecom 1T qd를 2주 처방하였다. **2004년 3월 18일** 내원 시 개구량은 40 mm였으나 우측 측두부와 귀 전방, 뺨, 목 부위가 불편하며 이명이 심해졌다고 하였다. 물리치료와 스플린트 조정을 시행하고 Neurontin 100 mg bid, Beecom 1T qd 2주 처방하였다. 지속적으로 스플린트와 물리치료를 시행함에도 불구하고 우측 귀의 묵직한 느낌과 감각이상을 호소하였다. **2004년 5월 27일** 정신건강의학과 협진을 의뢰하였고 **2004년 6월 21일**부터 정신건강의학과 치료가 시작된 이후 턱관절 관련 불편감들은 거의 소멸되었다.

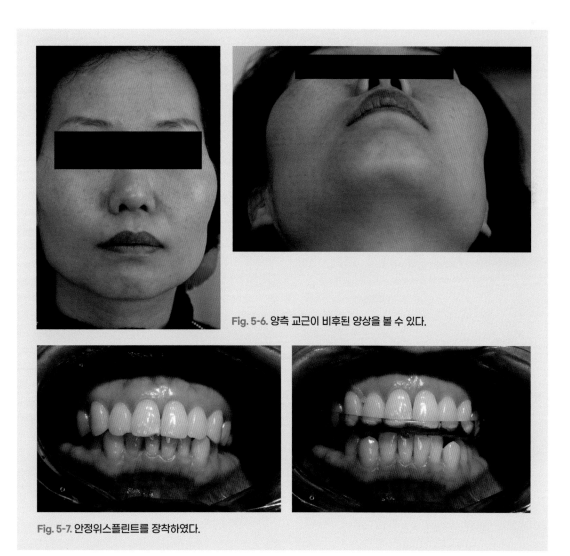

Fig. 5-6. 양측 교근이 비후된 양상을 볼 수 있다.

Fig. 5-7. 안정위스플린트를 장착하였다.

⊗ Problem lists

1 턱관절장애

2 이비인후과 관련 귀 증상: 이명, 귀 충만감, 귀 통증

3 보툴리눔독소를 교근에만 주사

치료 및 경과

1 약물, 물리치료 및 스플린트 치료

2 턱관절강 주사

3 보툴리눔독소 주사

4 정신건강의학과 진료

5 경과 양호

◀》 Comment

● 본 증례는 장기간 만성턱관절장애가 지속되면서 정신적 문제와 신체화 증상들이 동반된 경우로 생각된다. **귀 관련 증상들은 이비인후과 진료 후 이상이 없었으며 턱관절장애 치료를 위해 다양한 가역적 치료들이 시행되었으나 증상은 지속되었으며 정신건강의학과 협진이 이루어지면서 증상들이 완화될 수 있었다. 턱관절 치료의 주목표 중 하나는 환자가 괴로워하는 주증상을 가능하면 신속히 해결하는 것이다.** 따라서 본 증례에서는 턱관절 주변 통증과 두통 등 근육성 통증 완화를 목적으로 초기부터 Hyaluronic acid와 보툴리눔독소 주사치료를 시행하였다. 그러나 보툴리눔독소를 교근에만 주사한 것은 문제가 있다. 교근이 이완되면 상대적으로 측두근의 활동이 과활성화되면서 오히려 시간이 경과하면서 측두부 통증과 두통이 더 심화될 수도 있다. 본 증례에서도 주사 19일 후 오히려 우측 하악골 후방, 측두부, 교근 및 광대뼈 부위 통증이 더 심해진 양상을 보였다. **턱관절장애 치료 시 보툴리눔독소를 주사할 경우엔 교근과 측두근 모두에 시행하는 것이 추천된다.**

약물치료 중 항경련제(Tegretol, Neurontin)를 사용한 이유는 신체화증이 관여된 통증은 NSAIDs로 잘 조절되지 않기 때문에 신경병성통증 치료에 사용하는 약물들을 처방하였다.

2003년 6월 23일 53세 여자 환자가 치과 보철치료 이후부터 눈이 침침하고 불편감이 심해졌으며 정확한 진단과 치료를 위해 내원하였다. 5년 전부터 증상이 시작되었으며 내원 당시 하악 스플린트 2개와 ARS를 번갈아 가면서 착용하고 있었다. 스플린트는 하악 우측 구치부에 레진이 첨가되어 있었다. 이가 안 맞아서 음식을 잘 씹지 못하고 두통, 어깨 통증이 심하며 다니던 치과에서는 교합을 거상시킨 후 전악 보철 수복을 계획하고 있었다. 방사선사진에서는 특이 소견이 관찰되지 않았으며 신체화증이 동반된 턱관절장애 1, 5형으로 잠정 진단하고 현재 착용 중인 모든 스플린트의 사용을 중단시키고 안정위스플린트 제작을 위해 인상을 채득한 후 Amitriptyline 10 mg qd, Carol-F bid를 1주 처방하였다(Fig 5-8, 9). 2003년 7월 3일 보철과와 교정과

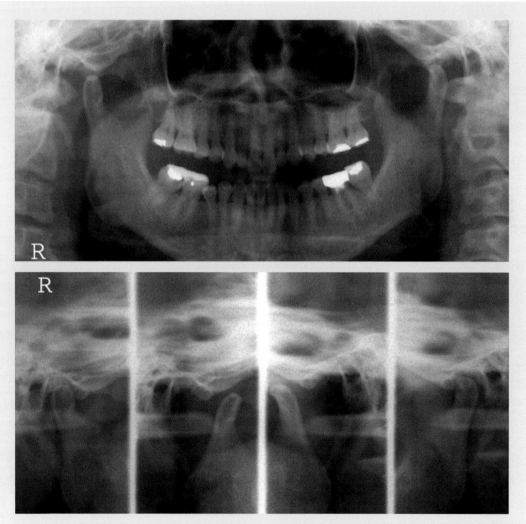

Fig. 5-8. 53세 여자 환자의 초진 시 방사선사진. 턱관절 부위에서 특이한 이상 병변은 관찰되지 않았다.

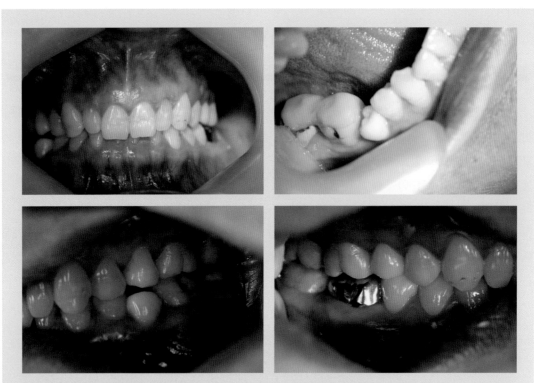

Fig. 5-9. 초진 시 구강 사진. 전치부 deep bite가 존재하고 있으며 양측 구치부 교합면에 레진을 첨상하여 수직고경을 증가시킨 상태에서 스플린트 치료를 받고 있었다.

협진을 시행하였으며 우선 턱관절 안정을 위한 스플린트 치료를 병행하면서 단계별로 구치부 수직고경을 증가시키기 위한 보철치료를 계획하였다. **2003년 7월 18일** 스플린트를 장착해도 눈이 침침하고 귀가 아프다고 호소하였다. **2003년 7월 30일** 보철과에서 양측 상하악 제1소구치부터 제2대구치 부위에 ceromer onlay setting with resin cement를 시행하여 교합을 약간 거상시키고 그 상태에 맞춰 스플린트를 조정하여 장착하였다. 이후 단계별로 구치부 교합거상을 위한 보철치료 및 스플린트 치료가 진행되었으며 **2010년 8월 2일** 치료가 종료되었다(Box 5-1)(Fig 5-10, 11).

2014년 2월 7일 양측 턱관절 통증이 심해져서 다시 내원하였고 기존의 스플린트는 파손되어 착용하지 못하는 상태였다. 스플린트 재제작을 위해 인상을 채득하고 레이저 물리치료를 시행한 후 Naxen-F 500 mg bid 2주, Rheumagel을 통증 부위에 도포하도록 처방하였다. **2014년 3월 7일** 스플린트를 장착하였으며 1개월 간격으로 물리치료와 스플린트 조정, 약물치료(Naxen-F, Imotun)를 시행하였으며 **2015년 12월 11일** 관련 증상들이 거의 소멸되어 치료를 종료하였다.

2020년 7월 3일 양측 귀 주변 통증이 심해져서 다시 내원하였고 우측 교근과 턱관절 주변 촉진 시 압통이 매우 심한 상태였다. 하루 종일 얼굴이 뻐근하며 딱딱한 음식 먹을 때와 저녁 때쯤 통증이 더욱 심해진다

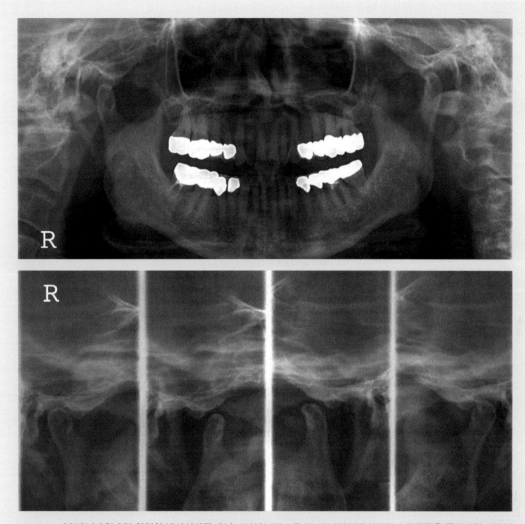

Fig. 5-10. 2010년 8월 2일 촬영한 방사선사진. 양측 상하악 제1소구치부터 제2대구치까지 수직고경을 증가시킨 상태에서 보철치료가 완료되었다.

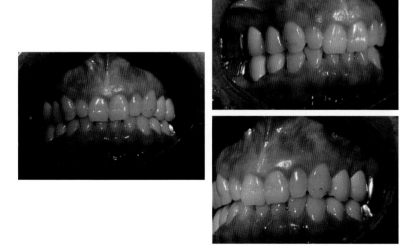

Fig. 5-11. 보철치료 완료 후 구강사진

고 하였다. 환자 본인이 평상시 이를 악무는 습관이 있다는 것을 인지하고 있었다. 이악물기와 연관된 턱관절 장애 1형으로 잠정 진단하고 기존의 스플린트를 조정하여 다시 장착하도록 하였다. **2020년 8월 14일** Innotox (Medytox Inc., Seoul, Korea)를 양측 교근과 측두근에 주사(한 부위에 25 units)하였고 Naxen-F CR 1,000 mg을 1주 처방하였다. **2020년 9월 25일** 내원 시 관련 증상들이 거의 소멸되었으며 스플린트를 증상에 맞춰서 착용하도록 안내하고 치료를 종료하였다(**Fig 5-12**).

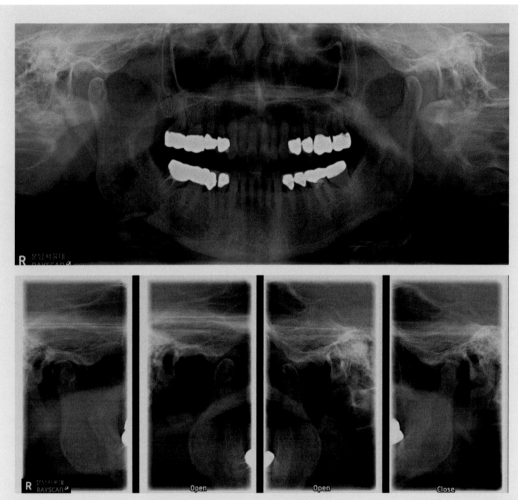

Fig. 5-12. 2020년 7월 3일 촬영한 방사선사진. 교근과 턱관절 주변 통증이 심해져서 내원하였으며 기존에 사용하던 스플린트를 조정하여 다시 장착하고 보툴리눔독소를 교근과 측두근에 주사한 후 증상이 소멸되었다.

Box 5-1 \ **교합치료와 턱관절 스플린트 치료 과정**

1. **2003. 7. 30** Ceromer onlay setting with resin cement

2. **2003. 8. 1** 교합조정

3. **2003. 8. 7** 좌측 하악 구치부 onlay가 탈락되어 다시 접착시킴.

4. **2003. 8. 20** 귀 통증과 눈 이상증상은 소멸되었으나 onlay가 계속 파절됨 → 교합조정 후 스플린트 조정

5. **2003. 9. 23** #24–27 온레이 재접착, 전악 스케일링

6. **2003. 10. 17** #24–27 impression for PFM crowns, gold crowns

7. **2003. 10. 20** #34–37 preparation, temporalization, #37 C4: pin–point bleeding/ resin capping & core

8. **2003. 10. 29** # 24, 25, 26, 27 final setting, #34, 35, 36, 37 impression for PFG crown & gold crowns

9. **2003. 11. 19** #44, 45 final setting, #46 temporary setting, #47 ill–fitting

10. **2003. 12. 5** #14, 15, 16, 17 preparation/impression taking/temporalization for PFG crowns & gold crowns, shade selection, bite recording

11. **2003. 12. 15** #46, 47 impression taking, JR verification

12. **2003. 12. 23** try–in, proximal contact 불량

13. **2004. 1. 27** upper right side crown temporary setting, #46, 47 temporary setting

14. **2004. 2. 13** lower right side occlusal adjustment, #25 교합조정, #47 desensitizer application on exposed root area

15. **2004. 2. 24 - 2004. 4. 1** #47 극심한 통증이 발생하여 근관치료

16. **2004. 4. 12** #16, 17, 46, 47 final setting

17. **2004. 6. 10** #46 area hypersensitivity to cold, #34, 35 preparation for PFG/impression taking/ temporalization

18. **2004. 6. 22** abfraction beyond buccal margin, re–preparation/impression taking

19. **2004. 6. 30** #34, 35 try–in, underocclusion: correction required

20. **2004. 7. 6** #34, 35 final setting

21. **2004. 7. 22** #36 old crown removal, old amalgam core&decayed dentin removal/resin core, #36, 37 preparation/impression taking for gold crown, resin core build–up temporalization

22. **2004. 8. 3** Temporary setting of #36, 37 gold crown

23. **2004. 11. 30** 교합 변화, 전치부 긴밀한 교합상태로 치아 이동 및 턱위치 이동, 우측 구치부만 교합. 좌측 30 um underocclusion, 교합조정

24. **2004. 12. 20** "좌측 턱관절이 아프고 입 크기가 줄어든 것 같다. 립스틱이 칠해지지 않는다." crown으로 더 수직고경을 증가시킬 수 없으며 불편할 때마다 스플린트 장착하도록 설명, "#37 잇몸이 아프다." periapical X–ray taking & curettage

25. **2004. 12. 28** 새로운 스플린트 제작하여 장착

26. **2005. 1. 4** 목 하방, 가슴 통증 호소

27. **2005. 6. 20** 눈이 침침하고 턱이 뒤로 밀려들어가는 것 같다고 호소 → 스플린트 조정

28. **2005. 12. 1** "눈이 불편하고 양측 허벅지가 매우 아프다. 턱을 앞으로 내밀면 통증이 없어진다. #46, 47 매우 시리다." → ARS로 변형하여 장착

계속 ▶

Box 5-1 ╲ **교합치료와 턱관절 스플린트 치료 과정**

29. **2006. 11. 17** *"양측 턱관절 주변 통증, 귀 통증, 귀에서 소리가 난다. 턱을 앞으로 내밀면 통증이 없고 편하다."* → ARS 스플린트를 CR splint로 조정하여 야간에 장착

30. **2007. 5. 25** *"양측 뺨이 자주 씹히고 아프다."* 최근 껌을 씹을 때 턱이 매우 아팠다고 언급함. → 스플린트 조정, Dexamethasone gargle 0.05%, Oramedy ointment 처방

31. **2007. 8. 24** 턱관절 불편감은 없으나 입술이 말려들어가는 느낌이 지속되고 립스틱 바를 때 매우 불편하다고 호소함. → 스플린트 체크 및 스케일링

32. **2008. 2. 25** 스케일링 및 스플린트 체크

33. **2008. 7. 18** 양측 귀 통증 호소 → 스플린트 조정, Ultracet qd prn, Imotun qd 4주 처방

34. **2009. 2. 2** *"간헐적으로 우측 귀 속이 아프다."* → 스플린트 체크

35. **2009. 7. 14** 스플린트 체크 및 스케일링

36. **2010. 1. 11** *"입술이 말려들어가는 것 같고 가끔 우측 턱관절 부위가 아프다."* → 스플린트 체크

37. **2010. 8. 2** 스플린트 체크

1 치과 의원에서 장기간(5년)의 다양한 스플린트 치료
2 신체화증 동반
3 턱관절장애
4 이악물기

🖋 치료 및 경과

1 장기간 보철 및 스플린트 치료 진행
2 약물 및 물리치료
3 경과 양호

🔊 Comment

● 장기간 타 치과 의원에서 다양한 스플린트를 이용한 턱관절 치료와 수직고경을 증가시키기 위한 시도가 있었으나 증상은 전혀 개선되지 않았다. 환자는 이미 신체화증이 동반된 근육성 턱관절장애가 존재하고 있고 구치부에 레진을 첨상하여 교합을 거상한 상태에서 스플린트를 착용하고 있었기 때문에 어떤 치과의사들도 잘 치료하기 힘든 환자이다. **이런 유형의 환자는 치과 의원에서는 가급적 손대지 말고 즉시 상급 의료기관으로 의뢰하는 것이 좋다. 상급 의료기관에서도 턱관절질환 전문가와 전악 보철수복치료에 능숙한 보철전문의의 협진이 필요하고 정신건강의학과 혹은 신경과, 마취통증의학과의 자문 치료가 필요하다.** 본 증례에서는 의과적 자문치료가 이루어지지 않았기 때문에 치료 기간이 매우 길게 소요되었고 신체화증과 연관된 다양한 고통이 지속될 수밖에 없었다.

본 증례의 치료를 담당한 보철과 교수의 노력과 심적 고통은 아무도 이해할 수 없을 것이다. 다행히 턱관절 치료가 병행되면서 관련 증상들이 완화되었기에 다행이지 그렇지 않았다면 심각한 의료분쟁으로 진행되면서 관련 의료진들의 고통은 더욱 심화되었을 것이다.

본 증례 치료 시 아쉬웠던 점은 정신건강의학과 자문치료가 없었고 이갈이가 동반된 근육성 턱관절장애가 존재함에도 불구하고 보툴리눔독소 주사치료가 시행되지 않았던 점이다. 또한 난치성 턱관절장애 환자들은 CBCT, MRI, 교합검사와 같은 정밀검사를 시행하여 환자에게 턱관절에 심각한 다른 질환이 없다는 점을 명확하게 설명해 주는 것이 필요한데 정밀검사를 시행하지 않고 보철-턱관절 보존치료를 진행한 것은 개선되어야 할 사항이다.

Case 4 > 정신적 문제가 개입된 난치성 턱관절장애 증례 연구(Kang DW & Kim YK; 2018)

2003년 6월부터 2016년 12월까지 턱관절장애 진단하에 분당서울대학교병원 구강악안면외과에서 진료받은 환자들 중 정신적인 문제가 동반된 27명의 환자들을 연구 대상으로 하였다. 8명이 남성, 19명이 여성이었으며, 평균 연령은 40.9세였다. 모든 환자들은 분당서울대학교병원이나 다른 병·의원의 정신건강의학과 진료를 받는 환자들이었다. 턱관절장애의 진단은 병력 청취, 임상검사, RDC/TMD chart, 영상의학적 검사(파노라마, 턱관절 파노라마 방사선사진, computed tomography, scintigraphy, magnetic resonance imaging)를 활용하였다. 해당 환자들의 나이, 성별, 주소, 진단, 치료방법 및 기간, 예후 등을 조사하여 분석하였다. 치료는 진통제, 항우울제 등의 약물치료, 안정위스플린트(stabilization splint) 치료, 레이저, Electro-Acupuncture Stimulation Therapy (EAST) 등의 물리치료, 관절강 주사(Hyaluronic acid, Steroid), 보툴리눔독소 주사, 발통점 주사, 턱관절세정술 혹은 턱관절 내시경시술 등이 단독 혹은 복합적으로 시행되었다. 필요 시, 재활의학과, 신경과, 마취통증의학과 등과 협진하여 병행치료를 시행하기도 하였다. 재활의학과는 교통사고, 외상 등의 후유증으로 턱관절 치료가 장기화 되는 경우에 좀 더 심도 있는 물리치료를 위해 협진을 하였고, 턱관절 통증과 함께 신경병성 통증이 지속되는 환자들은 마취통증의학과와 협진하여 성상신경절차단술을 시행하거나 신경과 협진이 시행되었다. 치료 경과는 턱관절이나 부수적인 안면 통증, 전신 통증, 두통 등의 통증의 증감 유무, 개구제한의 개선 정도, 환자의 주관적인 반응 등을 토대로 분석하였다. Poor (증상이 악화된 경우), Static (증상의 변화가 없는 경우), Good (증상이 개선된 경우)의 세 가지로 분류하였다(Ness GM&Laskin DM; 2012, Ulmner M, et al; 2017). 9명의 환자에게서 설문지를 이용하여 RDC/TMD Axis II 검사법을 시행하였다. 검사 내용 및 계산방법은 다음과 같았다(Kim YK, et al; 2011).

만성통증척도(Graded Chronic Pain Scale, GCPS)(Table 1)

Graded pain score: Grade 0(최근 6개월간 통증 없었을 경우), I, II, III, IV

Characteristic pain intensity: RDC Axis II 설문지의 7, 8, 9 문항에 표기한

visual analog scale (VAS) 크기의 평균 × 10

Table 1. Graded chronic pain score

Grade	Pain score
Grade 0	No pain and TMD in past 6 months
Low disability	
Grade I: low intensity	Characteristic pain intensity <50, disability point <3
Grade II: high intensity	Characteristic pain intensity ≥50, disability point <3
High disability	
Grade III: moderately limiting	Disability point 3-4 (characteristic pain intensity unrelated)

| Grade IV: severely limiting | Disability point 5–6 (characteristic pain intensity unrelated) |

TMD: temporomandibular disorder.

Disability point(Table 2)

Disability days (0–3) + Disability score

(0–3, RDC Axis II 설문지의 11, 12, 13 문항에 표기한 VAS 크기의 평균 × 10)

Table 2. Disability points

Disability days (0–180)		Disability score (0–100)	
0–6 days	0	0–29	0
7–14 days	1	30–49	1
15–30 days	2	50–69	2
Over 30 days	3	Over 70	3

Disability point (0–6): disability days (0–3) + disability score (0–3).

턱관절장애로 인해 느끼는 심리적 고통의 정도(Depression scale)(Table 3)

환자들의 심리적 고통은 RDC Axis II 설문지 20번 질문의 우울증 지수를 평가하는 항목(2, 5, 6, 7, 8, 9, 11, 12, 13, 14, 17, 22, 25, 26, 27, 28, 29, 30, 31, 32)에 답한 수치(0 - 4)를 합한 후 평균을 구하여 심도에 따라 normal, moderate, severe의 3단계로 분류하였다. 또한, 각 진단군에서 설문 내용의 세부적인 항목에 따른 증상을 호소하는 정도를 조사하였다. 그 항목으로는 성욕상실, 기력이 감소하거나 처진 느낌, 죽음에 대한 생각이나 죽어간다는 생각, 식욕감소, 쉽게 울음, 자책감, 외로움, 우울감, 지나친 걱정, 흥미 상실, 잠들기 어려움, 미래에 대한 절망감, 죽고 싶다는 느낌, 과식, 아침 일찍 잠이 깸, 잠자리가 불편하거나 방해 받음, 모든 것이 힘들다는 느낌, 무의미하다는 느낌, 갇혀 있거나 잡혀 있다는 느낌, 죄의식 같은 것들이 있다.

각 진단군의 신체화(비특이성 신체증상)로 인한 고통 (Nonspecific physical symptom score)(Table 3)

신체화로 인한 고통은 RDC Axis II 설문지 20번 질문의 비특이성 신체증상에 대한 내용들 중 통증항목을 포함(1, 3, 4, 10, 15, 16, 18, 19, 20, 21, 23, 24)하여 조사하였고, 답한 수치(0-4)의 평균을 구하여 심도에 따라 normal, moderate, severe의 3단계로 분류하였다. 또한, 각 진단군에서 세부적인 항목에 따른 정도를 조사하였으며 그 항목으로는 두통, 현기증, 흉통, 허리 뒤의 통증, 메스꺼움, 근육통, 호흡곤란, 체온 이상, 신체감각 이상, 경부 종창감, 허약감, 무거운 느낌 등이다.

각 진단군의 일상생활 중 지장을 느끼는 정도(하악 기능과 관련된 기능제한) (Functional limitation concerned to mandible movement, FL)

RDC Axis II 설문조사 내용의 19번 문항(씹기, 마시기, 이닦기나 세수하기, 운동하기, 하품하기, 딱딱한 음식 먹기, 음식물 삼키기, 부드러운 음식 먹기, 말하기, 미소 짓기나 웃기, 평상시 얼굴 표정 짓기)에서 각 항목에 대하여 불편함을 느끼는지 여부를 조사하였다. 환자들은 '예, 아니오'로만 대답하였으며 그 정도는 조사하지 않았다. 본 연구는 분당서울대학교병원 생명연구윤리심의위원회 (Institutional Review Board, IRB)의 승인(IRB no. B-1802-450-101) 하에 시행되었다.

Table 3. Depression scale, nonspecific physical symptom score

Psychological distress	Normal	Moderate	Severe
Depression scale	<0.535	0.535–1.105	≥1.105
Nonspecific physical symptom (pain items include)	<0.500	0.500–1.000	≥1.000
Nonspecific physical symptom (pain items exclude)	<0.428	0.428–0.857	≥0.857

연구결과

27명의 연구 대상 환자들의 평균 관찰 기간은 38.8개월이었다. 여성 환자가 19명(70.4%)으로 남성 환자인 8명(29.6%)보다 많았으며, 40세 이상의 중장년층 환자들의 비율이 51.9%로 상대적으로 많았다(Table 4). 환자들이 호소하는 불만과 증상은 턱관절 통증, 두통, 턱관절 잡음, 부정교합, 개구제한, 목 및 어깨 통증, 이갈이, 이악물기, 저작 시 불편감, 귀 통증, 전신적 통증이나 무력감, 개구 시 S자 변위, 교근 통증 등 매우 다양한 증상들이 있었다(Table 5). 이 외에도 안면 비대칭, 코뼈와 입천장이 조이는 느낌, 발열, 턱관절 주변 종창, 치통, 불면증 등의 증상도 호소하였다. 진단은 관절성 병변, 근육성 병변, 복합 병변의 3가지 그룹으로 분류하였다 (Table 6).

치료는 다른 턱관절장애 환자들과 마찬가지로 상담, 투약, 물리치료, 스플린트 치료 등과 같은 보존적인 처치만으로 효과가 있는 경우가 많았으며, 대체로 2가지 이상의 복합된 치료가 대부분이었다(Table 7). 기본적인 치료(상담, 약물치료)만 사용한 경우가 3증례, 기본적인 치료와 물리치료(레이저, EAST 등)를 병행한 경우가 1증례, 기본적인 치료와 스플린트 치료를 사용한 경우가 6증례 있었다. 기본적인 치료와 물리치료, 장치치료를 병행한 경우가 7증례, 기본적인 치료와 물리치료, 스플린트 치료, 관절강 내 주사치료를 시행한 경우가 4증례, 기본적인 치료와 물리치료, 스플린트 치료, 보툴리눔독소 주입을 시행한 경우가 1증례, 기본적인 치료, 물리치료, 스플린트 치료, 발통점 주사를 시행한 경우가 1증례, 기본적인 치료, 물리치료, 스플린트 치료, 관절강 내 주사, 보툴리눔독소 치료를 병행한 경우가 3증례, 기본적인 치료, 물리치료, 스플린트 치료, 관절강 내 주사, 보툴리눔독소 치료, 턱관절 내시경 수술을 시행한 경우가 1증례 있었다. 치료 경과는 증상이 개선된 경우가 17명(63.0%)을 보였고, 나머지 10명(37.0%)은 개선이 되지 않았거나 악화된 경우도 있었다(Table 8). 정신건강의학과, 재활의학과, 신경과, 마취통증의학과 등에 협진을 의뢰한 비율은 59.3%(16/27명)였다. 구강악안면외과에서만 진료를 받은 환자들과 타과 협진을 받은 환자들을 비교했을 때 좋은 예후를 보인 환자들 중 58.8%(10/17명)가 협진을 받은 환자였다(Table 9). 9명의 환자에게서 RDC/TMD Axis II를 분석하였다(Table 10). GCPS는 평균 grade 3.4로 나왔고, Depression scale (D)은 severe한 경우가 5명, moderate한 경우가 3명, normal한 경우가 1명이었다. Nonspecific physical symptoms(somatization score, pain items included)는 severe한 경우가 6명, moderate한 경우가 3명이었고, Nonspecific physical symptoms (somatization score, pain items excluded)는 severe한 경우가 3명, moderate 한 경우가 4명, normal이 2명이었다. FL은 0에서 1점 중 평균 0.61로 나타났다.

Table 4. Distribution of age and sex

Age(y)	Male	Female	Total
10–19	1	1	2
20–29	2	2	4
30–39	3	4	7
40–49	2	3	5
≥50	0	9	9
Total	8	19	27

Values are presented as number.

Table 5. Types of symptoms and complaints

Type	Number
TMJ pain	16
Headache	16
TMJ noise	13
Malocclusion	7
Mouth opening limitation	7
Pain of neck or shoulder	4
Bruxism or clenching	4
Discomfort of mastication	3
Pain in ear	3
Systemic pain or fatigue	3
S–deviation in mouth opening	2
Pain of masseter muscle	2
Others	8

TMJ: temporomandibular joint.

Table 6. Distribution of diagnosis

Diagnosis	Number	Percentage
Arthrogenous group	12	44.4
Myogenous group	6	22.2
Combined group	9	33.3
Total	27	100

Table 7. Distribution of treatment types

Treatment	Number
A	3
A+B	1
A+C	6
A+B+C	7
A+B+C+D	4
A+B+C+E	1
A+B+C+F	1
A+B+C+D+E	3
A+B+C+D+E+G	1

A: basic therapy (counseling+medication), **B:** physical therapy (laser, electro-acupuncture stimulation therapy, ozonytron), **C:** splint, **D:** joint injection, **E:** Botulinum toxin type A injection, **F:** trigger point injection, **G:** arthroscopy

Table 8. Progress of treatment

Progress	Number	Percentage
Poor	3	11.1
Static	7	25.9
Good	17	63.0
Total	27	100

Table 9. The number of Co-treatment

Progress	Co-treatment	OMFS
Poor	1	2
Static	5	2
Good	10	7
Total	16	11

Values are presented as number (%)

Co-treatment: treatment with dental clinic and other departments. OMFS: only treatment in Oral and Maxillofacial surgery

Table 10. Analysis of RDC/TMD Axis II RDC/TMD

RDC/TMD	Scale
1	Grade 3.4(grade 0-IV)
2	Severe 5, moderate 3, normal 1
3	Severe 6, moderate 3
4	Severe 3, moderate 4, normal 2
5	0.61(0-1)

1: graded chronic pain scale (GCPS), **2:** depression scale (D), **3:** nonspecific physical symptoms: somatization score, pain items included (NPSI), **4:** nonspecific physical symptoms: somatization score, pain items excluded (NPSE), **5:** functional limitation concerned to mandible movement (FL).

● 턱관절장애 환자들 중에 정신적 인자가 증상에 깊게 관여하는 경우가 종종 있다. 스트레스, 걱정, 불안과 관련된 심리적인 장애는 구강안면 조직의 기능이상을 유발하면서 턱관절장애를 발현시키거나 악화시킬 수 있다. 대개 불안, 긴장, 강박증, 우울증, 신경증, 심기증, 신체화 증상 등이 동반되는 경우가 많은데, Schwartz 등(1979)은 정서적 갈등과 신체화 증상을 보고한 바 있다. Celic 등(2006)은 턱관절장애 환자에서 우울증 척도, 신체화 척도가 상승되는 경향을 보인다고 보고하였다.

본 연구에서도 정신적 질환을 가진 턱관절 환자들은 매우 다양한 증상들을 호소하였고, 2가지 이상의 치료들과 의과 협진치료가 시행되었으며, 치료 경과도 불량한 경우가 많았다. 본 연구에서의 턱관절 치료는 기본적인 상담과 약물치료, 장치치료와 더불어, 온찜질, 냉각요법, 레이저치료, EAST 등의 물리치료를 많이 활용했다. 27명의 환자들 중에서 17명의 환자들에게 보존적인 처치만으로 턱관절 치료를 시행하였고, 대부분 2가지 이상의 복합된 치료가 이루어졌다. 보존적인 처치에 효과를 보이지 않는 환자들은 적극적으로 정신건강의학과, 재활의학과, 신경과, 마취통증의학과 등에 협진을 의뢰하여 병행 치료를 시행하였다. 그럼에도 효과가 없거나, 그 이상의 치료가 필요한 환자들에 한해서 선별적으로 주사치료 혹은 외과적 치료가 시행되었다. 관절강 내에 스테로이드나 히알루론산(Hyaluronic acid) 주입을 한 경우는 7명, 보툴리눔독소를 저작근 및 측두근에 주입한 경우 5명, 발통점 주사 1명, 턱관절내시경을 이용한 세정술을 시행한 환자는 1명이었다. 본 연구에서는 전체적으로 63%의 환자에게서 좋은 예후를 보였으며 본원에 내원하는 일반적인 턱관절장애를 가진 환자들과 비교하면 다소 예후가 불량했다. 이는 정신과적 문제를 가진 환자들의 경우 의료진에 대한 협조도가 낮을뿐더러, 정신적 질환이 턱관절질환을 심화시키는 요인으로 작용할 수 있기 때문이라 사료된다. RDC/TMD Axis II 자료는 환자의 정신적 지표를 평가하는 도구이자 정신적, 사회적 상황을 확인하는 데 필요한 자료로, 현재 구강안면통증 장애를 진단하는데 이용되고 있는 모델이다(Shephard MK, et al; 2014). 본 연구의 RDC/TMD Axis II를 분석한 자료에서는 만성통증 척도는 최근 6개월간 통증을 느낀 점수로 4점 만점에 평균 3.4로 큰 통증을 호소한다는 것을 확인할 수 있었고, 우울증 척도, 비특이성 신체 증상 척도에서도 마찬가지로 severe 하다고 응답한 환자가 많았다. 하악 기능과 관련된 기능제한 점수도 0.61점으로 높게 나타났다. 이처럼 정신적 문제가 개입되면 환자가 느끼는 주관적인 반응도 일반 턱관절 환자에 비해 높은 것을 알 수 있다. Manfredini 등(2009)은 턱관절장애 환자들에서 통증과 정신, 심리적인 요소 사이에 밀접한 연관성이 있으며 정신적인 고통이 통증을 심화시킬 수 있기 때문에 근막성 통증과 턱관절 통증에 대하여 더욱 심화된 연구가 필요하다고 하였다.

본 연구에서는 타 과와 함께 협진한 환자와 구강악안면외과 진료만 진행한 환자들의 치료 경과에서 특별한 차이를 보이진 않았지만, 구강악안면외과 진료만으로 치료가 어려운 경우에 관련된 의과 협진을 시행하는 것이 장점이 많다고 생각된다. 반대로 정신건강의학과나 신경과 치료 중인 환자들 중 턱관절장애 증상이 존재할 경우 치과로 의뢰되어 협진하면 좋은 결과를 보일 것으로 예상된다.

> ## Case >
> ### 2019년 대한치과의사협회지에 증례보고
> ### 논문으로 게재된 증례(강동우 & 김영균; 2019)

특별한 기저 질환 없이 건강한 20세 남자 환자가 이비인후과 의원에서 의뢰되었다. 환자는 우측 귀가 잘 안 들리는 증상을 주소로 이비인후과 진찰을 받았지만 특별한 이상 소견이 발견되지 않았고 턱관절장애 증상이 의심되어 치과 구강악안면외과로 의뢰되었다. 초진 시 부정교합과 우측 턱관절 염발음이 관찰되었고 개구 시 혹은 저작 시 양측 턱관절 통증과 턱 불편감 등을 호소하였다. TM panorama, TMJ CBCT 및 MRI 촬영 결과 좌측 관절원판은 정복성 전방 전위 상태였고 우측 관절원판은 비정복성 전내측 전위 상태였으며 우측 과두는 연골하방의 낭종성 변화와 경화성 골변화를 보이며 귀 전벽을 압박하는 듯한 양상을 보였다(Fig 6-1~3). 우측 턱관절 골관절염(osteoarthritis) 혹은 골연골종(osteochondroma)으로 잠정 진단하고 전신마취하에 턱관절 성형술(Arthroplasty of TMJ) 및 종양성 병소를 제거하였다. 전이개 접근법으로 절개 및 박리를 시행하여 턱관절 구조물을 노출시킨 후 우측 턱관절 과두 후방의 돌출된 부분을 제거하였으며 제거된 시편을 조직검사를 의뢰하였다(Fig 6-4). 또한 우측 턱관절 과두의 외측으로 형성된 골극을 제거한 후 관절융기절제술(eminectomy)을 시행하였다(Fig 6-5). 후방으로 전위된 관절 원판은 전방으로 재위치 시킨 후에 봉합하여 고정하였다(Fig 6-6, 7). 상관절강에 silastic drain을 삽입하고, Guardix—sol (Hanmi Pharm., Seoul, Korea)을 주입한 후에 층별

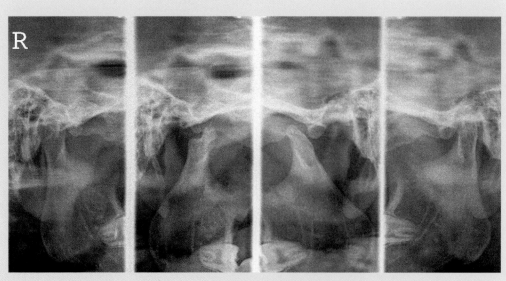

Fig. 6-1. 20세 남자 환자의 초진 시 TM 파노라마 방사선사진. 우측 과두의 형태 변화, 흡수 및 이상 증식 소견이 관찰된다.

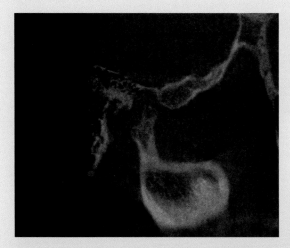

Fig. 6-2. 초진 시 CBCT 사진. 우측 과두의 기형적 형태 변화가 뚜렷이 관찰되고 있다.

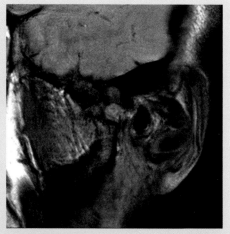

Fig. 6-3. 술 전 TMJ MRI. 관절원판 전방전위 및 과두의 퇴행성 변화가 관찰된다.

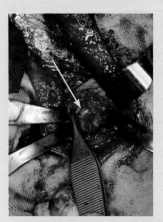

Fig. 6-4. 우측 턱관절 과두(화살표)를 노출시킨 모습

Fig. 6-5. 과두의 후방과 측방으로 돌출된 골증식부를 제거하면서 과두성형술을 시행하고 관절융기절제술을 시행하였다.

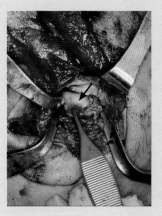

Fig. 6-6. 전방으로 전위된 관절원판을 찾아서 원위치시키는 모습(화살표)

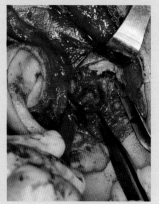

Fig. 6-7. 관절원판을 원위치 시킨 후 주변 조직과 봉합하여 고정하고 관절낭을 봉합하였다.

봉합을 시행하였다(Fig 6-8, 9). 교합의 안정을 위해 약 2주간 악간고정을 시행하였으며 조직검사 결과는 골종(osteoma)으로 확인되었다. 수술 1개월 후 특별한 합병증 없이 청력, 부정교합 및 턱관절 불편감이 회복되었다. 술 후 10개월 뒤 최종 촬영한 TM panorama 영상에서 잘 회복되어 재형성된 과두의 형태를 확인할 수 있었으며 치료를 종결하였다(Fig 6-10).

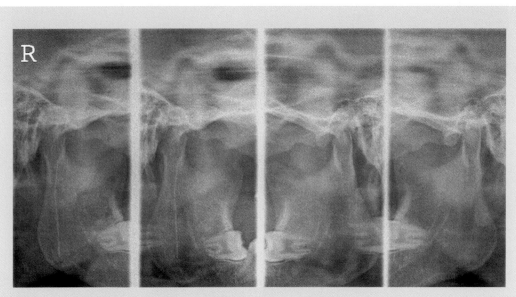

Fig. 6-8. 술 후 TM 파노라마 방사선사진

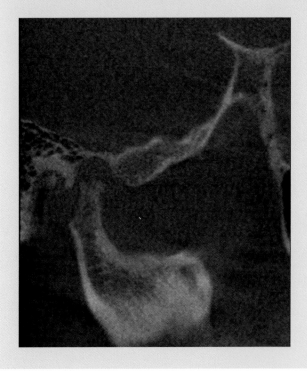

Fig. 6-9. 수술 2개월 후 CBCT 방사선사진

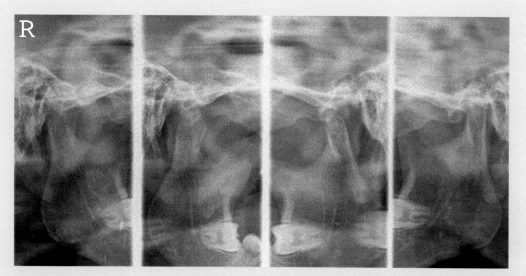

Fig. 6-10. 수술 10개월 후 TM 파노라마 방사선사진

⊗ Problem lists

1 청각장애 및 이비인후과 진료
2 턱관절장애
3 턱관절 양성종양

🖐 치료 및 경과

1 턱관절 개방수술: 종물제거 및 관절성형술
2 치유 양호

◀))) Comment

● 턱관절장애 환자들에서 이명, 귀 통증, 어지럼증, 청력소실, 현기증(vertigo), 귀 충만감 등 다양한 귀와 관련된 증상들이 발생할 수 있다. 과두의 골격적인 해부학적 형태 이상이나 관절원판의 위치변화, 턱관절 내부의 염증이나 혈종으로 인해 귀 부위에 과도하게 압박이 가해지는 경우 청각 이상이 발생할 수 있다(Fricton JR, et al; 1985). 하악과두에서 발생하는 발생하는 증식성 병소들은 골종(osteomas), 연골종(chondromas), 골아세포종(osteoblastomas), 골연골종(osteochondromas), 연골모세포종(chondroblastomas), 거대세포종양(giant cell tumor), 외골종(exostosis), 과형성(hyperplasia) 등이 있으며 안면 비대칭, 부정교합, 개구제한 및 귀 관련 증상 등이 나타나는 경우가 많다(Holmlund AB, et al; 2004, Thoma KH; 1964, Vezeau PJ, et al; 1995). Goyal과 Sidhu (1992)는 청각 이상을 유발하는 하악과두의 광범위한 골연골종에 대해 보고한 바 있다. Koole 등(1996)은 하악과두의 광범위한 골연골종으로 인해 청력 소실과 외이도의 폐쇄에 대해 보고한 바 있다. Seki 등(2003)은 종양의 과증식으로 유발되는 측두골에서의 골경화성 변화가 중이염이나 외이염을 유발하여 완전한 청력 소실을 유발할 수 있다고 보고하였다.

턱관절에 발생하는 증식성 병소들에 대한 궁극적인 치료 목표는 병소를 제거하면서 해부학적으로 정상에 가까운 상태로 회복시킴으로써 안모 개선, 정상 교합 수복, 턱관절 기능 개선, 재발 방지의 목표를 달성하는 것이다. **증식성 병소를 완벽히 제거하지 못할 경우 재발을 초래할 가능성이 있지만, 병소를 완전히 제거하는 것은 해부학적으로 한계가 있을 수 있다**(Chen MJ, et al; 2014). 외과적 처치법으로서 하악과두 절제술(condylectomy), 불규칙한 하악과두의 표면을 다듬는 하악과두 성형술(condyloplasty) 등을 고려해 볼 수 있다. 그러나 **증식성 병소를 제거하기 위해 하악과두를 완전히 절제하는 것은 불가능하기 때문에 병소에 이환된 과두를 최대한 제거하고 남은 하악과두나 하악과두의 경부를 재형성한 후 관절원판을 재위치시키는 보존적인 하악과두 절제법이 추천된다**(de Melo WM, et al; 2013). 한편 관절융기절제술은 습관적인 턱관절탈구나 관절 내 압력을 줄이기 위해 관절융기를 제거하거나 높이를 낮추어 과두걸림을 해소하고 관절강을 확대시켜 관절 내부의 압력을 감소시킴으로써 조직이 눌려서 발생하는 통증, 염증을 감소시켜주는 방법이다. 관절원판성형술 및 복위술은 관절을 재위치 시키거나 적절히 성형하여 외이도에 가해지는 압력을 줄일 수 있다(Shim CH, et al; 2002).

본 증례에서도 수술적 치료로, 우측 턱관절 외측의 골극 제거를 포함한 과두 성형술 및 종양성 병소 제거, 관절융기절제술을 시행하였다. 또한 후방으로 전위된 관절 원판을 재위치시킨 후 봉합하고 술 후에는 관절원판 및 교합의 안정을 위해 2주가량 악간고정을 시행하였다. 수술 2주 후까지 청력이 회복되다가 정체 상태를 보여 이비인후과 진료를 받았으며 1개월 후에 거의 정상으로 회복되었다.

턱관절장애 환자들의 경우 귀와 관련된 증상을 호소하는 경우를 종종 볼 수 있으며 이비인후과적 질환이 전혀 없을 경우엔 턱관절 방사선사진 및 CBCT를 세밀하게 판독하여 하악와, 관절융기, 관절원판, 관절원판 후 조직, 하악과두 및 각 구조물들 사이의 부조화나 형태 변화를 평가할 필요가 있다. 병적인 상태가 확실히 진단되면 정상적인 상태로 회복시키기 위한 외과적 치료법을 적극 고려해야 할 것이다.

7. 자율신경계 관련 증상들이 발현된 턱관절장애

만성통증은 손상된 조직의 정상적인 치유 과정이 지연되거나 정상적으로 치유된 이후에도 발생 수 있으며 만성 통증 자체가 하나의 질병으로 간주된다. 국소적인 요인뿐 아니라 환자 개인의 정서적, 사회적 요인이 복합적으로 관여되어 있다. 통증 양상은 둔하고 깊은 양상을 보이며, 통증이 나타나는 부위가 불명확할 뿐 아니라 장기간 지속되기 때문에 우울, 불안 등의 정신적 문제가 동반되는 경우가 많다. 턱관절장애는 대부분 만성질환의 일종으로서 만성통증이 지속되는 경우가 많다. 따라서 자율신경계가 적응하려는 반응을 보이면서 수면장애, 식욕부진, 성욕 감퇴, 일상생활의 불편감 등을 유발하고 치료가 잘 안 되기 때문에 환자들은 여러 병의원들을 옮겨 다니면서 치료받는 경향을 보이고 치과의사들이 이런 유형의 환자들을 치료할 때 많은 어려움을 겪게 된다(Kniffin TC, et al; 2015).

> ## Case > 73세 턱관절장애 환자가 안면부 감각이상을 주소로 내원한 증례

2011년 9월 29일 73세 여자 환자가 우측 안면부 감각이상을 주소로 내원하였다. 눈 아래, 코 절반, 상순과 뺨의 감각이 둔하며 차가운 것이 닿으면 찌릿한 증상이 생긴다고 하였다. 겨울에 증상이 심해지며 얼굴이 항상 부어 있는 느낌이라고 하였다. 의과적 질환은 10개월 전 신경외과에서 뇌종양 수술을 받았고 당뇨, 심장질환으로 내과 관리를 받고 있었다. 상악에 국소의치를 착용 중이며 방사선사진에서는 우측 과두의 모양이 좌측과 약간 다른 것 외 이상 소견들은 관찰되지 않았다(**Fig 7-1**). 전기생리학적 검사에서 심한 감각저하 소견이 관찰되었으며 체열 검사에서는 광대뼈, 눈 하방과 턱 부위에서 좌우 온도 차이가 큰 소견을 보였다(**Fig 7-2, 3**). 4개월 전 갑자기 우측 턱이 걸리면서 입이 안 벌어졌고 통증이 심했으나 시간이 경과하면서 호전된 상태라고 하였다. 우측 턱관절장애와 연관된 일시적 증상으로 판단하고 턱관절장애 병인론과 주의사항, 경과를 상세히 설명하고 환자의 거주지가 지방 산골이어서 당일 두꺼운 Omnivac으로 스플린트를 제작하여 장착하고 물리치료와 2주간의 약물(Mecobalamin, Gabapentin)을 처방하였다. 환자가 내원하기 힘든 상황이어서 전화로 경과를 체크한 결과 1개월 후 관련 증상들이 완전히 해소되었다.

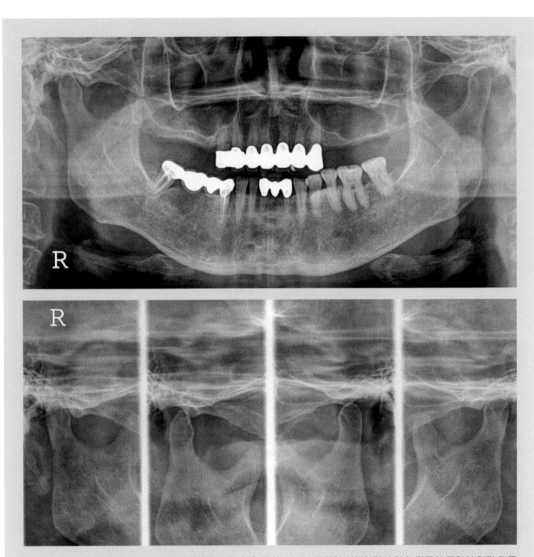

Fig. 7-1. 73세 여자 환자의 초진 시 방사선사진. 상악 양측 구치부 부분 무치악 상태이면서 양측 과두의 모양이 약간 다른 것 외 특이 소견은 관찰되지 않았다.

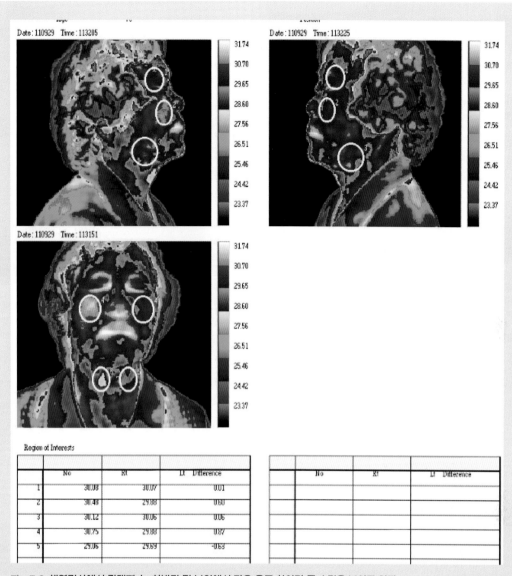

Fig. 7-2. 체열검사에서 광대뼈, 눈 하방과 턱 부위에서 좌우 온도 차이가 큰 소견을 보이고 있다.

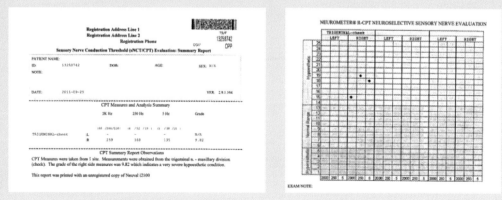

Fig. 7-3. Neurometer 검사에서 우측 안면부의 심한 감각둔화 소견이 관찰되었다.

⊗ Problem lists

1 안면부 감각이상
2 턱관절장애

치료 및 경과

1 약물, 물리치료 및 스플린트 치료
2 경과 양호

🔊 Comment

● 본 증례의 환자는 신경외과 수술 및 심장질환으로 의과적 치료를 받고 있는 환자이며 신경외과 수술 후부터 발생한 이상 증상들은 근육성 턱관절장애가 지속되면서 발생한 자율신경계 관련 반응으로 추정된다. 상악 양측 구치부가 소실된 상태로 장기간 국소의치를 착용하고 있는 환자이며 잠재적인 근육성 턱관절장애가 오랜 기간 지속되었을 것으로 생각된다. **상담 및 보존적 치료에 좋은 반응을 보였으며 스플린트가 근육성 장애의 이완 효과 및 pacebo effect를 발휘하여 치유에 도움을 준 것으로 판단된다.**

8. 근육성 턱관절장애

턱관절기능에 관여하는 저작근들의 피로감과 긴장도가 심해지거나 좌우측 근육 기능의 부조화가 존재할 경우 근육성 턱관절장애가 발생하며 일본턱관절학회 분류법의 턱관절장애 1형에 해당되고 저작근장애(masticatory muscle disorder), 근근막통증증후군(myofascial pain dysfunction syndrome, MPDS)이라는 용어로 사용되기도 한다. 특히 근육성장애는 만성적으로 존재할 경우 중추신경계 민감화(sensitization)가 동반되면서 이상 증상들이 수반되는 경우가 많다. 만성 턱관절장애와 정신병리학적 장애가 많은 연관성을 가진다고 알려져 있으며 다른 분류의 턱관절장애에 비해 치료하는 것이 더 어려울 수도 있다(De LeeuW R, et al; 2005, Ferrando M, et al; 2004).

Case 1 > 장기간 지속된 턱관절장애 1, 3, 4형

2014년 6월 11일 47세 여자 환자가 개구제한과 안면 통증을 주소로 내원하였으며 개구량은 32 mm였고 개구 시 하악이 좌측으로 편향되는 소견을 보였다. 2개월간 현기증이 동반된 두통이 있었으며 목, 어깨, 팔에도 통증이 존재하였다. 촉진 시 양측 교근, 좌측 턱관절 측방 및 후방 압통, 우측 흉쇄유돌근, 우측 측두근 압통이 존재하였다. 치과 의원에서 약 6개월간 스플린트 치료를 받았으나 호전되지 않았다. 일반 방사선, TMJ CT, MRI 촬영 및 턱관절 초진기록지 작성, 문진, 병력청취 결과를 기록하고 Celebrex, Baclofen을 1주 처방하였다. 환자 직업은 학원 강사였다. TMJ MRI에서 좌측 턱관절 비정복성 관절원판 전위, 과두흡수 소견이 관찰되었으며 일반 방사선 및 CBCT에서는 좌측 턱관절의 과두흡수, 불규칙한 관절면과 골극 소견이 관찰되었다(Fig 8-1~3). 좌측 턱관절장애 3, 4형(턱관절내장증과 골관절염)으로 진단하고 2014년 6월 25일부터 약물(Celebrex, Baclofen) 및 스플린트 치료를 시작하였다. 치료 시작 1개월 후 개구량은 40~45 mm로 회복되었으나 좌측 턱관절 염발음과 어지럼증, 고개 숙일 때 안면 통증이 지속되었다. 아침에 자고 일어나면 안면 통증과 두통이 심하였고 입이 잘 안 벌어진다고 하였다. 약물 및 물리치료, 스플린트 치료를 계속하면서 경과를 관찰하였으나 겨울에 날씨가 추워질 때와 말을 많이 하고 나면 좌측 안면 통증과 두통이 심해진다고 하여 스플린트를 다시 제작해서 착용하면서 경과를 관찰하였다. 2015년 5월 6일 30 mm의 개구제한과 좌측 턱관절, 안면, 측두부의 극심한 통증을 호소하면서 다시 내원하였다. 고개를 숙일 때, 음식 먹을 때, 말할 때 통증이 더욱 심해진다고 하였으며 스플린트 착용 및 약물 복용에도 불구하고 전혀 개선되지 않았다. 근육성 턱관절장애, 턱관절내장증, 턱관절염이 복합된 상태(턱관절장애 1, 3, 4형)로 진단하고 턱관절경 시술과 보툴리눔독소 치료를 계획하였다. 2016년 5월 25일 전신마취하에서 좌측 턱관절경을 이용한 세척 및 용해술(lavage and lysis)을 시행하고 Dexamethasone을 주사하였으며 양측 측두부와 교근에 보툴리눔독소를 각각 25U씩 총 100U 주사하였다(Fig 8-4). 관절경에서는 좌측 턱관절강 내부의 섬유성 유착증이 매우 심한 소견이 관찰되었

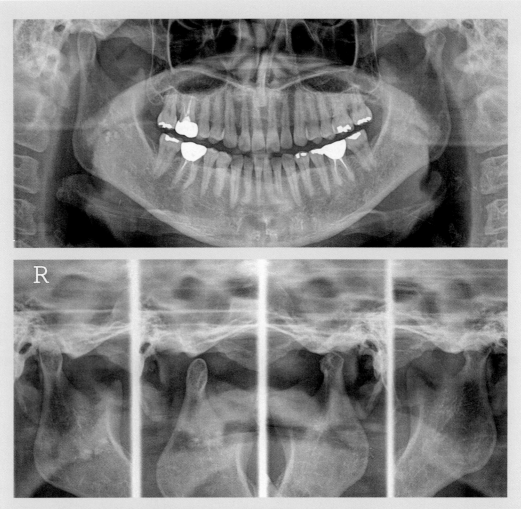

Fig. 8-1. 47세 여자 환자의 초진 시 방사선사진. 좌측 턱관절의 관절염 소견이 관찰된다.

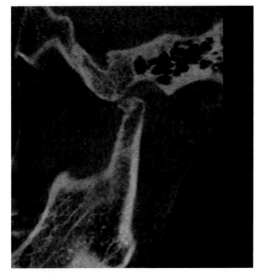

Fig. 8-2. CBCT에서 좌측 과두의 골극 및 불규칙한 관절면 소견이 관찰된다.

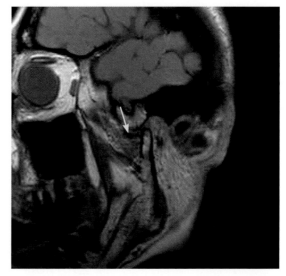

Fig. 8-3. TMJ MRI에서 개구 시 과두 전방에 관절원판이 존재하면서 개구제한을 유발하는 소견이 관찰된다(화살표: 관절원판).

다. 이후 스플린트, 약물(Ibuprofen), 물리치료(레이저)를 시행하면서 경과를 관찰하였다. 환자 직업이 학원 강사여서 물리치료는 동네 의원에서 받도록 의뢰서를 작성해 주었다. **2016년 8월 12일** 내원 시 통증 및 관련 증상들은 현저히 호전되었다. **2016년 12월 16일** 내원 시 말을 많이 한 후에 좌측 측두부와 양측 교근 부위 통증이 매우 심하고 겨울에 더 심해지는 양상을 보인다고 하였다. 양측 측두근, 교근 부위에 각 부위당 25U씩 보툴리눔독소를 주사하고 Naxen-F 500 mg을 2주 처방하였으며 통증이 매우 심할 때 Ultracet을 복용하도록 처방하였다. **2017년 5월 12일** 내원 시 심한 스트레스로 인한 좌측 측두부 통증, 35 mm의 개구제한을 호소하였고 좌측 측두부 발통점 부위에 Lidocaine without epinephrine을 주사하고 레이저치료, 스플린트 조정을 시행한 후 Sensival, Naxen F를 2주 처방하였다. 이후에도 **2018년 1월 12일**, **2019년 12월 13일** 양측 측두부와 교근에 보툴리눔독소를 주사하고 스플린트를 증상에 맞춰 착용하면서 경과를 관찰하고 있으며 심한 통증과 턱관절 기능 제한은 잘 조절되는 상태이다(**Fig 8-5**).

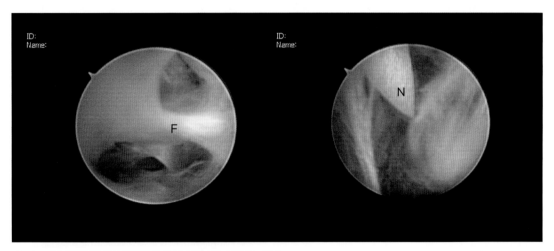

Fig. 8-4. 미세 턱관절경을 이용한 세척 및 용해술을 시행하는 모습
F: fibrous adhesion, N: needle.

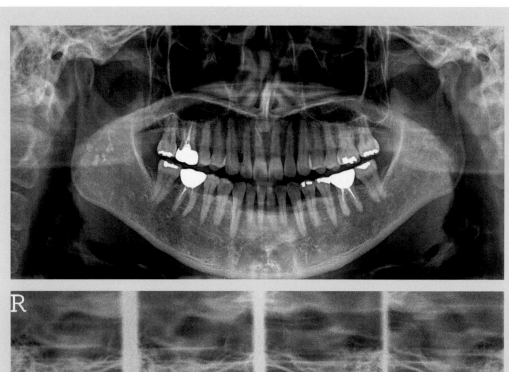

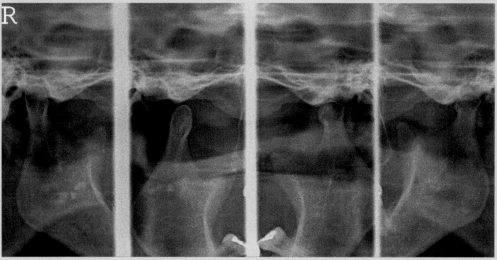

Fig. 8-5. 2018년 1월 12일 촬영한 방사선사진. 좌측 과두의 골관절염성 변화는 안정적 상태를 유지하고 있으며 근육성장애 치료를 위해 스플린트 착용 및 보툴리눔독소 주사치료가 시행되고 있다.

1 턱관절장애 1, 3, 4형
2 반복적인 재발 및 장기간 증상 지속
3 직업적 소인

📋 **치료 및 경과**

1 약물, 물리치료 및 스플린트 치료
2 보툴리눔독소
3 턱관절경 시술

🔊 **Comment**

● 만성적인 근육성장애는 심한 스트레스 등과 같은 정신적 요인들과 이갈이, 이악물기와 같은 구강악습관이 관여되는 경우가 많으며 통증 부위가 국소화되지 않고 넓은 범위에 걸쳐 발생하며 환자가 통증 부위를 특정하지 못하는 경우가 많다. 약물, 물리치료 등 보존적 치료를 적극적으로 시행하여도 뚜렷한 치료 효과를 보이지 않는 경향을 보인다. 본 증례의 환자 직업은 학원 강사로서 말을 많이 하고 항상 극심한 스트레스에 시달리기 때문에 턱관절장애의 위험 요소로 생각되었으며 턱관절장애 3, 4형이 복합되어 있음으로 인해 턱관절경 시술, 보툴리눔독소, 스테로이드 관절강 주사, 스플린트와 같은 다양한 치료들이 복합적으로 적용되었다. **급성 통증을 잘 조절하지 못할 경우 만성 통증으로 이환되고 진단 및 치료가 매우 어려워지는 경향을 보이기 때문에 통증 치료는 초기부터 적극적으로 시행해야 한다.** 통증 및 염증 완화 목적으로 스테로이드를 국소 주사하는 것이 매우 효율적일 수 있다. 통증을 느끼고 해석하는 것은 사람의 '뇌'이다. 긍정적인 사람이 외롭고 힘든 통증과의 싸움에서 승리할 수 있다. **통증은 환자들마다 정도와 치료에 대한 반응이 다르기 때문에 환자들의 치료 반응을 살피면서 적절한 약물, 주사, 물리치료, 수술적 요법 등을 적용하면 좋은 치료 효과를 얻을 수 있다**(남상건; 2020).

턱관절장애 치료가 잘 안 되는 이유들은 환자의 비협조, 치과의사의 편견과 아집, 조절되지 않는 구강악습관, 정신적 요인이 동반된 경우, 다양한 의과적 질환이 동반된 경우 등이다. **턱관절장애에 대한 완벽한 치료법은 없으며 완치라는 개념이 없다.** 즉 치유될 수 있지만 턱관절에 과부하를 유발하는 소인들이 계속 남아 있다면 언제든지 재발한다. 병인론이 매우 다양하기 때문에 치료법들도 매우 다양하다. 만성질환이나 만성통증을 치유시킬 수 있는 단일 치료법은 없다. 따라서 치료하는 치과의사와 환자 모두 이런 점을 충분히 이해하고 상호 협력하에서 치료가 이루어져야 한다. 치과의사가 50%, 환자 자신이 50% 치유시킨다는 생각을 가져야 한다. 환자들은 치과의사들과 상의하여 본인이 원하고 경제적으로 부담할 수 있는 비침습적 치료법을 최우선으로 선택해야 한다(추미란 역; 2019).

Case 2 > 임플란트 주위 통증이 동반된 근육성 턱관절장애

2019년 11월 25일 55세 여자 환자가 치과 의원에서 8개월 전에 식립된 #25-27 임플란트 통증을 주소로 내원하였다(Fig 8-6). 수술 이후부터 통증이 시작되었고 최근에는 좌측 측두부로 통증이 파급되며 참을 수 없을 정도로 고통스럽다고 하였다. 치과에서 치유지대주를 풀고 잇몸치료를 받으면 2-3일 정도 통증이 완화되며 스테로이드를 복용하면 증상이 일시적으로 완화된다고 하였다. 임상 및 방사선검사에서 식립된 임플란트는 이상 소견을 보이지 않았으며 과거부터 양측 턱관절에서 소리가 나는 등 턱관절 상태가 좋지 않았지만 진

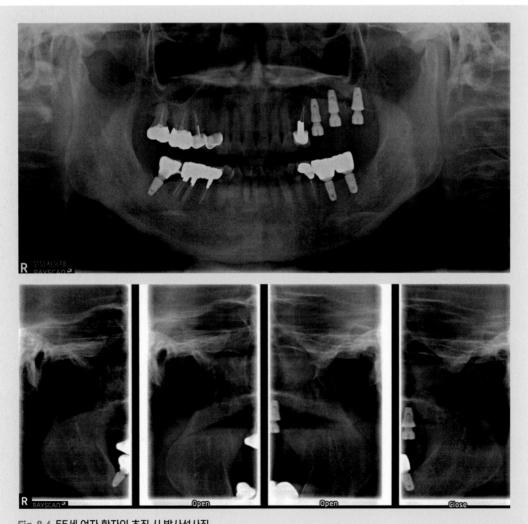

Fig. 8-6. 55세 여자 환자의 초진 시 방사선사진

단 및 치료를 받은 적은 없다고 하였다. 20년 전부터 스트레스를 받거나 음식을 씹을 때 양쪽 턱관절의 간헐적 통증과 관절잡음이 존재하였으며 최근 9개월간 양측 측두부와 교근 부위 통증이 있었으며 밤에 통증이 심해서 자주 깬다고 하였다. 촉진 시 양측 턱관절 측방, 좌측 교근과 양측 측두근 압통이 존재하였다. 방사선사진에서 양측 과두의 모양 변화 및 골개조 소견이 관찰되었으며 임상 및 방사선검사를 통해 비정형 치통 및 안면통(atypical toothache and facial pain), 턱관절장애, 골수염, 티타늄 알레르기를 의심하고 핵의학검사를 추가로 시행한 후 Kamistad-N gel을 통증 부위 잇몸에 도포하고, Trileptal (300 mg bid for 7 days)을 복용하도록 처방하였다. 의학적 병력은 혈소판감소증에 대한 내과적 치료를 받고 있었다. **2019년 12월 13일** 핵의학검사 판독 결과 이상 소견이 관찰되지 않았으며 근육성 턱관절장애와 임플란트 주위 치은염으로 진단하고 #25–27 임플란트 주위 소파술을 시행한 후 Azitops (Azithromycin 250 mg qd for 5 days), Trileptal (Oxcarbazepine 300 mg bid for 7 days), Avocado–soya unsaponifiables (Imotun 300mg qd for 14 days)을 처방하였다. 또한 인상을 채득한 후 Omnivac stabilization splint를 당일 제작하여 장착하도록 하였다. **2019년 12월 27일** 내원 시 증상들이 거의 소멸되었으며 양측 턱관절 주변에 레이저 물리치료를 시행하고 근육성 턱관절장애의 병인론과 주의사항 등을 상세히 설명하고 Imotun을 2주 추가 처방한 후 치료를 종료하였다.

⊗ Problem lists

1. 임플란트 주위 통증
2. 근육성 턱관절장애

치료 및 경과

1. 약물 및 물리치료
2. 임플란트 주위 소파술
3. 턱관절장애 병인론과 주의사항 설명

🔊 Comment

● 본 증례에서 **임플란트 주변에 발생한 통증은 근육성 턱관절장애와 관련이 있는 연관통으로 생각된다.** 실제 임상에서 임플란트 치료 도중 혹은 치료 후에 이와 같은 증상을 호소하는 환자들을 많이 접하게 된다. 임상 및 방사선검사를 통해 감별진단을 잘 하는 것이 중요하지만 임플란트 주변의 치은 통증은 방사선사진에서 관찰되지 않기 때문에 진단 및 치료 목적으로 소파술을 시행하고 약물을 투여해 보는 것이 좋다. 본 증례에서 Trileptal을 처방한 이유는 특발성 치아치조통증(비정형 치통)도 의심되어 진단 및 치료 목적으로 사용한 것이다. 방사선사진에서 관찰된 양측 과두의 모양 변화는 핵의학검사 결과 골관절염과는 무관한 정상 소견이었으며 환자의 임상 증상들과 보존적 치료(물리치료 및 스플린트 치료)에 잘 반응을 보인 것으로 보아 근육성 턱관절장애(TMD 1형)로 확진해도 무리가 없는 증례이다.

9. 구강악습관이 개입된 턱관절장애

구강악습관이 해결되지 않고 지속된다면 턱관절장애는 치료되지 않는다. 많은 임상가들이 이 사실을 간과하고 있다. 환자들은 자신의 구강악습관을 인지하지 못하는 경우가 많다. 초진 환자에게 "당신 이를 갑니까?" 하고 질문하면 거의 대부분의 환자들이 "나는 이를 갈지 않습니다"라고 답한다. 잠을 자는 사람들이 자신이 이를 가는지 이를 악무는지 어떻게 알겠는가? 이런 방식으로 질문하는 치과의사들이 문제가 있는 것이다. 여러 가지 임상 증상들과 객관적 소견들을 근거로 구강악습관을 진단하고 환자에게 위험성을 고지한 후 반드시 악습관이 없어지도록 해야 턱관절장애가 잘 치료될 수 있다.

Case 1 > 이갈이로 인한 임플란트 주위 변연골 소실

27세 여자 환자가 **2010년 1월 27일** #36 부위 임플란트 치료를 위해 내원하였다. #16 치아는 균열(crack)이 발생하여 치과 의원에서 근관치료를 받다가 중단된 상태였으며 본원에서 후속 근관치료를 완료하였다 **(Fig 9-1)**. 환자는 전반적으로 치아들이 시리며 본인이 야간 이갈이가 매우 심하다는 것을 알고 있었다. 얇은 Omnivac으로 진단용 스플린트를 제작하여 1주일간 착용시킨 결과 장치가 파절되었으며 마모가 매우 심한 소견이 관찰되었다**(Fig 9-2)**. 치경부 abfraction, 교모증, 협점막 백선이 관찰되어 이갈이를 확진하고 임플란트 치료가 종료된 후 night guard를 제작하여 장착하기로 계획하였다**(Fig 9-3)**. **2010년 5월 3일** #36 부위에 임플란트가 식립되었으며 **2010년 10월 22일** 상부 보철물이 장착되었다. Night guard를 제작하여 상악에 장착하고 정기적으로 임플란트 유지관리를 시행하면서 경과를 관찰하였다**(Fig 9-4, 5)**. **2012년 3월 5일** 임플란트 주변 잇몸 종창과 출혈이 발생하여 소파술을 시행하고 스플린트를 점검하였다. **2012년 10월 4일** 이갈이는 지속되고 있으며 night guard에 천공이 발생하여 수리하였으며 보툴리눔독소 주사에 대해 설명하고 귀가시켰다. **2013년 3월 4일** night guard가 파절되어 새로 제작하였고 #36 임플란트 주변의 골소실이 관찰되었다**(Fig 9-6)**. **2013년 3월 11일** 새로 제작한 장치를 착용시키고 임플란트 주위 소파술과 양측 교근 및 측두근 부위에 보툴리눔독소를 주사(Dysport 100U X 4)하였다. 이후 이갈이가 현저히 감소되었고 스플린트를 잘 착용하면서 정기적인 임플란트 유지관리를 받고 있다.

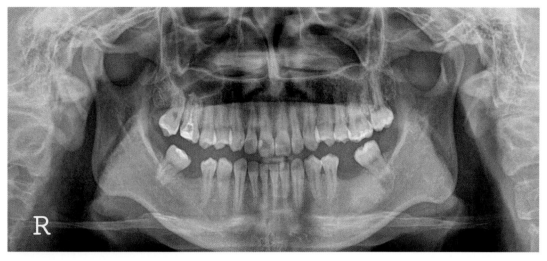

Fig. 9-1. 27세 여자 환자의 초진 시 파노라마 방사선사진. #36, 46이 소실된 상태이며 임플란트 치료를 희망하였으나 턱관절장애 증상은 존재하지 않았다. 하악골의 양측 우각부의 비대 양상이 관찰된다.

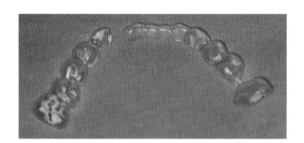

Fig. 9-2. 얇은 Omnivac splint가 파절되었고 심한 마모 및 천공 소견이 관찰된다.

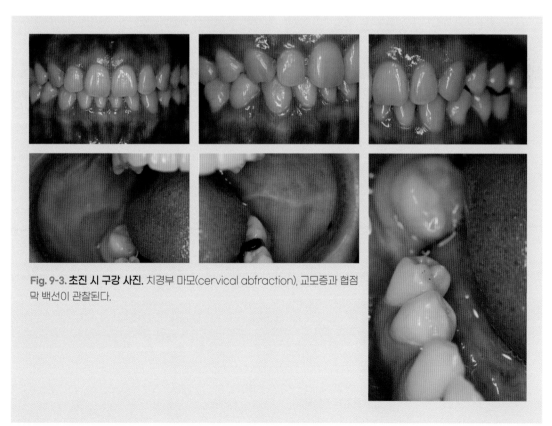

Fig. 9-3. 초진 시 구강 사진. 치경부 마모(cervical abfraction), 교모증과 협점막 백선이 관찰된다.

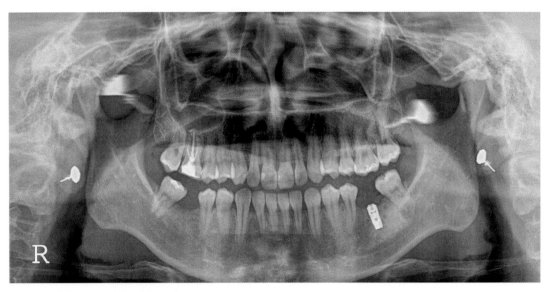

Fig. 9-4. #36 부위 임플란트 식립 후 파노라마 방사선사진

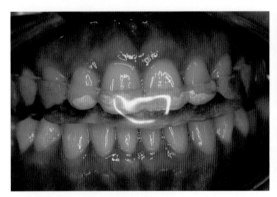

Fig. 9-5. Night guard를 장착한 모습

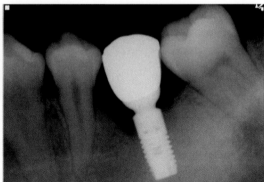

Fig. 9-6. 치근단 방사선사진에서 임플란트 주변 변연골 소실이 관찰된다.

1 이갈이
2 임플란트 주변 변연골 소실
3 임플란트 주위염
4 Night guard 천공 및 파손

🔊 치료 및 경과

1 이갈이 진단
2 임플란트 보철 완료 후 Night guard 장착
3 보툴리눔독소 치료
4 임플란트 유지관리
5 경과 양호

🔊 Comment

● 본 증례와 같이 환자 자신이 "이갈이"를 한다는 것을 인식하고 있다면 턱관절장애 치료뿐만 아니라 임플란트 치료 후 합병증을 예방하는 데 좋은 결과를 얻을 수 있다. **얇은 Omnivac으로 제작한 장치를 일정 기간 동안 착용하도록 하면 "이갈이"의 객관적 진단과 더불어 환자가 장치를 잘 착용할 수 있는지를 미리 판단할 수 있다.** 필자는 이갈이, 이악물기 등 구강악습관 진단을 위해 이 장치를 일상적으로 사용하고 있으며 편의상 **"BruxCheck"**라고 명명하고 있다. 많은 환자들이 값비싼 장치를 착용한 후 이물감, 구역질 등으로 인해 착용하지 못하는 경우가 많으며 자신이 이를 간다는 것을 모르는 환자들에게 객관적으로 장치가 마모된 부위를 보여줌으로써 장치치료에 대한 동의를 쉽게 얻을 수 있다. 또한 **치과치료를 시작하기 전에 교모증, 치경부 마모, 교근비대, 협점막 백선, 골융기와 같은 이갈이, 이악물기 관련 징후들이 존재하는지 잘 살펴볼 필요가 있다.**

필자가 이갈이 방지 및 치료를 위해 사용하는 night guard는 턱관절장애 치료 시 사용하는 안정위스플린트와 동일하다. 본 증례에서 임플란트 주위 변연골 소실과 임플란트 주위염이 발생한 것은 이갈이와 연관된 것으로 보인다. **Night guard의 마모 및 파손과 골흡수가 지속되는 것을 방치할 경우 임플란트 파절과 같은 심각한 합병증과 턱관절장애가 발병할 위험성이 매우 높다. 이와 같은 경우 보툴리눔독소 주사치료를 병행할 것을 추천한다.**

Case 2 > 이갈이와 연관된 턱관절장애

2013년 1월 4일 16세 남자 환자가 턱관절 주변 불편감을 주소로 내원하였다. 초등학교 시절부터 입 벌리기 힘들고 가끔 귀 앞이 아프고 양측 턱관절에서 소리가 난다고 하였다. 아침에 턱이 뻐근하며 이를 물 때 평상시와 다른 느낌이 지속되며 턱이 걸려 입이 안 벌어진 적도 있다고 하였다. 질기고 단단한 음식을 즐겨 먹는 경향이 있으며 방사선사진에서는 특이 소견이 관찰되지 않았다(Fig 9-7). 턱관절장애 1형과 야간 이갈이를 의심하고 BruxCheck를 제작하여 잠잘 때 착용하라고 지시하였다. 2013년 2월 15일 BruxCheck의 #13, 23에 해당되는 부위가 천공되었고 #24, 27, 17 부위에 심한 마모 소견이 관찰되어 야간 이갈이를 확진하고 Night guard를 제작하였다(Fig 9-8). 2-3개월 간격으로 턱관절 평가 및 스플린트를 체크하면서 경과를 관찰하였으나 2013년 12월 13일 좌측 턱관절 주변 통증과 잡음이 심해져서 내원하였다. 스플린트 조정 및 레이저 물리치료를 시행하고 Naxen-F 500 mg bid, Imotun 300 mg qd를 2주 처방하였다. 2014년 5월 9일 증상이 더 심해졌으며 Guardix를 좌측 상관절강에 주사하고 Mesexin 500 mg bid, Reumel 7.5 mg bid을 처방하였다. 2014년 8월 8일 좌측 턱관절 통증과 잡음은 현저히 감소되었으나 우측 턱관절 통증이 가끔 발생하며 아침에 일어날 때와 하품할 때 심해진다고 하였다. 스플린트를 조정하고 레이저 물리치료를 시행한 후 Naxen-F CR 1g qd를 2주 처방하였다. 2015년 2월 16일 내원 시 관절잡음과 통증은 거의 없어졌으며 음식을 오래 씹거나 딱딱한 음식을 먹으면 좌측 턱관절이 약간 아프다고 하였다. 턱관절 관련 주의사항을 설명하고 스플린트는 증상에 맞춰서 착용하도록 안내한 후 치료를 종료하였다.

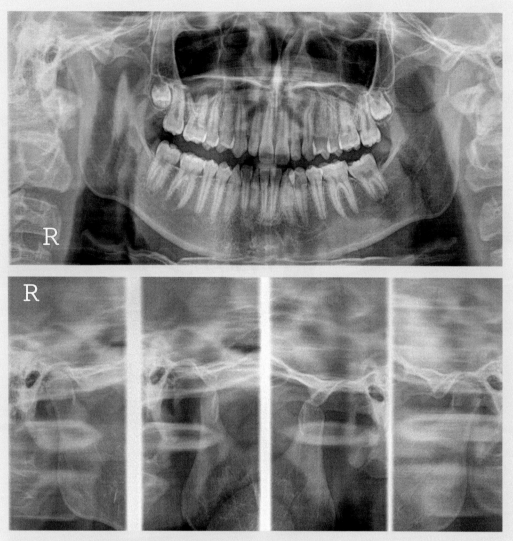

Fig. 9-7. 16세 남자 환자의 초진 시 방사선사진

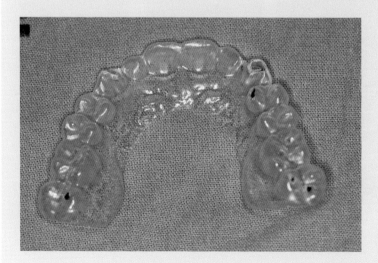

Fig. 9-8. BruxCheck에서 천공
및 마모 소견들이 관찰된다.

1 턱관절장애
2 이갈이

📋 치료 및 경과

1 Night guard, 물리치료 및 약물치료
2 턱관절강 주사
3 경과 양호

🔊 Comment

● **아침에 통증, 개구제한 등의 증상이 심하다고 호소하는 환자들은 야간 이갈이를 의심할 필요가 있다.** 당연히 환자 자신들은 이갈이를 하지 않는다고 언급하는 경우가 대부분이다. 구강내 및 안모 형태를 잘 살펴보고 BruxCheck와 같은 장치를 착용시킴으로써 객관적인 이갈이 소견들을 발견하고 환자에게 잘 설명하면서 night guard를 착용할 수 있도록 설득해야 한다. **구강악습관 조절이 안 되면 턱관절장애는 잘 치료되지 않으면서 만성화될 수 있다.** 턱관절 주변에서 지속되는 통증은 관절낭 혹은 관절원판후조직에 발생한 염증으로 인한 것으로 생각된다. 심한 통증이 존재할 경우엔 적극적으로 통증을 해소시켜야 한다. 본 증례에서는 관절강에 Hyaluronic acid를 주입하고 항생제와 소염진통제를 투여하여 통증 및 염증을 조절하였다.

Case 3 > 이갈이와 편측저작과 연관된 턱관절장애

   21세 여자 환자가 우측 턱의 불편감이 지속되는 것을 주소로 내원하였다. 고등학교 시절부터 증상이 시작되었으며 사랑니 발치 후 양측 턱 통증이 매우 심해졌으며 시험 기간 중에 스트레스를 많이 받으면 개구제한 및 통증이 더 심해진다고 하였다. 두 군데 치과 의원에서 치료를 받았으나(약물 및 물리치료) 효과가 없었다. 구강 검사 시 교모증이 매우 심하였고 우측 교근이 약간 더 발달된 소견을 보였다. 우측 편측저작 습관이 있고 잠잘 때 이를 가는 증상이 있다고 하였다. 파노라마 방사선사진에서 #38이 매복된 상태였고 양측 상하악 견치 교모증이 매우 심한 소견이 관찰되었다(Fig 9-9, 10). 이갈이 및 편측저작습관과 연관된 근육성 턱관절장애

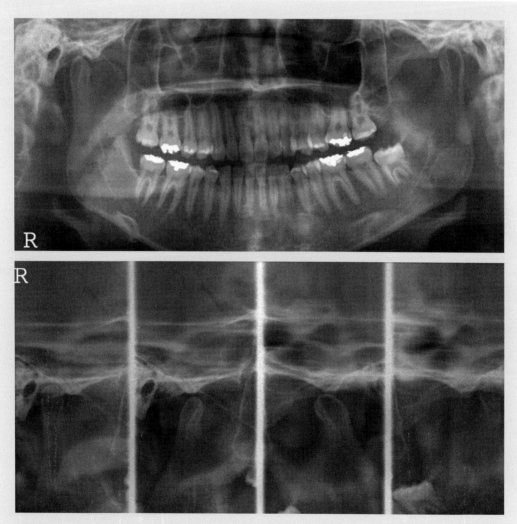

Fig. 9-9. 21세 여자 환자의 초진 시 방사선사진. 턱관절 부위에 이상 소견은 관찰되지 않지만 파노라마 방사선사진에서 견치들의 교모가 심한 소견이 관찰된다.

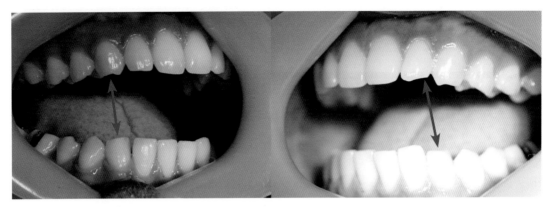

Fig. 9-10. 양측 상하악 견치 교모가 매우 심한 것을 볼 수 있다.

(턱관절장애 1형)로 잠정 진단하고 Carol-F bid, Diazepam 2 mg qd를 1주 처방하고 안정위스플린트를 제작하였다. **2004년 3월 5일** 양측 교근과 측두근에 BOTOX를 주사(우측 교근 30U, 좌측 교근 20U, 양측 측두근 20U X 2)를 주사하였다. **2004년 4월 8일** 내원 시 증상이 많이 호전되었으며 **2004년 6월 21일** 우측 교근 부위가 가끔 아픈 경우가 있으나 초진 시점에 비해 매우 호전된 상태여서 치료를 종료하였다. **2013년 9월 6일** 양측 교근과 측두근 부위가 가끔 아프며 조만간 해외로 장기간 출국할 예정이어서 턱관절 검사 및 보툴리눔독소 주사치료를 위해 내원하였다. 스플린트는 맞지 않아서 착용하지 않는 상태였다. 양측 교근과 측두근 부위에 Dysport (100U x 4)를 주입하고 해외에서 통증이 심할 경우 복용할 상비약(Ultracet)을 처방하였다.

⊗ Problem lists

1 근육성 턱관절장애
2 이갈이, 편측저작

치료 및 경과

1 약물 및 스플린트 치료
2 보툴리눔독소 주사

◀ッ Comment

● 본 증례는 안모 및 구강 검사에서 이갈이와 편측저작습관을 의심할 만한 소견들이 관찰되었으며 안정위 스플린트와 함께 보툴리눔독소 주사치료를 병행하여 양호한 경과를 보였다. **반드시 구강악습관이 잘 조절되어야 턱관절장애 치료가 잘 될 수 있음을 확인해 준 증례이다.**

Dysport는 Botox에 비해 3-4배 역가를 보이기 때문에 투여 용량을 달리해야 한다. 일반적으로 이갈이 치료 목적으로 사용하는 Botox는 양측 측두근과 교근 부위에 100U를 사용하고 Dysport는 300-400U를 사용한다.

Case 4 > 이갈이와 연관된 임플란트 반복적 실패

  53세 남자 환자가 상악 양측 구치부 임플란트 수복을 위해 내원하였다. 파노라마 방사선사진 상에서 상악 동저까지의 잔존 치조골 높이가 약 3–4 mm로 평가되었으며 턱관절장애 증상은 없었다(Fig 9-11, 12). 2004년 1월 28일 전신마취하에서 양측 상악동골이식(하악골 정중부에서 채취한 자가골과 다른 골대체재료 혼합이식)과 동시에 임플란트를 식립하였다. 수술 5일 후 감염 증상은 없었지만 어지럽고 머리가 아프며 하순, 턱과 하악 전치부 감각이상과 하루에 10여 차례 목에서 피가 넘어온다는 증상을 호소하였다. 창상은 양호한 치유를 보였으며 2004년 8월 10일 국소마취하에서 2차 수술을 시행하였다. #17, 26, 27 임플란트는 양호한 골유착 소견을 보여 치유지대주를 연결하였으나 #16 임플란트는 골유착이 이루어지지 않아 제거하였고 제거 부위를 탐

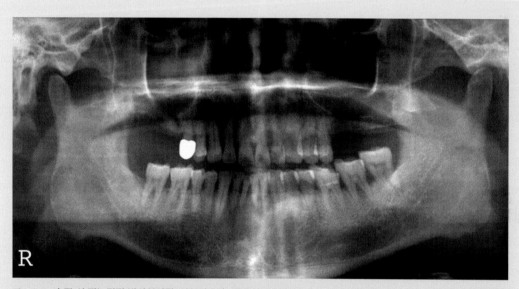

Fig. 9-11. 초진 시 파노라마 방사선사진. 상악의 양측 대구치가 소실된 상태이며 상악동저까지의 잔존 치조골 높이가 충분하지 않은 것을 볼 수 있다. 특히 우측에서는 잔존 치조골 높이가 약 2-4 mm에 불과하였다.

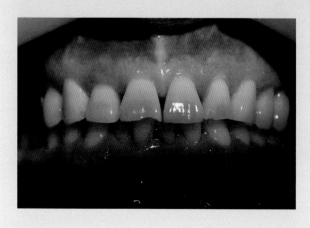

Fig. 9-12. 초진 시 촬영하였던 구강 정면 사진. 전치부 절단연의 파절 및 견치 교모증 소견이 관찰되고 있지만 초진 당시에는 이 점을 간과하였고 이갈이에 대해서는 전혀 생각조차 하지 못하였다.

침한 결과 골이식재가 소실된 상태로 상악동이 천공된 듯한 양상을 보였다. #26, 27 부위는 통상적인 보철치료를 진행하여 상부 보철물을 완성하였으며 **2004년 9월 13일** BAOSFE (bone-added osteotome sinus floor elevation) 술식을 사용하여 #16 부위에 직경 5 mm, 길이 11.5 mm의 임플란트를 재식립하였고 #18 부위에 직경 4 mm, 길이 11.5 mm의 임플란트를 추가 식립하였다. **2004년 10월 18일** 좌측 턱관절 주변 촉진 시 압통과 저작 시 통증을 호소하였으며 이부 및 하악 전치부의 감각이상이 지속된다고 언급하였다. 관절낭염이 동반된 턱관절장애(턱관절장애 2형)로 잠정진단하고 비스테로이드성 소염진통제를 1주 처방하였으며 온찜질과 턱의 안정을 지시한 후 증상이 소멸되었다. **2005년 2월 21일** #17 임플란트 타진 시 양성반응과 만지면 찌릿한 통증이 있다고 하였으며 Periotest 측정치는 #16: +2, #17: +6, #18: +1의 소견을 보였다. **2005년 3월 30일** 골유착이 이루어지지 않은 #17 임플란트를 제거하고 #16, 18 임플란트를 이용하여 3-unit bridge를 제작한 후 **2005년 4월 13일** 상부보철물을 장착해 주었다(Fig 9-13).

　2005년 8월 10일 상악 우측 제2소구치의 저작 시 통증을 호소하면서 재내원하였고 치근단 방사선사진에서 치근 주변의 방사선투과상이 증가하였으며 4-5 mm의 치주낭이 측정되었다. 또한 지금까지 잘 사용해 오던 상악 좌측 임플란트 보철물의 유동성과 저작 시 통증이 존재하여 임플란트 주변 소파술을 시행하였고 #15에 대한 근관치료를 진행하였다. **2005년 8월 29일** #26-27 임플란트 통증과 불편감을 호소하여 상부 보철물을 철거하고 관찰한 경과 #26 임플란트의 유동성이 관찰되어 제거 후 재식립을 고려하였으며 이때부터 환자는 임플란트 치료에 대한 의구심과 의료진에 대한 불신감, 하순 및 턱의 감각이상 잔존에 대해 본격적으로 문제를 제기하였다(Fig 9-14). **2005년 9월 12일** #26 임플란트를 제거하고 소파술을 철저히 시행한 후 Osteotome을 사용하여 굵은 폭경의 임플란트를 즉시 재식립하였고 #28 부위에 추가로 임플란트를 1회법으로 식립한 후 치유지대주를 연결하였으며 임플란트 초기 안정성은 비교적 양호하였다(Fig 9-15). #26-28 부위 창상은 정상적인 치유과정을 보였으나 **2006년 2월 6일**부터 지금까지 잘 사용해 오던 #16-18 임플란트 보철물 주변의 치은 종창, 저작 시 통증이 발생하였고 수평 및 수직적 유동성이 관찰되었다(Fig 9-16). 이때 환자의 구강상태를 면밀히 검사한 결과 상하악 견치부의 심한 교모증과 상악 전치부 법랑질 파절 소견이 관찰

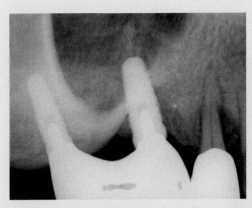
Fig. 9-13. #16-18 임프란트 보철 완료 4개월 후 치근단 방사선사진. 보철치료 도중에 #17 임플란트가 제거되었으며 #15 주변의 치조골 소실이 관찰된다.

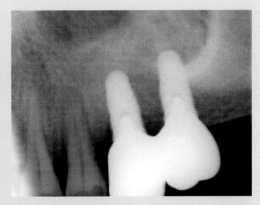
Fig. 9-14. #26-27 상부 보철물 기능 11개월 후 치근단 방사선사진. 저작 시 통증 및 상부 보철물의 유동성이 발생하였다.

되었고 야간 이갈이가 심한 상태임을 뒤늦게 확인할 수 있었다. **2006년 2월 25일** #16-18 임플란트를 제거하였고 향후 처치 및 해결방안에 대해 환자와 의논하였으며 환자는 본원에서 책임지고 치료를 마무리해달라고 요청하였다. 향후 대처방안에 대해 우선 상악 좌측 임플란트 보철물을 완성한 후 #16-18 부위에 임플란트를 다시 식립하고 6개월의 치유 기간 중에 저작력 분산 차원에서 상악 국소의치를 제작한 후 야간 이갈이 방지 장치를 착용하기로 하였다. 상악 좌측 임플란트에 대한 보철치료를 진행하여 상부 보철물을 완성한 후 임시 국소의치를 제작하였으며 야간에는 이갈이 방지 장치를 착용하도록 지시하였고 **2006년 4월 24일** 국소마취 하에서 #16-18 부위에 임플란트를 다시 식립하였다(**Fig 9-17**). 상부 보철물이 완성된 후 이갈이 방지 장치를 계속 장착하고 있으며 관찰 기간 중에 #31을 발치하고 미니 임플란트를 이용한 보철치료가 시행되었다(**Fig 9-18**). 이후 환자는 필자에 대한 신뢰감을 상실하였고 타 치과의원에서 후속 관리 및 치료를 받기 위해 의무 기록지와 방사선사진들 사본을 교부 받은 후 내원하지 않았다.

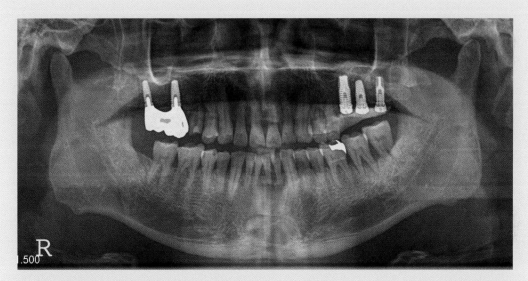

Fig. 9-15. 임플란트 재식립 및 추가식립 후 파노라마 방사선사진. 상악 우측에는 상부 보철물이 완성되어 장착된 상태이다.

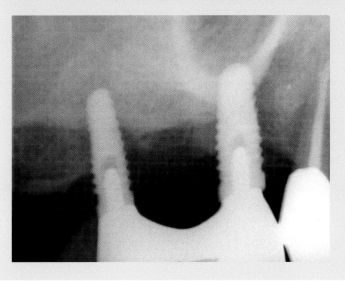

Fig. 9-16. #16-18 보철 기능 10개월 후 치근단 방사선사진. 임플란트 주위 변연골의 흡수 및 골유착 파괴 소견이 관찰된다.

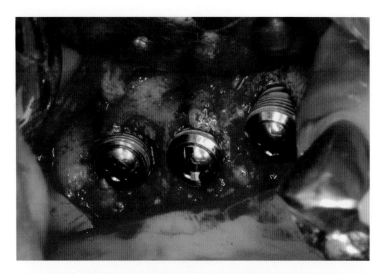

Fig. 9-17. 실패 임플란트를 제거하고 상악 우측 구치부에 3개의 임플란트를 식립한 모습

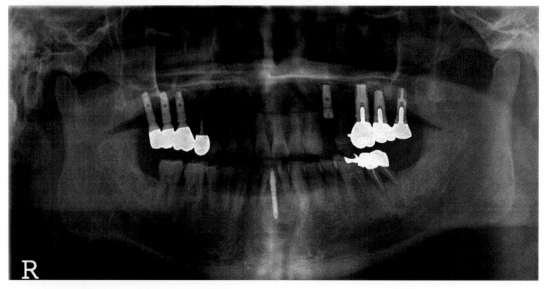

Fig. 9-18. 최종 보철물 장착 1년 후 파노라마 방사선사진. 초진 시부터 총 치료 기간이 3년 소요되었다. 관찰 기간 중에 #31 미니 임플란트가 식립되었고 보철물이 완성되었다. 그러나 #24 부위 임플란트 치료는 타 치과의원에서 시행되었다.

1 침습적 임플란트 수술
2 장기간의 임플란트 치료
3 반복적인 임플란트 실패
4 이갈이
5 턱관절장애

치료 및 경과

1 반복적인 임플란트 재식립
2 이갈이 장치
3 임플란트 치료 경과 불량

🔊 Comment

● 이갈이와 연관된 임플란트 반복적 실패 및 턱관절장애가 발생한 대표적인 증례로서 환자 및 술자를 몹시 힘들게 하였다. 초진 시 이갈이 등 위험 요소를 발견하지 못한 것은 술자의 책임이다. 이갈이와 같은 구강 악습관은 임플란트 보철물이 완성된 후에도 지속적인 과부하를 발생시키면서 반복적인 실패를 초래하였다. 특히 상악동골이식이 시행된 부위에 식립된 임플란트는 골유착이 안정적으로 이루어지기까지 상당한 기간이 소요되는데 과부하는 임플란트 골유착 실패의 주원인으로 관여하였을 것이다. 첫 수술 9개월 후 턱관절장애 증상이 발생하였고 상악 소구치의 유동성 및 치주낭 깊이 증가, 임플란트 주변 골흡수 및 임플란트 주위염 발생은 모두 과부하로 인해 발생한 징후이며 이때 이갈이 등 구강악습관에 대한 진단이 이루어져야 했으나 당시에는 전혀 생각하지 못했다. 치료 2년이 경과한 후 견치 교모증과 상악 치아들의 파절을 관찰한 후 환자의 이갈이를 감지하였으며 이갈이 장치를 착용함으로써 임플란트의 반복적인 실패를 중지시킬 수 있었다. 본 증례의 치료 실패 및 발생한 모든 문제점들은 필자의 무지로 인한 것임을 인정하며 독자들은 본 증례를 통해 많은 교훈을 얻길 바란다.

10. 전신마취하에서 정복한 턱관절탈구

흔히 "턱이 빠졌다"라는 표현을 많이 사용한다. 외부에서의 강한 충격이나 무심코 입을 과도하게 크게 벌릴 때 하악과두가 관절융기를 넘어가면서 원위치로 돌아오지 못하게 되면 입이 다물어지지 않으면서 극심한 통증이 발생하게 된다. 환자는 응급실이나 치과 의원을 방문하게 되며 대부분의 숙련된 치과의사들은 쉽게 탈구된 턱을 정복시킬 수 있다. 그러나 탈구되고 시간이 많이 경과하였거나 저작근의 경련이 동반되면 극심한 통증이 발생하면서 손으로 정복하는 것이 불가능할 수 있다. 이런 경우엔 의식하진정법이나 전신마취하에서 정복술을 시행할 수밖에 없다(김영균; 2012).

> ## Case 1 > 80세 여자 환자에서 1년 전부터 턱관절탈구가 발생한 상태로 방치되었던 증례

80세 여자 환자 환자가 입이 안 다물어지는 증상을 호소하면서 내원하였다. 1년 전 양측 턱이 빠진 상태로 방치되었으며 전방 개방교합 상태가 존재하였다. 구강상태는 매우 불량하였으며 다수 치아 우식증, 치주질환 및 잔존치근이 존재하면서 당뇨와 고혈압을 보유하고 있었다. 방사선사진에서 양측 하악과두가 관절융기 전방으로 탈구된 소견이 관찰되었다(Fig 10-1). 1차 도수정복술(manual reduction)을 시도하였으나 실패하였고 환자는 시술 도중 턱관절 주변의 극심한 통증을 호소하였다. 1주 후 전신마취하에서 도수정복술을 시행하였으며 시술 시간은 10분 소요되었다. 추후 턱관절탈구 재발 방지를 위한 악간고정 목적으로 상하악 전치부에 4개의 교정용 미니스크류를 식립하였다. 장기간 탈구로 인해 느슨해진 관절낭과 인대 강화 및 관절액 보충 목적으로 양측 상관절강에 Guardix®를 주입하였다. 전신마취 회복기간 중에는 흡인 및 호흡장애 방지 목적으로 악간고정은 시행하지 않았고 압박붕대(Barton's bandage)를 사용하여 개구를 제한시켰다. 수술 2일 후 외래에서 악간고정을 시행하였고 2주간 유지시킨 후 제거하였으며 더 이상 턱관절탈구는 발생하지 않았다(Fig 10-2, 3).

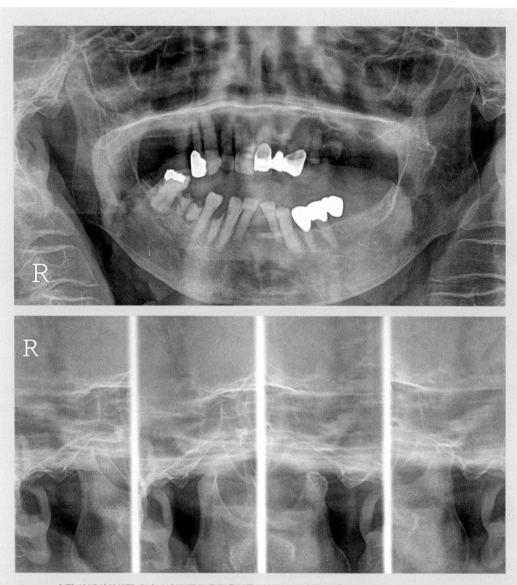

Fig. 10-1. 초진 시 방사선사진. 양측 하악과두가 관절융기를 넘어가서 고착된 것을 볼 수 있다.

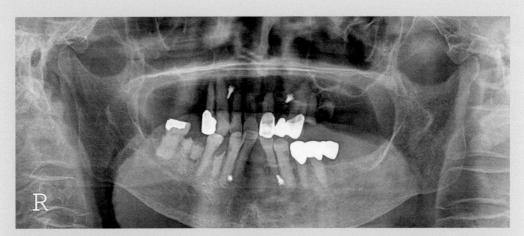

Fig. 10-2. 탈구된 하악과두 정복 후 파노라마 방사선사진. 과두가 원위치로 정복되었으며 재발 방지를 위해 악간고정이 시행되었다.

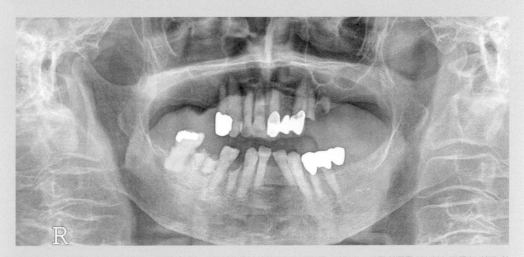

Fig. 10-3. 탈구된 하악과두 정복 1개월 후 파노라마 방사선사진. 재발 방지를 위해서는 잔존치근들의 발치, 잔존치 치주 치료 후 보철 수복이 빨리 완성되어야 턱관절 기능이 정상적으로 유지될 수 있을 것으로 생각된다.

⊗ Problem lists

1. 장기간의 턱관절탈구
2. 도수정복술 실패로 인한 극심한 통증

🗐 치료 및 경과

1. 전신마취하에서 정복술 시행
2. 개구 시 탈구 재발을 방지하기 위한 악간고정
3. Hyaluronic acid 관절강 주사
4. 경과 양호

Case 2 > 상하악 완전 무치악 상태의 65세 여자 환자에서 2개월 전부터 턱관절탈구가 발생한 증례

65세 여자 환자가 입이 안 다물어지는 증상을 주소로 내원하였다. 상하악 완전 무치악 상태였으며 2개월 전 치과에서 틀니치료를 받던 중 탈구되었으며 수차례 도수정복을 시도하였으나 실패하여 본원으로 의뢰되었다(Fig 10-4~6). 고혈압, 기관지천식을 보유하였으며 하루 1갑 이상의 흡연을 하고 있었다. 필자도 초진 당일 양측 턱관절 주변에 국소마취를 시행하고 도수정복술을 시도하였으나 실패하였다. 다음 날 전신마취하에서 정복술을 시행하였는데 매우 어려움을 겪었고 정복 시간이 30분 소요되었다(Fig 10-7). 추후 재발방지 목적으로 상하악 전방부에 교정용 미니스크류를 4개 식립하고 강선으로 악간고정을 시행하였다. 느슨해진 관절원판후조직, 인대 및 관절낭 강화와 관절액 보충 목적으로 양측 상관절강에 Guardix®를 주입하였다. 3주 후 악간고정을 제거하였으며 더 이상 탈구는 발생하지 않았다(Fig 10-8).

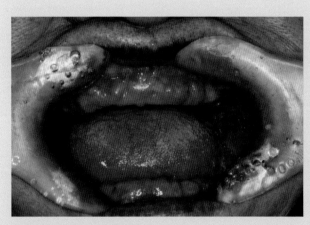

Fig. 10-4. 초진 시 구강 정면 사진. 이 상태에서 더 이상 입이 다물어지지 않았다.

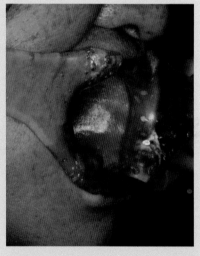

Fig. 10-5. 환자의 측모 사진. 하악이 전방으로 돌출된 양상을 보이고 있었다.

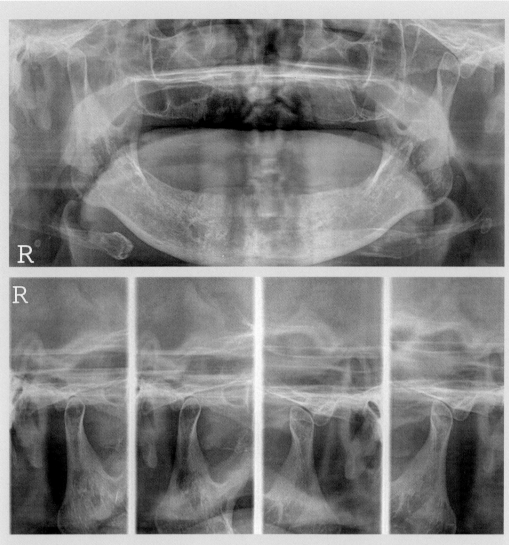

Fig. 10-6. 초진 시 방사선사진. 양측 하악 과두가 관절융기를 넘어가서 전방에 고착된 소견이 관찰된다.

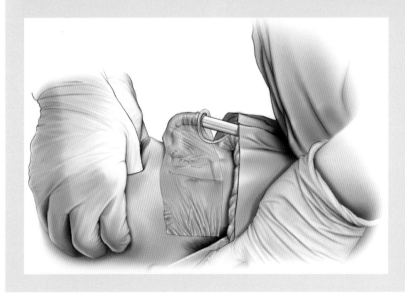

Fig. 10-7. 전신마취하에서 정복술을 시행하는 모습

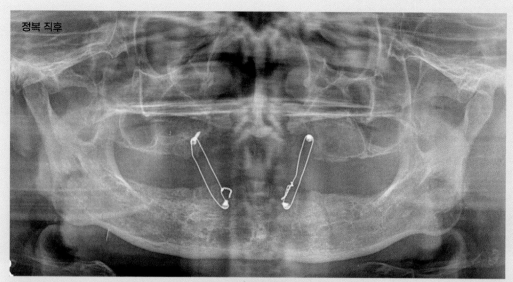

정복 직후

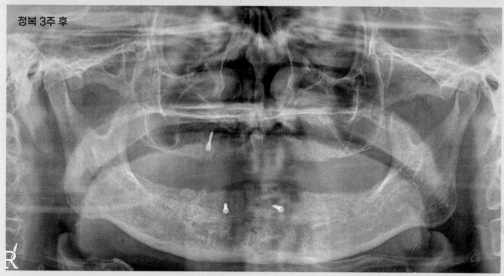

정복 3주 후

R

Fig. 10-8. 정복 후 방사선사진. 악간고정은 3주간 시행되었다.

⊗ Problem lists

1 치과치료 중 턱관절탈구

2 상하악 완전 무치악

3 도수정복술 실패

🗎 치료 및 경과

1 전신마취하에서 정복술 시행

2 Hyaluronic acid 주사

3 악간고정

4 예후 양호

🔊 Comment

● 하악과두가 관절와에서 완전히 벗어난 상태를 턱관절탈구라 명명한다. 전방, 후방, 상방 및 측방으로 탈구될 수 있지만 일반적으로 전내방으로 탈구가 발생하는 경우가 가장 많다. 하악과두가 관절융기의 전방으로 이동되어 고착되면 스스로 정복이 불가능한 상태가 될 수 있다. 탈구의 원인은 과도한 하품, 외상 혹은 Phenothiazine 제제의 남용 등으로 인해 발생할 수 있으며 양측 혹은 편측성으로 발생한다. 급성탈구는 치과의사가 신속히 도수정복술(manual reduction)을 시행하면 쉽게 바로잡을 수 있다. 그러나 탈구된 후 시간이 경과하면서 주변 근육들의 긴장과 극심한 통증으로 인해 정복이 불가능한 경우가 있다. 이때 국소마취, 진통제, 진정제, 근육이완제 등을 투여하거나 전신마취를 시행한 상태에서 정복술을 시행할 수 있다. **정복 후에는 최소 1-2 주간 악골 운동을 제한하고 소염진통제를 투여하여 과도하게 신장된 관절낭과 인대가 정상으로 회복될 수 있도록 하는 것이 좋다. 정복 후에도 자주 탈구되는 환자들은 일시적으로 악간고정이 필요할 수도 있다**(김종원 & 여환호; 1996).

심신이 미약한 고령의 환자들과 정신지체장애 환자들은 턱이 빠져도 불편감을 잘 표현하지 못하는 경우가 많다. 이런 환자들은 치료를 방문했다가 치과의사들에게 발견되거나 보호자 혹은 간병인들이 음식을 잘 씹지 못하는 것을 보고 턱이 빠진 것을 발견하게 되며 상당히 오랜 기간 턱이 빠진 상태로 방치될 수 있다. 오랜 기간 턱이 빠져 있으면 저작근의 긴장과 관절낭 및 인대 기능의 약화로 인해 정복시킨 후에도 쉽게 다시 빠지는 경향을 보인다. 간혹 장기간 탈구된 상태에서 근육과 관절낭의 섬유화, 관절와의 형태변화 혹은 관절원판의 전위로 인해 도수정복이 매우 어렵거나 불가능할 수도 있다. 이런 경우엔 전신마취하에서 근육이완제를 투여하고 정복을 시도하거나 하악골 우각부에 견인강선(traction wires) 삽입, sigmoid notch 부위에 bone hook 삽입을 통해 정복을 시도할 수도 있다. 이와 같은 방법으로도 정복이 실패할 경우엔 오훼돌기 전연부를 따라 수직절개를 가한 후 측두근절단술(temporal myotomy)을 시도하면 정복이 용이해질 수 있다(Laskin DM; 1976, Vincent JW; 1980).

증례 1은 1년간 턱이 빠진 상태로 방치되었고 1차 도수정복술이 실패한 후 극심한 통증으로 인해 재정복술이 불가능하였다. 따라서 전신마취하에서 정복술을 시행한 후 관절낭과 인대 강화 목적으로 관절강과 주변에 Hyaluronic acid를 주사하였으며 재발 방지를 위해 약 2주간 악간고정을 시행하였다. 특히 다수 치아들이 상실된 환자들은 교합 불균형으로 인해 턱관절장애가 동반되는 경우가 많다. 관절융기의 경사가 크거나 과두의 과도한 움직임을 제한할 수 있는 관절낭, 턱관절 인대 및 근육들의 기능에 이상이 생기면서 과도하게 입을 크게 벌릴 때 과두가 관절융기를 넘어가서 전방에 고착될 수 있다. 발견 즉시 치과에 내원하면 수작업으로 쉽게 정복할 수 있지만 오래 방치될 경우에는 주변의 근육들이 과두가 탈구된 상태에 맞춰 적응되고 근육의 연축(muscle spasm) 혹은 심한 통증으로 인해 정복하는 것이 매우 어렵다. 반복적으로 무리하게 정복을 시도할 경우 극심한 통증을 유발하고 근육연축이 더욱 악화되면서 정복이 불가능하게 된다. 이러한 경우엔 턱관절 주변에 국소마취를 시행하고 진정제를 투여한 후 정복을 시도해 볼 수도 있지만 **필자는 신속히 상급병원으로 의뢰하여 전신마취하에서 정복할 것을 권유한다. 환자의 전신상태가 좋지 않더라도 짧은 시간 내에 정복이 완료될 수 있기 때문에 마취통증의학과와 상의하여 정복술을 시행하면 큰 문제가 발생하지 않을 것이다. 오히려 무리하게 환자가 의식이 있는 상태에서 반복적으로 시도하는 것이 통증으로 인한 쇼크, 심혈관기능장애 등을 초래할 수 있다. 탈구된 과두가 정복된 후에는 재발을 방지하기 위해 환자의 의식이 정상적으로 회복된 다음 악간고정을 시행하는 것이 추천된다.** Kurita 등(1996)은 만성 턱관절탈구를 전신마취하에서 도수정복을 시도한 후 실패한 증례를 장기간에 걸쳐 서서히 정복시킨 증례를 소개하였다. 변형된 의치를 사용하여 light elastic traction를 적용한 결과 7주 후에 과두가 부분적으로 정복되었으며 9개월 후에는 완전히 정복된 결과를 소개하였다. Vincent (1980)는 심한 근육연축이 오랜 기간 지속되면 일반적인 방법으로 정복하는 것이 불가능할 수 있기 때문에 구외접근법을 통해 턱관절정복술을 시행하는 방법을 소개하였다.

본 증례들은 모두 탈구된 지 2개월, 1년 등 장시간 방치된 상태로 인해 근육연축 및 관절강 섬유화증 등이 진행되어 정상적인 방법으로 정복술이 불가능하였다. 전신마취하에서 도수정복술을 성공적으로 시행하였으나 정복 시 많은 어려움을 느꼈다. 관절낭과 관절원판후조직 강화 및 관절강 윤활목적으로 Hyaluronic acid를 상관절강에 주입하였고 술 후 재발 방지를 위해 일정기간 악간고정을 시행하여 좋은 결과를 얻었다(Candirli C, et al; 2012, Kurita K, et al; 1996, Laskin DM; 1976, 2006, Martinez-Perez D & Garcia Ruiz-Espiga P; 2004, Sindet-Pedersen S; 1988, Vincent JW; 1980, Ziegler CM, et al; 2003). 또한 본 증례들과 같이 **다수 치아들이 상실된 경우에는 환자 및 보호자와 상담한 후 빠른 보철 수복을 해 주는 것이 장기적으로 턱관절을 안정시킬 수 있다.**

스스로 정복하지 못하는 턱관절탈구가 수차례 반복되고, 습관성탈구로 인한 통증 및 심리적 장애가 심한 경우, 그리고 보존적 처치로 치료되지 않는 환자들은 외과적 치료의 대상이 될 수 있다. 턱관절의 습관성탈구는 턱관절탈구가 최초 1년 안에 5회 이상 재발병력이 있는 경우로 정의하기도 한다(국방부령; 2012, Ybema LGM, et al; 2013). 보존적 처치는 관절낭에 반흔을 형성함으로써 관절 움직임을 둔화시키는 방법들이 효과적일 수 있는데 턱관절경 시술, 관절낭에 경화제 주입, 자가혈 주입 등의 술식들이 이에 해당된다. 또한 외측익돌근에 보툴리눔독소를 주사하는 방법이 비수술적 치료 방법으로 언급된 바 있다(Candirli C, et al; 2012, Daelen B, et al; 1997, Laskin DM; 1976, Martinez-Perez D, et al; 2004, Ziegler CM, et al; 2003). 외과적 치료는 과두의 움직임을 제한하는 방법과 그 반대로 자유로운 움직임을 허용하는 술식으로 나누어진다(구정귀 등; 2013).

Case 1 > 21세 지적장애 환자의 우측 습관성탈구를 관절개방수술로 치료한 증례

요양시설기관에 거주하는 21세 남자 환자가 "하루 수차례 턱이 빠진다", "일상적인 대화 도중에도 빠진다", "입을 벌리기만 해도 턱이 빠진다"라는 주소로 시설 기관 담당자와 함께 내원하였다. 3년 전 사랑니 발치 도중 턱관절탈구가 발생하여, 모대학병원에 의뢰되어 의식하 진정상태에서 정복술을 시행하였으며, 그 이후에도 동일 증상이 자주 발생하였고 자가혈 관절강 주사요법 등이 시행되기도 하였다. 최근 다시 탈구가 발생하여 정복한 후 강선을 이용하여 악간고정을 시행한 상태로 본원에 내원하였다. 방사선사진에서 양측 관절융기의 경사도가 크며 과두 표면이 불규칙하면서 골극이 존재하는 소견이 관찰되었다(Fig 11-1). 지적장애가 있어 환자 보호자인 고모와 전화통화하여 턱관절경 혹은 턱관절 개방수술에 대해 설명하였고 환자의 협조 불량 등을 고려하여 양측 턱관절 개방수술을 결정하였다.

전신마취하에서 우측 전이개절개를 시행한 후 피판을 거상하여 관절낭에 접근하였다. 관절낭을 절개한 후 상관절강과 하관절강을 노출시켰다. 관절융기절제술, 과두성형술 및 관절원판성형술을 시행한 후 관절강에 유착방지제 Guardix®를 주입하였다(Fig 11-2). 상관절강에 실라스틱 드레인을 삽입한 후 창상을 층별로 봉합하였으며 좌측 턱관절에서도 동일한 방법으로 수술이 시행되었다. 수술 3일 후 드레인을 제거하고 1주일 후에 봉합사를 제거하였다(Fig 11-3). 술 후 경과는 매우 양호하였으며 턱관절탈구로 응급실에 내원하는 경우는 없었다.

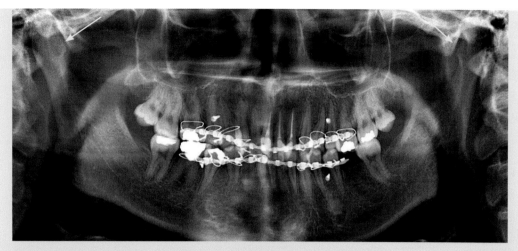

Fig. 11-1. 술 전 파노라마 방사선사진. 반복적인 턱관절탈구로 인해 아치바 장착 후 악간고정이 시행되었다. 양측 관절융기의 경사도(화살표)가 크며 과두의 골관절염성 변화가 관찰된다.

 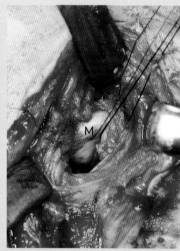

Fig. 11-2. 전방으로 전위된 관절원판(M)을 후방으로 끌어당기면서 주변 조직과 봉합하는 모습. 상관절강 전방에서는 관절융기절제술(eminectomy)이 시행되었다. M: meniscus.

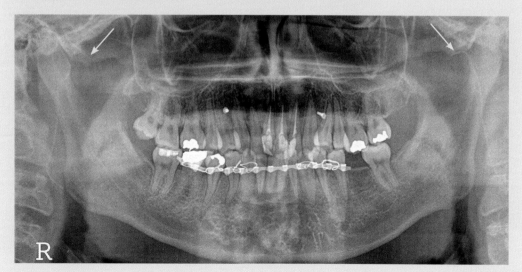

Fig. 11-3. 술 후 파노라마 방사선사진. 관절융기절제술이 시행된 소견(화살표)이 관찰된다.

⊗ Problem lists

1 반복적인 턱관절탈구

2 지적장애인

3 보존적 치료 실패

치료 및 경과

1 양측 턱관절 개방수술: 관절융기절제술, 과두성형술 및 관절원판성형술

2 Hyanuronic acid 주입

3 악간고정

4 경과 양호

◀)) Comment

● 지적장애인으로서 반복적으로 턱관절이 탈구됨으로 인해 일상생활에 큰 지장을 초래하고 있었다. 또한 자가혈 관절강 주입 및 악간고정을 이용한 보존적 치료가 시행되었지만 증상은 지속되었다. **턱관절경을 이용한 보존적 처치를 시도해 볼 수도 있지만 외과적 처치를 통해 확실한 치료 효과를 얻는 것이 더 바람직하다고 생각되는 증례이다.**

20세 여자 환자의 턱관절 습관성탈구를 양측 턱관절 개방수술로 치료한 증례

2011년 10월 13일 20세 여자 환자가 턱이 자주 빠지는 증상을 주소로 내원하였다. 6년 전에 한 번 탈구가 발생하여 응급실에서 정복술을 시행하였다(Fig 11-4). 이후 각별히 주의하였음에도 불구하고 3개월 전부터 증상이 악화되어 하루에 우측 턱이 30–40회 탈구가 발생하였고 촉진 시 저작근의 압통, 두통과 이명 증상을 호소하였다. 핵의학검사 결과 양측 턱관절염이 존재하는 것으로 진단되었다(Fig 11-5). 두 달 후 우측 턱관절 통

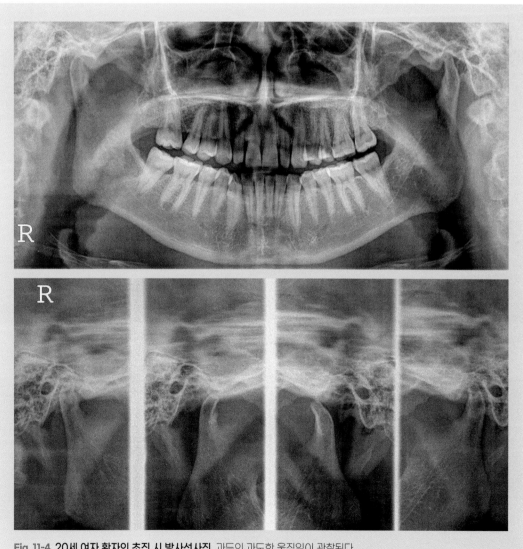

Fig. 11-4. 20세 여자 환자의 초진 시 방사선사진. 과두의 과도한 움직임이 관찰된다.

증이 매우 심하고, 20 mm 정도의 개구제한을 호소하여 턱관절 CT를 촬영하였으나 특이한 병적 소견은 관찰되지 않았으며 턱관절경 시술 후 안정위스플린트 치료를 결정하였다(Fig 11-6). 2011년 12월 21일 전신마취하에서 양측 턱관절의 유착된 조직을 관절경 관찰하에 하트만 용액(Hartman solution)으로 세척하여 제거하고, 상관절강에 유착방지제 Guardix®를 주입하고 창상을 봉합하였다(Fig 11-7). 시술 후 특별한 후유증 없이 당일 퇴원 후 1주일간 레이저치료, 물리치료와 스플린트 치료를 병행하였고 특별한 합병증은 발생하지 않았다. 시술 5개월 후 하루에 3번 정도 턱이 빠지지만 자가 정복은 잘 된다고 하면서 내원하였고 우측 턱관절강에 Guardix®를 주입하고 약물치료를 시행하였다. 관절경 시술 8개월 후 우측 턱관절의 심한 통증과 지속적인 탈구 증상이 발생하여 내원하였고, 우측 턱관절 개방수술을 결정하였다.

2012년 8월 8일 전신마취하에 우측 전이개절개를 시행한 후 피판을 거상하여 관절낭에 접근하였다. 관절낭을 절개 한 후 상관절강과 관절융기를 노출시켰다. 관절융기절제술 및 관절원판성형술을 시행한 후 상관절강에 실라스틱 드레인을 삽입하고 창상을 층별로 봉합하였다. 수술 3일 후 드레인 제거하였고, 수술 1주일 후

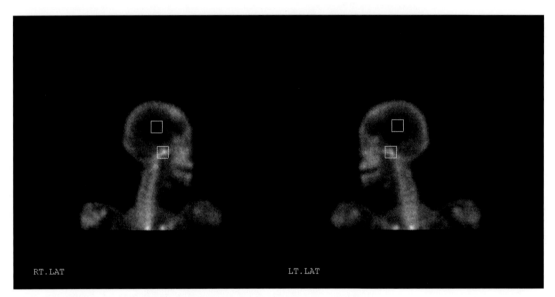

Fig. 11-5. 핵의학검사에서 양측 턱관절의 섭취율이 증가된 소견이 관찰된다.

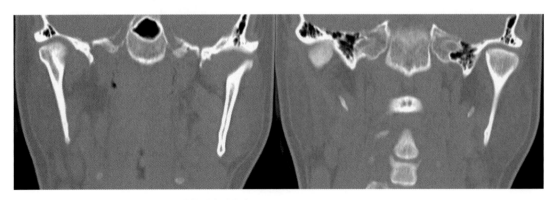

Fig. 11-6. 턱관절 CT에서는 특이 소견이 관찰되지 않았다.

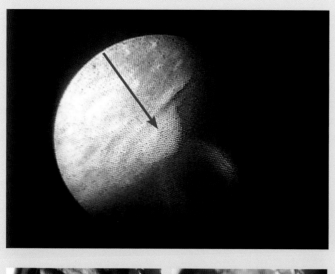

Fig. 11-7. 우측 상관절강의 턱관절경 소견. 관절원판후조직에서 염증성 부종(화살표) 소견이 관찰된다. 미세직경 턱관절경은 해상도가 매우 낮은 것이 단점이다.

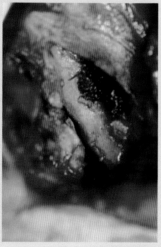

Fig. 11-8. 우측 턱관절의 관절융기절 제술을 시행하는 모습

봉합사를 제거하였다(Fig 11-8). 수술 2개월 후 좌측 턱관절 통증과 탈구를 호소하면서 다시 내원하였다(Fig 11-9). 1개월간 투약 및 스플린트 치료를 하면서 경과를 관찰하였으나 호전되지 않아 좌측 턱관절 개방수술을 결정하였다. **2013년 1월 23일** 전신마취하에 좌측 전이개절개를 시행한 후 피판을 거상하여 관절낭에 접근하였다. 관절낭을 절개한 후 상관절강과 관절융기를 노출시켜 관절융기절제술을 시행하였다(Fig 11-10). 수술 중 좌측 외이도의 천공이 의심되어 외이도에 바세린 거즈를 충전한 후 이비인후과에 의뢰하였다. 의뢰 결과 외이도벽 천공소견을 보이지 않았으며, 2–3일 정도 베타딘 거즈 충전을 해두고 타리비드(Tarivid) 세척을 시행하라는 회신을 받았다. 수술 4일 후 특이 합병증 없이 잘 치유되어 퇴원하였고 1주일 후에 봉합사를 제거하였다. 수술 3개월 후 증상이 호전되었고 합병증이 발생하지 않아 치료를 종결하였다(Fig 11-11).

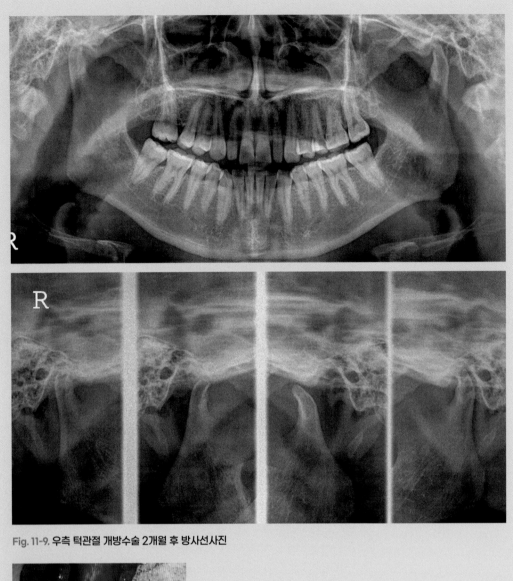

Fig. 11-9. 우측 턱관절 개방수술 2개월 후 방사선사진

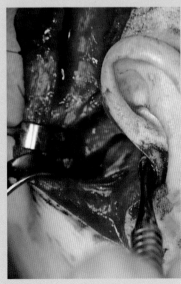

Fig. 11-10. 좌측 턱관절 관절융기절제술을 시행한 모습

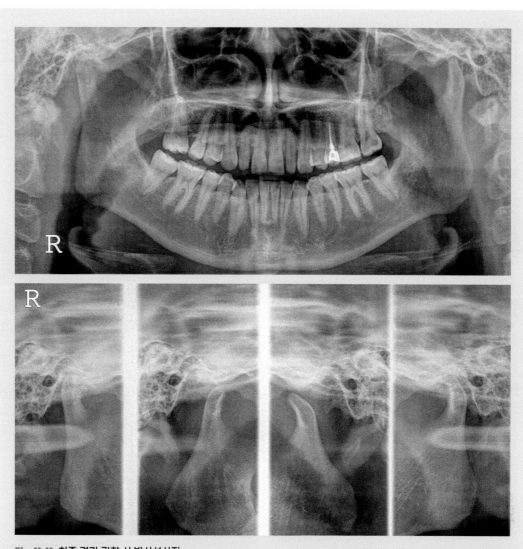

Fig. 11-11. 최종 경과 관찰 시 방사선사진

⊗ Problem lists

1 턱관절 반복적 탈구
2 턱관절장애: 골관절염
3 턱관절경 시술 후 재발

치료 및 경과

1 약물, 물리치료 및 안정위스플린트 치료
2 관절강 주사
3 우측 턱관절 개방수술 → 좌측 턱관절 개방수술
4 경과 양호

◀ᵔ Comment

● 본 증례는 반복적인 턱관절탈구로 인해 골관절염이 발생하였으며 스플린트와 턱관절경 시술을 시행한 결과 빈도는 다소 감소되었으나 습관성탈구는 지속되었다. 결국 턱관절 개방수술을 시행하였는데 증상이 심한 우측부터 시행한 후 경과를 관찰하다가 좌측도 수술을 시행하였다. **난치성 습관성탈구는 환자의 심적 고통 및 일상생활에 미치는 영향, 동반된 턱관절장애의 상태를 평가하여 턱관절 개방수술을 시행하면 좋은 결과를 얻을 수 있다.**

Case 3 > 습관성 턱관절탈구를 턱관절경 시술로 치료한 증례

2015년 10월 23일 54세 여자 환자가 양측 턱이 자주 빠지는 것을 주소로 내원하였다. 6개월 전부터 입을 약간이라도 크게 벌리면 턱이 빠지는 일이 거의 매일 반복되고, 턱이 빠진 후에 스스로 원위치시킬 수는 있지만 통증이 매우 심해진다고 하였다. 두통, 양측 턱관절 잡음, 야간 이갈이 및 이악물기가 존재하는 상태였고 이가 잘 안 물리는 증상이 지속된다고 하였다. 습관성 턱관절탈구 및 턱관절장애 3형으로 진단하고 턱관절경 시술을 우선 시도해 본 후 실패하면 최후 치료법으로 관절융기절제술을 계획하였다(Fig 11-12). 2016년 1월

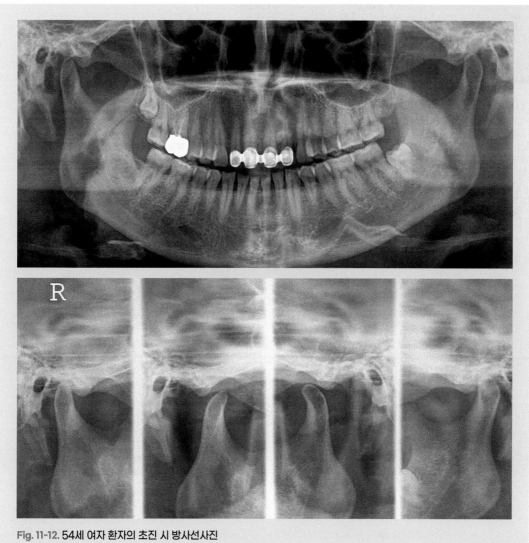

Fig. 11-12. 54세 여자 환자의 초진 시 방사선사진

27일 전신마취하에서 양측 턱관절경을 이용한 세척 및 용해술(lavage and lysis)을 시행하고 Guardix를 주입하였다(Fig 11-13). 시술 후 elastic bandage를 감아서 1주일간 입을 크게 벌리지 못하도록 하였으며 안정위스플린트를 잠잘 때 착용하도록 하였다. 2016년 2월 12일 턱관절 잡음과 통증은 소멸되었으며 40 mm까지 개구 시 턱이 빠지는 증상은 없었다. 2016년 3월 11일 안정적인 상태를 보였으며 턱관절 주의사항을 설명하고 스플린트를 잠잘 때 착용하도록 한 후 치료를 종료하였다. 2017년 1월 13일 내원 시 40-45 mm 개구량을 보였고 턱이 빠진 적은 전혀 없었다고 하였다(Fig 11-14).

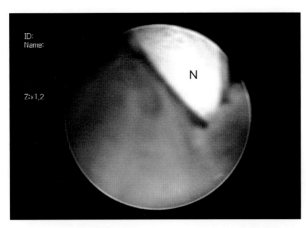

Fig. 11-13. 18 gauge needle로 관절원판후조직에 자극을 줌으로써 인위적인 흉터를 만들어 하악과두의 움직임을 제한하는 것이 관절경 시술의 주 목적이다. 동시에 상관절강의 염증성 산물들이 바늘을 통해 빠져 나오도록 하는 턱관절세정술의 치료를 병행할 수도 있다. N: needle.

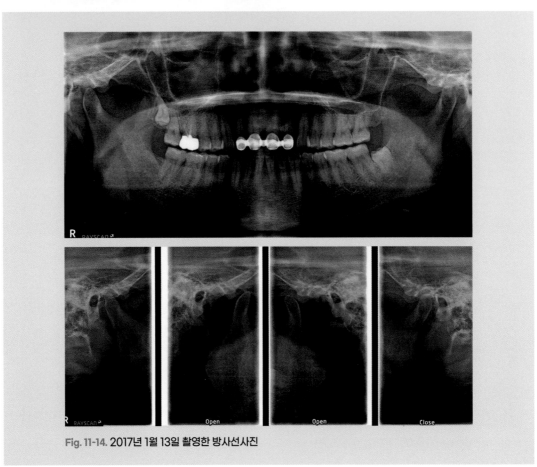

Fig. 11-14. 2017년 1월 13일 촬영한 방사선사진

1 반복적인 턱관절탈구
2 턱관절장애
3 구강악습관

치료 및 경과

1 턱관절경 시술
2 관절강 주사
3 안정위스플린트
4 경과 양호

🔊 **Comment**

● 습관성 턱관절탈구의 치료법은 환자의 심적 고통을 고려하여 여러 가지 치료법들에 대해 설명한 후 동의를 받고 시행해야 한다. **보존적 치료법과 침습적인 턱관절 개방수술의 중간 단계인 턱관절경 시술이 상당히 효과적이기 때문에 시도해 볼 만하다.** 입원할 필요 없이 당일 수술로 가능하며 시술 시간도 30분 이내로 짧으며 회복도 매우 빠르다. 그러나 **턱관절경 시술에 반응을 보이지 않을 경우 턱관절 개방수술이 필요할 수 있다는 점을 충분히 설명해야 한다.** 본 증례는 턱관절장애와 구강악습관이 존재하는 상태였기 때문에 시술 후에 안정위스플린트 치료를 병행하여 좋은 결과를 얻을 수 있었다.

Case 4 > 습관성 턱관절탈구에 대한 보존적 치료 및 턱관절경 시술 후 치료가 중단된 증례

　　2009년 3월 11일 26세 여자 환자가 양측 턱이 자주 빠지는 증상을 주소로 내원하였다. 2년 전부터 증상이 시작되었고 양측 턱관절 통증 및 압통이 존재하며 하품할 때마다 턱이 빠지지만 환자 스스로 정복한다고 하였다. 턱관절 주의사항을 설명하고 Amitriptyline 10 mg qd, Carol-F bid를 처방하고 경과를 관찰하였다. **2009년 3월 25일** 통증은 많이 감소되었으나 좌측 턱관절의 잡음(click, crepitus)이 존재하고 있었다. **2009년 4월 20일** 한 달에 2회 정도 좌측 턱이 빠지며 개구량은 45 mm 이상으로 과도한 양상을 보였다. 직업은 유치원 교사이며 턱이 빠진 후에는 통증이 매우 심하다고 하였고 방사선사진에서는 특이한 이상소견들이 관찰되지 않았다(Fig 11-15). 좌측 턱관절 습관성탈구, 좌측 턱관절장애 3형으로 잠정 진단하고 턱관절경을 이용한

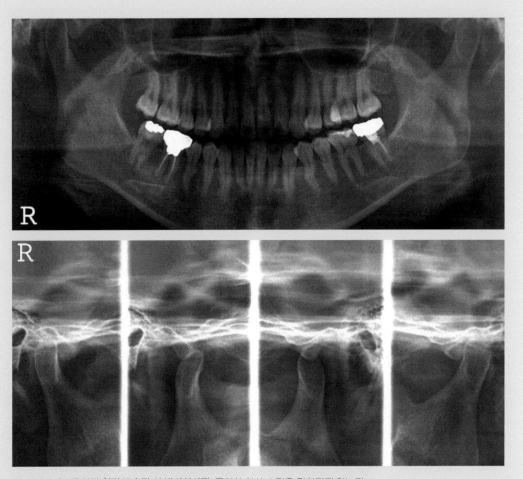

Fig. 11-15. 26세 여자 환자의 초진 시 방사선사진. 특이한 이상 소견은 관찰되지 않는다.

세척 및 용해술과 자가정맥혈 주입 치료를 결정하였다. 2009년 4월 29일 전신마취하에서 좌측 턱관절경을 이용한 세척 및 용해술을 시행하고 3 cc 정맥혈을 채취하여 상관절강에 주입하였다. 시술 후 즉시 안정위스플린트를 장착하고 2주간 입을 크게 벌리지 않도록 주의시켰다. 2009년 5월 4일부터 레이저 물리치료와 스플린트 조정을 하면서 경과를 관찰하였다. 2009년 5월 9일 턱이 빠지는 증상과 통증은 없었지만 양측 턱관절에서 지글거리고 딱딱거리는 소리가 난다고 하였다. 2009년 7월 10일 스플린트를 조정하여 잠잘 때 착용하도록 한 후 치료를 종료하였으나 2009년 8월 6일 우측 턱관절이 빠져서 다시 내원하였다. 우측 턱관절의 상관절강에 리도카인을 주사한 후 수동으로 정복시키고 elastic bandage를 감아서 입을 벌리지 못하도록 하고 Diazepam (Valium 2 mg tid), Carol-F tid를 5일분 처방하였다. 2009년 12월 18일 다시 우측 턱관절이 빠져서 응급실에 내원하여 정복 치료를 받았고 2010년 1월 15일 우측 턱관절 통증이 발생하여 내원하였으며 스플린트를 조정하고 레이저 물리치료를 시행하였다. 2014년 10월 14일 우측 턱관절탈구 증상이 자주 발생하며 좌측 턱관절 통증이 더 심해졌고 일상생활에 큰 지장을 받는다고 하였다. 우측 턱관절 관절융기절제술과 좌측 턱관절강세정술을 계획하였으나 이후부터 환자는 내원하지 않았다(Fig 11-16).

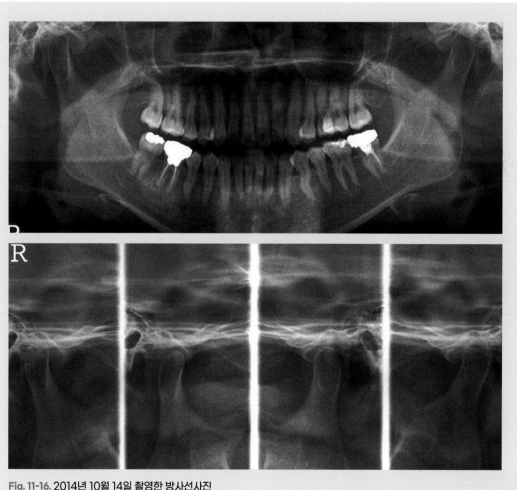

Fig. 11-16. 2014년 10월 14일 촬영한 방사선사진

1 반복적 턱관절탈구
2 턱관절장애
3 턱관절경 시술 후 재발

📄 **치료 및 경과**

1 턱관절경 시술
2 정맥혈 관절강 주사
3 약물, 물리치료 및 스플린트 치료
4 경과 불량: 습관성탈구 재발

🔊 Comment

● 습관성탈구와 턱관절장애가 동반된 환자로서 턱관절경 시술과 자가혈 관절강주사, 약물 및 물리치료, 스플린트 치료에도 불구하고 증상이 개선되지 않았다. 턱관절 개방수술을 권유하였으나 환자는 내원하지 않았는데 아마도 보존적 치료와 턱관절경 시술 결과에 불만을 품고 의료진에 대한 신뢰감을 상실하였으며 타 병원을 방문하였을 것으로 추정된다. **턱관절 습관성탈구는 장기간 증상이 지속되면서 환자의 삶의 질과 심적 고통을 가중시키기 때문에 환자와 잘 상담한 후 초기부터 턱관절 개방수술을 고려하는 것도 나쁘지 않다고 생각된다.**

본 증례를 돌이켜 볼 때 오래전부터 양측 턱관절장애 및 탈구 병력이 있었으나 경과 관찰 기간 중 좌측의 탈구 및 턱관절장애 증상이 심하여 좌측에 대한 턱관절경 시술만 시행되었다. **턱관절경 시술은 전신마취하에서 시행되며 시술 시간이 짧고 비침습적인 보존적 치료와 유사하기 때문에 1차 시술 시 우측도 함께 시술하였으면 더 좋은 경과를 보였을 것으로 생각된다.**

턱관절 습관성탈구에 대한 외과적 치료는 크게 2가지 유형으로 분류할 수 있다.

1) 과두의 과도한 움직임을 제한하는 술식

(1) 후구치부 절개 후 반흔 형성법

후구치 점막을 절개하여 상악결절의 내측면까지 확장하고, 절개선 중앙부분에서 2.5×1.5 cm 크기의 점막을 절제한 뒤, 일정 기간 동안 입을 적게 벌리게 하면서 흉터조직 형성을 유도하는 방법이다.

(2) Myrhaug 수술법(van der Kwast WA; 1978)

귀 전방에 3 cm 절개를 시행한 후 안와저 방향으로 2 cm 정도 피판을 박리한다. 골막기자로 상악결절까지 박리한 뒤, 관골궁 하방과 평행하게 구를 형성한다. 피판을 봉합한 후 24시간 동안 압박붕대를 감아서 개구운동을 제한한다.

(3) 소형금속판을 이용한 관절융기성형술(Miniplate eminoplasty)
(JKuttenberger JJ & Hardt N.; 2003)

T자 모양의 티타늄 판을 관골궁에 고정하여 판의 수직 부분이 과절융기의 약간 전하방에 위치시킴으로써 하악과두의 과도한 움직임을 제한한다.

(4) 외측익돌근의 기능을 약화시키는 술식(Laskin DM; 2006, Sindet-Pedersen S; 1988)

하악과두의 일부를 고정성 구조물에 단단히 연결시켜 외측익돌근의 과도한 기능을 약화시킨다.

(5) 관절낭강화술(capsulorrhaphy)

관절낭에 흉터조직을 형성함으로써 관절 움직임을 둔화시킨다. 턱관절경 시술, 관절낭에 경화제 주입, 자가혈 주입 등의 술식들이 이에 해당된다.

(6) 관절원판성형술

관절원판을 주변 조직에 봉합하여 의도적으로 과도한 움직임을 제한하는 방법이다.

2) 과두의 자유로운 움직임을 허용하는 술식: 관절융기절제술(eminectomy)(Fig 11-17)

관절융기절제술은 상관절강만 노출시켜 관절융기의 수직적 높이를 축소시키는 방법이다. 외측결절(lateral tubercle) 4-7 mm를 제거하고 내측에서는 약 1-3 mm까지 삭제한다. 하악과두의 수직운동 양을 감소시키며 과두가 관절융기 전방으로 탈구되더라도 스스로 잘 정복될 수 있도록 해준다. 추가적으로 상관절강에 흉터조직이 형성되도록 함으로써 하악과두-관절원판 복합체의 이동량을 줄이는 효과가 있다. 술식이 단순하고 임상적으로 좋은 효과를 보이기 때문에 필자는 이 방법을 가장 선호한다. 최근 턱관절경을 이용한 관절융기절제술(Arthroscopic eminectomy)이 소개된 바 있다(Sato J, et al; 2003).

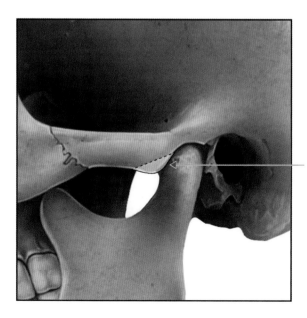

Fig. 11-17. 관절융기절제술 모식도

보존적 치료에 반응을 보이지 않는 턱관절장애를 턱관절경을 이용하여 치료할 경우 좋은 결과를 보일 수도 있다. Kim 등(2009)은 미세직경 턱관절경 시술 후 80%의 성공률을 보고하였다. 턱관절경 시술 후 적절한 물리치료, 약물치료 및 후속 주사치료가 시행된다면 경과는 더욱 양호하다. 특히 턱관절경 시술은 아주 오래전부터 하악과두와 관절원판의 손상, 턱관절의 초기 퇴행성 변화, 급만성 염증성 변화 등의 진단 및 치료 목적으로 매우 유용한 효과를 보인다고 보고되었다(Dijkgraaf L, et al; 1999, Israel HA; 1999, Murakami KI, et al; 1986, Williams RA&Laskin DM; 1980).

Case 1 > 장기간 지속되는 턱관절장애를 턱관절경 시술, 약물, 물리치료, 스플린트, 관절강 주사치료를 병행하여 치유시킨 증례

2008년 3월 7일 32세 여자 환자가 개구제한을 주소로 내원하였다. 2개월 전부터 갑자기 입이 안 벌어지기 시작했으며 개구량은 20-25 mm, 우측 턱관절 측방 촉진 시 압통, 우측 이명, 교합이상이 존재하였다. 음주와 오징어를 매우 좋아하며 야간 이갈이가 존재하였다. 방사선사진에서 양측 과두의 골개조 소견이 관찰되었다(**Fig 12-1**). 턱관절장애 3, 4형으로 진단하고 상담 및 주의사항 설명과 2주간 약물(Carol-F, Sensival 10 mg)을 처방하였다. 2008년 3월 28일 핵의학검사에서 양측 과두의 섭취율 증가 소견이 관찰되어 안정위스플린트 치료를 위한 인상을 채득하였다. 2008년 4월 11일 스플린트를 장착하고 1개월 간격으로 경과를 관찰하였다. 2008년 7월 11일 개구량은 40 mm를 회복하였으나 입을 크게 벌릴 때 좌측 과두 부분이 옆으로 많이 튀어나오고 턱이 가끔 걸린다고 하였다. 술을 매우 좋아하여 거의 매일 마신다고 하였으며 음주는 취침 시 이갈이를 유발하기 때문에 가급적 자제하고 반드시 야간에 스플린트를 착용하도록 하였다. 2009년 2월 20일 좌측 턱관절의 심한 통증을 호소하면서 내원하였고 레이저 물리치료와 스플린트 조정을 시행하였다. 2010년 2월 26일 개구량이 20 mm로 감소하였고 좌측 턱관절의 심한 통증을 호소하였다(**Fig 12-2**). 스플린트 조정, 물리치료를 시행하고 Sensival 10 mg qd, Naxen-F 500 mg qd를 2주 처방하였다. 2010년 3월 12일 증상이 전혀 호전되지 않아 양측 턱관절 부위에 Hyaluronic acid (Guardix)를 주입하고 Mesexin 500 mg bid, Reumel 7.5 mg bid, Methylon 4 mg bid를 5일 처방하였다. 2010년 3월 26일 통증은 약간 감소되었으나 22 mm 개구제한이 지속되어 턱관절경 시술을 시도하기로 결정하였다. 2010년 5월 12일 전신마취하에서 좌측 턱관절의 상관절강에 턱관절경을 삽입하여 세척 및 용해술을 시행하고 Guardix를 주입하였다. 우측 턱관절강은 세척술만 시행하고 Guardix를 주입하였다. 시술 후 물리치료 및 스플린트 치료를 계속하였으며 2010년 5월 17일 개구량이 30 mm로 증가하였다. 1주 간격으로 EAST & laser 물리치료를 시행하면서 통증 부위에 Rheumagel

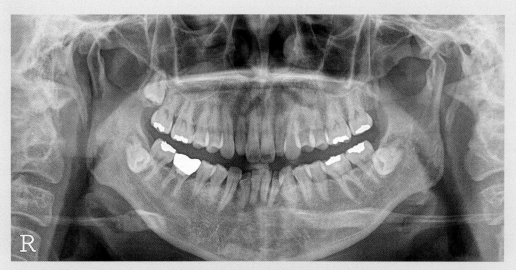

Fig. 12-1. 32세 여자 환자의 초진 시 파노라마 방사선사진. 양측 과두의 골개조 소견이 관찰된다.

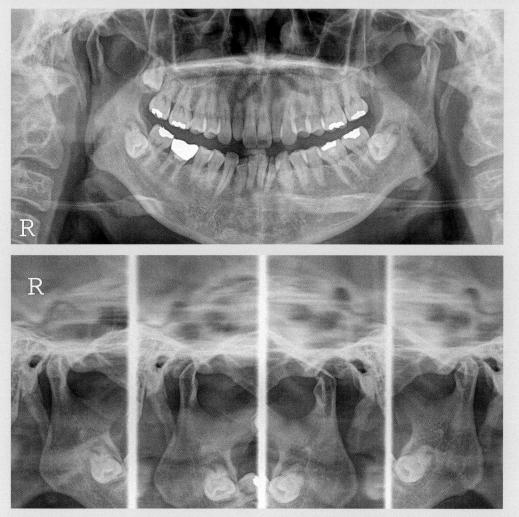

Fig. 12-2. 2010년 2월 26일 촬영한 방사선사진. 양측 과두의 움직임이 제한적인 것을 볼 수 있다.

을 수시로 도포하도록 처방하였다. **2010년 5월 20일** 35 mm 개구량을 회복하였으며 1개월 간격으로 스플린트 조정 및 경과를 관찰하였다. **2010년 7월 8일** 우측 턱관절 통증이 심해졌고 개구량이 30 mm로 다시 감소하여 우측 턱관절의 상관절강에 Dexamethasone을 주사하고 Mesexin, Reumel, Methylon을 5일 처방하였다 **(Fig 12-3)**. **2010년 7월 23일** 개구량은 40 mm로 회복되었으나 통증이 지속되어 스플린트를 ARS 형태로 변경하여 야간에만 착용하도록 하였다. **2010년 8월 12일** 스플린트를 다시 안정위 상태로 재조정하고 양측 턱관절강에 Guardix를 주입하였다. 이후 2주 간격으로 Guardix를 2회 추가 주입하였으며 **2010년 10월 22일** 증상들이 현저히 완화되어 치료를 종료하였다.

2012년 5월 4일 내원 시 개구량은 35 mm였고 입을 크게 벌리거나 딱딱한 음식을 먹을 때 가끔 좌측 턱관절이 아픈 것 외 불편감은 없다고 하였다**(Fig 12-4)**. **2020년 9월 11일** 턱관절 점검을 위해 내원하였으며 특이 불편감은 없고 방사선사진에서도 특이 소견은 관찰되지 않았다**(Fig 12-5)**.

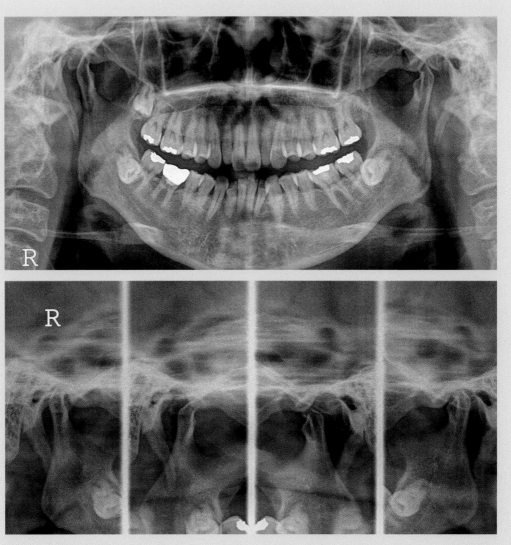

Fig. 12-3. 2010년 7월 8일 촬영한 방사선사진. 과두의 움직임은 여전히 제한적이지만 시술 전에 비해서는 약간 증가된 양상을 보였다.

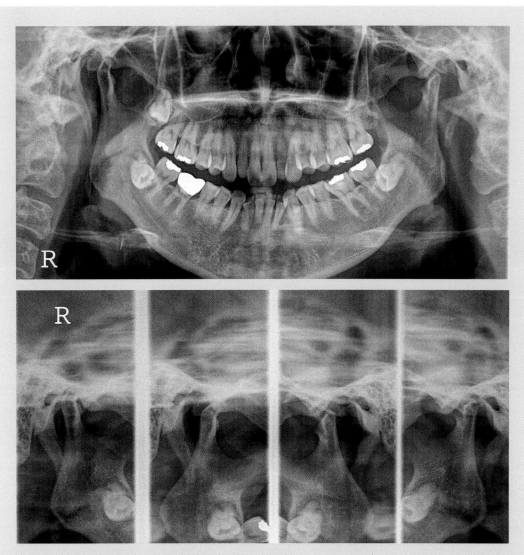

Fig. 12-4. **2012년 5월 4일 촬영한 파노라마 방사선사진.** 개구량은 35 mm였으며 좌측 과두의 편평화 및 골개조성 변화가 초진 시에 비해 좀 더 진행된 양상을 보이고 있다.

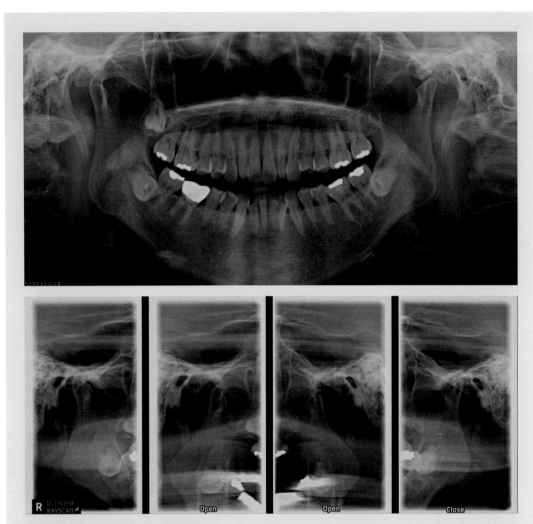

Fig. 12-5. 2020년 9월 11일 촬영한 방사선사진. 양측 과두의 편평화 및 골개조성 변화가 관찰되지만 임상 증상은 없으며 안정적 상태를 유지하고 있다.

⊗ Problem lists

1 난치성 턱관절장애

2 개구제한

3 이갈이

4 음주

5 장기간의 보존적 치료에도 불구하고 증상 완화 및 재발이 반복됨

📋 치료 및 경과

1 상담, 투약, 물리치료 및 안정위스플린트 치료

2 관절강 주사

3 턱관절경 시술

4 턱관절경 시술 후 물리치료, 관절강 주사, 안정위 및 전방위스플린트 치료

5 경과 양호

🔊 Comment

● 장기간의 보존적 치료에 반응을 보이지 않는 난치성 턱관절장애를 턱관절경 시술을 병행하여 치료한 증례이다. 이갈이와 식습관이 턱관절장애의 주요 원인으로 관여했을 것으로 추정되며 과도한 음주 습관은 이갈이를 심화시키면서 턱관절장애 치료에 나쁜 영향을 미쳤을 것으로 생각된다. **턱관절경 시술을 통해 관절강 내의 염증성 산물들을 제거하고 섬유성 유착증(fibrous adhesion)을 용해시킴으로써 좋은 효과를 보였을 것이다. 그러나 더욱 중요한 것은 턱관절경 시술 후 물리치료, 스플린트 치료 및 관절강 주사 요법이 적극적으로 시행된 것이다.** 외과적 처치가 시행되어도 술 후 관리가 잘 이루어지지 않는다면 쉽게 재발하거나 난치성으로 고착될 가능성이 크다.

본 증례와 같이 관절강 주사치료를 시행한 증례들에서 필자는 항생제, 소염진통제를 5-7일 처방하고 있다. 혹자들은 턱관절장애를 치료하는데 왜 항생제를 사용하는지 의구심을 품을 것이다. **필자는 턱관절장애 병인론 중 세균성 인자들이 관여할 수도 있다는 이론에 근거하여 단기간 항생제를 투여하는 것이 치료에 도움이 되면 됐지 나쁠 것은 없다고 생각한다**(Henry CH, et al; 1999, Paegle DI, et al; 2004). **또한 단기간의 사용이 항생제 내성을 야기할 것이라고 믿지 않기 때문에 턱관절강 주사치료, 턱관절세정술 및 턱관절 내시경 시술 후에는 항생제, 스테로이드, 비스테로이드성 소염진통제를 일상적으로 단기간 사용하고 있다.**

Case 2 > 개구제한과 통증이 지속되는 48세 여자 환자에서 턱관절경 시술과 다양한 보존적 치료를 병행하여 치유시킨 증례

2006년 1월 16일 48세 여자 환자가 개구제한을 주소로 내원하였다. 25 mm 개구량을 보였고 양측 교근, 측두근, 흉쇄유돌근, 악이복근, 턱관절 측방 촉진 시 압통이 심한 상태였고 방사선사진에서 양측 과두와 관절융기의 경사가 매우 크면서 과두 끝이 뾰족한 형태를 보였다(Fig 12-6). 약 2개월간 치과 의원에서 약물 및 스플린트 치료를 받았으나 호전되지 않는 상태였다. 이악물기 습관이 있으며 딱딱한 음식을 선호하고 이전에는 양측 턱관절에서 소리가 났으나 현재는 없어진 상태였으며 아침에 턱이 뻐근한 증상이 심하다고 하였다. 상담 후 약물(Amitriptyline 10 mg qd, Carol-F bid)을 1주 처방하고 경과를 관찰하였다. 2006년 2월 10일 개구량은 20 mm였고 좌측 턱관절 측방과 측두부 압통이 매우 심한 상태여서 물리치료를 시행하고 환자가 이전에 사용하던 스플린트를 조정하여 야간에 착용하도록 하고 Valium 2 mg qd 1주 처방하였다. 1주 간격으로 물리치료를 시행하면서 경과를 관찰하였으나 개구량이 전혀 회복되지 않아 턱관절경 시술을 시도하기로 결정하였다. 2006년 3월 15일 전신마취하에서 양측 턱관절의 상관절강에 관절경을 삽입하여 세척 및 용해술을 시행하고 Hyruan을 주입하였다. 시술 후 1주 간격으로 물리치료 및 개구운동과 약물치료(Ketotop EL plaser를 환부에 적당한 크기로 잘라서 부착, Naxen-F, Amitriptyline, Sensival 복용)를 시행하였다. 2006년 4월 20일 턱관절 주변과 근육 통증은 많이 감소되었으나 측두부 두통이 심하다고 하여 Sensival을 25 mg으로 증량하여 3주 처방하였다. 2006년 5월 19일 양측 측두부, 교근, 흉쇄유돌근 부위에 Ethyl chloride spray and stretching을 시행하고 1-2주 간격으로 물리치료를 계속 시행하였다. 2006년 9월 5일 내원 시 1주 전 치과치료를 받은 후부터 통증이 매우 심해졌다고 하였으며 우측 턱관절과 두통이 매우 심한 상태였다. 물리치료와 함께 Amitriptyline 10 mg qd, Carol-F bid를 2주 처방하고 동네 근처 의원에서 물리치료를 받도록 안내하였다. 2007년 4월 13일 내원 시 개구량은 30 mm였으며 통증은 심하지 않아 스플린트를 점검한 후 증상에 맞춰서 착용하도록 안내하였다. 2007년 9월 7일 개구량은 40 mm를 회복했고 통증은 거의 완화된 상태였다. 2008년 1월 18일 갑자기 좌측 턱관절 통증을 호소하면서 내원하였고 스플린트 조정과 함께 좌측 턱관절강에 Hyruan을 주사하고 Mesexin 500 mg bid, Catas 50mg bid (Diclofenac potassium), Methylon 4 mg bid를 5일 처방하였으며 이후 증상은 완전히 소멸되었다.

2015년 1월 9일 우측 턱관절 통증이 수일 전부터 발생하였고 양측 귀 전방 부위가 자주 아프다고 하였다(Fig 12-7). 간헐적 두통, 양측 목, 어깨 통증이 있으며 온찜질과 스트레칭을 하면 나아진다고 설명하였다. 개구량은 45 mm였고 우측 턱관절에서 간헐적 잡음이 발생하는 상태였다. 턱관절장애 1, 3형으로 잠정 진단하고 우측 턱관절강에 Dexamethasone을 주사하고 근육 마사지 및 물리치료와 함께 Mesexin 500 mg bid, Celebrex 200 mg qd, Methylon 4 mg bid를 처방하였다. 이후 증상은 호전되었으며 환자는 더 이상 내원하지 않고 있다.

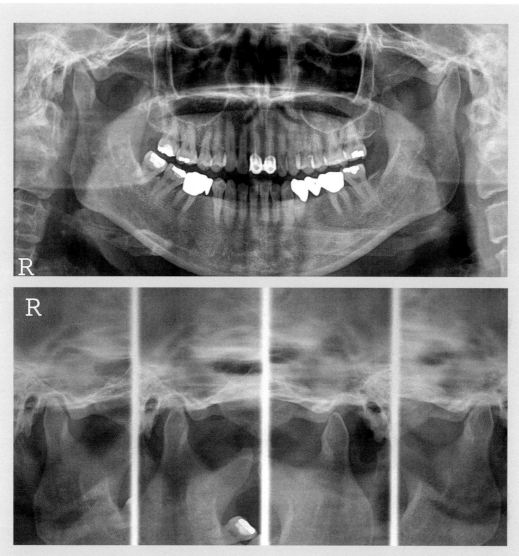

Fig. 12-6. 48세 여자 환자의 초진 시 방사선사진. 양측 관절융기의 경사가 크면서 과두 끝이 뾰족한 형태를 보이고 있다.

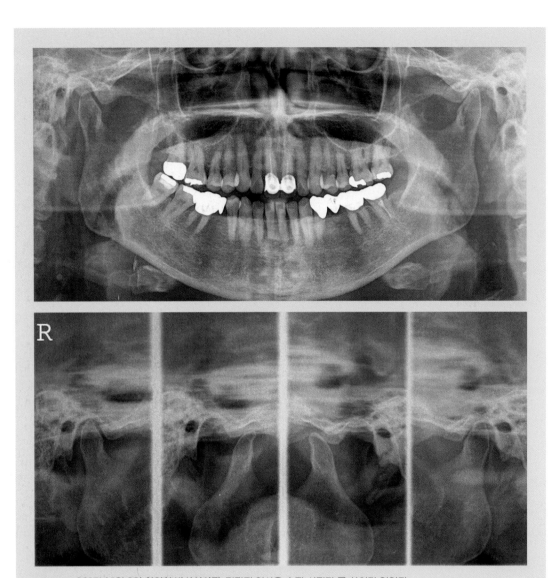

Fig. 12-7. 2015년 1월 9일 촬영한 방사선사진. 턱관절 영상은 초진 시점과 큰 차이가 없었다.

1 난치성 턱관절장애

2 식습관, 이갈이, 이악물기와 같은 구강악습관 존재

📋 **치료 및 경과**

1 턱관절경 시술

2 시술 후 약물, 물리치료, 관절강 주사, 스플린트 치료

3 경과 양호

🔊 **Comment**

● 본 증례는 증례 1과 달리 초진 2개월 후 턱관절경 시술을 시행하였다. 그러나 시술 후 일시적으로 증상이 완화되는 듯 하였으나 시간이 지나면서 오히려 통증이 더 심해지는 양상을 보였다. **시술 후 통증은 개구량 회복을 위한 적극적인 물리치료를 시행하면서 근육성 통증이 심해진 것으로 추정된다.** 근육성 통증은 부위가 특정화 되지 않고 확산되는 양상을 보이며 측두 및 후두 부위 두통이 심하다고 호소하기도 하고 신체화증과 정신적 문제가 수반될 경우 치료가 잘 안 되고 환자의 불만이 더욱 폭증되기도 한다. 근육성 통증은 마사지, 온찜질 등과 같은 물리치료를 통해 풀어주는 것이 가장 좋다. 심하면 진통제나 근육이완제와 같은 약물치료를 병행하기도 한다. 돌이켜 생각해 볼 때 본 증례의 경우 보툴리눔독소 주사치료를 병행하였다면 더 좋은 결과를 보였을 것으로 생각된다.

Case 3 > 24세 여자 환자의 장기간 지속되는 턱관절장애를 턱관절경 시술과 다양한 보존적 치료를 병행하여 치료한 증례

2019년 2월 15일 24세 여자 환자가 개구제한 및 턱관절 불편감을 주소로 내원하였다. 6개월 전부터 입이 잘 안 벌어지고 우측 턱관절 통증이 자주 발생하였으며 간헐적 개구장애가 반복되었다고 하였다. 엎드려서 자고 일어난 후 턱이 많이 아픈 경향을 보인다고 언급하였으며 개구량은 28 mm였다. 방사선사진에서는 특이소견이 관찰되지 않아 턱관절장애 1, 3형, 야간 이갈이로 잠정 진단하고 manipulation을 시행하였다(Fig 12-8). 직후 개구량은 40 mm까지 증가하는 양상을 보였으며 Cele V 200 mg qd 2주 처방하고 경과를 관찰하였다. **2019년 3월 8일** 개구제한은 23 mm로 더 심해졌고 강제 개구량은 28 mm였으며 우측 턱관절 측방 촉진 시 압통을 호소하였다. 우측 턱관절의 상관절강에 Dexamethasone을 주사하고 Mesexin 500 mg bid, Methylon 4 mg bid, Naxen-F 500 mg bid를 5일 처방하였다.

2019년 7월 2일 턱관절의 정밀 평가를 위해 Bone SPECT를 촬영한 결과 우측 턱관절 부위에 섭취율이 현저히 증가한 양상을 보였고 BruxCheck에서는 3개 부위에서 장치가 많이 갈린 흔적이 관찰되었다. 턱관절장애 4형이 동반되어 있는 것으로 진단하고 안정위스플린트 제작을 위한 인상을 채득하고 Cele V를 4주 처방하였다. **2019년 8월 9일** 스플린트를 장착하였으며 턱관절 주의사항을 설명하고 1개월 간격으로 경과를 관찰하였다. **2019년 10월 11일** 우측 턱관절 통증이 다시 심해졌으며 개구량은 30-35 mm 정도였고 우측 턱관절 측방 촉진 시 심한 압통을 호소하였다. 우측 턱관절강에 Hynaruboneplus를 주입하고 Mesexin, Methylon, Naxen-F, Imotun을 처방하였다. **2019년 12월 27일** 개구제한과 심한 통증이 지속되어 물리치료를 시행하고 Ultracet을 1주 처방하였으며 턱관절경 시술을 시도하기로 결정하였다.

2020년 2월 19일 전신마취하에서 미세직경 턱관절경을 이용한 세척 및 용해술을 시행하고 Hynaruboneplus를 주입한 후 치료를 종료하였다. 관절경에서 관절와 표면의 fibrillation과 섬유성 유착증 소견이 관찰되었다 (Fig 12-9). 시술 후 통상적인 물리치료, 스플린트 및 약물치료가 시행되었으며 **2020년 12월 11일** 내원 시 양측 턱관절의 골개조 및 골관절염성 변화 소견이 관찰되었으나 자각증상은 개구 시 관절잡음 외 특이 증상들은 없었다. 스플린트를 증상에 맞춰서 착용하도록 지시하고 6개월 간격으로 경과를 관찰하기로 하고 치료를 종료하였다(Fig 12-10, 11).

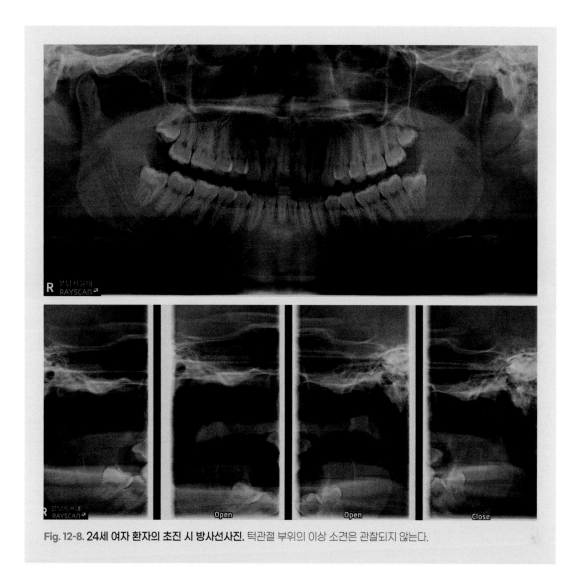

Fig. 12-8. 24세 여자 환자의 초진 시 방사선사진. 턱관절 부위의 이상 소견은 관찰되지 않는다.

Fig. 12-9. 우측 턱관절경 시술 사진. 미세직경 턱관절경은 비침습적 시술이 가능하지만 영상의 해상도가 떨어지는 단점이 있다. 18 gauge 바늘을 이용하여 섬유성 유착 부위를 제거하고 관절강 내의 염증성 산물들을 세척하면서 제거한다(화살표: 염증성 산물들). N: needle.

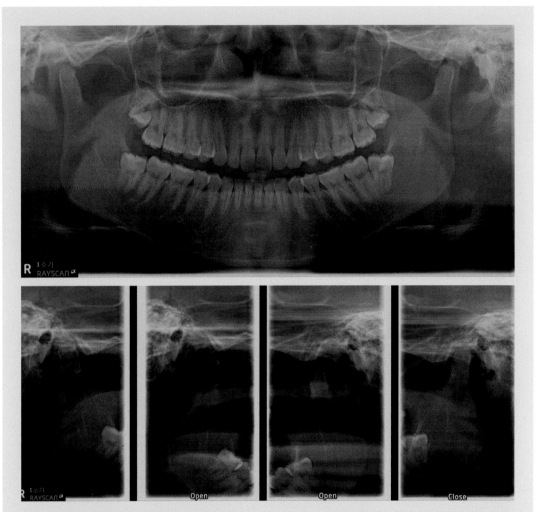

Fig. 12-10. 2020년 12월 11일 촬영한 방사선사진. 양측 과두의 골개조성 변화와 불규칙한 관절면 등 골관절염에 부합되는 소견이 관찰되지만 임상 증상은 없는 상태이다.

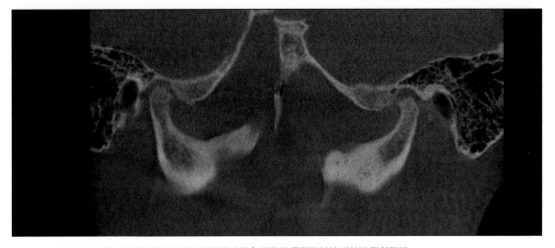

Fig. 12-11. 2020년 12월 11일 촬영한 CBCT 사진에서 양측 과두의 골관절염성 변화가 관찰된다.

턱관절경 시술 후 치료

2020. 2. 20	레이저 물리치료
2020. 2. 24	봉합사 제거 및 레이저 물리치료, 개구운동법 설명, 스플린트 체크
2020. 3. 9	레이저 물리치료, Rheumagel, Imotun 처방
2020. 4. 17	좌측 턱관절 통증 발생. 레이저 물리치료, 좌측 상관절강 Dexamethasone 주사, Mesexin, Methylon, Cele V 5일 처방
2020. 6. 19	레이저 물리치료

⊗ Problem lists

① 난치성 턱관절장애 1, 3, 4형
② 이갈이
③ 1년간의 보존적 치료에도 불구하고 개구제한 및 턱관절 통증이 지속됨

치료 및 경과

① 턱관절경 시술
② 시술 후 적극적인 사후 관리: 약물, 물리치료, 스플린트 치료 및 관절강 주사
③ 경과 양호

◀)) Comment

● 1년간 보존적 치료에 반응을 보이지 않던 증례를 턱관절경 시술을 시행하고 시술 후 적극적으로 관리한 결과 좋은 경과를 보였다. 앞에서 언급된 증례 1, 2와 마찬가지로 **장기간의 보존적 치료에 반응을 보이지 않을 경우엔 턱관절세정술 혹은 턱관절경 시술과 같은 적극적인 준외과적 치료를 도입하는 것이 좋다. 증상이 호전되지 않음에도 불구하고 기약 없이 보존적 치료를 계속하는 것은 적절하지 못하다.** 턱관절장애가 만성화될 경우엔 신체화증, 자율신경계 관련 반응, 정신적 문제들이 동반되면서 난치성으로 굳어질 수 있다. 턱관절강 주사, 턱관절세정술, 턱관절경 시술은 침습적인 비가역적 치료가 아니다. 필자는 이런 치료법들을 가역적인 보존적 치료의 일부로 생각하고 있다.

턱관절장애는 편측성으로 증상이 발생하더라도 반대측에도 이상이 있는 것으로 봐야 한다. 턱관절은 팔다리 관절과 달리 양측성으로 함께 움직인다. 한쪽 관절의 이상 증상이 치료되더라도 턱관절에 과부하가 지속적으로 가해진다면 다시 재발할 수 있고 반대 측 턱관절에서 증상이 심해질 수도 있다. 임상가들은 이런 상황들을 잘 이해하고 있어야 하며 모든 턱관절장애 환자들을 치료할 때 잘 설명해야 한다.
2020년 12월 11일 촬영한 방사선사진에서 양측 턱관절의 골개조, 불규칙한 관절면 등 골관절염성 변화 소견들이 관찰되었으나 임상 증상은 없었다. 턱관절경 시술이 시행된 부위의 골변화는 시술 후 치유과정으로 볼 수도 있지만 반대측의 골관절염성 변화는 갑자기 발생한 것이 아니다. 처음부터 존재하고 있던 잠재적 병소가 시간이 지나면서 골개조성 변화를 보인 것으로 생각된다. 환자들에게 턱관절의 상태와 향후 재발 가능성 및 주의사항을 잘 설명하고 주기적으로 경과를 관찰해야 할 것이다.

13. 턱관절 개방수술(TMJ open surgery)

턱관절장애가 보존적 치료, 턱관절세정술 및 턱관절경 시술과 같은 준외과적 치료에 반응을 보이지 않는 경우, 턱관절강직증, 턱관절 외상으로 인한 관절염 혹은 과두 골절, 턱관절 종양 등은 외과적 처치가 필요하다. 외과적 처치가 필요한 증례들을 아무 생각 없이 장기간 보존적 치료를 시행하는 행위는 절대로 금해야 한다. 그러나 외과적 처치를 한다고 해서 턱관절의 기능을 완전히 정상화시킬 수는 없다. 즉 수술 후 개구량 감소, 악골운동 제한, 수술 부위의 감각 이상 및 불편감, 간헐적 통증은 지속될 수 있으며 수술 후에도 약물, 물리치료, 스플린트 치료, 관절강 주사, 턱관절세정술 등과 같은 치료가 계속 필요할 수 있다.

Case 1 > 61세 여자 환자에서 장기간 보존적 치료에도 불구하고 지속되는 턱관절장애에 대한 턱관절 개방수술 증례

2013년 9월 6일 61세 여자 환자가 개구제한을 주소로 내원하였다. 3년 전 좌측 턱관절 잡음이 처음 발생하였으며 그 이후 좌측 턱관절 간헐적 과두걸림과 통증, 아침에 턱이 뻐근하며 두통과 교합이상이 지속되고 있었다. 치과 의원에서 약물, 물리치료, 보툴리눔독소 주사와 장치치료를 받았으나 호전되지 않아 본원을 방문하게 되었다. 개구량은 25 mm 정도였으며 좌측 턱관절강에 리도카인을 주입하고 manipulation을 시행한 직후에는 35 mm 개구량을 보였다(**Fig 13-1**). 환자가 소지하고 있는 장치를 점거하여 조정하고 핵의학검사와 TMJ MRI 검사를 예약하고 Naxen-F 500 mg bid, Sensival 10 mg qd 1주 처방하였다. 핵의학검사에서 좌측 턱관절 섭취율이 약간 증가한 소견이 관찰되었고 MRI 사진에서는 좌측 턱관절 비정복성 관절원판 전위 소견이 관찰되었다(**Fig 13-2, 3**). 장기간의 보존적 치료를 받았음에도 불구하고 증상이 지속되는 상태였기 때문에 환자와 상담한 후 좌측 턱관절 개방수술을 결정하였다. **2013년 10월 23일** 좌측 턱관절을 노출시킨 후 관절원판성형술(meniscoplasty)과 관절융기절제술(eminectomy)을 시행하고 상관절강에 Guardix를 주입하고 창상을 봉합하였다(**Fig 13-4, 5**). 수술 3일 후부터 개구량 회복을 위한 적극적인 물리치료를 시행하였으며 기존에 사용하던 안정위스플린트를 착용하도록 지시하였다. **2013년 11월 15일**부터 Resistive jaw exercise와 레이저 물리치료, 스플린트 조정, 환자 자신의 손가락을 이용하여 입을 벌리도록 하는 자가 개구운동을 적극적으로 시행하였다. **2013년 11월 22일** 35 mm 개구량, **2013년 12월 27일** 40 mm 개구량을 회복하였다(**Fig 13-6**). 입을 크게 벌리거나 딱딱한 음식을 먹을 때 좌측 턱관절이 아픈 것 외 큰 불편감이 없는 상태여서 스플린트를 야간에 착용하도록 하고 2개월 후 약속을 잡았다. **2014년 2월 21일** 개구량 40 mm가 유지되고 있으며 특이 불편감이 없는 상태였다. **2014년 6월 13일** 수술 부위는 매우 편한데 반대측 턱관절에서 가끔 소리가 난다고 하였

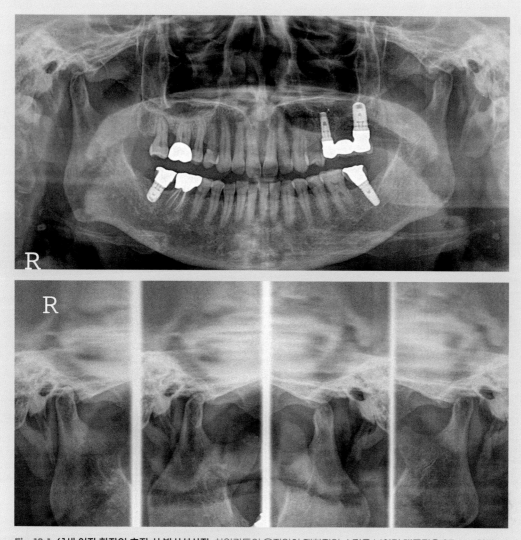

Fig. 13-1. 61세 여자 환자의 초진 시 방사선사진. 하악과두의 움직임이 제한적인 소견을 보이며 개구량은 25 mm였다.

고 CBCT를 촬영한 결과 좌측 턱관절 과두의 양호한 골개조 소견이 관찰되었다(**Fig 13-7**). **2014년 11월 28일** 최종 경과를 관찰한 후 특이 불편감 전혀 없는 상태여서 치료를 종료하였다.

그러나 **2015년 2월 13일** 우측 턱관절 잡음과 통증이 심해져서 내원하였으며 우측 턱관절 측방 촉진 시 압통과 우측 대구치 부위 교합이 잘 안 되어 좌측으로 음식을 주로 씹는다고 하였다. 우측 턱관절장애 3형으로 판단하고 스플린트 조정 및 레이저 물리치료를 시행한 후 약물(Naxen-F 500 mg bid, Imotun 300 mg qd for 2 weeks)을 처방하였다. **2015년 6월 12일** 우측 턱관절 통증이 심해져서 내원하였으며 26 mm의 개구제한을 보였다(**Fig 13-8**). 우측 상관절강에 Dexamethasone을 주사하고 Mesexin 500 mg bid, Methylon 4 mg bid, Naxen-F 500 mg bid를 5일 처방하였다. **2015년 6월 26일** 우측 턱관절에 Guardix를 주사하였고 약물(Naxen-F 500 mg, Ultracet) 및 물리치료를 2주 간격으로 시행하였다. **2015년 10월 16일** 동일 증상이 지속되어 우측 턱관절에 Guardix를 주사하였으나 개구장애와 통증이 해소되지 않았다. **2016년 6월 1일** 전신마취하에서 우측 턱관절경 시술(Arthroscopic lavage and lysis)을 시행한 후 Dexamethasone을 주사하였다. 이후 약물 및 물리치료와 스플린트 치료를 계속하면서 경과를 관찰하였고 2016년 10월 14일 증상이 완전히 소멸되었다. 2020년 1월 3일 양측 턱관절 상태를 점검 받기 위해 내원하였으며 방사선검사에서 양측 과두의 비대칭 및 골개조 소견이 관찰되지만 특이 불편감은 없는 상태였다(Fig 13-9).

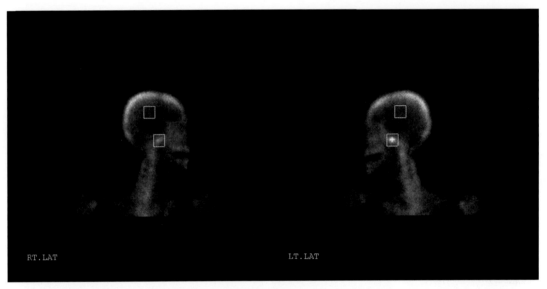

Fig. 13-2. 핵의학검사에서 좌측 턱관절의 섭취율이 증가된 소견을 보이고 있다.

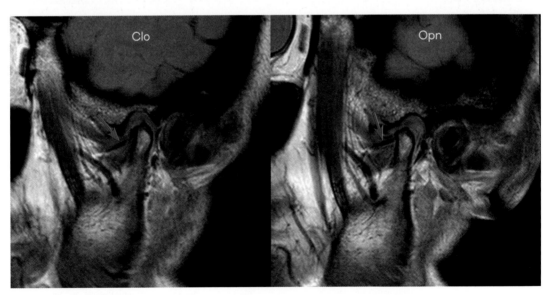

Fig. 13-3. MRI에서 전방으로 전위된 관절원판(화살표)이 개구 시에도 정복되지 않는 소견이 관찰된다.
Clo: closing, Opn: opening.

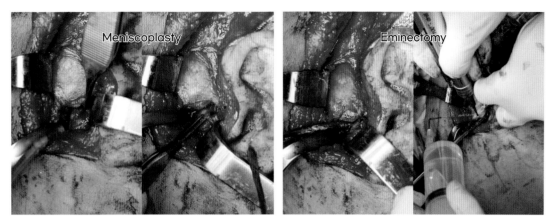

Fig. 13-4. 관절성형술을 시행하는 모습. 관절원판성형술과 관절융기절제술이 시행되었다.

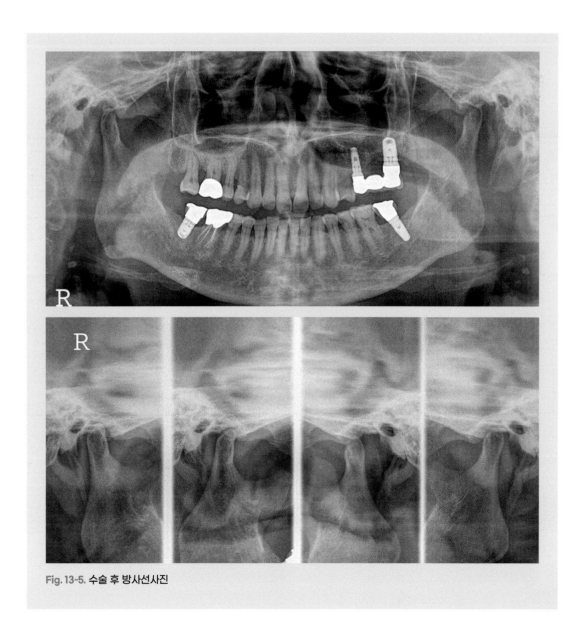

Fig. 13-5. 수술 후 방사선사진

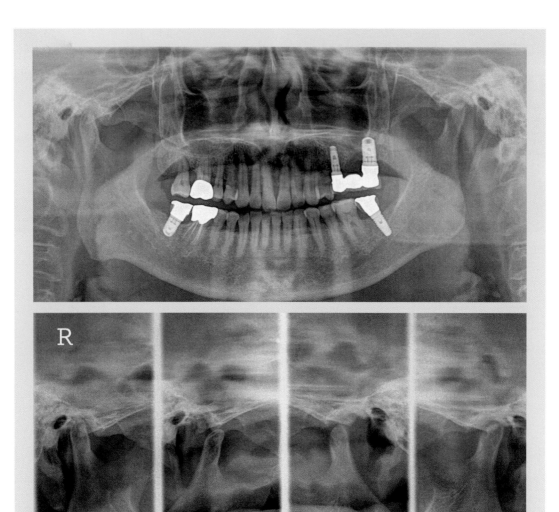

Fig. 13-6. **수술 2개월 후 방사선사진.** 개구량 40 mm를 회복하였으며 하악과두 움직임이 현저히 개선된 소견이 관찰된다.

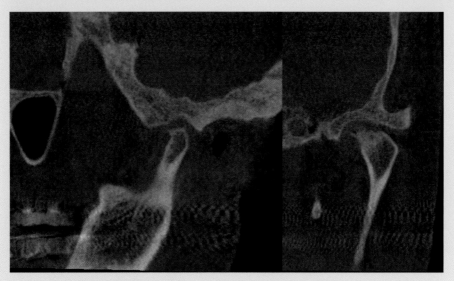

Fig. 13-7. **수술 8개월 후 좌측 턱관절 CBCT 사진.** 술 후 골개조 소견이 관찰된다.

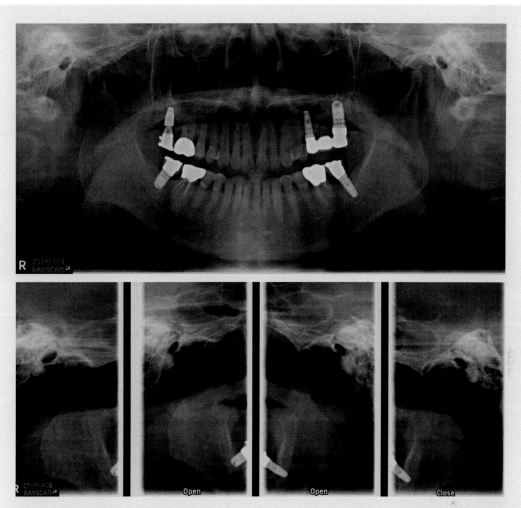

Fig. 13-8. 2015년 6월 12일 촬영한 방사선사진. 하악과두 움직임의 제한이 관찰되며 우측 턱관절 통증과 26 mm 개구량을 보였다.

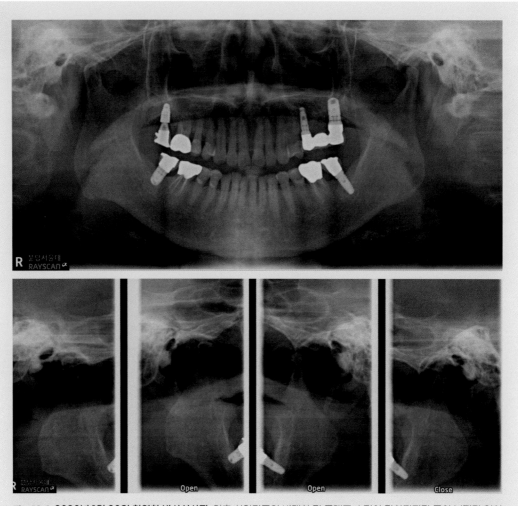

Fig. 13-9. 2020년 1월 30일 촬영한 방사선사진. 양측 하악과두의 비대칭 및 골개조 소견이 관찰되지만 특이 불편감 없이 안정적 상태를 유지하고 있다.

❶ 턱관절장애에 대한 장기간 보존적 치료에도 불구하고 증상이 지속됨

❷ 좌측 턱관절 개방수술 후 우측 턱관절장애 증상이 심해짐

🗐 치료 및 경과

❶ 좌측 턱관절 개방수술: 관절원판성형술 및 관절융기절제술

❷ 관절개방 수술 후 약물, 물리치료, 스플린트 및 관절강 주사치료

❸ 우측 턱관절경 시술 후 약물, 물리치료, 스플린트 치료

❹ 경과 양호

🔊 Comment

● 본 증례의 초진 시 개구량은 25 mm 정도였으며 좌측 턱관절강에 리도카인을 주입하고 manipulation을 시행한 직후에는 35 mm 개구량을 보였던 것으로 보아 턱관절 내부의 기질적 질환은 아니며 만성 턱관절장애(closed lock 혹은 관절원판 유착증)로 인한 것으로 확신하였다(Chung H, et al: 1992, Murakami K, et al: 1987). 장기간의 보존적 치료에 반응을 보이지 않는 좌측 턱관절장애를 외과적으로 치료한 것은 시기적절하였으며 좋은 경과를 보였다. 그러나 관찰 기간 중에 우측 턱관절장애 증상이 심해졌으며 턱관절경 시술과 함께 보존적 치료를 병행하여 치유시킬 수 있었다.

앞에서 언급되었던 증례들과 마찬가지로 좌측 턱관절장애에 대한 치료 후 우측 턱관절장애 증상이 발현된 경우이다. 한쪽 턱관절의 이상 증상이 치료되더라도 턱관절에 과부하가 지속적으로 가해진다면 다시 재발할 수 있고 반대 측 턱관절에서 증상이 심해질 수도 있다. 임상가들은 이런 상황들을 잘 이해하고 있어야 하며 모든 턱관절장애 환자들을 치료할 때 잘 설명해야 한다는 점을 일깨워 주는 증례이다.

턱관절장애 치료를 위한 턱관절 개방수술은 주로 전위된 관절원판을 원위치시키거나 천공된 관절원판후조직을 수복해 주는 관절원판성형술과 관절강의 공간을 증가시킴으로써 턱관절에 가해지는 압력을 줄여주는 관절융기절제술이 가장 많이 사용된다. 간혹 과두의 골관절염성 변화가 심한 경우 하악과두 상방의 일부를 평탄하게 다듬어주는 비침습적인 과두성형술이 시행되기도 한다. 턱관절에 대한 외과적 처치는 턱관절에 부착되어 있던 외측 익돌근과 교근, 측두근에 손상이 불가피하기 때문에 수술 후 개구량 제한, 개구 시 하악 편위, 교합 변화, 저작 불편감 등이 발생할 수밖에 없으며 수술 후 적극적인 약물 및 물리치료, 스플린트 치료를 통해 재활시키는 방법이 필수적으로 수행되어야 한다.

Case 2 > 44세 여자 환자의 좌측 턱관절에 발생한 활액막연골종증(Synovial chondromatosis)

2014년 3월 14일 44세 여자 환자가 좌측 턱관절 통증을 주소로 내원하였다. 4~5년 전부터 증상이 시작되었으며 통증 및 개구제한이 지속되어 타 병원에서 약물, 물리치료, 턱관절강 주사, 스플린트 치료와 턱관절세정술을 5회 시행받았으나 증상이 전혀 호전되지 않았으며 1년 전부터 치료를 중단하고 참고 지내왔다고 하였다. 임상검사 시 좌측 턱관절 통증 정도가 VAS 8이었고 개구량은 15 mm였으며 촉진 시 좌측 턱관절 측방 및 후방 압통이 존재하였고 양측 어깨, 뒷목, 좌측 후두부 통증을 호소하였다. 개구 시 하악이 좌측으로 편향되었고 이를 물 때 평상시와 다른 느낌이라고 호소하였다. 방사선사진에서 좌측 하악과두의 침식 및 불규칙한 관절면과 주변에 불규칙한 형태의 방사선 불투과성 병소들이 관찰되었다(Fig 13-10). 턱관절장애 3, 4형과 류마티스질환 감별을 위해 CT, MRI, 핵의학검사 및 혈액검사를 시행하였다. 핵의학검사에서 좌측 턱관절 섭취율이 증가된 소견을 보였고 CT, MRI 판독 결과 활액막연골종증이 의심되는 소견들이 관찰되었다(Fig 13-11~13). 혈액검사에서는 특이 소견들이 관찰되지 않았다. 좌측 턱관절 양성종양으로 진단하고 전신마취하에서 턱관절 개방수술을 결정하였다.

2014년 5월 7일 전신마취하에서 좌측 턱관절을 노출시킨 후 다수의 작은 석회화된 종물들을 제거하였고 관절융기절제술, 고위과두절제술(high condylectomy)을 시행한 후 관절유착 방지를 위해 Guardix를 주입하였다. 과두 전내방 깊숙이 위치하고 있는 종물들은 수술 중 상악동맥 등 위험한 구조물 손상을 우려하여 완벽히 제거할 수 없었다. 추후 제거한 종물의 조직검사 결과 활액막연골종증으로 확진되었다(Fig 13-14, 15). 수술 후 일시적인 교합이상이 발생할 것에 대비하여 상하악에 교정용 미니스크류를 식립하고 수술을 종료하였다. 수술 후 약물 및 물리치료를 시행하였고 1주 후부터는 고무링을 교정용 미니스크류에 걸어서 정상 교합을 회복시키면서 적극적인 개구운동을 시행하였다. **2014년 5월 23일** 개구량은 30 mm를 회복하였고 교합이 안정적인 상태를 보여 스크류를 제거하였다. 이후부터는 환자가 가지고 있던 스플린트를 조정한 후 야간에 계속 착용하도록 지시하였다. **2014년 6월 13일** 좌측 턱관절의 경미한 통증과 개구 시 하악 좌측 편향이 존재하였고 개구량은 35 mm를 보였으며 스플린트를 조정하고 레이저 물리치료를 시행하였다. **2014년 7월 25일** 좌측 턱관절 통증이 계속 존재하여 Dexamethasone을 주사하고 스플린트에 레진을 첨상하여 두껍게 조정해 주었다. **2014년 10월 10일** 좌측 구치부가 먼저 닿는 경향을 보인다고 하였으며 통증은 심하지 않은 상태여서 스플린트를 점검하고 레이저 물리치료를 시행하였다(Fig 13-16). **2015년 1월 16일** 개구량은 35 mm를 회복하였고 통증은 거의 없는 상태여서 스플린트를 증상에 맞춰서 착용하도록 설명하고 치료를 종료하였다.

2019년 11월 29일 개구량이 29 mm로 감소하였고 입을 크게 벌리면 좌측 턱관절이 아파서 점검받기 위해 내원하였다. 방사선사진에서 수술 후 좌측 과두의 골개조 소견이 관찰되었으며 CBCT에서 내측에 남아있던 종물이 좀 더 증식된 양상을 보였다(Fig 13-17). 좌측 턱관절의 상관절강에 Hynaruboneplus를 주입하고 Mesexin 500 mg bid, Methylon 4 mg bid, Naxen-F 500 mg bid을 5일, Imotun 300 mg qd 4주 처방하였다. **2020년 6월 5일** 내원 시 가끔 좌측 턱관절 주변이 아프긴 하지만 견딜만하며 일상생활에 큰 지장이 없는 상태라고 하여 1년 간격으로 관찰하면서 종물의 증식으로 인한 턱관절장애 증상이 악화될 경우 재수술을 시행할 것임을 설명하였다.

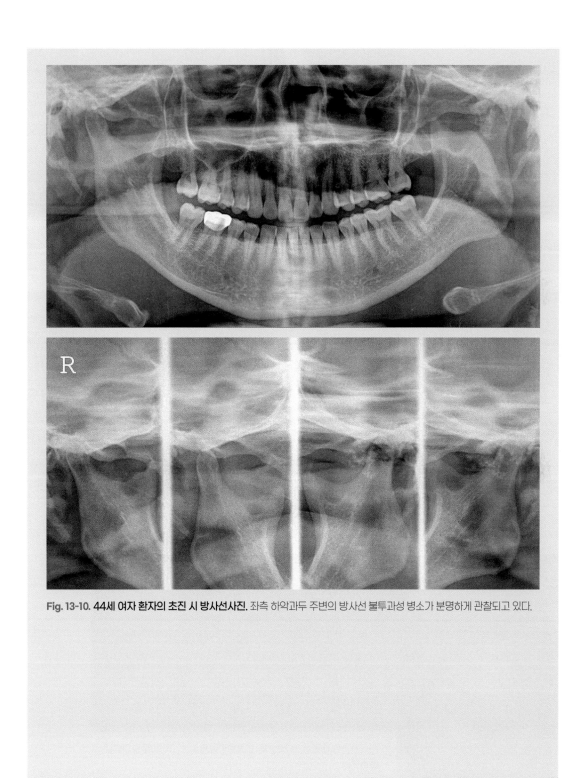

Fig. 13-10. 44세 여자 환자의 초진 시 방사선사진. 좌측 하악과두 주변의 방사선 불투과성 병소가 분명하게 관찰되고 있다.

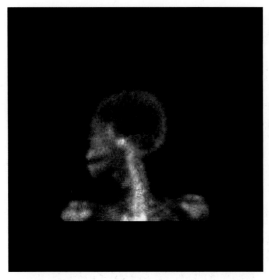

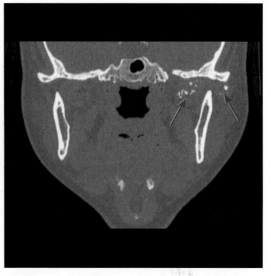

Fig. 13-11. 핵의학검사에서 좌측 턱관절 부위의 섭취율 증가 소견이 관찰되었다.

Fig. 13-12. CT에서 좌측 과두 주변에 불규칙한 형태의 방사선 불투과성 병소들이 관찰된다.

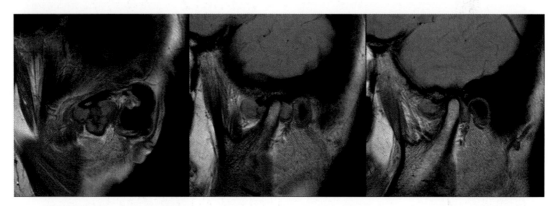

Fig. 13-13. 좌측 턱관절 MRI 영상 소견. 영상의학과 전문의에 의해 판독된 원본 소견은 다음과 같다. <Left TM joint를 bulging시키는 T2 high Signal의 lobulating contour lesion이 있는데, 내부에 dark Signal로 보이는 calcification or ossification이 관찰됨. 병변으로 인한 bone change 혹은 joint space widening은 분명하지 않음.>

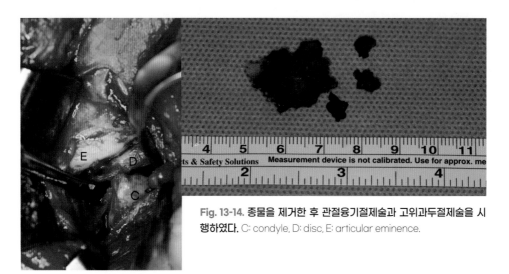

Fig. 13-14. 종물을 제거한 후 관절융기절제술과 고위과두절제술을 시행하였다. C: condyle, D: disc, E: articular eminence.

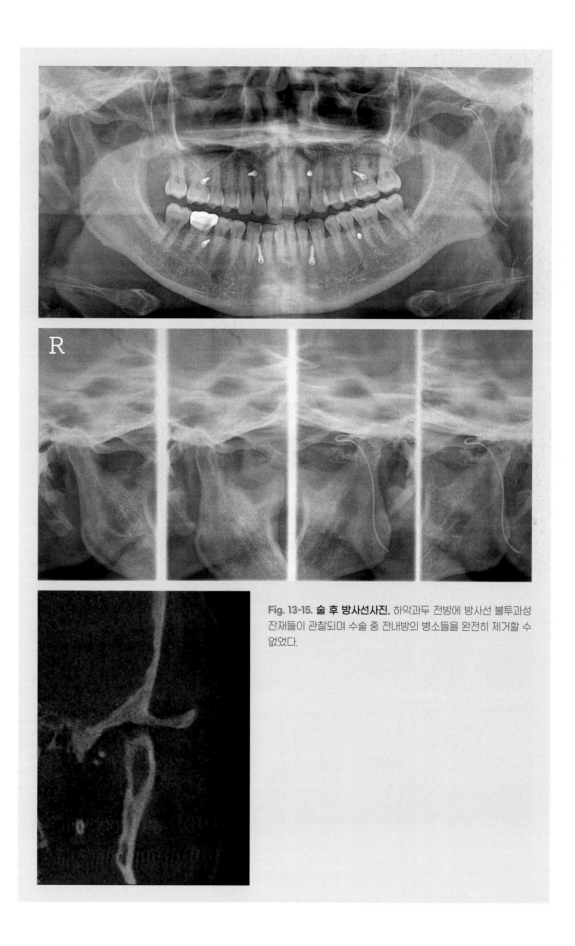

Fig. 13-15. 술 후 방사선사진. 하악과두 전방에 방사선 불투과성 잔재들이 관찰되며 수술 중 전내방의 병소들을 완전히 제거할 수 없었다.

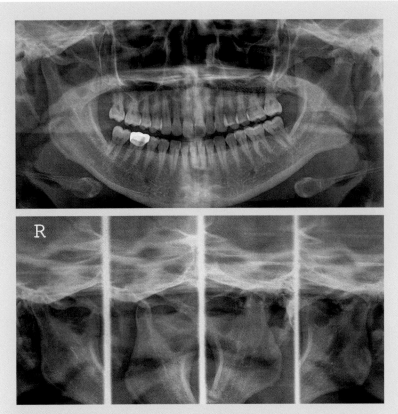

Fig. 13-16. **수술 5개월 후 방사선사진.** 좌측 과두의 골개조 소견이 관찰된다.

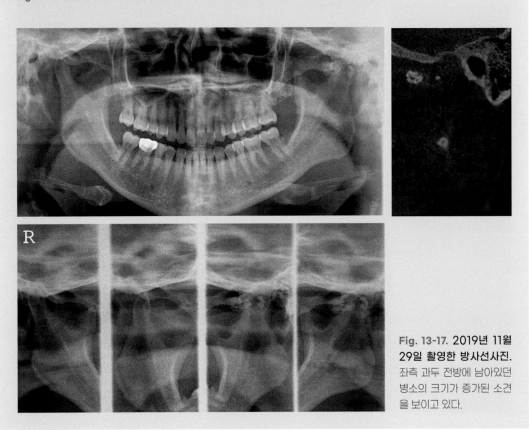

Fig. 13-17. **2019년 11월 29일 촬영한 방사선사진.** 좌측 과두 전방에 남아있던 병소의 크기가 증가된 소견을 보이고 있다.

1 장기간의 보존적 치료

2 턱관절세정술 5회 시행

3 방사선사진에서 골관절염성 변화가 관찰됨

4 수술 중 종물을 완전히 제거할 수 없었음

5 턱관절 개방수술 후에 개구제한 및 통증이 지속됨

치료 및 경과

1 턱관절 개방수술: 종물제거, 관절융기절제술, 고위과두절제술

2 수술 후 적극적인 약물, 물리치료, 스플린트 치료, 관절강 주사

3 경과 중등도: 병소 재발 징후 보임

◀)) Comment

● 오랜 기간 동안 보존적 치료, 관절강 주사 및 턱관절세정술을 5회 시행하였음에도 불구하고 증상이 호전되지 않았다. 또한 일반 방사선사진에서 좌측 턱관절 부위에 이상 소견이 뚜렷이 관찰되었는데 이런 병적 변화가 단기간에 발생한 것이라고 생각되지 않는다. 그럼에도 불구하고 종양과 같은 이상 병변을 의심하고 정밀검사를 시행하지 않았던 점은 잘 이해되지 않으며 환자가 처음 치료했던 치과의사들에게 문제를 제기할 경우 치과의사들은 책임에서 벗어나기 힘들 것이다. **방사선사진에서 관찰되는 병적 소견을 초진 시 놓쳤다 하더라도 장기간 치료를 진행하면서 반응을 보이지 않을 경우엔 방사선사진을 다시 촬영하거나 초진 시 촬영했던 사진을 세심하게 판독해 보는 것은 당연하다.**

턱관절장애 치료 실패의 원인 중 치과의사의 아집이 포함된다. 즉 특정 이론과 치료법만을 고집하면서 장기간 동안 방치하는 것은 문제가 있다는 것이다. 필자는 **대부분의 턱관절장애는 6개월 이내에 치료될 수 있다고 본다. 그 이상 지속되는 경우에는 정밀검사를 시행하고 좀 더 침습적인 치료와 타과 협진을 시행해야 하며 본인이 감당할 수 없다고 생각되면 신속히 상급 의료기관이나 다른 전문의에게 의뢰해야 할 것이다.**

본 증례는 다수의 경계가 불명확한 종물들이 과두 전내방에 깊숙이 위치하고 있었으며 무리하게 제거할 경우 상악동맥 손상 등 치명적 결과를 초래할 위험성이 있어서 완전히 제거할 수 없었다. 턱관절 기능에 영향을 미치는 주된 병소들은 제거되었기 때문에 환자의 증상이 현저히 개선될 수 있다고 판단하지만 잔존 병소들의 재증식 가능성에 대해 정기적인 경과 관찰이 필요하다.

Case 3 >　27세 여자 환자의 좌측 턱관절에 발생한 골연골종(Osteochondroma)

　　2013년 6월 28일 27세 여자 환자가 좌측 턱관절 통증을 주소로 내원하였다. 근처 치과병의원에서 8개월 정도 치료를 받았으나 호전되지 않아 의뢰되었다. 입을 벌리거나 음식 먹을 때 좌측 턱관절 부위 통증이 심하고 귀를 통해 손가락을 삽입하여 턱관절 후방을 촉진할 때 압통이 심했다. 항상 두통이 있으며 좌측으로 음식이 잘 안 씹히고 안모가 변형되는 것 같다고 호소하였다. 아침에 턱이 뻐근하고 좌측 턱관절에서 간헐적으로 잡음이 발생하였다. 직업은 전화 상담원으로서 약 2년 동안 귀에 이어폰을 끼고 일을 해 왔다고 언급하였다. 어릴 때 교통사고로 좌측 안면부 외상을 받아 입원 치료를 받은 적이 있다고 하였다. 방사선검사에서 좌측 하악과두의 증식 및 골극과 기형(malformation) 소견이 관찰되었다(Fig 13-18~20). 과거 턱관절 외상과 연관된 퇴행성관절염 혹은 골연골종으로 잠정 진단하고 턱관절 개방수술을 결정하였다.

　　2013년 7월 31일 전신마취하에 좌측 턱관절에 접근한 후 과두절제술 및 과두성형술, 관절원판성형술과 관절융기절제술을 시행하고 관절유착 방지 목적으로 Guardix를 주입한 후 창상을 봉합하였다(Fig 13-21). 하악과두에서 절제한 골편을 조직검사한 결과 골연골종으로 확진되었다. 술 후 교합 안정과 하악 개구운동을 위해 교정용 미니스크류 8개를 식립하였다. 수술 2일 후부터 고무링을 이용한 교합 안정과 하악 개구운동을 시행하였다. 2013년 8월 23일부터 안정위스플린트를 장착하고 적극적인 개구운동과 물리치료를 시행하면서 경

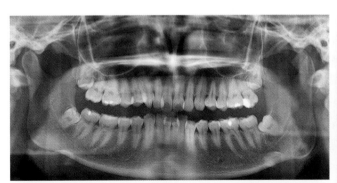

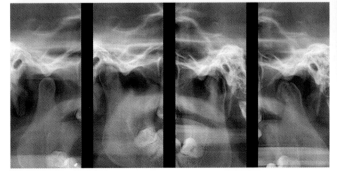

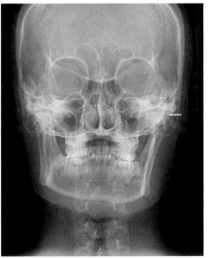

Fig. 13-18. 좌측 하악과두의 증식 및 기형 소견이 관찰된다.

과를 관찰하였다. 2013년 10월 11일 안정적인 교합과 40 mm 개구량을 회복하여 치료를 종료하였다. 2014년 7월 25일 내원하여 방사선 촬영 및 임상검사를 시행하였으며 간헐적인 좌측 턱관절 통증과 좌측 과두의 골 개조 소견이 관찰되었다(Fig 13-22). 좌측 턱관절강에 Guardix를 주입하고 Mesexin 500 mg bid, Reumel 7.5 mg bid, Methylon 4 mg bid를 5일분 처방하였다. 2015년 1월 9일 내원 시 턱관절 통증 등 이상 증상들은 전혀 없었으며 스플린트를 점검한 후 치료를 종료하였다.

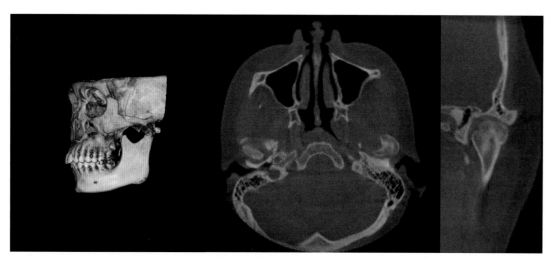

Fig. 13-19. CT에서 좌측 하악과두의 이상 증식 소견이 관찰된다.

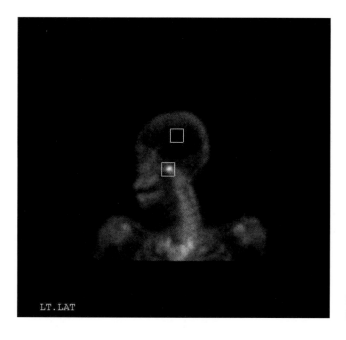

Fig. 13-20. 핵의학검사에서 좌측 턱관절의 현저한 섭취율 증가가 관찰된다.

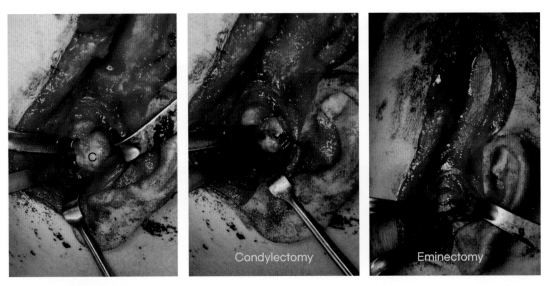

Fig. 13-21. 과두절제술과 관절융기절제술을 시행하는 모습. C: condyle.

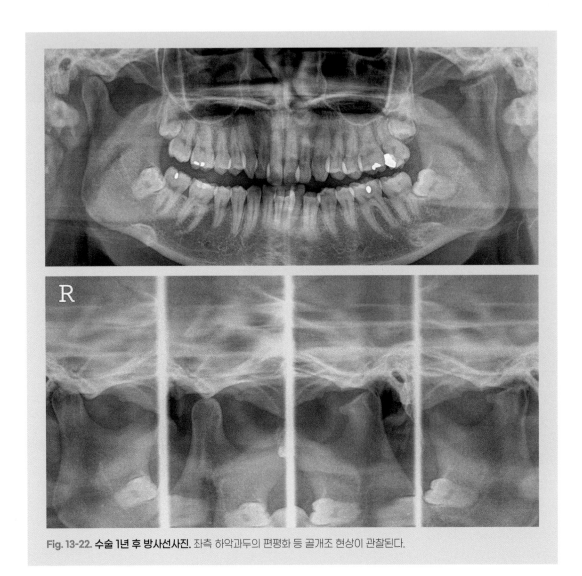

Fig. 13-22. 수술 1년 후 방사선사진. 좌측 하악과두의 편평화 등 골개조 현상이 관찰된다.

1 턱관절장애 진단하에 장기간 보존적 치료에도 불구하고 증상이 지속됨

2 외상 병력

🔧 치료 및 경과

1 턱관절 개방수술: 과두절제 및 성형술, 관절원판성형술, 관절융기절제술

2 수술 후 교합안정과 악골기능 회복을 위하여 교정용 미니스크류를 식립하고 고무링을 이용한 견인치료 시행

3 수술 후 적극적인 관리: 약물 및 물리치료, 관절강주사

4 경과 양호

🔊 Comment

● 골연골종은 턱관절에 발생하는 양성종양들 중 가장 빈발하는 것으로 알려져 있다. **종물이 커지기 전까지는 임상 증상이 턱관절장애와 매우 유사하기 때문에 대다수의 임상가들은 보존적 치료를 시행하면서 많은 시간을 낭비할 수 있다.** 본 증례의 1차 치료를 담당한 치과의사는 턱관절치료에 대한 개념이 있는 분이다. 8개월 정도 경과해도 증상이 개선되지 않으니까 상급의료기관으로 의뢰하였으며 정밀검사 후 외상성 턱관절염 혹은 턱관절 양성종양을 의심하고 외과적 처치를 통해 치유시킬 수 있었다.

수술은 하악과두에 존재하는 증식 부위와 골극을 포함하여 불규칙한 형태의 과두를 일부 절제하고 평탄하게 다듬었으며 전내방으로 전위된 관절원판을 원위치시켜 봉합하였고 관절내 압력을 감소시키고 과두의 움직임을 자유롭게 하기 위해 관절융기절제술이 시행되었다. 외상 병력이 있었기 때문에 골관절염도 의심되었으나 제거한 시편의 조직검사 결과 골연골종으로 확진되었다.

턱관절 개방수술은 수술 후 관리가 매우 중요하다. 술 후 관절강 내 혈종과 좌우 과두 길이의 변화, 관절원판의 위치 및 형태 변화, 좌우 저작근의 불균형이 발생하면서 교합이 변할 수 있고 비정상적인 악골운동(개구 시 하악 편위, 전방 및 측방 운동 제한, 개구량 제한 등)이 발생할 수밖에 없다. 따라서 교정용 미니스크류와 고무링을 이용한 견인치료, 턱관절 기능 개선을 위한 물리치료와 함께 약물 및 주사치료를 적극적으로 시행하면서 턱관절 기능을 최대한 회복시켜야 한다. **그러나 턱관절 수술 후에 술 전과 동일한 상태로 완벽히 회복시킬 수 없다는 점을 치과의사 및 환자가 잘 이해하여야 한다.**

Case 4 >   44세 여자 환자에서 장기간의 보존적 치료에 반응을 보이지 않은 턱관절장애를 턱관절 개방수술을 통해 치료한 증례

44세 여자 환자가 우측 턱관절 통증을 주소로 내원하였다. 6개월 전부터 증상이 시작되었고 00치과병원에서 보존적 치료와 스플린트 치료를 받았으나 증상이 호전되지 않아 본원으로 의뢰되었다. 개구량은 30 mm, 우측 턱관절 측방 촉진 시 압통이 존재하였으며 아침에 턱이 뻐근하고 우측 이명과 두통이 지속되고 있었다. 방사선 및 핵의학검사 결과 우측 턱관절염(턱관절장애 4형)으로 잠정 진단되었고 약물 및 레이저 물리치료, Dexamethasone 주사를 시행하고 경과를 관찰하였다(Fig 13-23~25). **2011년 7월 1일 통증 및 25 mm 개구제**

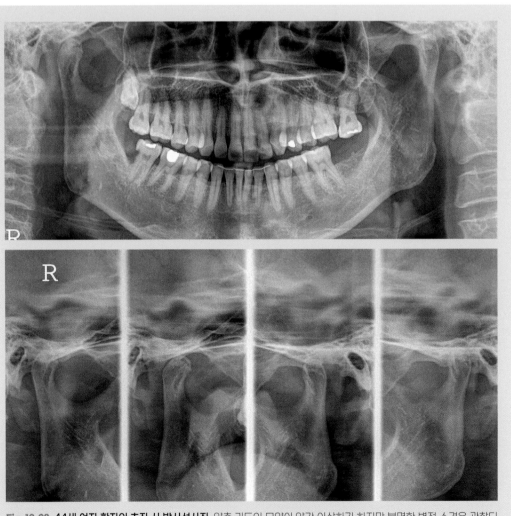

Fig. 13-23. 44세 여자 환자의 초진 시 방사선사진. 양측 과두의 모양이 약간 이상하긴 하지만 분명한 병적 소견은 관찰되지 않는다.

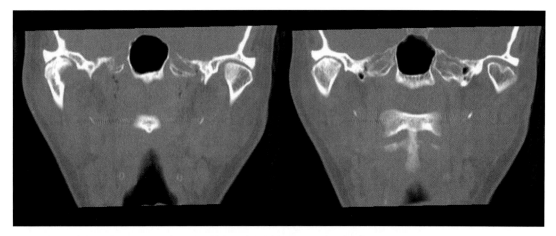

Fig. 13-24. CT에서 우측 과두의 불규칙한 관절면과 관절강이 협소해진 소견이 관찰된다.

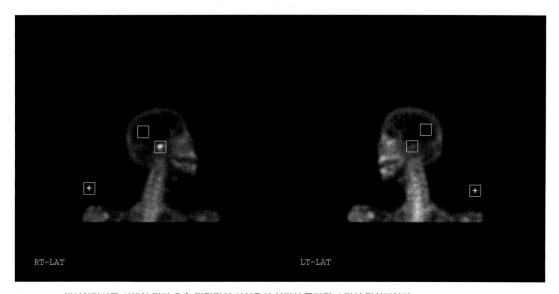

RT-LAT   LT-LAT

Fig. 13-25. 핵의학검사를 시행한 결과 우측 턱관절의 섭취율이 현저히 증가된 소견이 관찰되었다.

한이 지속되어 스플린트를 조정하고 우측 턱관절강에 Guardix를 주입하고 Mesexin 500 mg bid, Reumel 7.5 mg bid, Methylon 4 mg bid를 5일분 처방하였다. **2011년 9월 9일** Guardix를 다시 주사하고 약을 5일분 처방하였으며 이후 증상이 호전되지 않으면 턱관절경 시술을 시도해 보기로 계획하였다. **2011년 11월 4일** 내원 시 20-30 mm 개구제한과 우측 턱관절 통증 및 압통이 지속되고 말할 때도 아프면서 일상생활에 심각한 지장을 초래한다고 하였다. **2011년 11월 16일** 전신마취하에서 우측 턱관절경 시술(arthroscopic lavage and lysis)을 시행하고 Guardix를 주입하였다**(Fig 13-26)**. 이후 적극적인 물리치료 및 약물치료를 시행하면서 경과를 관찰하였고 **2011년 11월 24일** 45 mm 개구량이 확보되면서 통증과 악골움직임이 많이 호전되었다. 그러나 **2011년 12월 16일** 내원 시 양측 턱관절 통증이 다시 심해졌으며 우측은 수술 전과 동일한 정도의 통증을 호소하였다. 스플린트를 조정하고 레이저 물리치료를 시행한 후 Celebrex 200 mg을 2주 처방하였다. **2012년 1월 2일** 우측 턱관절강에 Dexamethasone을 주사하고 물리치료, 스플린트 치료를 계속하였으나 증상은 다시 악화되면서 초진과 거의 동일한 상태로 회귀되었다. **2012년 2월 27일** 턱관절 MRI를 촬영한 결과 우측 턱관절의 퇴

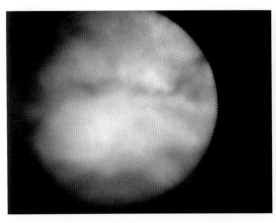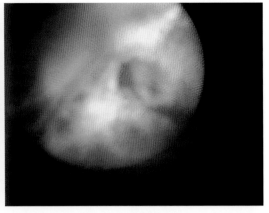

Fig. 13-26. 우측 상관절강의 턱관절경 사진. 섬유성 유착증, fibrillation, ecchymosis 소견이 관찰되었다.

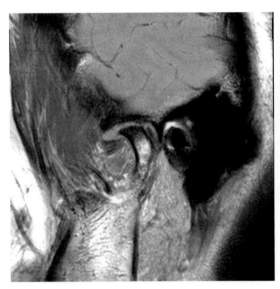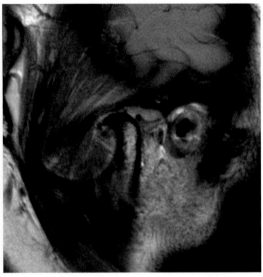

Fig. 13-27. 우측 턱관절 MRI 사진. 턱관절의 퇴행성 변화 및 관절강이 좁아진 소견이 관찰된다.

행성 변화 및 관절강이 좁아진 소견이 관찰되어 우측 턱관절 퇴행성관절염(턱관절장애 4형)으로 최종 진단하고 턱관절 개방수술을 결정하였다(Fig 13-27).

　2012년 3월 21일 우측 턱관절을 노출시킨 결과 관절원판은 완전히 파괴된 상태로 전내방으로 전위되어 있었고 관절원판후조직은 천공된 상태였으며 관절강 내에 염증성 산물들이 존재하고 있었다. 관절원판절제술, 관절융기절제술 및 과두성형술을 시행하고 하방기저 측두근근막피판(inferiorly-based temporalis fascia-muscle flap)을 거상하여 관절강으로 이동시킨 후 봉합하여 고정하였다. 이후 유착방지제 Guardix를 관절강에 주사한 후 창상을 봉합하고 수술을 종료하였다(Fig 13-28A). 2012년 3월 27일부터 적극적인 개구운동과 물리치료를 시작하였으며 2012년 3월 30일 봉합사를 제거하고 스플린트를 조정하여 장착하도록 하였다. 2012년 4월 6일 내원 시 개구량은 35 mm였고 교합할 때 우측 구치부가 먼저 닿는 양상을 보였다. 스플린트를 조정하고 레이저 물리치료를 시행한 후 Imotun을 4주 처방하였다(Fig 13-28B). 1개월 간격으로 경과를 관찰하였으며 2013년 8월 6일 관련 증상들이 거의 소멸되어 치료를 종료하였다. 2014년 11월 26일 수술이 시행된 우측 턱

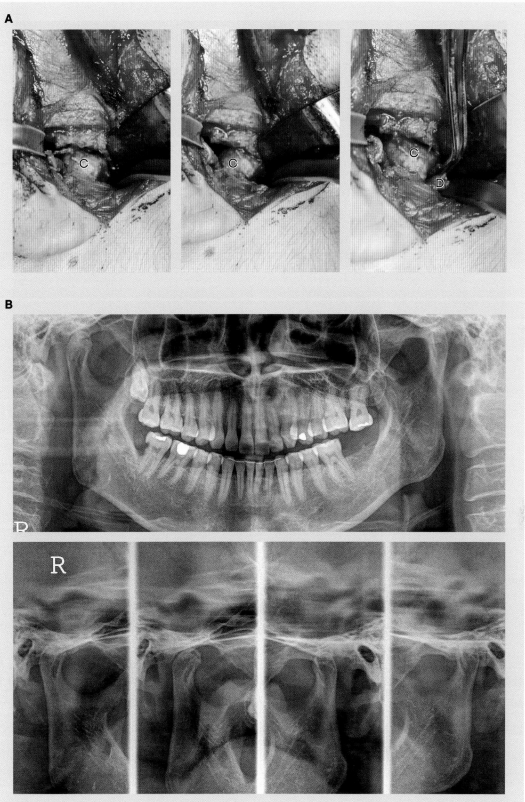

Fig. 13-28. A: 우측 턱관절을 노출시킨 모습. 상관절강이 매우 좁아진 상태에서 관절원판은 전내방으로 전위되어 있었고 관절원판후조직이 천공된 상태였다. **B:** 수술 1개월 후 방사선사진

C: condyle, D: disc.

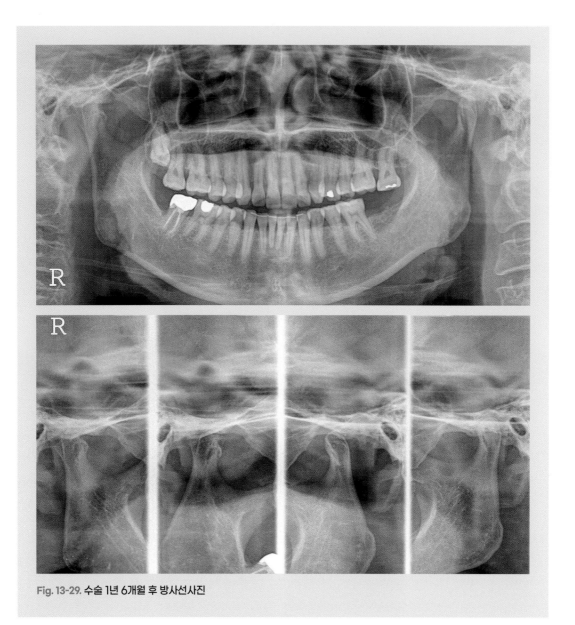

Fig. 13-29. 수술 1년 6개월 후 방사선사진

관절은 전혀 이상이 없으나 좌측 턱관절에서 간헐적 통증이 발생하고 좌측 측두근과 턱관절 측방 촉진 시 압통이 존재하여 스플린트를 조정하여 1개월간 장착하도록 하고 좌측 턱관절강에 Dexamethasone을 주사한 후 Mesexin 500 mg bid, Reumel 7.5 mg bid, Methylon 4 mg bid를 5일분 처방하였다. 이후 환자는 불편감이 없어서 내원하지 않고 있다(Fig 13-29).

1️⃣ 6개월간 보존적 치료 후 반응을 보이지 않아서 의뢰됨

2️⃣ 턱관절장애 4형

3️⃣ 약물, 물리치료 및 스플린트 치료, 관절강 주사, 턱관절경 시술에도 반응을 보이지 않음

🖊 **치료 및 경과**

1️⃣ 턱관절 개방수술: 관절원판절제술, 과두성형술, 관절융기절제술, 측두근근막피판 재건술

2️⃣ 술 후 적극적인 관리: 약물, 물리치료, 스플린트 치료, 관절강 주사

3️⃣ 경과 양호

🔊 **Comment**

● 보존적 치료를 담당했던 치과의사가 6개월 이내에 반응을 보이지 않는 난치성 턱관절장애 환자를 적절한 시점에 의뢰하였다. **1차 치료를 담당했던 치과의사는 턱관절장애 치료에 적절한 치료 개념을 가지고 있으며 자신의 치료에 반응을 보이지 않자 다른 전문가에게 시기적절하게 의뢰한 것이다.** 필자도 초기에는 보존적 치료를 시행하면서 추가로 관절강 주사 및 턱관절경 시술을 시행하였으나 증상은 전혀 개선되지 않았다. MRI 검사 결과 우측 턱관절의 퇴행성 변화가 심한 것이 확인되어 환자와 상담 후 턱관절 개방수술을 시도해 보기로 결정하였다. 턱관절장애 진단 시 MRI는 필수적인 것이 아니다. 대부분의 턱관절장애는 임상검사 및 일반 방사선사진을 통해 진단이 가능하다. **처음부터 일상적으로 MRI 검사를 시행해선 안 된다. 일정 기간 보존적 치료에 반응을 보이지 않는 턱관절장애, 병사용 진단, 상해진단서, 후유장애진단서와 같은 주요 의료 문서 작성 시, 종양이나 심각한 감염이 의심되는 경우에 촬영해야 한다.**

본 증례에서 시행된 외과적 처치는 관절원판절제술, 과두성형술 및 관절융기절제술이었다. 관절을 노출시킨 결과 관절원판이 심하게 파괴된 상태여서 제거하였으며 턱관절강직증을 방지하고 관절원판의 부분적 재건 목적으로 측두근근막피판이 사용되었다. 수술 후 적극적인 후관리가 잘 이루어졌으며 경과도 비교적 양호하였다.

본 증례에서 얻을 수 있는 교훈은 외과적 처치는 최후의 방법으로 선택되어야 하며 모든 턱관절장애는 단계별로 치료가 이루어져야 한다는 것이다. 상담 및 투약, 물리치료, 스플린트 치료, 관절강주사, 턱관절경 시술이 시행되었고 이 모든 치료에도 불구하고 증상이 전혀 호전되지 않아 최후의 방법으로 외과적 처치가 시행되었다. 또한 우측 턱관절장애가 잘 치유된 후 좌측 턱관절장애 증상이 나타났고 안정위스플린트, 약물, 주사 및 물리치료를 시행하여 잘 치유시킬 수 있었다. **한쪽 턱관절의 이상 증상이 치료되더라도 턱관절에 과부하가 지속적으로 가해진다면 다시 재발할 수 있고 반대 측 턱관절에서 증상이 심해질 수도 있다. 임상가들은 이런 상황들을 잘 이해하고 있어야 하며 모든 턱관절장애 환자들을 치료할 때 잘 설명해야 한다.**

Case 5 > 난치성 턱관절장애 환자의 턱관절 개방수술 실패

40세 여자 환자 환자가 좌측 턱관절 통증 및 잡음을 주소로 내원하였다. 1년 전부터 증상이 시작되었고 두통, 목 후방부, 양측 귀 통증, 좌측 턱관절 측방과 후방 촉진 시 압통, 교합이상, 이명이 존재하였고 통증은 아침에 일어날 때 심하다고 하였다. TMD/RDC Axis Ⅱ 평가에서 중등도의 depression and vegetative symptoms, Grade Ⅱ chronic pain score, 심한 비특이성 신체증상 소견들이 관찰되었다. 의과적 병력은 심한 두통과 어지럼증이 5년 전부터 존재하여 신경과 진료를 받고 있었다. 방사선사진에서는 특이 소견이 관찰되지 않아 턱관절장애 1, 2, 3형과 야간 이갈이로 잠정 진단하고 상담 및 주의사항을 설명하고 2주간 약물 (Amitriptyline qd, Carol-F bid)을 처방하였다(**Fig 13-30**). **2008년 2월 15일** 증상이 더 심해졌으며 양측 광대뼈 부분과 턱관절 주변 통증이 매우 심해서 말하는 것과 음식 먹는 것이 힘들다고 하였다. 안정위스플린트 제작을 위해 인상을 채득하고 Celebrex 200 mg qd, Sensival 10 mg qd를 2주 처방하였다. **2008년 2월 29일** 스플린트를 장착하고 2주 간격으로 경과를 관찰하였다. **2008년 4월 18일** 15 mm의 개구제한이 존재하면서 좌측 턱관절 통증이 매우 심해졌다고 하여 좌측 턱관절강에 Hyruan을 주사하고 Mesexin 500 mg bid, Catas 50 mg (Diclofenac potassium) bid, Methylon 4 mg bid를 5일 처방하였다. **2008년 5월 23일** 좌측 턱관절강에 Guardix 2차 주사, **2008년 7월 11일** 3차 주사를 시행하였으나 경과는 전혀 호전되지 않아 턱관절경 시술 (arthroscopic lavage and lysis)을 시도해 보기로 결정하였다. **2008년 9월 24일** 전신마취하에서 좌측 턱관절경 시술을 시행하고 Guardix를 주입하였다. 통상적인 시술 후 처치 및 물리치료가 시행되었으나 5일 후부터 속이 울렁거리는 증상과 좌측 측두근 및 눈 주변의 심한 통증을 호소하였다. 적극적인 약물(Celebrex) 및 물리치료를 시행하였으며 **2009년 1월 30일** 통증 및 개구장애가 현저히 개선되어 치료를 종료하였다.

2011년 3월 21일 20 mm 개구제한과 좌측 턱관절의 심한 통증을 호소하면서 내원하였고 물리치료를 시행하고 Naxen-F 500mg bid 1주 처방하였다. 당일 신경과에서 어지럼증 진료를 받고 Pranol 40mg bid (Propranolol), Nimotop 30 mg bid (Nimodipine), Topamax sprinkle 25 mg bid (Topiramate), Rivotril 0.5 mg bid, Lexapro 10 mg qd (Escitalopram)을 처방 받았다. **2011년 3월 28일** 증상이 전혀 호전되지 않아 Dexamethasone을 관절강에 주사하고 레이저 물리치료를 시행하고 Celebrex를 1주 처방하였다(**Fig 13-31**). **2013년 6월 14일** Dexamethasone 주사, **2013년 6월 28일, 2013년 7월 26일, 2013년 8월 23일, 2013년 9월 27일** Guardix 주사, 약물 및 물리치료를 시행하였음에도 불구하고 전혀 증상이 호전되지 않아 턱관절 개방수술을 시도해 보기로 결정하였다. **2014년 2월 18일** 수술 동의서를 받을 때 심한 불안감을 표현하였고 인터넷을 검색해 보니 턱관절 수술은 굉장히 위험하고 뇌와 가까운 부위여서 무섭다고 하였으며 이전에 정형외과에서 우측 팔 수술을 받았다가 실패하여 재수술한 경험이 있다고 하였다.

2014년 2월 19일 전신마취하에서 좌측 턱관절에 접근한 후 전방으로 전위되어 유착된 상태로 움직이지 않는 관절원판을 후방으로 원위치 시켰고 관절융기절제술을 시행한 후 관절강에 Guardix를 주입하고 수술을 종료하였다(**Fig 13-32**). 술 후 약물 및 물리치료를 시행하면서 경과를 관찰하였으며 **2014년 3월 14일** 개구량

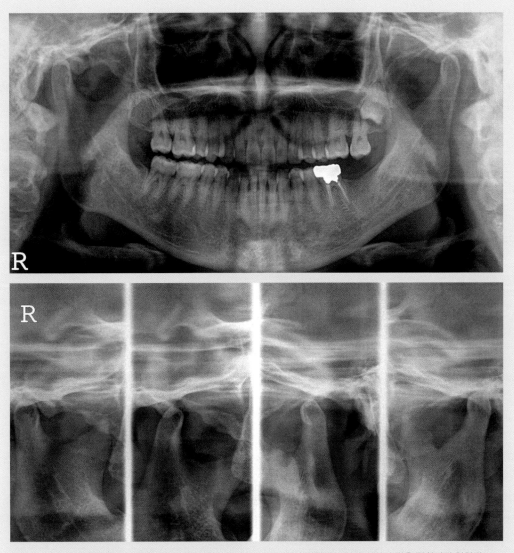

Fig. 13-30. 40세 여자 환자의 초진 시 방사선사진. #37이 소실된 것 외 턱관절 부위에 이상 소견은 관찰되지 않았다.

은 35 mm를 회복하였으나 음식 씹을 때 좌측 턱관절 통증은 지속된다고 하였다. 1개월 간격으로 스플린트 조정 및 물리치료를 시행하였고 개구량은 40 mm까지 정상으로 회복되었으나 좌측 턱관절 통증으로 인해 김밥, 김치를 잘 먹지 못한다고 호소하였다. **2014년 8월 22일** 좌측 턱관절강에 Dexamethasone을 주사하였고 **2015년 2월 27일** 스플린트 조정 및 Dexamethasone 주사, **2015년 5월 29일** Guardix 주사를 시행하였다. 수술 후 좌측 턱관절 통증이 더 심해졌고 개구량은 30 mm로 다시 감소되었으며 좌측 안면이 자주 붓고 아프다고 호소하였다. Celebrex 200 mg qd, Neurontin 100 mg tid를 처방하고 스플린트를 다시 만들어서 장착해 주고 경과를 관찰하였다. **2015년 7월 10일** 좌측 턱관절의 극심한 통증을 호소하여 Guardix를 주사하고 물리치료를 시행하였다. 적극적인 약물, 주사 및 물리치료에도 불구하고 증상은 더욱 악화되었으며 **2015년 9월 11일** 환자 및 보호자와 상담하면서 재수술을 다시 시도해 보는 것에 대해 설명하였다.

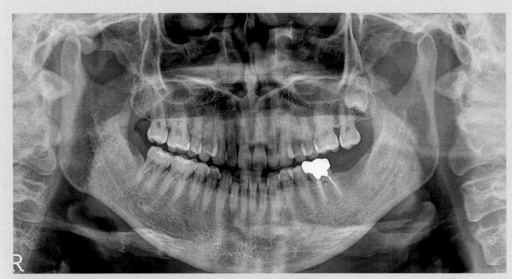

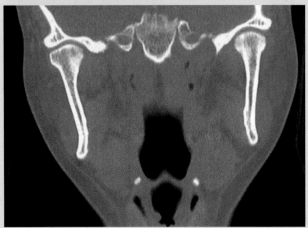

Fig. 13-31. 2011년 3월 28일 촬영한 파노라마 및 CT 방사선사진. 턱관절 부위의 이상 병변은 관찰되지 않았다.

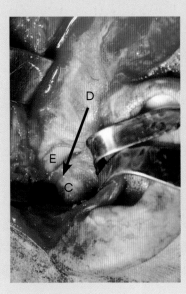

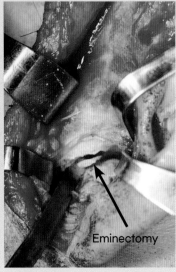

Fig. 13-32. 좌측 턱관절을 노출시킨 결과 관절원판은 전내방으로 전위된 상태로 유착되어 있었으며 손가락으로 입을 벌릴 때 움직임이 거의 없었다. 유착부위를 박리하고 관절원판을 후방으로 원위치시켜 주변조직과 봉합하였다. 이후 관절융기절제술(Eminectomy)를 시행하였다. D: disc, E: Articular eminence, C: Condyle.

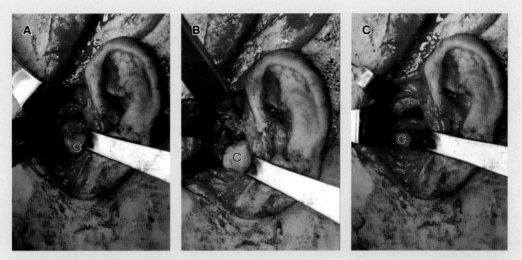

Fig. 13-33. 2차 수술 모습. A: 관절원판성형술, 관절융기절제술 및 고위과두절제술(high condylectomy)을 시행하고 관절강과 주변에 Guardix를 주입하였다. 상관절강, 관절원판과 과두를 노출시킨 후 유착된 관절원판을 박리하였다. **B:** 하관절강과 하악과두를 충분히 노출시킨 후 과두 상방부의 불규칙한 면을 절제하여 다듬고 관절융기절제술을 다시 시행한 후 평탄하게 다듬어 주었다. **C:** 손가락으로 입을 벌릴 때 과두가 전방으로 잘 움직이는 것을 확인하였다. C: Condyle.

    2015년 9월 30일 전신마취하에서 좌측 턱관절에 접근한 결과 관절원판이 관절와에 견고하게 유착되어 있는 소견이 관찰되었다. 관절원판성형술, 관절융기절제술 및 고위과두절제술(high condylectomy)을 시행하고 Guardix를 주입하고 수술을 종료하였다(Fig 13-33). 술 후 교정용 미니스크류에 고무링을 걸어서 교합안정을 위한 견인치료를 시행하였고 약물 및 물리치료 및 스플린트 치료를 계속하였다(Fig 13-34). **2015년 11월 6일** 개구량은 35 mm, 좌측 턱관절 주변의 열감과 화끈거리는 통증, 측두부 통증을 호소하였다. 지속적인 스플린트 및 물리치료에도 불구하고 통증이 지속되어 **2015년 12월 11일** 양측 측두근과 교근 부위에 보툴리눔독소 100U를 주사하고 Ultracet를 2주 처방하였다. **2015년 12월 21일** Neurontin 100 mg tid을 4주 처방하였으며 **2015년 12월 28일** 스플린트를 두껍게 조정하여 구치부가 거상되도록 하였고 Neurontin 200 mg tid로 증량 처방하였다. **2016년 1월 4일** 양측 측두부와 좌측 귀 전방부의 통증이 지속되어 Neurontin 300 mg tid, Lyrica 75 mg bid를 처방하였다. 가능한 모든 치료법을 적용하여도 증상이 호전되지 않아 필자와 개념이 다른 치과의사에게 Template 치료에 대해 의뢰하였고 **2016년 2월 5일**부터 template를 장착하고 치료가 시작되었다. 본원에서도 정기적으로 내원하면서 물리치료와 약물치료를 받았으나 전혀 호전되지 않았고 **2016년 2월 22일** 개구량이 20 mm로 줄어들면서 양측 턱관절의 극심한 통증을 호소하였다. 양측 턱관절강에 Dexamethasone을 주사하고 Mesexin 500 mg bid, Methylon 4 mg bid, Naxen-F 500 mg bid를 5일 처방하였다. **2016년 3월 3일** 개구량 20 mm, 양측 턱관절 측방 및 후방 압통, 양측 교근과 측두근 압통이 심해져서 물리치료와 함께 Baclofen 10 mg tid, Naxen-F CR 1,000 mg qd를 처방하였다. **2016년 3월 11일** 양측 교근과 측두근에 보툴리눔독소를 2차 주사하고 Baclofen을 계속 처방하였다. **2016년 4월 8일** 좌측 눈 주위 떨림 증상과 안면 부종이 발생하여 2-3시간 지속된다고 하였으며 **2016년 5월 13일** 통증이 여전히 심하고 전혀

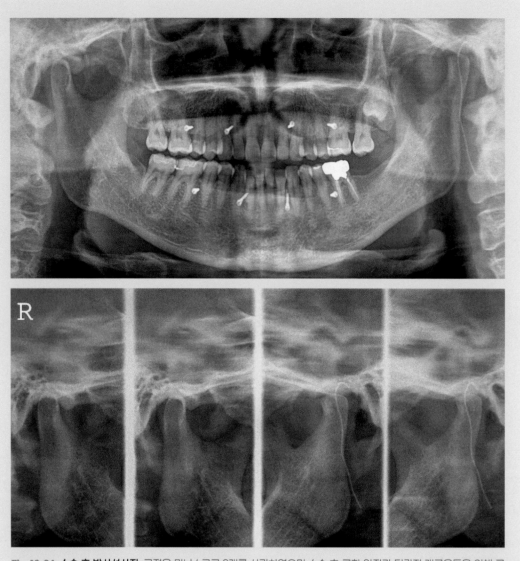

Fig. 13-34. 수술 후 방사선사진. 교정용 미니스크류 8개를 식립하였으며 수술 후 교합 안정과 턱관절 개구운동을 위해 고무링을 걸어서 견인치료를 시행하였다.

나아지지 않으며 좌측 측두부에 무엇인가 흐르는 듯한 느낌이 자주 발생하여 만져보면 아무 것도 없다고 하였다. 식사할 때 좌측 측두부가 붓는 증상이 반복된다고 하였다. 이후 환자는 본원에서의 진료를 중단하고 다른 병원 진료를 희망하여 의무기록지와 방사선검사 사본 및 진료회송서를 작성하고 본원에서의 진료는 중단되었다(Fig 13-35, 36).

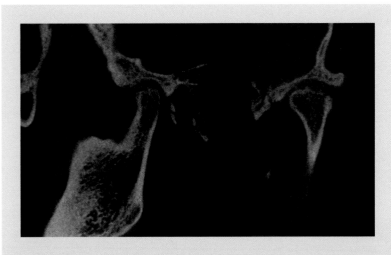

Fig. 13-35. 2016년 5월 13일 촬영한 좌측 CT 사진. 과두의 편평화 및 불규칙한 관절면 소견이 관찰되면 수술 후 골개조가 이루어지고 있는 것으로 판단된다.

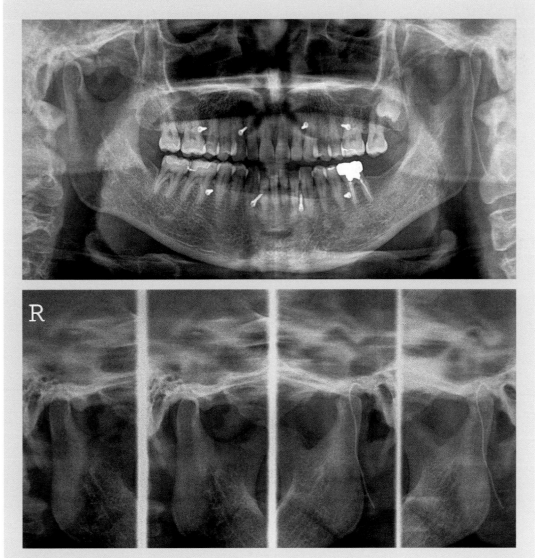

Fig. 13-36. 2016년 5월 13일 촬영한 방사선사진. 본원에서의 진료는 중단되었다.

⊗ Problem lists

1 난치성 턱관절장애

2 이갈이

3 신경과 진료: 두통 및 어지럼증

4 정형외과 수술 실패 병력

5 신체화증

6 다양한 보존적 치료에 반응을 보이지 않음

7 턱관절경 시술에 반응을 보이지 않음

🖐 치료 및 경과

1 1차 턱관절 개방수술 후 적극적인 후속 관리에도 불구하고 전혀 증상이 개선되지 않음

2 2차 턱관절 개방수술 후에도 전혀 증상이 개선되지 않음

3 수차례 관절강 주사, 보툴리눔독소 주사

4 신경병성 통증 치료: Neurontin, Lyrica, Baclofen

5 타 전문의에게 진료 의뢰하였으나 증상 개선되지 않음

6 예후 불량: 본원에서의 진료를 중단하고 의무기록지 사본과 모든 검사 사본을 발급 받아간 후 내원하지 않음

🔊 Comment

● 모든 치료에도 불구하고 전혀 개선되지 않았으며 다양한 신체화 증상 및 신경병성 통증이 발생하였다. **초진 시 두통과 어지럼증으로 신경과 진료를 계속 받고 있는 것을 간과하였으며 보존적 치료 및 턱관절경 시술에 반응을 보이지 않고 다양한 신체화 증상들이 발생할 때 정신건강의학과 협진을 시행했어야 했다. 턱관절 개방수술에 대해 상담할 때에도 환자의 동기부여가 부족하고 수술 및 경과에 많은 의구심을 표현하였음에도 불구하고 수술을 시행한 것은 필자의 실수였다. 또한 2차 재수술을 시행한 것은 더욱 큰 실수였다. 정신적 문제가 개입된 것으로 추정되는 환자를 반복적인 침습적 비가역적 치료를 수행함으로써 증상은 더욱 악화되었고 환자 본인뿐만 아니라 필자도 심적으로 극심한 고통을 겪었던 증례이다.** 필자와 치료 개념이 다른 치과의사에게 의뢰하여 치료를 받았음에도 불구하고 증상은 전혀 개선되지 않았다.

본 증례는 치료하기 힘든 난치성 증례로서 임상가들이 이런 유형의 환자를 만날 때 치료 방법을 신중하게 선택해야 하며 의과 협진 및 다른 치과 전문의들과 협력하여 진단 및 치료를 진행하는 것이 바람직하다는 교훈을 주는 증례이다.

환자 치료가 중단된 후 의무기록지를 꼼꼼하게 살펴보았으며 턱관절 치료 중에 다음과 같은 다양한 의과적 치료가 시행된 것을 확인할 수 있었다.

1. 신경과 진료: 두통, 어지럼증

2. 재활의학과: 턱관절 주변 물리치료

3. 관절센터: 팔꿈치 약물 및 주사치료, 수술: Cubital tunnel syndrome

4. 류마티스내과: 손가락 관절 이상으로 인해 류마티스질환에 대한 진찰

5. 마취통증의학과: 턱관절 및 안면통증 치료

6. 정신건강의학과: 만성통증, 불면증 치료

7. 혈액종양내과: 철결핍성 빈혈

8. 산부인과: 불규칙한 생리

14. 턱관절강직증(TMJ ankylosis)

턱관절 내부 혹은 주변의 골조직 혹은 연조직 증식, 흉터조직, 근육기능장애, 외상 등으로 인해 턱관절의 움직임에 지장이 발생하는 것을 턱관절강직증이라고 한다. 턱관절강직증이 발생하지 않도록 예방 조치를 취하는 것이 가장 중요하지만 일단 발생하면 외과적 처치 이외 다른 치료법은 없다. 많은 환자들이 개구제한을 주소로 치과에 내원하고 있으며 정확한 진단을 통해 조기에 적절한 치료를 시행하여 개구제한을 해소시켜야 한다. 개구제한이 턱관절과 직접적인 연관성이 있는 경우를 진성 턱관절강직증(true TMJ ankylosis)이라 칭하며 턱관절과 무관한 원인들로 인해 발생하는 개구장애들을 가성 턱관절강직증(false TMJ ankyloses)이라고 명명하기도 한다. 턱관절장애, 악안면 부위 외상, 종양, 감염, 오훼돌기 증식, 파상풍, 외상이나 수술 후 악안면 부위에 형성된 흉터 조직 등 매우 다양한 원인들이 관여할 수 있다(Freihofer HPM; 1991, Kang HJ, et al; 2006).

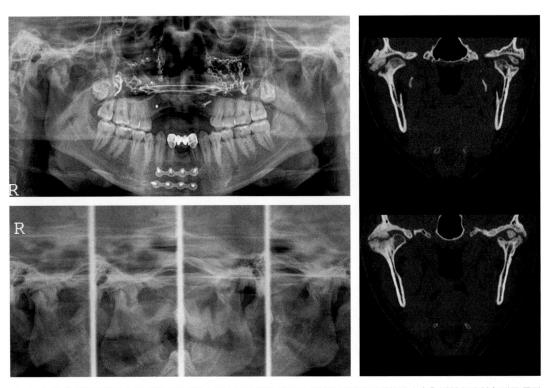

Case 1 > 턱관절강직증으로 인해 입을 거의 못 벌리는 환자에서의 임플란트 치료: 진성 골성 턱관절 강직증(True, bony TMJ ankylosis)

2012년 1월 16일 19세 여자 환자가 10 mm의 개구제한을 보이는 상태에서 상악 전치부 골이식 및 임플란트 치료가 의뢰되었다. 진료의뢰서에는 2년 전 교통사고로 인해 상하악 다발성 골절이 발생하여 수술을 받았는데 당시 발생한 하악과두 골절에 대한 치료는 이루어지지 않은 것으로 기록되어 있었다. 방사선사진과 임상소견을 기반으로 양측 턱관절강직증으로 인한 개구장애, 상악 전치부 치조골 퇴축 및 소실로 진단하고 턱관절강직증 수술, 골이식술, 임플란트 지연식립 순으로 단계별 수술을 계획하였다(Fig 14-1).

2020년 6월 27일 전신마취하에서 양측 턱관절성형술이 시행되었다. 전이개 접근법을 통해 하악과두, 관절강, 관절원판, 관절와를 충분히 노출시킨 후 1 cm 크기의 과두절제술을 시행하였다. 강직증 재발을 방지하기 위해 골절제 부위에 하방기저 측두근근막피판(Inferiorly based temporal musculofacial flap)을 삽입하여

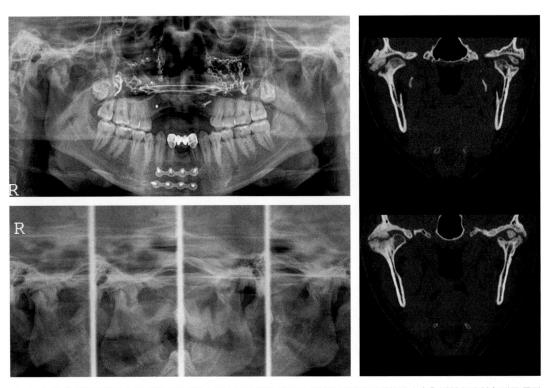

Fig. 14-1. 19세 여자 환자의 초진 시 방사선사진. 교통사고로 인한 다발성 안면골 골절이 발생하여 수술을 받았으며 양측 과두 골절부에 대한 수술은 시행되지 않았다. 양측 과두의 형태가 비정상적이고 좌측 과두 골절편이 잔존하고 있고 우측은 과두 골절부가 부정유합된 소견이 관찰된다. 골성 강직증 소견은 없었지만 관절강이 매우 좁아진 상태이며 비정상적인 과두 형태로 인해 개구제한이 지속되는 것으로 확진하였다.

고정하고 창상을 봉합하였다(Fig 14-2, 3). 수술 다음 날부터 적극적인 개구운동과 물리치료를 시행하였으며 과두절제술로 인해 발생한 전치부 개방교합을 최소화하기 위해 교정용 미니스크류를 상하악 전치부에 4개 삽입하고 고무링을 이용한 견인치료를 시행하였다. 술 후 개구량은 40 mm까지 증가되었다(Fig 14-4, 5).

2013년 3월 18일 국소마취하에서 #13-23 부위 치조정절개와 양측 수직이완절개를 시행하여 골조직을 노출

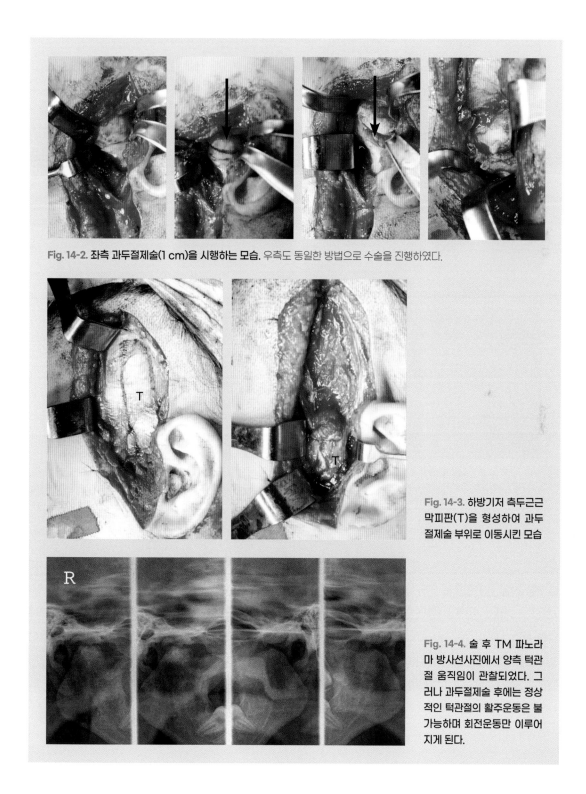

Fig. 14-2. **좌측 과두절제술(1 cm)을 시행하는 모습.** 우측도 동일한 방법으로 수술을 진행하였다.

Fig. 14-3. 하방기저 측두근근막피판(T)을 형성하여 과두절제술 부위로 이동시킨 모습

Fig. 14-4. 술 후 TM 파노라마 방사선사진에서 양측 턱관절 움직임이 관찰되었다. 그러나 과두절제술 후에는 정상적인 턱관절의 활주운동은 불가능하며 회전운동만 이루어지게 된다.

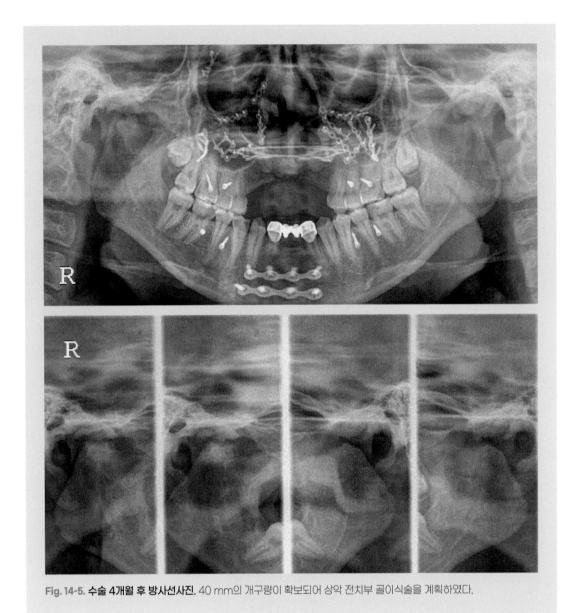

Fig. 14-5. 수술 4개월 후 방사선사진. 40 mm의 개구량이 확보되어 상악 전치부 골이식술을 계획하였다.

시킨 후 ExFuse와 InduCera를 혼합하여 이식하고 BioArm 차폐막을 피개한 후 봉합하였다(**Fig 14-6, 7**). **2013년 7월 29일** 임플란트를 3개 식립(Zimmer, #13:3.7 D/11.5 L, #11:3.3 D/10 L, #22:3.3 D/10 L, Osstell, #13:73, #11:56, #22:65 ISQ)하고 덮개나사를 연결하였다. 주변에 추가로 Inducera를 이식하고 봉합하였다(**Fig 14-8**). **2013년 12월 31일** 2차 수술(Osstell, #13:76, #11:70, #22:70)을 시행하고 **2014년 2월 28일** 상부 보철물이 장착되었다. 이후 6개월 간격으로 정기 유지관리가 이루어지고 있으며 개구량은 40 mm 이상을 유지하면서 임플란트 모두 정상적 기능을 유지하고 있다(**Fig 14-9, 10**).

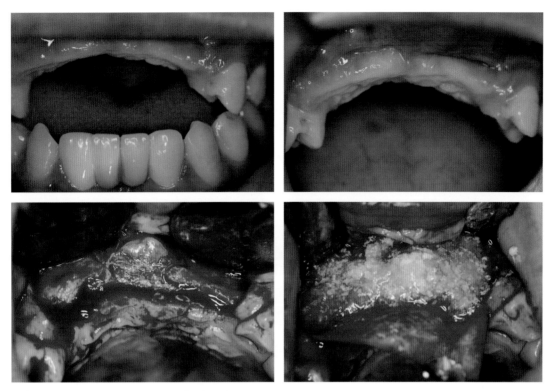

Fig. 14-6. 상악 전치부 치조골증대술을 시행하는 모습

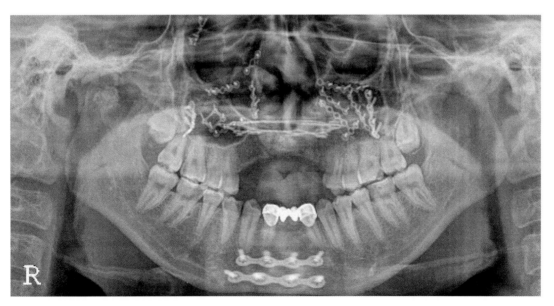

Fig. 14-7. 치조골증대술 후 파노라마 방사선사진

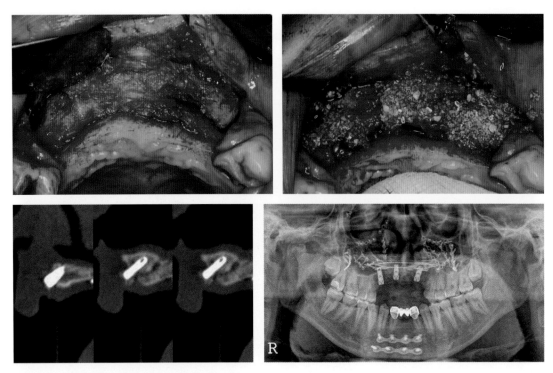

Fig. 14-8. 치조골증대술 4개월 후 임플란트를 식립하였다.

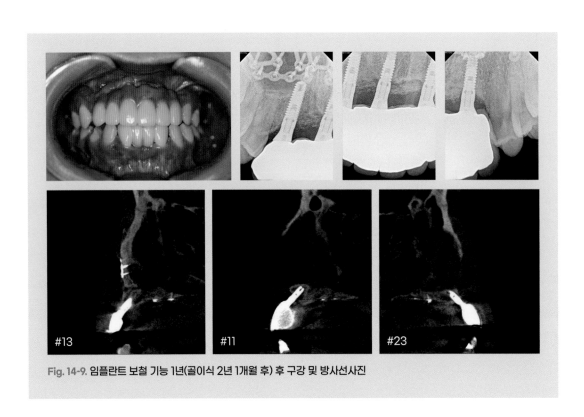

#13

#11

#23

Fig. 14-9. 임플란트 보철 기능 1년(골이식 2년 1개월 후) 후 구강 및 방사선사진

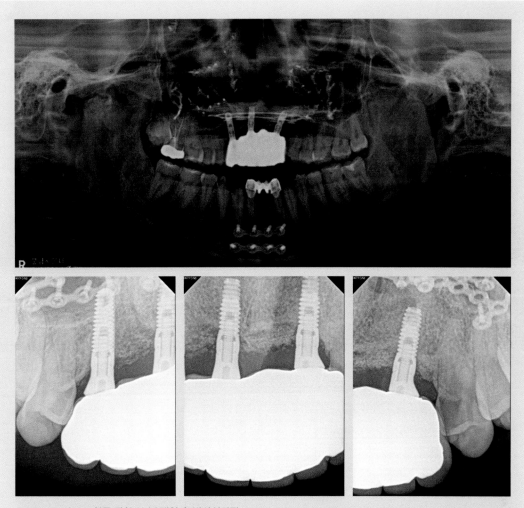

Fig. 14-10. 상부 보철물 장착 6년 2개월 후 방사선사진

⊗ Problem lists

1. 외상으로 인한 안면골 골절
2. 개구제한
3. 턱관절강직증
4. 치조골 퇴축
5. 부정교합

치료 및 경과

1. 턱관절강직증 수술
2. 술 후 적극적인 물리치료
3. 교합회복을 위해 고무링을 이용한 견인치료 시행
4. 치조골증대술
5. 임플란트 지연식립

🔊 Comment

● 턱관절강직증으로 인한 개구장애로 인해 통상적인 치과치료가 불가능한 상태의 환자였다. **턱관절강직증 수술은 매우 어렵고 수술 시간이 많이 소요되며 출혈이 많이 발생하는 위험한 수술이다. 반드시 재발 방지를 위해 최소 1 cm 간격의 골절제술이 시행되고 그 사이에 어떤 조직을 삽입하고 수술 후 적극적인 개구운동이 시행되어야 한다.** 본 증례에서는 측두근근막피판이 사용되었으며 수술 후 교합 회복을 위해 교정용 미니 스크류를 삽입하고 고무링을 이용한 견인치료와 함께 물리치료가 시행되어 40 mm의 충분한 개구량을 회복시킬 수 있었다.

외상으로 인해 상악 전치부가 상실되고 장기간 방치됨으로 인해 치조골 퇴축이 심하였고 심미성이 요구되는 부위이기 때문에 골이식과 임플란트 지연식립을 시행한 것은 매우 적절한 치료방법이었다. 본 증례의 환자는 나이가 젊고 전신건강상태가 매우 양호하였기 때문에 어려운 수술에 잘 견디면서 좋은 치유가 이루어진 매우 다행스러운 경우였다.

개원의 선생님들은 이와 같은 증례는 절대로 건드리지 말고 초진 이후 즉시 구강악안면외과 전문의가 근무하는 상급 의료기관으로 의뢰할 것을 권유한다.

Case 2 > 9년 이상 개구제한이 지속된 54세 여자 환자의 턱관절 개방수술 증례: 가성 턱관절강직증 (False TMJ ankylosis)

2012년 2월 2일 54세 여자 환자가 개구제한을 주소로 내원하였다. 9년 전부터 입이 안 벌어지기 시작하였으며 개구량은 20 mm로 측정되었고 우측 턱관절 측방 및 후방 촉진 시 압통을 호소하였다. #17, 35, 36, 46, 47이 소실된 상태였고 방사선사진에서 우측 과두의 저형성 및 침식증, 피질골의 일부 흡수와 #33, 34 치근단 방사선 투과성 병소가 관찰되었다(Fig 14-11). 턱관절장애 3형(비정복성 관절원판 전방전위 혹은 섬유성 유착증)을

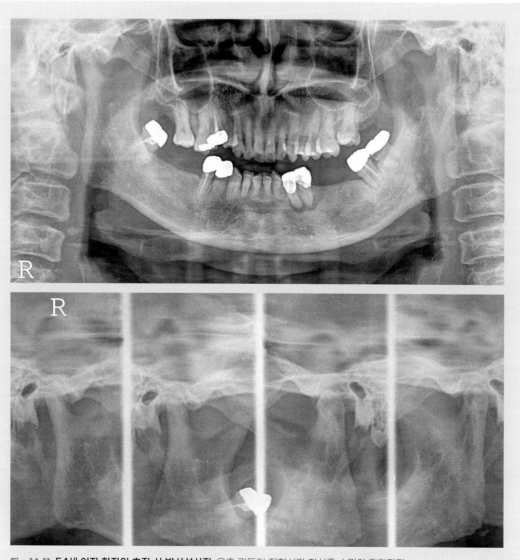

Fig. 14-11. 54세 여자 환자의 초진 시 방사선사진. 우측 과두의 저형성과 침식증 소견이 관찰된다.

감별하기 위해 Manipulation을 시도해 보았으나 개구량은 전혀 개선되지 않고 우측 턱관절의 극심한 통증을 호소하였다. 평상시 두통이 심하고 아침에 턱이 뻐근한 증상이 심하다고 하였으며 의과적 병력은 고혈압, 고지혈증, 어지럼증, 정신건강의학과 치료를 받고 있었다. 정확한 감별진단을 위해 핵의학검사, TMJ CT, 혈액검사를 시행하고 이갈이 감별을 위해 BiteStrip 평가를 시행하였다.

2012년 3월 16일 내원 시 BiteStrip: 3으로 심한 이갈이가 강하게 의심되었고 핵의학검사에서 우측 턱관절의 섭취율이 증가된 양상을 보였으며 CT에서는 우측 과두의 관절면이 불규칙하고 관절강의 공간이 좁아진 상태였다(Fig 14-12, 13). 임상 증상과 방사선사진을 기반으로 턱관절장애 1, 3, 4형, 이갈이 및 섬유성 턱관절강직증으로 최종 진단되었으며 우측 턱관절 개방수술을 계획하였다.

2012년 3월 28일 전신마취하에서 우측 귀 전방에서 접근하여 턱관절을 노출시켰다. 관절원판은 후방 조직이 파열된 상태로 전내방으로 전위되어 있었으며 원위치로 정복시킨 후 주변 조직과 봉합하여 고정하였고 관절융기절제술과 과두성형술을 시행하였다. 관절강에 유착방지제 Guardix를 주입하고 드레인을 삽입한 후 층별로 봉합하였다(Fig 14-14). 반대측 턱관절강은 세정술을 시행한 후 Guardix를 주입하였다. 수술 2일 후부터 적극적인 개구운동과 턱관절 물리치료를 시행하였으며 수술 1주일 후 봉합사를 제거하였다. 2012년 5월 25일 35 mm 개구량을 회복하였으며 개구운동을 열심히 하도록 설명하고 치료를 종료하였다(Fig 14-15).

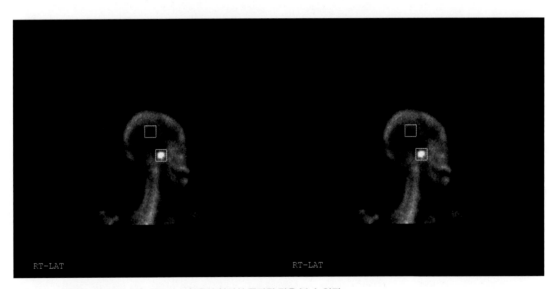

Fig. 14-12. 핵의학검사에서 우측 과두의 섭취율이 현저히 증가된 것을 볼 수 있다.

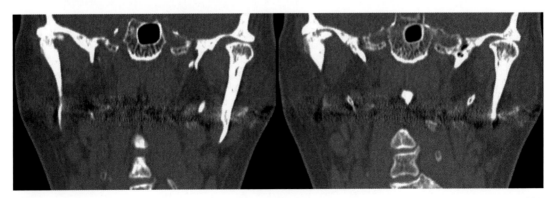

Fig. 14-13. CT에서 우측 과두의 관절면이 불규칙하고 관절강이 현저히 좁아진 소견이 관찰되지만 하악과두와 관절와 사이의 완전한 골유착 소견은 보이지 않았다.

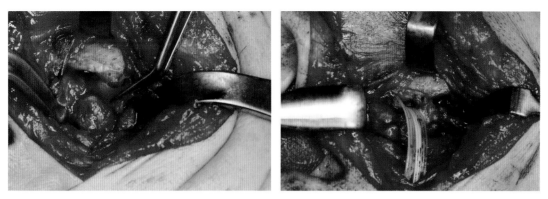

Fig. 14-14. 관절원판후조직이 파열된 상태로 전방으로 전위되어 있는 것이 확인되었으며 원위치로 정복시킨 후 주변 조직과 봉합하였다. 이후 과두성형술과 관절융기절제술을 시행하였다. 상관절강에 유착방지제를 주입한 후 Silastic drain을 삽입하고 봉합하였다.

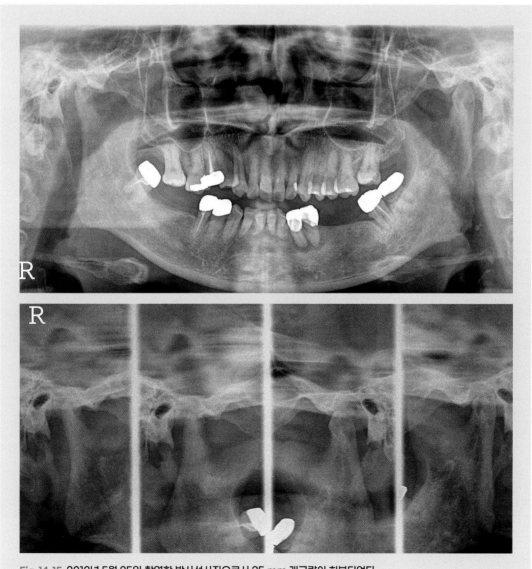

Fig. 14-15. 2012년 5월 25일 촬영한 방사선사진으로서 35 mm 개구량이 회복되었다.

⊗ Problem lists

1 개구제한

2 턱관절장애 3, 4형

3 이갈이

치료 및 경과

1 턱관절 개방수술: 관절원판성형술, 관절융기절제술, 과두성형술

2 수술 후 적극적인 물리치료 및 개구운동

3 예후 양호

🔊 Comment

● 만성 턱관절장애(골관절염 및 비정복성 관절원판 전방전위)로 인해 입이 잘 안 벌어지는 경우는 진성 섬유성 턱관절강직증(true fibrous ankylosis)의 일종으로 볼 수 있다. 본 증례는 약 9년간 입이 잘 안 벌어지는 증상이 지속되었으며 턱관절 기능이 장기간 제한을 받으면서 관절원판 전위 및 파괴, 골관절염이 진행되었다. **만성 턱관절장애는 관절강의 섬유성유착을 야기하면서 개구장애를 초래하게 된다.** 골성 턱관절강직증(bony TMJ ankylosis)과 감별해야 하며 난치성 턱관절장애의 턱관절 개방수술에 준하는 방법으로 치료하여 좋은 결과를 얻을 수 있었다.

Case 3 > 구강 내 협점막의 흉터 밴드(scar band)에 의한 개구제한

2013년 7월 29일 51세 여자 환자가 5 mm 개구량을 주소로 내원하였다. 좌측 협점막에 단단한 띠 형태의 흉터 조직이 존재하면서 하악의 움직임 장애를 초래하고 있었다. 1989년경 OO치과대학병원에서 하악골 악성 종양 수술을 받고 방사선치료를 총 8회 시행 받은 병력이 있었다. 이후부터 개구제한이 시작되었는데 개구량 증가를 위한 수술에 공포감이 있어서 치료가 보류된 상태였다. CT 검사에서는 양측 턱관절강이 협소해져 있

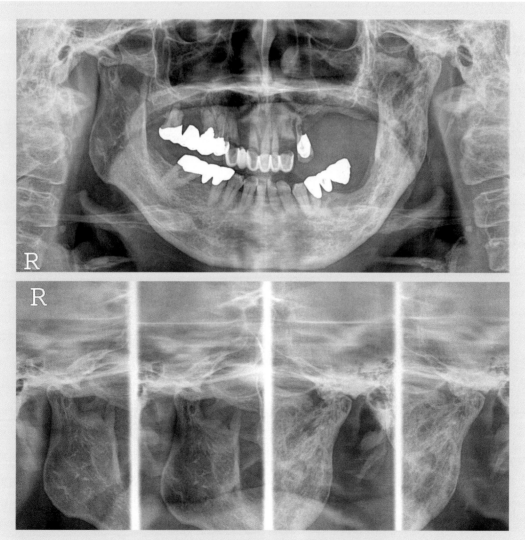

Fig. 14-16. 초진 시 방사선사진. 좌측 과두와 오훼돌기의 형태가 비정상적이며 관절강이 매우 협소해 보인다. 오훼돌기 주변의 방사선 불투과성 병소는 골성 증식으로 추정되며 개구제한의 주원인 중 하나라고 생각된다.

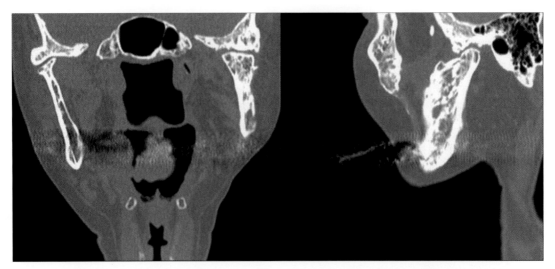

Fig. 14-17. CT에서 양측 턱관절 공간이 매우 협소하고 좌측 과두와 주변 골조직의 형태가 기형적인 것을 볼 수 있다.

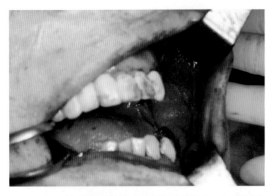

Fig. 14-18. 좌측 협점막의 흉터밴드를 박리하였으나 개구량은 15 mm 이상 증가되지 않았다.

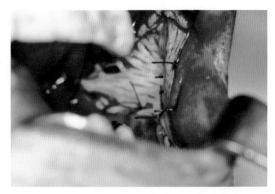

Fig. 14-19. 15 mm까지 개구량을 증가시킨 후 협점막 흉터 박리 부위에 피부이식을 시행하였다.

고 양측 과두와 주변 조직의 형태가 기형적인 소견이 관찰되었다(Fig 14-16, 17). 턱관절강직증 진단하에 협점막 흉터밴드를 제거하고 넙적다리에서 피부를 채취하여 이식하는 수술을 우선 시행하고 술 후 적극적인 개구운동을 하면서 경과를 지켜보기로 하였다. **2013년 8월 21일** 전신마취하에서 좌측 협점막에 수평절개를 시행한 후 흉터조직을 박리하였다(Fig 14-18). 그러나 수술 중에도 개구량은 15 mm까지밖에 회복이 안 되었으며 수술 후 개구기를 이용한 강제 개구운동과 물리치료를 적극적으로 시행하였지만 전혀 개선되지 않았다(Fig 14-19, 20). 오훼돌기 증식 및 턱관절 섬유성 강직증이 개구제한의 주원인으로 생각되었으며 **2013년 11월 25일** 물리치료를 중단하고 턱관절 개방수술과 오훼돌기절제술을 계획하였으나 환자가 수술을 거부하고 다른 병원에서의 진료를 원하였다. 진료기록부 사본 및 각종 검사 사본과 함께 진료회송서를 작성하여 타 종합병원 구강악안면외과로 의뢰하였으며 그 병원에서도 동일한 수술을 권유하였으나 환자가 수술 공포증으로 인해 현상태에서 그냥 지내시겠다고 하여 치료를 종료하였다.

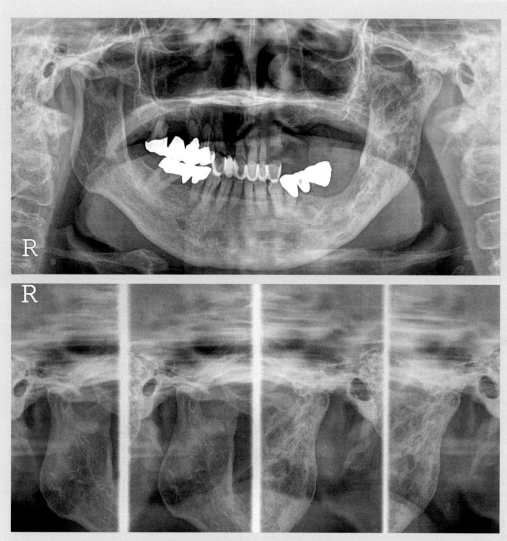

Fig. 14-20. 수술 후 적극적인 물리치료를 시행하면서 15 mm 개구량은 유지되었으나 이후 턱관절개방수술과 오훼돌기 절제술은 환자가 거부하였다.

1 협점막에 단단한 띠 형태의 흉터 조직 존재

2 개구제한

3 구강암 수술 및 방사선치료 병력

4 턱관절 골관절염성 변화: 과두와 오훼돌기의 기형적 형태 및 증식

5 1차 수술 실패: 협점막 흉터 조직 박리

6 2차 수술 거부

치료 및 경과

1 협점막 흉터 조직 박리 수술 후 적극적인 물리치료

2 2차 턱관절강직증 수술을 계획하였으나 환자가 거부함

3 경과 불량

⏏)) Comment

● 본 증례는 양측 턱관절의 골관절염성 변화와 관절강이 매우 협소해져 있으며 장기간 개구장애가 지속되었기 때문에 섬유성 조직에 의한 진성 턱관절강직증이 개구제한의 주원인이었을 것으로 생각된다. 그러나 구강내 협점막에 존재하는 단단한 띠 형태의 조직과 오훼돌기의 변형 및 이상 증식이 가성 턱관절강직증에 추가로 관여했을 것으로 생각된다. **환자와 잘 상담한 후 처음부터 양측 턱관절성형술과 오훼돌기 절제술 및 협점막 흉터조직 제거술을 함께 시행하였다면 좋은 결과를 얻었을 가능성이 있다. 한편 협점막의 단단한 띠를 과거 구강암수술 및 방사선치료 병력으로 인해 너무 쉽게 흉터조직으로 진단하는 오류를 범했을 가능성도 생각해 볼 수 있다. 구강 점막하 조직이 병적으로 섬유화가 진행되는 일명 구강 점막하 섬유화증(oral submucous fibrosis)에 대한 감별진단이 전혀 이루어지지 않았다.** 구강 점막하 섬유화증의 경우 협점막 섬유성 밴드 절개와 함께 측두근절제술과 오훼돌기 절제술을 병행하고 재발에 관여하는 섬유아세포의 증식과 콜라겐 축적을 감소시킬 목적으로 스테로이드 국소주사를 병행하면 좀 더 나은 결과를 얻었을지도 모른다는 후회가 있다(Borle RM & Borle SR; 1991, Jiang XW, et al; 2013, Kavarana NM & Bhathena HM; 1987, Rao PK, et al; 2010).

15. 하악과두골절로 인한 개구제한 및 부정교합

> ## Case 1 > 41세 남자 환자에서 하악과두골절로 인한 개구제한 및 부정교합이 존재하는 상태에서 임플란트 치료가 진행된 증례

2010년 5월 7일 개구제한 및 좌측 턱관절 통증을 주소로 내원하였다. 1주 전 교통사고를 당했으며 이후 통증이 시작되었고 #26, 27, 28 치아 파절, 전치부 개방교합이 존재하였으며 20 mm의 개구량을 보였고 방사선 사진에서 좌측 하악골 과두 골절이 발견되었다(Fig 15-1, 2). 즉시 상하악 전방부에 교정용 미니스크류를 4개 삽입하여 고무링을 이용한 견인치료를 시행하였다. 1주 2회 턱관절 물리치료 및 개구운동을 시행한 결과 2주 후 전치부 개방교합은 거의 정상으로 회복되었다. 이후 턱관절 안정을 위해 안정위스플린트를 제작하여 장착하였다. 개구량은 45 mm 정상으로 회복되었으며 2010년 5월 27일 스크류를 제거하였다.

2010년 6월 28일 #18, 26, 27, 28을 발치하고 #26, 27 부위는 추후 임플란트 식립이 용이하도록 발치창을 Trephine bur로 상악동저까지 core를 형성한 후 Osteotome을 사용하여 상악동 상방으로 밀어 올리고 발치창 공간에 BioOss collagen을 이식하고 봉합하였다. 발치한 치아들은 자가치아뼈이식재를 제조하여 보관하였다(Fig 15-3~5).

2010년 10월 25일 Osteotome을 사용하여 상악동점막을 상방으로 거상하고 분말형 자가치아뼈이식재를 충전한 후 임플란트를 식립하였다(Zimmer 4.7 D/10 L, Osstell #26:57, #27:44 ISQ). #27 임플란트 원심측에 자가 치아뼈이식재를 이식하고 창상을 봉합하였다(Fig 15-6). 2011년 3월 14일 2차 수술(Osstell #26:76, #27:75 ISQ)을 시행하고 2011년 5월 12일 상부 보철물이 장착되었다(Fig 15-7).

2010년 12월 6일 상악 우측 구치부에서 측방 접근법을 통해 상악동점막을 거상하고 자가치아뼈이식재와 Osteon을 PRF와 혼합하여 이식하였다. 치조정 부위에 자가치아뼈이식재 블록으로 치조골증대술을 시행한 후 Biogide 차폐막을 덮고 창상을 봉합하였다(Fig 15-8). 2011년 4월 8일 #17 부위 치조정절개를 시행하여 피판을 거상한 후 Osteotome으로 소주골을 치밀하게 다지면서 임플란트를 1회법으로 식립하였다(Zimmer 4.7 D/11.5 L, Osstell 68 ISQ). 2011년 8월 2일 2차 수술(Osstell 77)을 시행하고 2011년 9월 22일 상부 보철물을 장착하였다(Fig 15-9).

2012년 4월 19일까지는 6개월 간격으로 정기 유지관리 및 턱관절에 대한 관찰이 잘 이루어졌지만 이후 환자의 개인적 사정으로 장기간 내원하지 않았다. 2020년 5월 14일 #15 소실, #16 유동성이 심해진 상태로 내원하여 발치하였고 2020년 7월 23일 #15, 16 부위에 임플란트를 식립하였다. #17, 26-27 임플란트는 안정적인 상태를 유지하고 있었고 턱관절 증상은 없는 상태였으며 좌측 하악과두골절 부위는 골개조가 잘 이루어진 양상을 보이고 있었다(Fig 15-10).

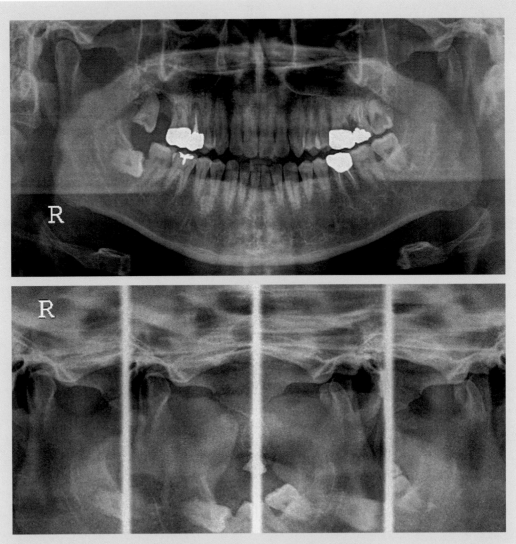

Fig. 15-1. 41세 남자 환자의 초진 시 방사선 및 구강 사진. 좌측 하악과두골절이 관찰된다.

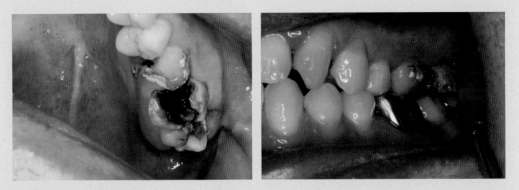

Fig. 15-2. 초진 시 구강 사진. #26, 27, 28 치아 파절, 개방교합과 20 mm의 개구제한이 존재하였다.

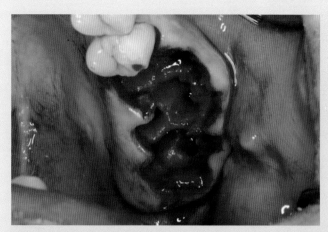

Fig. 15-3. #26, 27, 28을 발치한 모습

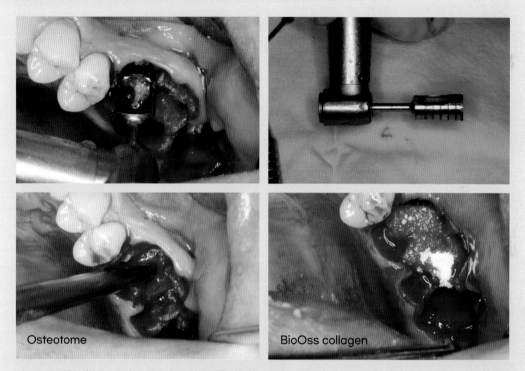

Osteotome

BioOss collagen

Fig. 15-4. FSD (future site development)를 시행하는 모습. Trephine bur로 중격골을 상악동으로 밀어 올리고 발치창 공간에는 골이식재를 충전하였다.

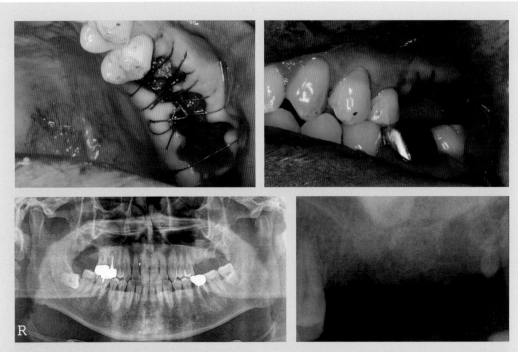

Fig. 15-5. FSD 후 구강 및 방사선사진

Trabeculae compaction & BAOSFE: AutoBT powder

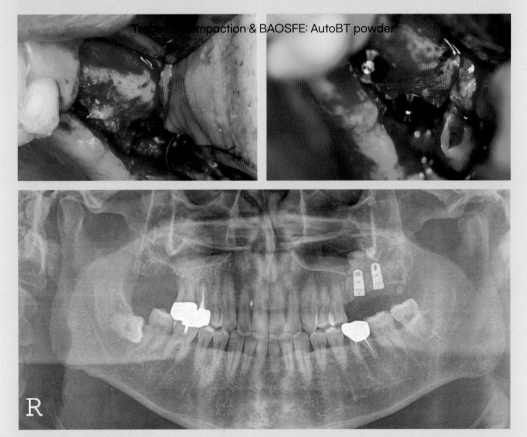

Fig. 15-6. FSD 4개월 후 #26, 27 부위에 임플란트를 2개 식립하였다. 좌측 하악과두의 골개조가 잘 이루어지고 있는 것이 관찰된다.

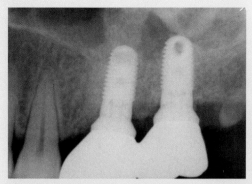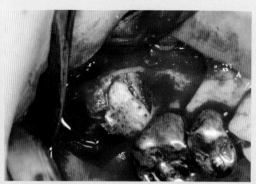

Fig. 15-7. 상부 보철물 장착 2개월 후 치근단 방사선사진

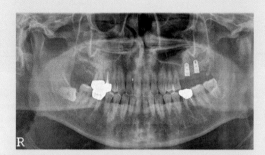

Fig. 15-8. 2010년 12월 6일 우측 상악동골이식과 치조골 증대술을 시행하였다.

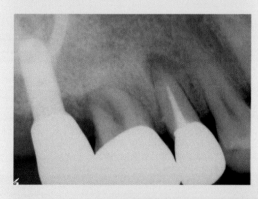

Fig. 15-9. #17 임플란트 상부 보철물 장착 7개월 후 치근단 방사선사진

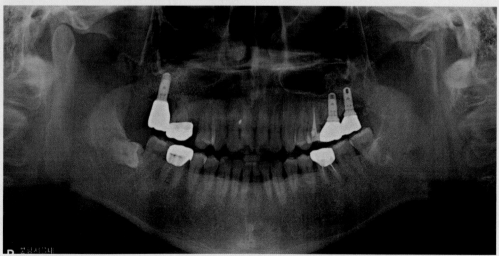

Fig. 15-10. 2020년 7월 23일 촬영한 **파노라마 방사선사진.** 좌측 하악과두 골절편의 형태가 관찰되긴 하지만 비교적 골 개조가 잘 이루어졌고 턱관절은 안정적 기능을 유지하고 있다.

⊗ Problem lists

1 하악과두 골절

2 개구제한 및 통증, 부정교합

3 상악 구치부 잔존골량 부족

치료 및 경과

1 기능적 턱관절 치료

2 교정용 미니스크류와 고무링을 이용한 교합 회복

3 발치 후 FSD (future site development)

4 상악동골이식과 치조골증대술

5 임플란토 지연식립

6 임플란트 유지관리

7 경과 양호: 하악과두 골절 부위 양호한 골개조 발생

◀)) Comment

● 하악과두 골절은 턱관절의 일부가 손상받은 것이기 때문에 치료하는 것이 매우 까다롭다. 하악과두 하방 부에 발생한 전위된 골절은 수술이 필요한 경우가 많지만 과두 상방부가 골절된 경우엔 골편이 전위되었더 라도 비관혈적으로 치료를 하는 것이 원칙이다. 관혈적 혹은 비관혈적 정복술 모두 턱관절에 후유장애를 남 기는 것은 마찬가지이다. 즉 과두에 부착된 외측익돌근의 손상, 관절원판, 관절낭이 손상되면서 완벽한 치유 가 어렵고 개구제한, 부정교합, 악골운동장애 등과 같은 합병증이 많이 발생한다. **합병증을 최소화하기 위해 선 악골기능과 부정교합을 개선시키기 위한 적극적인 물리치료가 매우 중요하다.** 본 증례의 경우 물리치료, 교정용 미니스크류와 고무링을 이용한 교합 회복, 안정위스플린트를 이용한 턱관절 치료를 적극적으로 시행 하여 안정화시킨 후 후속 임플란트 치료를 성공적으로 진행할 수 있었다.

Future site development (FSD)는 오래전 Summers (1995)라는 학자가 소개한 술식으로서 상악 대 구치를 발치한 후 상악동저 1 mm 지점까지 trephine bur로 core를 형성하고 osteotome으로 두드려 서 상악동으로 밀어 넣는 술식이다. 미리 상악동저까지 잔존골량을 확보함으로써 추후 임플란트 식립을 용 이하게 하고 침습적인 상악동골이식을 최소화할 수 있는 유용한 술식이다. 본 증례에서도 FSD를 시행하고 4개월 후 치조정접근법으로 상악동점막을 거상하면서 쉽게 임플란트를 식립할 수 있었다.

상악 우측 구치부는 잔존골량이 매우 부족하여 상악동점막 거상과 골이식을 우선 시행한 후 4개월 후 임플 란트를 식립하였다. 잔존골량이 매우 부족한 경우엔 골이식 후 임플란트 지연식립, 4 mm 이상 잔존골이 존 재하여 임플란트 초기 고정을 잘 얻을 수 있다면 골이식과 동시에 임플란트를 식립해도 무방하다.

　교통사고 이후 발생한 턱관절장애 환자들은 다양하고 심각하면서 오래 지속되는 구강안면통증을 호소하는 경우가 많다. 이러한 통증은 근육, 신경, 턱관절 등 다양하고 복잡한 부위에서 기인하는 것으로 생각되며 심리적인 요인들도 관여한다. 또한 영상검사와 같은 객관적 검사 소견과 일치하지 않는 경우도 많이 있다. 자동차 사고는 운전자와 승객들의 갑작스러운 목 꺾임 등과 같은 충격이 발생하면서 목과 턱관절 및 안면 근육에 손상을 유발하게 된다(Freeman M, et al; 1999). Spitzer 등(1995)은 Acceleration-deceleration mechanism of energy가 목으로 전달되고, 이에 따라 다양한 연조직 손상과 관련된 임상 증상들이 유발되는 현상을 whiplash injury라고 정의하였다. Klobas 등(2004)에 따르면 Chronic whiplash-associated disorders을 가진 환자들에서 턱관절장애 발생 빈도가 높은 경향을 보였다. 즉 목 부위 외상은 턱관절 기능에 악영향을 미칠 수 있으며 그 증상들이 뒤늦게 나타나는 경향을 보인다. 또한 **사고 직후에 정형외과, 신경외과 등에서 시급한 치료를 먼저 받고 안면 및 턱관절에 대한 평가 및 치료가 지연되기 때문에 상당 기간이 경과한 후 턱관절에 대한 검사를 받게 되는 경우가 많다. 따라서 교통사고 환자들은 초기에 턱관절에 대한 평가가 필요하며 다학제적인 치료 접근이 매우 중요하다고 볼 수 있다**(Ciancaglini R, et al; 1999, Clark G, et al; 1987, De Wijer A, et al; 1996, Landzberg G, et al; 2017, Wiesinger B, et al; 2007).

　교통사고는 가해자-피해자 간의 분쟁, 보험회사의 보상 등과 연관이 있어서 사고 이후 구강안면부와 턱관절에 대한 조기 평가가 중요하다(Ferrari R, et al; 1999). 두통, 턱관절 잡음, 현기증 등은 일반 인구 집단에서도 흔한 증상이지만 일단 사고가 발생하여 피해 당사자가 되면 이러한 증상을 과장되게 표현할 수 있다. 즉 사고 전에는 무심하게 지내던 증상들이 사고 후에는 심각한 증상으로 느껴질 수 있다. 또한 보험회사와의 다툼, 그에 따른 분노 등이 더해져서 증상이 과장될 수 있다. Whiplash injury 후 턱관절장애가 발생할 가능성을 배제할 순 없지만 보험사기 또한 증가하고 있다는 사실을 간과해선 안 되기 때문에 체계적이고 정확한 객관적 평가가 매우 중요하다. 또한 외상 후 턱관절장애가 발생한 환자들의 치료는 통증이 턱관절 이외의 다른 구조들에서 기인할 수 있기 때문에 이런 복잡한 기전을 고려하지 않은 상태에서 일반적인 턱관절 치료를 시행할 경우 실패할 가능성이 많다(Grushka M, et al; 2007).

16. 잘못된 턱관절 치료

　잘못 제작된 장치, 전방위 교합장치, 부분피개 교합장치 등을 장시간 착용할 경우 혹은 정상적인 장치를 장착하여도 환자가 병원에 잘 내원하지 않고 임의로 장시간 사용할 경우엔 비가역적인 교합 변화가 발생하거나 턱관절장애가 더욱 악화될 수 있다. 턱관절질환은 치과의사, 의사, 한의사 모두가 치료할 수 있다. 또한 치과 분야에서도 전문 과목에 상관없이 모든 치과의사들이 진료할 수 있다. 그러나 턱관절질환과 교합에 대한 올바른 지식을 가진 의료인들이 원리 원칙에 입각하여 진료해야 한다. 학술적 근거가 없는 비정상적인 치료 후 발생하는 모든 합병증은 진료를 담당한 의료인이 전부 책임져야 한다.

> **Case 1 >** 일반적으로 많이 사용하지 않는 이상한 장치를 장기간 착용하면서 교합 변화 및 턱관절장애가 악화된 증례

　2013년 2월 22일 23세 여자 환자가 턱관절 불편감과 부정교합을 주소로 내원하였다. 2년 전부터 우측 턱관절 통증 및 개구장애가 발생하여 1년간 치과 의원에서 장기간 스플린트 치료를 받고 증상이 호전되었다. 이후 증상이 재발되어 activator와 같이 생긴 장치를 장기간 착용하였고 모 대학병원 치과에서 관절강 주사치료 후 증상이 호전되었다. 장치를 착용하지 않으면 통증이 지속되며 치과에서는 더 이상 해 줄 치료가 없다고 하여 본원을 방문하게 되었다. 환자는 어떤 치과에서 치료를 받았는지 상세한 진술을 거부하였다. 양측 턱관절에서 소리가 나고 가끔 턱이 걸려 입이 잘 안 벌어지는 증상이 있으며 아침에 자고 일어나면 턱이 뻐근하다고 하였다. 초진 시 개구량은 30 mm였고 3가지 종류의 구강장치를 소지하고 임의로 착용하고 있었다. 전치부 개방교합이 심한 상태이며 6년 전 치열 교정치료를 받은 병력이 있었고 방사선사진에서는 양측 과두 첨부가 뾰족한 형태를 보였으나 골흡수 등의 소견은 관찰되지 않았으며 하악이 후방으로 이동되어 있는 소견이 관찰되었다(**Fig 16-1, 2**). 턱관절장애 3, 4형, 특발성 과두흡수증, 류마티스질환 등을 감별할 목적으로 혈액검사(CBC with ESR, CRP, Rheumatoid factor, Antinuclear antibody), 핵의학검사, 진단모형 평가, 턱관절 MRI 검사를 시행하였다. MRI 검사에서는 좌측 관절원판의 비정복성 전방전위 소견이 관찰되었고 핵의학검사에서 양측 턱관절 섭취율이 증가된 양상을 보였으며 혈액검사에서는 이상 소견을 보이지 않았다(**Fig 16-3, 4**). 턱관절장애 3, 4형, 특발성 과두흡수증후군으로 잠정 진단하고 안정위스플린트 치료를 위한 인상을 채득하고 기존의 장치들은 모두 폐기하도록 지시하였으며 Imotun, Naxen-F를 4주 처방하였다. **2013년 3월 29일**부터 스플린트를 착용하고 1개월 간격으로 경과를 관찰하였다. **2013년 7월 5일** 개구량은 40-45 mm를 회복하였고 턱관절 통증 등 이상 증상들은 소멸되어 교정과 진료를 의뢰하였다. 교정 진단 후 재교정치료를 계획하였으나 외부 교정 치과 의원에서 치료를 희망하여 진료회송서와 진료기록부, 방사선검사 사본들을 교부하고 턱관절 치료를 종료하였다.

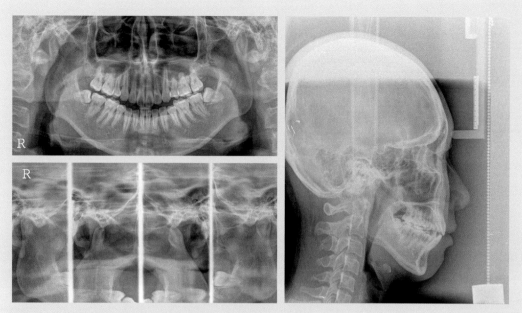

Fig. 16-1. 23세 여자 환자의 초진 시 방사선사진. 양측 과두 첨부가 뾰족한 형태를 보였으나 골흡수 등의 소견은 관찰되지 않았다. Cephalometric Lateral view에서 하악이 후방으로 이동되어 있는 모습이 관찰된다.

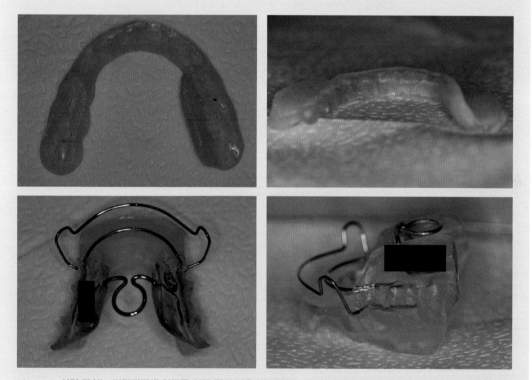

Fig. 16-2. 이런 장치는 턱관절장애 치료를 위해 많이 사용되는 장치가 아니다. 물론 착용 후 효과가 있을 수도 있지만 치과 의사의 정기적인 점검이 이루어지지 않고 장기간 착용할 경우 비가역적인 부정교합이 발생하거나 턱관절장애가 더욱 악화 될 수 있다.

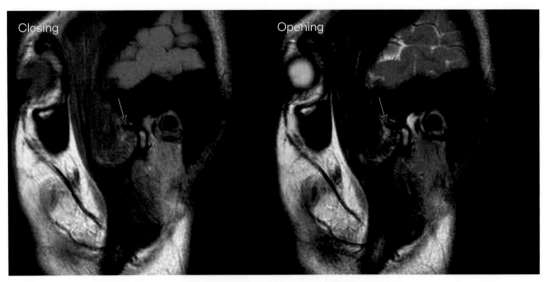

Fig. 16-3. TMJ MRI에서 좌측 턱관절의 관절원판 비정복성 전방전위 소견이 관찰되었다.

Fig. 16-4. 핵의학검사에서 양측 턱관절 부위 섭취율이 현저히 증가된 것을 볼 수 있다.

1. 턱관절장애
2. 이상한 구강장치 다수 사용: 치과에서 만들었는지 한의원에서 만들었는지 확인되지 않았으며 환자가 자세히 설명하지 않음
3. 타 병원에서 관절강 주사치료
4. 부정교합

치료 및 경과

1. 혈액검사, 핵의학검사, 턱관절 MRI, 진단모형 등 정밀검사 시행
2. 약물 및 안정위스플린트 치료
3. 경과 양호
4. 교정치료 의뢰

🔊 **Comment**

● 구강장치, 관절강 주사 등의 치료를 받고 증상이 호전되었다가 다시 재발하는 경향을 보인 환자이다. 보존적 치료를 시행하였다는 것 자체는 문제가 없다. 그러나 왜 이상한 유형의 여러 가지 장치를 착용했는지 그 이유를 알 수 없으며 환자도 어느 병원에서 어떻게 치료를 받아왔는지 자세히 설명하지 않았다. 질문을 해도 기억나지 않는다고 답하였으며 장치를 착용하면 증상이 다소 완화된다고 하면서 환자 본인이 임의로 착용하고 있었다. 본원에 내원 시 개구제한과 전치부 개방교합은 불량한 장치를 오랜 기간 착용한 것 때문이며 과거에 교정치료를 받은 병력은 있지만 교정치료 후 재발이 아닌 것은 분명하다. **최소한 장치를 착용하면서 치과에서 정기적으로 검진을 받았다면 이와 같은 문제는 발생하지 않았을 것이다. 어떤 치과의사가 전치부 개방교합이 심각해지는 것을 방치할 수 있단 말인가?**

만약 이런 장치를 치과의사가 제작하여 장착하였다면 부정교합이 발생하지 않도록 관찰하면서 끝까지 책임을 졌어야 한다. 구강 내에 이상한 불량한 장치를 착용하여도 일시적으로 턱관절장애 관련 증상들이 완화될 수 있다. 그 이유는 장치의 두께로 인해 수직고경이 증가하고 저작근이 이완되면서 증상이 경감될 수 있기 때문이다. 따라서 환자는 장치로 인해 증상이 완화된 것으로 생각할 수 있고 이런 장치를 착용시킨 의료인(?)들은 자신이 환자의 증상을 개선시켰다는 착각에 빠지면서 돌이킬 수 없는 결과(비가역적인 부정교합, 안모변화 등)를 초래하게 될 것이다. 인위적으로 부정교합과 안모 변형을 유발한 후 전악 보철수복 혹은 턱교정수술과 같은 침습적인 비가역적인 치료를 하는 치과의사들은 절대 없을 것이라고 생각하지만 만약 이런 치료를 수행하는 치과의사가 있다면 치료 후 발생하는 모든 합병증과 문제점들을 그들이 직접 해결해야 할 것이다.

20세 남자 환자가 장기간 한의원 치료와 정체불명의 이상한 구강장치를 착용하면서 장기간 턱관절장애가 지속된 증례

2014년 9월 5일 20세 남자 환자가 양측 턱관절 통증과 개구제한을 주소로 내원하였다. 5년 전부터 양측 턱관절에서 소리가 나기 시작하였으나 특별한 문제가 없어서 그냥 지내왔으며 1년 전 갑자기 입이 안 벌어져서 한의원을 방문하여 침술 치료를 받았고 치과 의원에서 물리치료를 받았으나 증상이 개선되지 않았다. 이후 한의원에서 제작했던 이상한 구강장치를 임의로 착용하고 있었다(Fig 16-5). 임상검사 시 개구량은 25-30 mm였고 더 크게 벌리면 양측 턱관절 주변 통증이 심하다고 하였다. 아침에 턱이 뻐근한 증상이 심하고 간헐적 두통이 지속되며 이를 물 때 교합이 잘 안 되는 느낌이 있고 귀에서 이명이 들린다고 하였다. 방사선 사진에서는 #28, 38, 48 매복치가 존재하였고 양측 과두의 형태가 약간 이상하긴 하였지만 골관절염성 변화는 보이지 않았다(Fig 16-6). 턱관절장애 1, 3형과 야간 이갈이, 이악물기를 의심하고 인상을 채득하여 얇은 Omnivac splint를 제작하여 2주간 착용하도록 하고 핵의학검사와 MRI 검사를 예약하였다. Omnivac splint에서는 치아 6군데 부위에서 심한 마모 및 천공 소견이 관찰되었으며 핵의학검사에서 양측 턱관절 섭취율이 증가되어 있었고 MRI에서는 양측 턱관절 관절원판의 비정복성 전방전위와 좌측 턱관절의 골관절염성 변화 소견이 관찰되었다(Fig 16-7, 8). 임상 및 정밀검사 소견을 토대로 턱관절장애 3, 4형과 야간 이갈이가 존재하는 것으로 진단하였으며 안정위스플린트 제작을 위해 인상을 채득하였다. 아주 장기간 동안 턱관절장애가 지속되었기 때문에 통상적인 보존적 치료를 또 시행하는 것은 효과가 없다고 판단하고 환자와 상담한 후 양측 턱관절경 시술을 결정하였다.

2014년 11월 26일 전신마취하에서 양측 턱관절경을 이용한 세척 및 용해술을 시행하고 상관절강에 Guardix를 주입하였다(Fig 16-9, 10). 시술 후부터 안정위스플린트를 착용하면서 적극적인 물리치료를 시행하였으며 **2015년 10월 16일** 우측 턱관절에서 소리가 나지만 통증이나 개구제한은 없으며 증상이 현저히 호전되어 치료를 종료하였다(Fig 16-11).

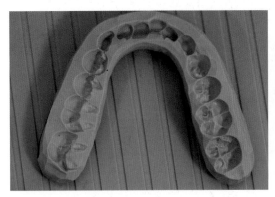

Fig. 16-5. 환자가 임의로 착용하고 있던 구강 장치로서 한의원에서 제작하였으며 치과에서 사용하는 실리콘 인상재를 사용하여 만든 것으로 추정되었다.

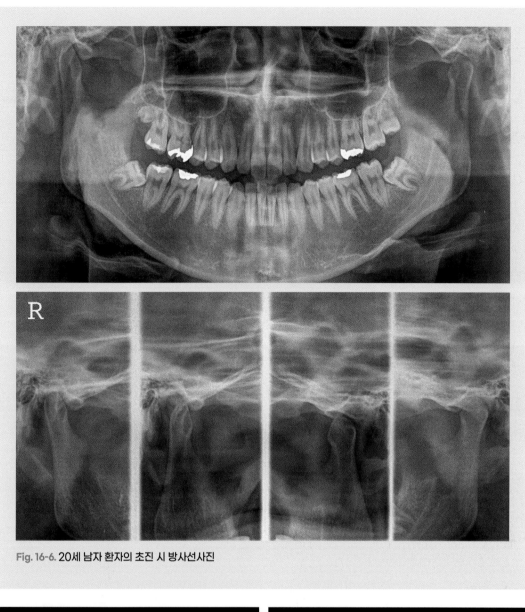

Fig. 16-6. 20세 남자 환자의 초진 시 방사선사진

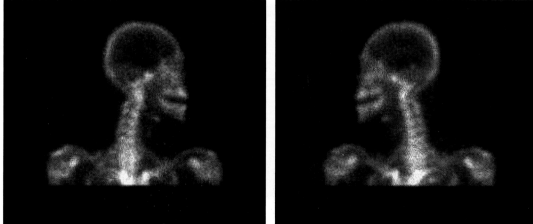

Fig. 16-7. 핵의학검사에서 양측 턱관절의 섭취율이 증가된 양상을 보였다.

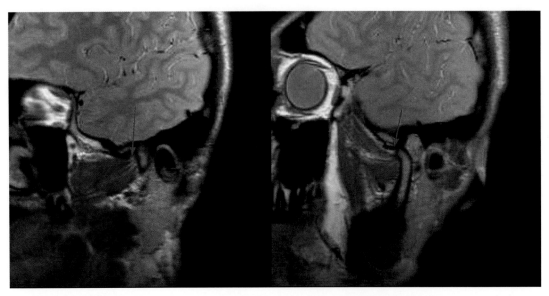

Fig. 16-8. 좌측 턱관절 MRI 사진. 비정복성 관절원판 전방전위(화살표)와 과두의 골관절염성 변화가 관찰된다.

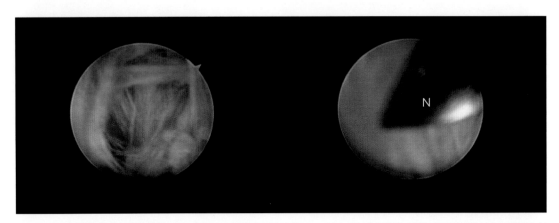

Fig. 16-9. 우측 상관절강의 턱관절경 사진. 섬유성 유착증이 관찰되며 18 gauge 바늘(N)을 사용하여 관절강 세척 및 용해술을 시행하였다.

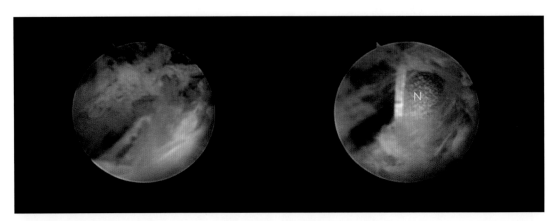

Fig. 16-10. 좌측 상관절강의 턱관절경 사진. 우측과 마찬가지로 섬유성 유착증이 관찰되며 18 gauge 바늘(N)을 사용하여 관절강 세척 및 용해술을 시행하고 Hyaluronic acid (Guardix)를 주입하였다.

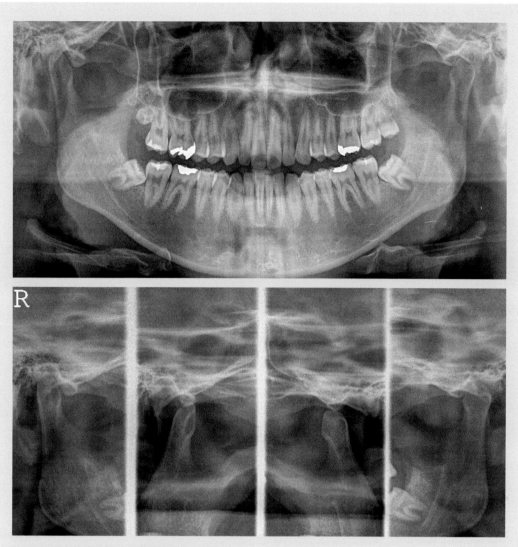

Fig. 16-11. 2015년 10월 16일 촬영한 방사선사진

턱관절경 시술 후 치료

2014. 11. 27	레이저 물리치료, 개구운동, 스플린트 조정. 통증 거의 소멸, 개구량 40 mm 회복
2015. 1. 9	스플린트 조정
2015. 4. 30	장치 분실하여 재제작
2015. 5. 14	안정위스플린트 장착
2015. 7. 17	스플린트 체크
2015. 10. 16	스플린트 체크

⊗ Problem lists

1 턱관절장애 3, 4형
2 한의원 치료: 비정상적인 구강장치 착용
3 이갈이

치료 및 경과

1 턱관절경 시술
2 시술 후 물리치료 및 안정위스플린트 치료
3 경과 양호

◀)) Comment

● **턱관절질환에 대한 개념이 있는 치과의사, 의사, 한의사 모두 턱관절치료를 수행할 수 있다. 그러나 본 증례에서와 같은 비정상적인 장치는 절대로 턱관절질환 치료에 사용되어선 안 된다.** 이와 같은 장치를 착용할 경우 수직고경이 증가하면서 저작근이 이완되기 때문에 턱관절 통증이나 이상 기능이 일시적으로 완화될 수도 있다. 그러나 장기간 사용되면 부정교합이 발생하고 턱관절장애는 난치성으로 진행될 것이다. 본 증례는 다행히 부정교합은 발생하지 않았지만 난치성 턱관절장애(3, 4형)가 아주 오랜 기간 지속되었으며 턱관절경 시술과 안정위스플린트 치료를 통해 잘 해결할 수 있었다. 통상적인 보존적 치료에 반응을 보이지 않을 경우 턱관절경을 이용한 관절강 세척 및 용해술을 시행하면 직접 관절 내부를 육안으로 확인하면서 염증성 산물과 섬유성 유착을 제거하고 관절강에 정확히 Hyaluronic acid 혹은 Steroid를 주사할 수 있다. 또한 관절강 내의 병적 소견을 사진 촬영하여 추후 환자에게 설명함으로써 환자의 치료에 대한 신뢰감을 증가시키고 pacebo effect를 통한 치료 효과를 극대화할 수 있는 장점이 있다(Al-Moraissi EA; 2015, Dimitroulis G; 2002, Hamada Y, et al; 2005, Kim YK, Im JH, Chung H, et al; 2009, Sorel B & Piecuch JF; 2000).

턱관절장애 치료를 위해 구강장치를 도입할 경우 합병증을 거의 유발하지 않으면서 장기간 착용할 수 있는 안정위스플린트를 사용할 것을 적극 추천한다. 전방위 교합장치, Template, Pivot 스플린트 등과 같은 특수 장치들은 사용하더라도 단기간 동안 집중적으로 환자 상태를 세심하게 관찰하면서 사용해야 한다. 안정위스플린트는 턱관절장애 치료 시 가장 많이 사용되며, 저작계의 국소적인 근육통과 관절통 조절에 효과를 보이는 장치로서 임상에 적용할 수 있는 충분한 근거를 가지고 있다. 치아의 정출이나 함입과 같은 합병증이 거의 없는 안전한 장치로서 저작근들의 긴장도를 감소시키면서 턱관절장애 증상 완화 효과가 좋다는 의견들이 많으며 70-90%의 치료 효과가 보고되고 있다(최병갑; 2004, Clark GT; 1984, OK SM, et al; 2016).

17. 특발성 과두흡수증(Idiopathic condyle resorption, ICR)

특발성 과두흡수증은 과두위축증(condyle atrophy), 진행성 과두흡수증(progressive condyle resorption) 등의 용어로 사용되기도 하며 골관절염의 심한 유형으로 생각되고 있다. 특히 청소년기 환자들에서 증상이 없으면서 방사선학적 골변화가 관찰될 경우 잠재적인 골관절염이나 특발성 과두흡수증 혹은 성장기 골개조 현상과 잘 감별해야 한다. 즉 정기적으로 관찰하면서 임상 증상들과 턱관절장애에 관여하는 기여 요인, 방사선사진의 골변화를 평가하는 것이 중요하다(Scrivani SJ, et al; 2008).

Case 1 > 특발성 과두흡수증으로 진단된 29세 여자 환자의 양악수술 증례

29세 여자 환자가 양측 턱관절 불편감을 주소로 내원하였다. 4년 전부터 턱관절 관련 증상들이 시작되었고 입이 갑자기 안 벌어지는 일이 발생하여 6개월간 스플린트 치료를 받았지만 증상이 호전되지 않아 본원을 방문하게 되었다. 검진 결과 전치부 개방교합, 양측 턱관절의 저형성 소견, 저작 시 통증, 야간 이갈이 및 이악물기, 두통, 이가 잘 안 물리는 느낌이 있었다. 특발성 과두흡수증으로 인한 부정교합과 턱관절장애 진단하에 4주간 Celebrex 투약 및 물리치료, 3개월간 안정위스플린트 치료로 증상이 호전되었으나 2개월 후 양측 턱관절 통증이 재발하여 양측 턱관절강에 Hyaluronic acid를 6개월 간격으로 2번 주사하였다. 턱관절 잡음은 지속되지만 통증을 포함한 대부분의 증상들은 거의 소멸되었다. 턱교정수술 계획하에 6개월간 술 전 교정치료가 시행되었다(Fig 17-1, 2). 교정치료 도중에 좌측 턱관절 통증 및 촉진 시 심한 압통을 호소하여 좌측 턱관절강에 Hyaluronic acid를 주사하고 5일간 약물을 처방한 후 증상이 소멸되었다. 양악수술은 Le Fort I 골절단술을 시행하여 전체적으로 2 mm 상방 이동 및 3 mm 후방 이동시켰다. 하악은 양측 하악지 시상분할골절단술을 시행하여 양쪽 모두 3 mm 전방 이동시켰고, 동시에 4 mm 이부 전진성형술을 시행하였다(Fig 17-3). 이후 1년 6개월간 술 후 교정치료가 시행되었으며 과두흡수증 및 전치부 개방교합의 재발 없이 정상적인 기능이 잘 유지되고 있다(Fig 17-4, 5).

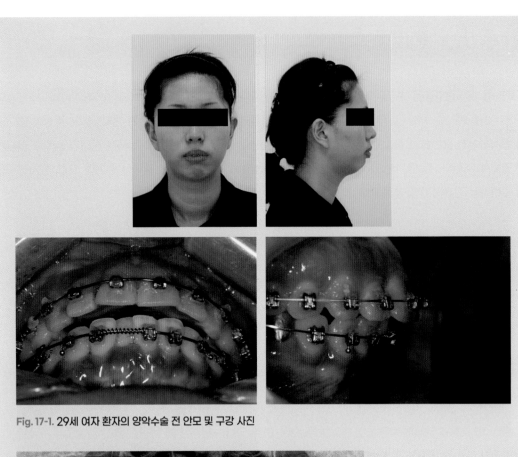

Fig. 17-1. 29세 여자 환자의 양악수술 전 안모 및 구강 사진

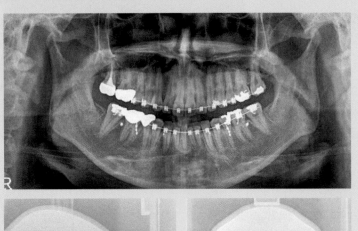

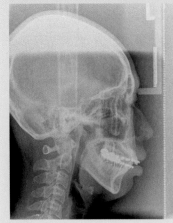
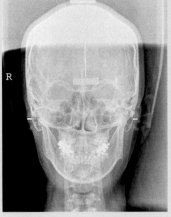

Fig. 17-2. 양악수술 전 방사선 사진

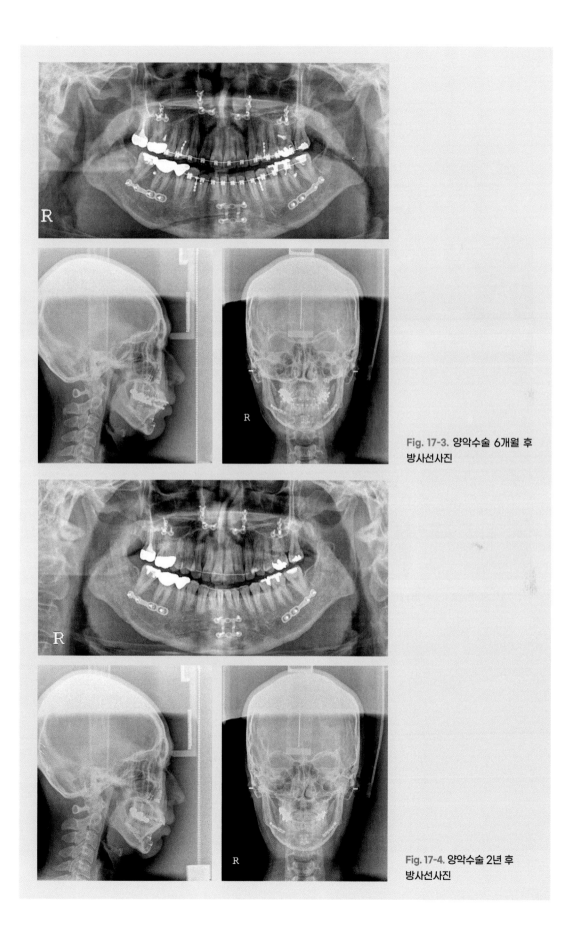

Fig. 17-3. 양악수술 6개월 후 방사선사진

Fig. 17-4. 양악수술 2년 후 방사선사진

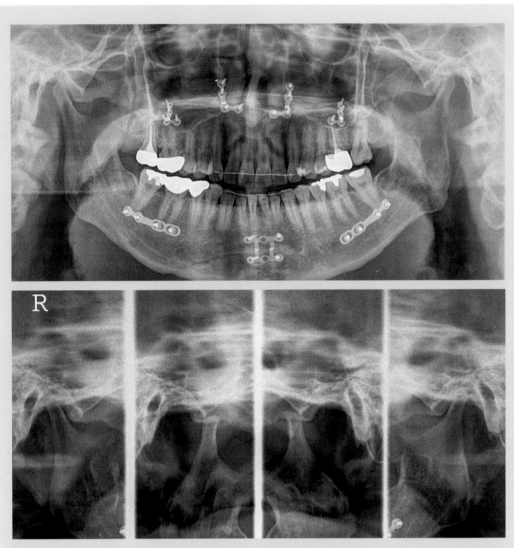

Fig. 17-5. 양악수술 4년 후 파노라마 및 TM 파노라마 방사선사진

📋 치료 및 경과

❶ 턱관절 안정을 위한 보존적 치료: 약물, 물리치료, 안정위스플린트, 관절강 주사
❷ 양악수술
❸ 경과 양호

🔊 Comment

● 여자, high mandibular plane angle, 과두 경부가 후방으로 경사진 경우(posteriorly inclined condylar neck), 턱관절 이상 기능(TMJ dysfunction)이 존재하는 환자들에서는 특발성 과두흡수증이 발생할 수 있다(Gunson MJ, et al: 2012, Handelman CS & Greene CS: 2013, Joss CY & Vassalli IM: 2009). 특발성 과두흡수증은 교정치료 혹은 턱교정수술 전에 반드시 진단되어야 한다. 물론 일반 치과치료를 받는 환자들도 고 위험군에서는 사전에 잘 평가하고 진료에 임해야 한다. 과두흡수증이 존재하는 환자들은 턱관절장애 증상들이 해소되고 턱관절이 안정될 때까지 교정치료 및 턱교정수술은 연기되어야 한다. 한편 증상이 없는 환자들은 주기적으로 내원시켜서 임상 증상을 평가하고 최소 1년 간격으로 방사선검사 및 핵의학검사를 통해 턱관절이 안정화되는 것을 확인해야 한다. 본 증례는 **특발성 과두흡수증을 안정화시키기 위해 안정위스플린트, 약물 및 물리치료, 관절강 Hyaluronic acid 주입 치료를 시행한 후 교정치료를 동반한 양악수술을 성공적으로 시행하였다.** 양악수술은 턱관절에 과부하를 최소화하기 위해 상악 전체를 후방이동시키면서 후방에서 상방으로 이동시켰고 하악골을 최소로 전방이동시키면서 전방이동 이부성형술을 시행하였다.

턱교정수술 혹은 교정치료가 턱관절장애의 개선 혹은 악화에 영향을 미친다는 상반된 의견들이 있으며 전혀 관련성이 없다는 의견들도 제시되고 있다. 그러나 치료 후 턱관절장애가 새로 발생하거나 기존의 턱관절장애가 더욱 악화될 경우 환자와 의료분쟁이 생길 수 있기 때문에 치료를 시작하기 전에 세밀한 임상 평가와 CBCT, MRI, 핵의학검사와 같은 정밀 검사를 반드시 시행하는 것이 좋다(Toll DE, et al: 2010).

모든 교정치료 및 턱교정수술은 턱관절 증상에 직·간접적인 영향을 미칠 수 있다. 술 전에 존재하는 턱관절 증상과 질환들을 반드시 사전에 진단하고 치료 계획에 반영해야 하며 수술 중 및 수술 후에도 지속적인 관찰과 관리가 이루어져야 한다(Jung HD, et al: 2015, Hackney FL, et al: 1989, Nadershah M & Mehra P: 2015, Spitzer W, et al: 1984).

교정치료 혹은 턱교정수술 전의 턱관절질환에 대한 평가 및 관리(김영균 등: 2018)

1. 턱관절장애 증상이 있는 환자들은 교정치료 및 턱교정수술 전에 턱관절을 안정화시키는 다양한 치료 (안정위스플린트, 약물 및 주사치료 등)가 선행되어야 한다.

2. 교정치료 및 턱교정수술은 기존에 존재하고 있던 턱관절 증상을 개선 혹은 악화시킬 수 있으며 치료 전후 전혀 변화가 없을 수도 있다.

3. 하악골 후방이동을 위한 하악지시상분할골절단술(SSRO)과 수직골절단술(IVRO)은 턱관절장애가 있는 환자들에서 모두 적용될 수 있다. 그러나 하악지시상분할골절단술을 시행할 경우엔 다음의 원칙을 준수해야 한다.

   1) 근원심 골편 사이에 존재하는 골편 간섭(bony interferences)을 모두 제거해야 한다.

   2) 수술 중 하악과두가 관절와에 수동적으로 잘 안착되어야 한다.

   3) 골편의 고정은 단피질성 나사와 소형 금속판을 이용한 반견고 고정(semi-rigid fixation)이 추천된다. 즉 압박 금속판이나 lag screws의 사용은 피하는 것이 좋다.

4. 상·하악골의 반시계 방향 회전 및 많은 양의 하악 전방이동은 턱관절에 가해지는 하중과 스트레스를 증가시킬 수 있다. 턱관절에 가해지는 하중이 적응 능력을 초과할 경우 과두흡수가 발생한다.

5. 교합평면을 변화시키기 위해 상·하악골을 시계 방향 혹은 반시계 방향으로 움직이는 술식은 턱관절이 수술 후 하중과 스트레스에 잘 견딜 수만 있다면 안정적인 방법이다. 일반적으로 반시계 방향의 회전이 시계 방향 회전에 비해 턱관절에 더 큰 과부하를 유발하는 것으로 알려져 있다.

Case 2 > 19세 여자 환자에서 특발성 과두흡수증을 안정시키기 위한 치료를 시행한 후 교정치료를 동반한 양악수술이 시행된 증례

19세 여자 환자가 턱관절 통증 및 잡음을 주소로 내원하였다. 초등학교 시절 교정치료를 받았고, 타 치과 병원에서 스플린트를 2회 제작하여 착용하면서 다양한 턱관절 치료를 받은 병력이 있었다. 검진 결과 전치부 개방교합, 이갈이, 이악물기, 이명, 이를 물 때 평상시와 다른 느낌 및 두통을 호소하였다. 특발성 과두흡수증으로 인한 부정교합과 턱관절장애로 진단하고 약 4개월 동안 턱관절 안정위스플린트, 약물 및 물리치료와 함께 양측 턱관절강에 Hyaluronic acid 주사치료를 시행하였다. 턱관절 증상이 소멸된 것을 확인하고 2개월간 술 전 교정치료가 시행되었다(Fig 17-6). 양악수술은 Le Fort I 골절단술을 시행하여 상악골의 후상방회전이동(#16, 26 기준으로 2 mm 상방이동)과 함께 전체적으로 2 mm 후방 이동시켰고, 하악은 양측 하악지시상분할골절단술을 시행하여 우측 1 mm, 좌측 4 mm 전방 이동시키면서 동시에 5 mm 전진 이부성형술을 시행하였다(Fig 17-7, 8). 수술 후 1년 2개월 동안 교정치료가 진행되었고 최종 관찰 시점까지 턱관절 관련 증상 및 전치부 개방교합 재발 없이 안정적인 결과가 유지되고 있다(Fig 17-9, 10).

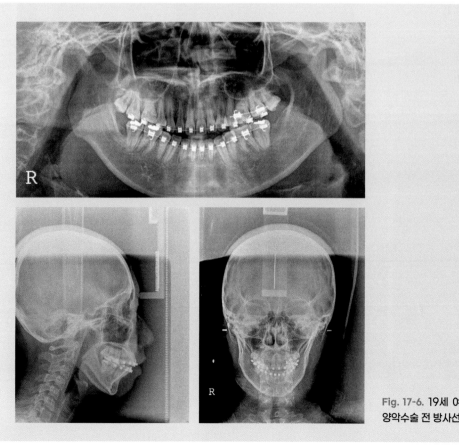

Fig. 17-6. 19세 여자 환자의 양악수술 전 방사선사진

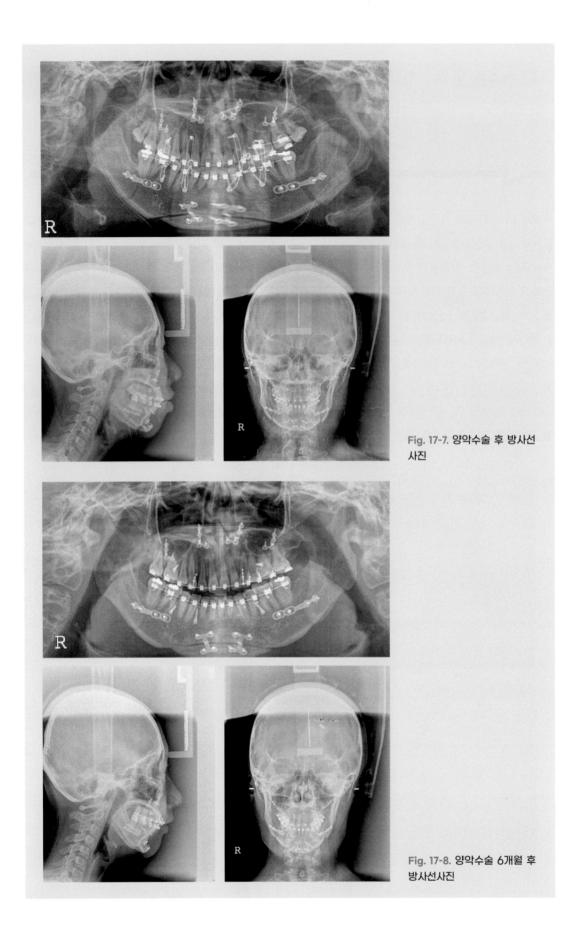

Fig. 17-7. 양악수술 후 방사선
사진

Fig. 17-8. 양악수술 6개월 후
방사선사진

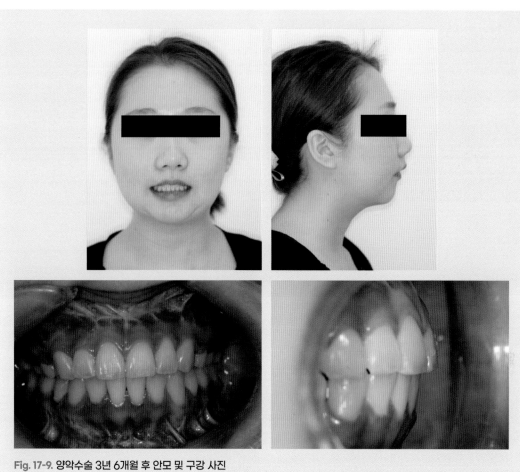

Fig. 17-9. 양악수술 3년 6개월 후 안모 및 구강 사진

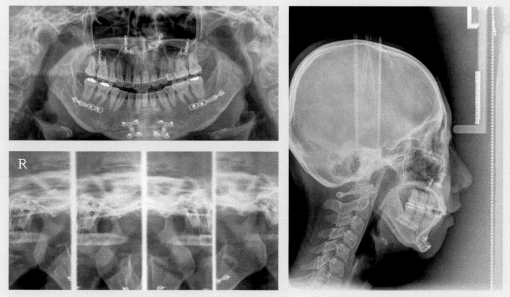

Fig. 17-10. 양악수술 3년 6개월 후 방사선사진

⊗ Problem lists

1 턱관절장애

2 이갈이, 이악물기

3 특발성 과두흡수증

4 부정교합

치료 및 경과

1 턱관절 안정을 위한 보존적 치료: 약물 및 물리치료, 안정위스플린트 치료, 관절강 주사

2 양악수술

3 경과 양호

🔊 Comment

● 하악과두흡수증의 원인은 불분명하다. 따라서 특발성(idiopathic)이라는 용어가 앞에 붙어서 사용된다. 이악물기, 이갈이와 같은 구강악습관이 지속되면 턱관절에 과도한 압력이 가해지면서 골흡수가 지속되거나 더욱 심해질 수 있다. 본 증례 1, 2의 환자들도 이갈이, 이악물기가 존재하였으며 턱관절장애 증상이 심한 양상을 보였다.

과두흡수증이 존재할 경우 섣불리 교정치료 혹은 턱교정수술을 시작해선 안 된다. 일반 치과치료도 매우 조심스럽게 접근해야 한다. **과두흡수증을 완치시킬 수 있는 치료법은 없으며 문헌에 소개되고 있는 각종 치료법들은 진행을 지연시키면서 증상을 경감시키는 데 주목적이 있다.**

과두흡수증의 치료(김영균 등: 2018)

1. 임상검사, 연속적인 방사선 촬영, 모형 제작 및 핵의학검사 등을 통해 과두흡수의 진행이 멈췄는지 판단하는 것이 중요하다.

2. 골흡수 진행을 억제하기 위해 안정위스플린트 치료 및 소염진통제, Anticollagenase agent (예: Tetracycline) 투여가 도움이 될 수 있다.

3. 진행성 과두흡수 억제를 위해 전위된 관절원판 정복술이 유효할 수 있다는 보고가 있다. 따라서 보존적치료, 턱관절세정술, 턱관절경 시술 후에도 과두흡수가 지속되고 턱관절장애 증상이 매우 심할 경우 턱관절 개방수술을 시도해 볼 수 있다.

4. 적극적인 턱관절 치료에도 불구하고 활동적인 과두흡수가 지속되는 경우엔 과두 절제술을 시행한 후 자가 늑연골 혹은 인공 턱관절을 이용한 전체 턱관절 재건술을 고려할 수 있다. 그러나 이런 치료법은 매우 신중하게 선택해야 하며 관련 전문의에게 의뢰하는 것이 좋다.

5. 턱관절장애 증상을 동반한 개방교합 환자에서는 우선 보존적인 방법으로 증상을 완화시켜 안정적인 상태로 유도한 다음 교정치료를 시작하는 것이 추천된다. 또한 교정치료가 성공적으로 종료된 후에도 턱관절장애 악화로 인한 교합 변화 가능성에 대해 고지하고 지속적인 관리가 필요함을 설명하여야 한다.

과두흡수증이 존재하는 환자의 턱교정수술 시 고려 사항(김영균 등: 2018)

1. 과두흡수증이 비활성 상태인 경우엔 턱교정수술을 통해 부정교합 및 악골 기형을 치료할 수 있다. 그러나 활성기 중에는 교정치료를 포함한 침습적 치과치료와 턱교정수술을 보류해야 한다. 과두흡수가 매우 심하게 진행 중인 경우엔 과두 절제술이 필요할 수도 있다.

2. 하악골 수술은 과두에 과부하 및 혈액순환 장애를 유발하면서 골흡수를 더욱 촉진시킬 수 있다. 따라서 상악 수술을 적극 도입하고 하악의 전방이동을 최소화하는 수술 계획을 수립해야 한다.

3. 하악골 전체를 전방으로 많이 이동시키는 방법 대신에 전진 이부성형술(advanced genioplasty)을 적극 도입하는 것이 좋다.

4. 전·후방 이동량이 많은 경우엔 양악수술을 고려해야 한다.

5. 하악과두의 열성장이나 흡수를 보이는 환자는 턱교정수술 시 하악과두의 위치 재현이 어려울 뿐 아니라 턱교정수술 후 하악과두가 안정적인 위치에서 벗어날 경우 하악과두가 하악와와 접촉하는 표면적이 적어지기 때문에 접촉면에 가해지는 압력이 더욱 집중되어 과두흡수가 진행될 가능성이 크며 불안정한 교합을 야기할 수 있다.

6. Le Fort I 골절단술을 통해 상악골을 후상방으로 이동시키면 하악골이 반시계 방향으로 자가 회전되더라도 과두흡수증을 악화시키지 않으면서 좋은 결과를 얻을 수 있다.

Case 3 > 교정치료 후 과두흡수증으로 인해 부정교합이 재발된 환자를 교정치료만으로 해결한 증례

기저질환이 없는 21세 여자 환자가 양측 턱관절 불편감 및 개구제한을 주소로 내원하였다. 약 3주 전에 갑작스러운 개구제한이 발생한 이후 턱관절 증상들이 발생하였으며 타 치과 의원에서 스플린트 치료 및 약물치료가 진행되고 있었다. 12세 때 상하악 총생의 개선을 위해 본원에서 교정치료를 받은 병력이 존재하였다. 내원 당시 양측 구치부의 교합은 안정적이었으나 전치부의 미약한 개방교합이 관찰되었다. 개폐구 시 좌측 턱관절의 잡음이 있었고 최대 개구량은 40 mm였다. 초진 시 촬영한 방사선사진에서 좌측 과두의

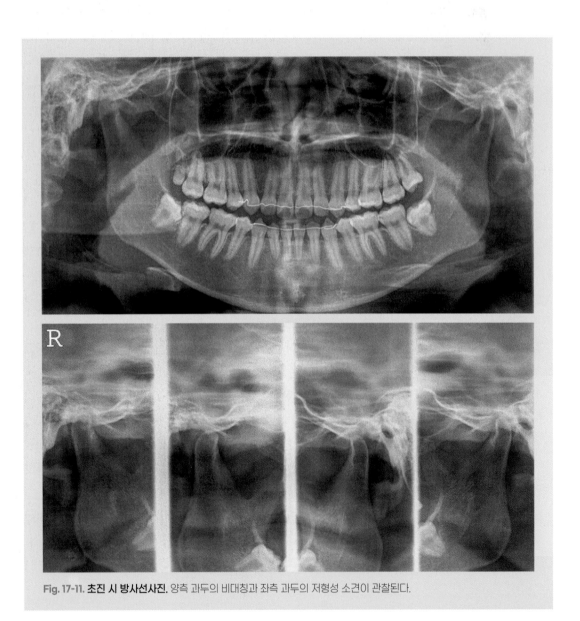

Fig. 17-11. 초진 시 방사선사진. 양측 과두의 비대칭과 좌측 과두의 저형성 소견이 관찰된다.

저형성증(hypoplasia) 및 양측 과두의 비대칭이 관찰되었다(Fig 17-11). 일본 턱관절학회(Japanese Society for Temporomandibular Joint, JSTMJ) 분류법에 따라 턱관절장애 3a형(정복성 관절원판 전방전위)으로 진단하였으며 턱관절장애의 병인론, 위험 요소, 관련 증상, 주의사항과 치료법 등에 대해 상세히 설명하였고 증상이 지속되거나 악화될 경우 재내원하도록 안내하였다(사단법인대한턱관절협회; 2004).

약 3개월 후 양측 턱관절 통증의 악화를 주소로 재내원 하였으며 우측 턱관절의 통증이 이전에 비해 더 심해진 상태였다. 양측 턱관절 주변 촉진 시 압통을 호소하였고 개구량은 25 mm로 이전에 비해 감소된 소견을 보였다. CBCT를 촬영한 결과 양측 하악과두 관절면의 피질골 표면이 매우 얇아져 있는 소견이 관찰되었고 양측 상하악 제2대구치만이 교합되었으며, 명확한 전치부 개방교합이 관찰되었다(Fig 17-12, 13). 특발성 과두흡수증이 동반된 턱관절장애 3b형(비정복성 관절원판 전방전위)으로 진단하고 보존적 치료를 통해 턱관절을 안정시킨 후 재교정치료를 계획하였다. 내원 당일부터 시작하여 1–2주 간격으로 총 14회에 걸쳐 구강악안면외과 외래에서 턱관절 증상의 안정화를 위한 보존적 치료가 이루어졌다(Table 17-1). 약 6개월간 환자의 증상 및 경과에 따라 약물치료, 물리치료 및 스플린트 조정을 시행하였으며, 상관절강에 히알루론산(Hyaluronic acid, HA)을 주입하는 주사요법도 병행되었다. 40–45 mm 수준의 개구량이 유지되고 통증 및 불편감이 완화되는 것을 확인한 후 치과교정과로 교정치료를 의뢰하였다.

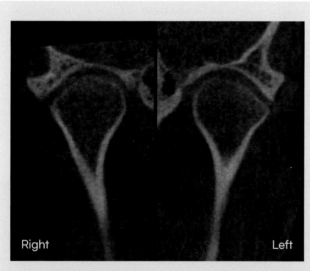

Right Left

Fig. 17-12. CBCT 방사선사진에서 양측 과두의 피질골선이 얇아진 것을 볼 수 있다.

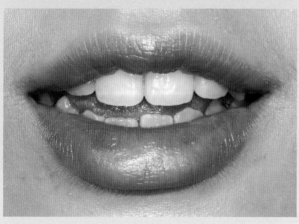

Fig. 17-13. 전치부 개방교합이 관찰된다.

Table 17-1. 턱관절 안정화를 위해 시행된 보존적 치료

내원차수	내원날짜	증상 및 경과	치료 내용
1	2018-05-14	Mouth opening: 25 mm 양측 턱관절 압통	Ethyl chloride spray and stretching Manipulation Laser therapy CBCT taking Medication: Celecoxib
2	2018-05-21	Mouth opening: 25 mm	Splint adjustment Laser therapy
3	2018-06-04	Mouth opening: 25 mm Anterior openbite: 1 mm 양측 턱관절, 목, 어깨 압통	Splint adjustment Laser therapy Medication: Imotun, Naproxen
4	2018-06-18	Mouth opening: 25 mm	Splint adjustment Both TMJ Hyaluronic acid inj Medication: Methylprednisolone, Methylol, Naproxen Laser therapy
5	2018-07-02	Mouth opening: 27 mm Forced opening: 33 mm Manipulation 직후: 37 mm Right TMJ crepitus	Splint adjustment Ethyl chloride spray and stretching Laser therapy
6	2018-07-10	Mouth opening: 23 mm Manipulation 직후: 29 mm 좌측 턱관절 통증	Splint adjustment Manipulation Laser therapy Medication: Imotun
7	2018-07-20	Manipulation 직후: 40-45 mm	Splint adjustment Laser therapy 6×6×6 mouth opening exercise 교육
8	2018-07-30	Mouth opening: 40-45 mm	Splint adjustment Laser therapy 6×6×6 mouth opening exercise 교육 Active jaw exercise teaching
9	2018-08-13	Mouth opening: 40-45 mm 좌측 턱관절 통증	Splint adjustment Laser therapy
10	2018-08-27	Mouth opening: 40-45 mm	Splint adjustment Laser therapy
11	2018-09-07	Mouth opening: 40-45 mm	Splint adjustment Ethyl chloride spray and stretching Laser therapy
12	2018-09-21	Mouth opening: 40-45 mm	Splint adjustment Laser therapy
13	2018-10-05	Mouth opening: 40-45 mm	Splint adjustment Laser therapy
14	2018-11-09	Mouth opening: 40-45 mm	Splint adjustment Laser therapy

교정치료(이남기 교수 진료)

환자는 12세 때 상하악 치열의 총생 및 상순의 돌출을 주소로 본원 치과교정과에 내원하였으며 당시 본원에서 양측 상하악 제1소구치 발치를 동반한 15개월간의 교정치료를 시행받았으며, 이후 19개월간 개인 치과의원에서 교정치료를 마무리하였다(Fig 17-14). 이후 21세 때 구강악안면외과에서 상기의 보존적인 턱관절 치료를 마친 후 재교정치료를 위해 치과교정과로 의뢰되었다. 교정과 진찰 시 과두흡수로 인하여 양측 상하악 제2대구치만이 교합되었고 중등도의 전치부 개방교합 및 골격성 II급 부정교합 경향을 보였다. 또한 이갈이와 함께 구호흡, 혀내밀기 등의 구강악습관이 관찰되었는데 이는 전치부 개방교합의 보상을 위해 발생한 습관으로 판단되었다. 상하악 제3대구치의 발치 후 구치부 압하를 통한 교정치료를 계획하고 환자측의 동의를 득한 후 치료를 시작하였다.

전치부 개방교합을 악화시키는 요인으로 작용하는 혀내밀기 습관을 조절하기 위해 가철식 텅 크립(tongue crib)을 제작하여 상, 하악 치열의 초기 레벨링(leveling)과 치아배열 중에 사용하도록 교육하였다. 또한 치료 개시 6개월째부터 돌출된 상악 치열과 전치부 개방교합의 적극적 개선을 위해 상악궁에 palatal retraction arch (PRA) 및 modified C-palatal plate (MCPP)를 장착하였다(Fig 17-15). 두 장치를 탄성 체인(elastic power chain)으로 연결하여 상악궁의 후방견인과 상악 구치의 압하를 시도하였다. 치료 개시 13개월째, 추가적으로 하악 제3대구치 발치와 함께 하악 치열의 후방견인을 위해 미니스크류의 식립과 탄성 체인을 이용하였다. 치료 15개월째 교정치료가 진행 중이며 전치부 개방교합이 크게 개선되었음을 확인할 수 있다(Fig 17-16). 교정치료 전과 가장 최근에 촬영한 측모두부규격 방사선사진(lateral cephalogram, cephalometric lateral view) 비교를 통해서도 양호한 치료 효과가 확인되었다(Fig 17-17). 교정치료를 진행하는 동안에도 정기적으로 구강악안면외과에 의뢰하여 턱관절 상태에 대한 평가를 시행하였으며, 턱관절 증상의 재발 없이 안정된 상태를 보이고 있다(Fig 17-18~20).

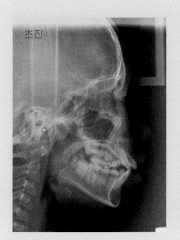
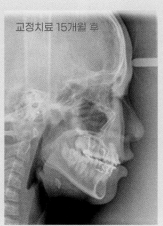
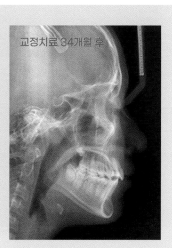

Fig. 17-14. 12-14세경 교정치료가 진행되면서 촬영한 cephalometric lateral view

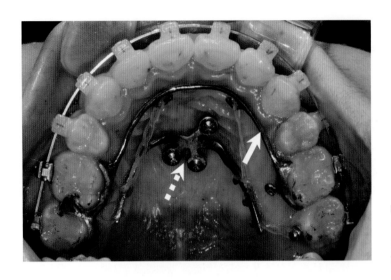

Fig. 17-15. 상악에 장착된 교정용 장치. Palatal retraction arch (PRA; arrow), modified C-palatal plate (MCPP; dotted arrow).

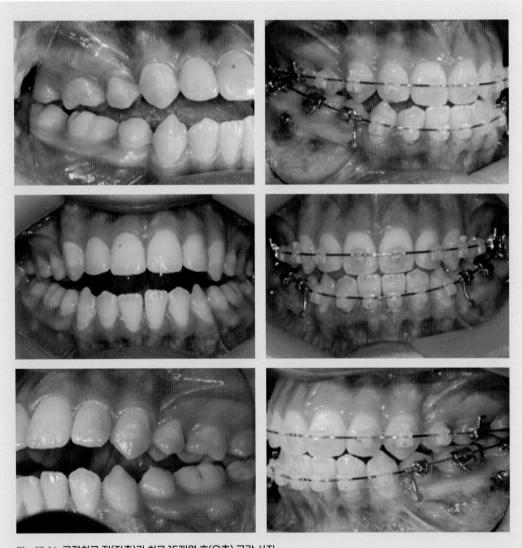

Fig. 17-16. 교정치료 전(좌측)과 치료 15개월 후(우측) 구강 사진

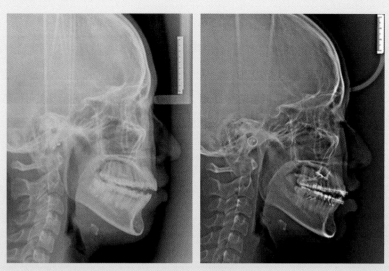

Fig. 17-17. 교정치료 전(좌측)과 15개월 후(우측) 촬영한 Cephalometric lateral view

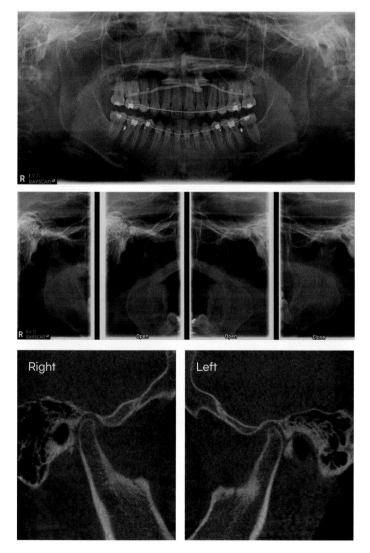

Right

Left

Fig. 17-18. 2020년 10월 30일 촬영한 방사선사진. 양측 턱관절은 안정적인 상태를 유지하고 있다.

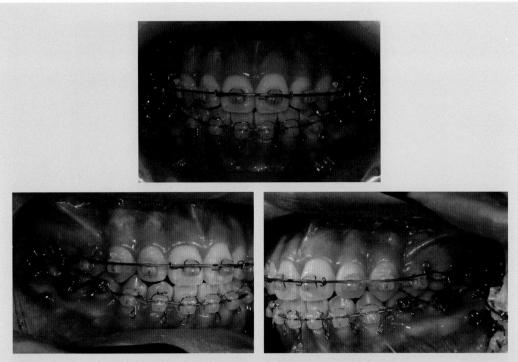

Fig. 17-19. **2020년 10월 20일 구강 사진.** 교정치료가 거의 끝나가는 단계이며 전치부 개방교합이 거의 정상으로 회복된 것을 볼 수 있다.

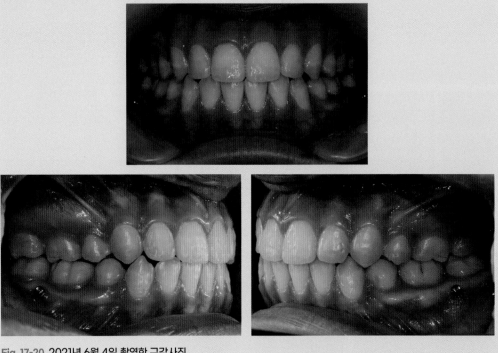

Fig. 17-20. **2021년 6월 4일 촬영한 구강사진**

1. 12세 때 교정치료 후 재발
2. 턱관절장애
3. 특발성 과두흡수증 혹은 골관절염

🗐 치료 및 경과

1. 턱관절 안정을 위한 보존적 치료: 약물 및 물리치료, 관절강주사, 안정위스플린트
2. 교정치료
3. 교정치료 도중 턱관절장애 치료 병행
4. 경과 양호

🔊)) Comment

● 턱관절의 퇴행성 질환은 다른 관절들과 완전히 다르기 때문에 별도로 잘 이해하여야 한다. 또한 골관절염이 젊은 환자들에서도 많이 발생한다는 것도 특이하다(다른 관절들의 골관절염은 40-50대 이상에서 호발하는 경향을 보이지만 턱관절 골관절염은 더 어린 연령이나 20대 이하 청소년기에도 호발한다). 턱관절의 적응능력은 퇴행성 질환에 대한 환자 개인들의 민감도에 따라 많은 차이가 있으며 다양한 요인들에 의해 영향을 받는다(Milam SB; 2003). 임상에서는 골관절증(osteoarthrosis), 골관절염(osteoarthritis), 퇴행성 관절질환(degenerative joint disease, DJD), 과두흡수증(condyle resorption), juvenile idiopathic arthritis (JIA) 등 다양한 질환명들이 혼용되어 사용되고 있으며 내과적 전신 질환과 연관되어 발생하는 경우도 있다. 골관절증과 골관절염은 임상 및 방사선 소견이 거의 유사하지만 학자들 혹은 문헌들에 따라 다르게 보는 학자들도 있다(Dias IM, et al; 2016, Okeson JP; 2008). 그러나 임상가들은 이러한 용어들을 엄격히 구분해서 생각하지 말고 젊은이들에서 발생하는 턱관절 골관절염, 과두흡수증, 퇴행성질환 등은 턱관절장애 증상들과 부정교합, 안모변화를 유발하는 경우가 많기 때문에 비슷한 질환으로 보고 접근하는 것이 좋다.

특발성 과두흡수증이나 골관절염에 의해 하악과두가 흡수되면서 부정교합 및 안모변화를 초래할 수 있다. 이런 질환은 15세에서 35세 사이의 high angle, Class II occlusion 여성 환자들에서 많이 발생한다. 또한 10대의 활동적인 소녀들에서 자주 발생하며, 운동 중에 안면부에 미세 또는 거대 외상이 가해질 경우 질환을 유발하거나 악화시킬 수 있다. 따라서 '치어리더 증후군'이라 불리기도 했다. 청소년 내측 과두흡수증(adolescent internal condylar resorption, AICR)이 과두흡수증의 가장 일반적인 유형이며 사춘기 성장 중에 시작되는 것으로 알려져 있다(김영균 등; 2018). **그러나 필자는 남녀 불문하고 전 연령대에서 특발성 과두흡수증이 발생할 수 있다는 가정하에 접근할 것을 추천한다. 즉 일반 치과치료를 하기 전에 반드시 턱관절에 대해 간단하게라도 평가해야 하며 특히 교정 혹은 턱교정수술을 계획 중인 환자들에서는 턱관절에 대한 정밀 평가 및 진단이 필수적으로 이루어져야 한다. 턱관절장애와 관련된 임상적 증상 및 징후가 있을 경우엔 치료 전에 턱관절을 안정시키기 위한 각종 치료들이 선행되어야 한다.**

또한 본 증례에서 주목해서 살펴볼 것은 1차 교정치료 후 개방교합 등 부정교합이 재발하였고 과두흡수증이 존재하는 상태에서 턱관절 안정치료를 시행하고 교정치료만을 통해 해결했다는 점이다. 즉 침습적인 양악수술을 시행하지 않고 성공적인 치료를 수행하였다는 점에 큰 의미가 있다.

18. 류마티스질환 관련

류마티스관절염은 활액막, 관절낭, 건(tendon), 건초(tendon sheaths), 인대(ligament)와 같은 관절 주위 구조물들에 영향을 미치며 전신적인 증상들이 동반된다. 이차적으로 관절연골과 연골하골조직(subchondral bone) 파괴가 발생한다. 류마티스관절염은 일반인들의 2-2.5%에서 발생하며 40-60세 사이에서 호발한다. 류마티스관절염 환자들의 50-75%가 턱관절에도 영향을 미친다(Zide MF, et al; 1986).

Case 1 > 류마티스관절염으로 인한 교합이상 및 턱관절장애 발생

2004년 2월 3일 60세 여자 환자가 교합이상을 주소로 내원하였다. 상하악 치아들이 잘 맞지 않아 음식 먹는 것이 힘들고 6개월 전부터 양측 귀 주변 통증이 시작되었다고 하였다. 임상검사 시 개구량은 38 mm, 양측 턱관절 측방 및 후방, 측두근, 교근 및 악이복근 압통이 존재하였고 두통, 목, 어깨 통증이 자주 발생하며 평상시 이를 악무는 습관이 존재하였다. 정형외과, 이비인후과에서 약물 및 물리치료를 받았으나 효과가 없었다고 하였다. 방사선사진에서는 양측 과두의 골개조성 변화가 관찰되었으며 턱관절장애 1, 3, 4형으로 잠정 진단하고 물리치료와 약물치료(Amitriptyline, Carol-F)를 우선 시행하였다(**Fig 18-1**). **2004년 2월 12일** 증상이 호전되지 않아 안정위스플린트 치료를 시도하기로 결정하였다. **2004년 3월 5일**부터 스플린트를 착용하였으며 1개월 간격으로 경과를 관찰하였으나 증상이 전혀 호전되지 않아 **2004년 7월 23일** 양측 턱관절세정술을 시행하고 Hyruan 25 mg을 주입하였다. 이후에도 **2004년 8월 14일** 2차 양측 턱관절세정술을 시행하였으며 **2004년 9월 24일**부터 증상이 개선되기 시작하였고 **2004년 12월 2일** 교합도 안정적인 양상을 보였다. 이후 발치, 근관치료, 소실 치아들에 대한 임플란트 치료 등이 시행되었으며 임플란트 유지관리가 잘 진행되고 있다.

2020년 11월 27일 내원 시 우측 귀 전방부 통증을 호소하였으며 **2006년 7월 12일**부터 류마티스관절염을 진단 받고 약물치료를 받고 있던 중 류마티스내과 전문의가 치과진료를 받으라고 하여 내원하였다. 우측 귀 전방부 촉진 시 압통, 간헐적 두통, 우측 측두부 통증을 호소하였고 개구량은 42 mm였다. 이가 안 맞는 느낌이라고 하였지만 교합은 정상적이었다. 방사선사진에서 양측 과두의 골개조 소견이 관찰되었으며 류마티스질환과 관련된 턱관절염으로 잠정 진단하고 물리치료를 시행하였으며 통증과 불편감이 지속될 경우 안정위스플린트 및 관절강 주사치료를 시행하기로 하였다(**Fig 18-2**).

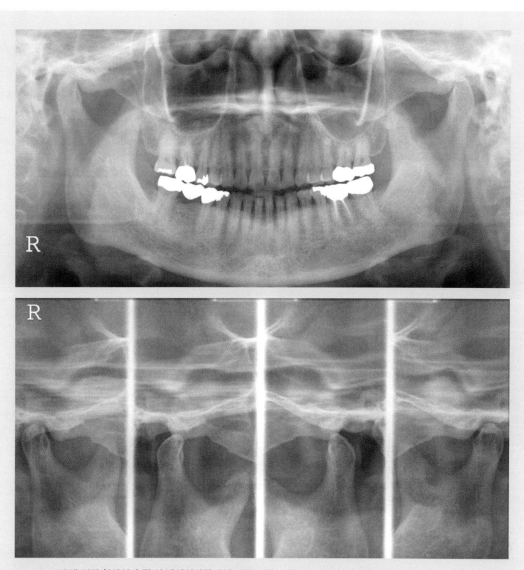

Fig. 18-1. 60세 여자 환자의 초진 시 방사선사진. 양측 하악과두의 골개조성 변화가 관찰된다.

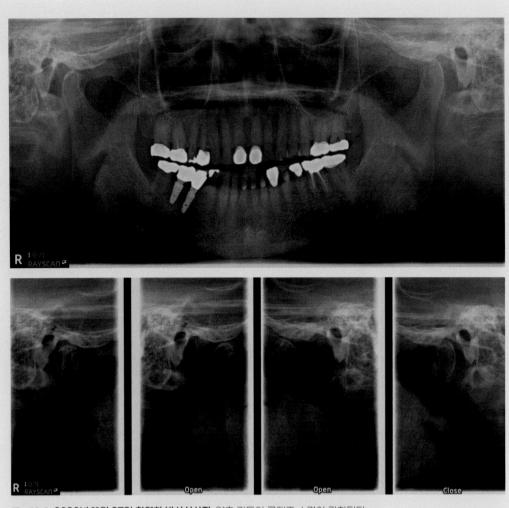

Fig. 18-2. 2020년 11월 27일 촬영한 방사선사진. 양측 과두의 골개조 소견이 관찰된다.

■ 턱관절장애
② 양측 턱관절 과두의 골개조성 변화
③ 교합이상
④ 류마티스 관절질환

치료 및 경과

■ 턱관절장애 보존적 치료
② 턱관절세정술 및 관절강 주사
③ 류마티스내과 치료
④ 경과 양호

🔊 **Comment**

● 내과 병력을 기반으로 돌이켜 생각해보면 2004년 2월 3일 초진 시 발생한 턱관절장애는 류마티스질환과 연관이 있었을 것으로 추정되지만 당시에는 전혀 생각하지도 못하였다. 즉 임상 증상과 방사선사진만을 참고할 때 전형적인 턱관절장애로 판단하였고 방사선사진에서 관찰되는 골개조성 변화는 턱관절장애 4형인 골관절염에 부합되는 것으로 생각하였다. 당시에 CBCT 장비가 치과 내에 구비되어 있지 않아서 촬영하지 못한 것이 아쉽다. Medical CT를 촬영할 수도 있었지만 건강보험에서 삭감되는 등의 이유로 인해 촬영하지 못하는 한계가 있었다.

류마티스관절염이 턱관절을 포함하였다고 해서 특별히 치료법이 다른 것은 아니다. 일반적인 턱관절장애 치료와 마찬가지로 보존적 치료(약물, 물리치료, 안정위스플린트 치료)를 시행하고 증상이 호전되지 않으면 관절강주사, 턱관절세정술 등의 치료를 시행하면 좋은 결과를 보일 수 있다. 약물치료는 류마티스내과 혹은 내분비내과에서 처방하는 약물을 복용하면 되고 치과에서는 필요할 경우 비스테로이드성 소염진통제를 처방하면 된다.

본 증례는 과두흡수 등으로 인한 교합 변화와 턱관절장애 증상들이 발생하였으며 약물, 물리치료 및 안정위스플린트 치료를 시행하였고 증상이 호전되지 않아서 턱관절세정술을 2회 시행하였으며 환자가 호소하는 증상들을 모두 해소시킬 수 있었다.

Case 2 > 류마티스질환과 관련된 턱관절염의 보존적 치료

　2013년 9월 13일 30세 여자 환자가 좌측 턱관절 부위 통증을 주소로 내원하였다. 10년 전부터 좌측 턱관절에서 소리가 났으며 4년 전 류마티스관절염 진단을 받은 이후부터 턱관절 통증이 심해졌다고 하였다. 임상검사 시 30 mm 개구량, 씹을 때 좌측 턱관절이 아프고 개구 시 하악이 좌측으로 비뚤어지는 소견을 보였다. 좌측 교근과 측두근 촉진 시 압통이 있고 턱이 걸려 입이 잘 안 벌어지는 증상과 두통이 자주 있으며 아침에 턱이 항상 뻐근하며 귀 앞이 부은 적이 있다고 하였다. 방사선사진에서는 좌측 과두의 침식 소견이 관찰되어 류마티스질환과 관련된 턱관절염으로 잠정 진단하고 이갈이 여부 평가를 위한 검사와 핵의학검사를 시행하였다(Fig 18-3). 2003년 11월 8일 BruxCheck에서 7개 치아 지점에서 장치가 많이 갈린 소견을 보였고 핵의학검사에서 양측 과두의 섭취율이 현저히 증가된 양상을 보였다(Fig 18-4, 5).

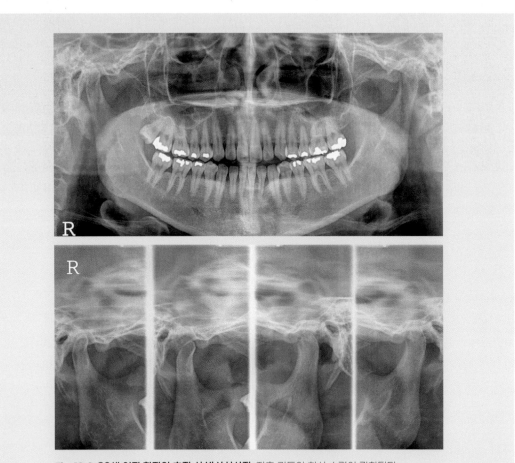

Fig. 18-3. 30세 여자 환자의 초진 시 방사선사진. 좌측 과두의 침식 소견이 관찰된다.

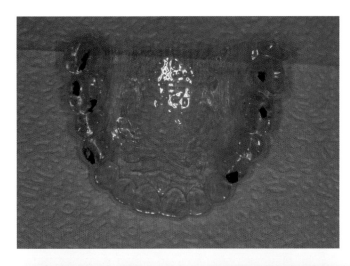

Fig. 18-4. 얇은 Omnivac으로 제작한 스플린트의 7개 지점에서 장치가 많이 갈린 소견이 관찰되어 야간 이갈이가 존재하는 것으로 진단하였다.

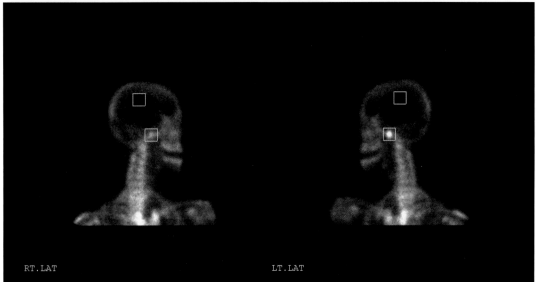

RT.LAT   LT.LAT

Fig. 18-5. 핵의학검사에서 양측 턱관절의 섭취율이 증가한 소견을 보이며 좌측 과두의 섭취율이 더 심한 양상을 보였다(TMJ uptake ratio. Right: 5.42, Left: 6.70, Asymmetric index. Right: 0.81, Left: 1.24).

　　2013년 11월 29일 안정위스플린트를 장착하였고 1개월 간격으로 장치 체크 및 경과를 관찰하였으며 류마티스내과에서 Methotrexate, Folic acid, Prograf (Tacrolimus) 등의 약물치료를 받고 있어서 치과에서는 약을 처방하지 않았다. 2014년 12월 12일 촬영한 방사선사진에서 좌측 과두의 침식 및 불규칙한 관절면 소견이 관찰되긴 하였지만 핵의학검사에서 양측 턱관절 섭취율이 현저히 감소된 소견을 보였고 환자가 호소하는 턱관절 관련 증상들은 거의 소멸되어 치료를 종료하였다. 환자는 류마티스내과 진료를 계속 받고 있다(Fig 18-6, 7).

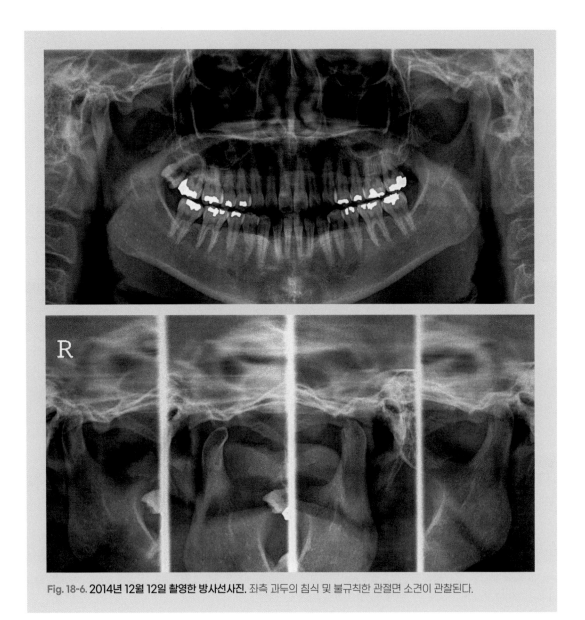

Fig. 18-6. 2014년 12월 12일 촬영한 방사선사진. 좌측 과두의 침식 및 불규칙한 관절면 소견이 관찰된다.

Fig. 18-7. 2014년 12월 12일 촬영한 핵의학검사에서 양측 턱관절의 섭취율이 현저히 감소된 소견이 관찰되었다(TMJ uptake ratio. Right: 4.36, Left: 4.78, Asymmetric index. Right: 0.91, Left: 1.10).

1. 턱관절장애
2. 좌측 하악과두의 침식 소견
3. 류마티스관절염
4. 이갈이

치료 및 경과

1. 류마티스내과 진료
2. 안정위스플린트 치료
3. 경과 양호

🔊 **Comment**

● 본 증례는 류마티스관절염 치료를 받던 중 턱관절장애 증상이 발생하였기 때문에 류마티스질환 관련 턱관절염을 쉽게 의심할 수 있었다. 방사선사진에서 과두의 침식 소견이 관찰되었고 핵의학검사에서 섭취율이 증가된 것을 통해 확진하였다. 또한 이갈이가 지속되면서 증상이 더욱 악화된 것으로 사료된다. 류마티스관련 턱관절염은 보존적 치료와 함께 류마티스내과 진료가 함께 이루어진다면 좋은 경과를 보일 수 있다. 본 증례에서는 안정위스플린트를 장착하면서 턱관절에 가해지는 과부하와 이갈이에 의한 유해 효과를 방지함으로써 좋은 경과를 보였다고 사료된다.

류마티스관절염이 턱관절에 이환되었을 경우 나타나는 증상들은 다음과 같으며 턱관절장애 4형(골관절염)과 거의 유사하다(김영균 등; 2018).

① 귀 전방부 통증, 측두부 및 우각부 통증
② 저작력 감소
③ 근육 압통
④ 악골 움직임 제한
⑤ 염발음 혹은 clicking sound
⑥ 아침의 관절경직(morning joint stiffness)
⑦ 더 진행되면 하악과두가 흡수되고 관절면 사이와 관절낭에 흉터조직이 형성되면서 악골 운동 제한이 더욱 심해진다.
⑧ 골격성 II급 부정교합과 전치부 개방교합이 발생한다.
⑨ 하악과두 파괴로 인해 상행지 높이가 감소된다.

고찰

측두하악장애(temporomandibular disorder, TMD)는 구강안면통증과 두개측두하악관절장애를 포함하는 질환으로서 턱관절, 주변 저작근, 두경부 근골격계와 교합 등이 모두 관여되는 복잡한 질환이다. 가장 일반적인 증상은 통증, 악골운동 제한, 턱관절 잡음 등이다(Dworkin SF & Burgess JA; 1987, Okeson JP; 2004). "측두하악관절"이라는 용어는 일반인들이 잘 이해하지 못하는 어려운 용어이기 때문에 본 책자에서는 측두하악관절을 "턱관절", 측두하악장애를 "턱관절장애"로 명명할 것이다. 턱관절장애는 환자의 의료지식과 관심도 증가, 현대인의 심한 스트레스로 인해 지속적으로 증가하고 있고 치아우식증, 치주질환, 부정교합과 함께 4대 질환에 포함된다. 턱관절장애는 인구의 50~60%에서 존재하며 이들 중 치료 대상인 환자들은 3~7%를 차지한다고 알려져 있다. 국내에서도 지속적으로 환자들이 증가하고 있으며 국민건강보험공단은 2015년부터 2019년까지 5년간 건강보험 진료데이터를 분석한 결과 "턱관절장애" 상병명으로 진료를 받은 환자들 중 20대 여성의 유병률이 가장 높았다고 보고하였다. 5년간 총 진료인원은 2015년 35만 3,000명에서 2019년 41만 4,000명으로 17.1% 증가하였다(구명희; 2021). 턱관절장애는 오래전 Costen (1934)이라는 이비인후과 의사에 의해 처음 언급되었다. 귀 근처의 통증, 이명, 현기증, 귀 충만감, 연하장애를 가진 13명의 환자들을 평가한 결과 다수 치아들이 소실되어 있었고 하악이 과다 폐구(overclosing)되는 양상을 보였다. 상실 치아를 수복하고 교합 수직고경을 정상화시키자 상기 증상들이 개선되는 것을 관찰하였다. 결론적으로 부정교합과 부적절한 악골 위치가 턱관절의 기능 이상과 안면 통증의 원인이 된다고 언급하였다.

John 등(2007)은 턱관절장애를 가진 환자들에서 구강건강과 관련된 삶의 질(Oral Health-Related Quality of Life, OHRQoL)이 나쁜 영향을 받는다고 하였다. 턱관절장애는 다양한 병인론이 존재하기 때문에 치료법도 다양하고 만성화될 경우 정신심리학적 문제와 의과적 질환들이 동반되는 경우가 많다. 또한 스트레스와 매우 밀접한 연관성이 있기 때문에 잠재적인 무증상 환자들이 증상이 발현되면서 치료를 필요로 하는 경우가 계속 증가할 것으로 예상된다.

치과의사들은 턱관절장애 외에도 다양한 턱관절 관련 질환들을 반드시 접하게 된다. 치과 초진 시 접하기도 하지만 치과치료 도중 혹은 치료 후에 발생하기도 하며 생각 외로 발생 빈도가 매우 높다. 따라서 턱관절 관련 질환에 대한 기본 지식과 진단 및 치료 개념이 없다면 환자와 다양한 의료분쟁을 경험하게 될 것이다. 치과의 사들이 관련 지식이 부족하고 적절히 설명하지 못한다면 의료분쟁 발생 시 백전백패할 것은 분명하다.

턱관절장애의 역학, 진단, 치료 및 예후에 대한 상세한 내용은 2018년 출판된 〈턱관절장애와 수술교정〉을 참조하면 거의 모든 정보들을 얻을 수 있다(김영균 등; 2018).

1. 역학

전 인구의 40–60%가 최소 한 가지 이상의 턱관절 관련 증상을 가지고 있다. 그러나 이들 중 치료를 요하는 비율은 10% 이하이다(Okeson JP; 2019). 턱관절장애는 청장년기(20-30대)에 가장 많고 그 이후 서서히 감소하는 경향을 보인다. 즉 자기한정적 장애(self–limiting disorder)이며 나이가 들면서 악화되거나 발생율이 더 증가하지 않고 자연적으로 치유되는 경우가 많다. 비환자 군에서도 40–70%가 턱관절 잡음, 통증, 운동제한 중 적어도 하나의 징후를 가지고 있으며 이들 중 실제 치료를 필요로 하는 사람은 3,6–7% 정도의 소수이다(김성택; 2004, Dworkin SF, et al; 1990, Levitt SR & McKinney MW; 1994, Scrivani SJ, et al; 2008). 여자와 남자의 비율은 3:1–9:1로 거의 모든 연구들에서 압도적으로 여자에서 호발하는 것으로 알려져 있다(Carlsson GE, et al.;2006, Huber NU & Hall EH; 1990, Johansson A, et al; 2009).

턱관절장애의 증상 발현은 개인의 심리신체적 상태에 따라 다양하다. 즉 일부 환자들에서는 과도한 자극에 의해 예민하게 반응하기도 하지만, 상당수의 환자들은 상태가 경미하여 자각할 수 없는 잠복기 상태에 있다가 어떤 특별한 자극이 가해지거나, 교합 변화가 커지고 스트레스에 의한 개체의 적응능력이 떨어지는 경우에 증상이 발현되기도 한다(강동완 등; 2004).

청소년기의 턱관절장애 환자들은 학업 및 진로와 관련된 극심한 스트레스를 받고 있으며 이갈이, 이악물기와 같은 구강악습관을 가지고 있는 경우가 많다. Lee 등(2013)이 2006년부터 2010년까지 5년 동안 분석한 결과 11–19세 환자가 전체 턱관절장애 환자의 18–22%를 차지하였다. 10대 턱관절장애 환자들의 주증상은 clicking sound가 34.5%, 통증이 36.6%, 우울감이 24.2%였으며 이들 중 일부는 임상 증상이 심하면서 심각한 심리적 압박감을 느꼈다. 따라서 10대 턱관절장애 환자들에 대한 주의와 관리가 필요하며, 심리적 압박과 기능 장애에 대한 적절한 치료법을 이해하고 있어야 한다. 또한 다양한 매체를 통한 홍보와 교육을 통하여 현재의 유병률을 낮추고, 난치성 턱관절질환으로 이환되지 않도록 유관 사회단체들과 협조하여, 계몽과 교육을 할 수 있는 제도적 장치의 마련이 필요하다.

소아에서 수면이갈이(sleep bruxism) 빈도는 20–30% 정도로 매우 빈발하는 양상을 보인다. 그러나 임상 증상을 유발하는 경우는 매우 드물며 자기한정적 양상을 보인다(Okeson JP; 2019). 소아 턱관절장애는 하악과두 및 하악 저성장을 일으킬 확률이 매우 높다. 소아 및 성장기 청소년들에서 턱관절장애가 발생하는 경우, 그 발생 연령에 따라 심한 골격성 II급 부정교합 혹은 전치부 개방교합, 안면비대칭이 발생하는 경우가 많다. 소아 및 성장기 청소년들의 턱관절 관절잡음은 잠재적인 하악과두의 골격성 질환을 의미하기 때문에 특발성 과두흡수증 혹은 청소년성 특발성 관절염(Juvenile Idiopathic Arthritis, JIA)에 대한 세심한 평가가 이루어져야 한다.

2. 병인론(Etiology)

턱관절장애 발생에 관여하는 수많은 요소들이 알려져 있지만 국소적인 요소들과 정신적 요소들이 복합적으로 관여한다는 다인성 이론(multifactorial etiology)이 가장 타당성이 있다. 구강악습관과 같은 이상 기능, 정서적 스트레스, 외상 등이 턱관절장애 및 구강안면통증을 유발하기 때문에 한 가지 치료방법으로만 해결할 수 없으며 여러 가지 치료법들이 복합적으로 적용되야 하고 치과의 타 전문 과목 및 의과 전문의들과의 협진이 필요한 경우가 많다(Glaros AG, et al; 2005, Macfarlane TV, et al.; 2001). 다양한 원인들이 있지만 결국 거대 혹은 미세 외상이 턱관절과 주변 조직에 과부하를 유발하면서 턱관절장애를 유발하는 것은 분명하다. 외상은 거대외상(macrotrauma)과 미세외상(microtrauma)로 구분할 수 있으며 거대외상은 턱얼굴에 가해지는 거대한 충격(연조직 손상, 골절, Whiplash injury 등)을 의미하고 미세외상은 구강악습관, 부정교합, 편측저작, 정신적 스트레스 등으로 인해 미세한 자극들이 지속적으로 턱관절 부위에 가해지는 것을 의미한다(De Boever JA & Keersmaekers K; 1996, Steed PA & Wexier GB; 2001).

1) 거대외상

턱관절장애 환자들은 정상적인 환자들에 비해 외상 병력이 더 빈번히 존재하는 경향을 보인다. 턱관절 주변에 가해지는 다양한 종류의 외상이 산화 스트레스(oxidative stress)를 유발하면서 자유기(free radicals)를 발생시킨다. 이후 활액막의 염증이 수반되면서 다양한 염증 산물들이 분비되고 결국 턱관절의 섬유성 유착증, 퇴행성 변화 및 골관절염을 유발하게 된다(Greco CM, et al; 1997, Fischer DJ, et al; 2006, Israel HA, et al.; 2006, Muto T, et al; 1998, Plesh O, et al; 1999, Pullinger AG & Seligman DA; 1991, Tanaka E, et al; 2003).

Lee YH 등(2021)은 머리 목부위 거대외상 환자의 42%에서 턱관절장애가 발생한다고 보고하였다. 즉 교통사고로 인해 whiplash 손상이 발생한 환자들의 MRI 검사에서 외측익돌근의 유의미한 볼륨과 시그널 변화가 관찰되었다. 외측익돌근의 변화는 턱관절 관절원판의 위치변화에 관여할 수 있다.

하악골골절 환자들의 턱관절에서 다양한 염증 및 퇴행성 변화가 관찰되었다(Fig 2-1, 2). 하악골골절과 같은 급성 외상은 턱관절내 생화학적 및 관절강내 병변과 연골 변성의 주요한 소인으로 관여한다. 따라서 외상 직후 턱관절 부위의 통증, 개구장애 등이 지속될 경우 상관절강세정술과 같은 부가적인 처치를 시행한다면 조기에 턱기능을 개선시킬 수 있고 추후 발생할 수 있는 턱관절장애를 예방할 가능성이 있다. 또한 하악골골절과 같은 안면 외상 환자들은 수술만 시행한 후 방치하지 말고 장기간 추적 관찰을 통해 턱관절장애 발현 여부 등을 세밀하게 평가해야 한다(Kim JH, et al; 2004, Kim YK, et al; 2001, 2005, Yoon OB; 2002).

2) 구강악습관, 구강 이상 기능(Oral parafunction)

이갈이, 이악물기, 편측저작, 장시간 동안 껌 씹기, 얼음 깨물어 먹기, 특정 물건이나 손톱 깨물기, 팔괴기(arm leaning), 장시간의 컴퓨터 혹은 스마트폰 사용, 치아들을 항상 접촉시키는 습관(Teeth contacting habit) 등은 턱관절장애 및 안면 통증, 두통과 밀접한 연관성이 있다고 알려져 있다(Gavish A, et al; 2000, Glaros AG & Burton E; 2004, Israel HA, et al; 1999, Johanbsson A, et al; 2006, Miyake R, et al; 2004, Molina OF, et al; 1997, Nagamatsu-Sakaguchi C, et al; 2008, Sato F, et al; 2006).

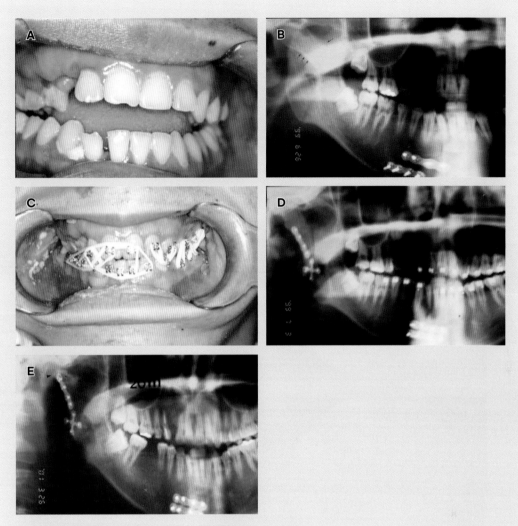

Fig 2-1. 하악골 정중부 및 우측 하악 과두하 골절 증례

A: 정중부 골절에 대한 응급수술이 시행되었으며 전치부와 소구치부 개방교합 소견이 관찰된다. **B:** 정중부 골절에 대한 응급 수술만 시행되었으며 우측 과두골편이 전위된 소견이 관찰된다. **C:** 과두하 골절에 대한 관혈적 정복술 후 악간고정을 시행한 모습. **D:** 하악 과두하 골절에 대한 관혈적 정복술 후 방사선사진. **E:** 수술 20개월 후 방사선사진. 우측 하악과두의 흡수 및 관절염 소견이 관찰된다.

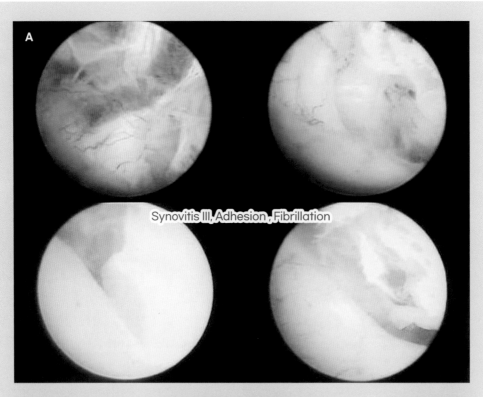

Synovitis III, Adhesion, Fibrillation

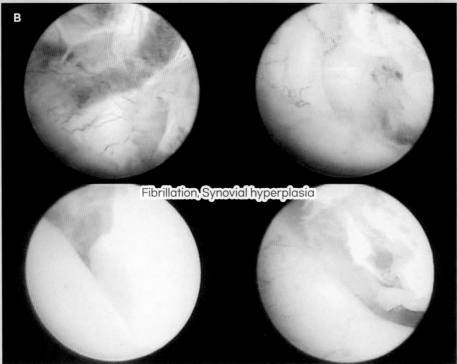

Fibrillation, Synovial hyperplasia

Fig 2-2. 하악골골절 환자의 턱관절경 사진

A: 하악골 정중부 골절이 발생한 22세 남자 환자의 우측 턱관절경 사진. Grade III 활액막염, 섬유성 유착증 및 fibrillation 소견이 관찰된다. **B:** 좌측 하악골 우각부 골절이 발생한 19세 남자 환자의 우측 턱관절경 사진. Fibrillation 및 활액막 부종 및 증식 소견이 관찰된다.

3) 부정교합(Malocclusion)

부정교합은 턱관절장애와 직접적인 연관성이 없으며 턱관절장애 치료 목적으로 교정치료를 처음부터 고려해선 안 된다. 그러나 교합 간섭, 치아 조기 접촉, 치열 불량 등으로 인해 편측저작을 하거나 저작근의 활성도가 비정상적으로 증가할 경우 턱관절장애를 유발할 가능성은 있다(김명희 & 남동석 ; 1997, Hirsch C, et al; 2005, Hong JW & Chung HK; 1993, Sonnesen L & Svensson P; 2011). 한편 교정치료 도중 혹은 후에 턱관절장애가 종종 발생하여 교정치과의사와 환자 간 분쟁이 발생하는 경우가 많다. 교정치료는 턱관절장애를 유발하지 않는다(Bannwart AC, et al; 2016). 원래부터 존재하던 무증상의 턱관절장애 증상이 교정치료를 통한 구강 및 턱얼굴의 구조적 변화, 턱관절 과부하, 치료 관련 스트레스 등으로 인해 발현된 것으로 보는 것이 타당하다. 그러나 교정치료 전에 사전 설명이 전혀 이루어지지 않았다면 치과의사는 책임에서 벗어날 수 없다.

4) 치아 상실, 의치장착 환자

이갈이, 치아소실로 인한 저작 능력 감소와 교합지지(occlusal support)의 소실은 턱관절장애 발병의 중요한 위험 요소이다. 치아들이 소실된 환자들을 임플란트 지지 고정성 보철물로 치료할 경우 저작계의 기능적 상태가 잘 유지될 수 있으며 턱관절장애의 주관적 증상이 개선되고 저작 능력이 향상되는 좋은 효과를 보인다(Al-Abbashi H, et al; 1999, Bergendal T & Magnusson T; 2000, Huang Q, et al; 2003, Johansson A, et al; 2003, 2006, Magnusson C, et al; 2010). 의치 장착자들이 일반인들에 비해 턱관절장애 증상 발현빈도가 높았지만 증상의 정도는 낮았다. 고령 환자들은 증상이 있더라도 사회경제적인 이유 등으로 인해 적극적으로 치료를 받는 경우는 드물다. 또한 의치 장착자들이 임플란트 등의 치과치료를 받을 때 원래 보유하고 있던 턱관절 증상이 더욱 악화될 위험성이 있으므로 사전 설명을 충분히 하고 치료를 시작해야 한다(Lundeen TF, et al; 1990).

5) 턱관절의 과도한 움직임(Hypermobility)

과도하게 입을 크게 벌리는 것도 턱관절장애를 유발하는 원인이 될 수 있다. 인대나 건(tenton)이 과도하게 느슨해질 경우 턱이 잘 빠지면서 턱관절에 손상을 유발하게 된다. 손상받은 인대나 건은 잘 회복되지 않는다. 따라서 이것들을 재생시키기 위한 치료법으로 증식요법(prolotherapy)이 도입된 바 있다. 이는 턱관절강에 Dextrose, 정맥혈, 혈소판풍부혈장(platelet-rich plasma, PRP) 등을 주입하여 염증을 의도적으로 유발하고 섬유성 조직의 증식을 촉진시키는 방식이다(Huddleston Slater JJR, et al; 2007, Refai H, et al; 2011).

6) 악골운동장애(Limitation of jaw movement)

개구가 제한된 상태 혹은 비정상적인 악골 운동이 장기간 지속되는 경우 턱관절장애가 발생할 수 있다(Hamada Y, et al; 2001).

7) 하악과두의 비정상적인 골수강(Abnormal bone marrow of mandibular condyle)

관절원판 전위 및 관절 삼출증으로 인해 하악과두에 압력이 가해지면서 골내부 손상이 발생하고 골수강이 비정상적으로 변하면서 국소적인 골괴사증과 과두의 퇴행성 변화가 발생할 수 있다. 골수강이 비정상적인 경우 국소적인 골괴사증이 잘 발생하고 관절 통증이 정상 골수를 가진 관절에 비해 훨씬 높은 양상을 보인다(Chen YJm et al; 2000, Larheim TA, et al; 1999, Sano T, et al; 2000, Schellhas KP, et al; 1989).

8) 여자

관절 자체의 해부학적 차이, 감정 상태의 차이, 여자가 본인의 건강상태에 대해 남자에 비해 더 민감하기 때문에 턱관절장애 증상의 빈도가 더 높게 나타날 수 있다. 여자가 남자에 비해 통증에 좀 더 과민하게 반응하며 여성호르몬인 에스트로겐(estrogen)이 통증에 대한 민감도를 증가시킬 수 있다(Bhalang K, et al; 2005, De Leeuw R, et al; 2006, Diatchenko L, et al; 2005, Hatch JP, et al;2001, Johansson A, et al; 2003, Kamisaka M, et al; 2000, Krogstad BS, et al; 1996, Sonnesen L & Svensson P; 2011).

9) 직업적 소인

현악기 연주가, 성악가, 역도, 사격, 양궁, 격투기와 같은 운동선수들은 안면과 턱관절에 지속적인 충격이 가해질 수 있고 집중할 때 이를 악물거나 입을 크게 벌리는 행동이 지속되면서 턱관절에 과부하가 가해질 수 있다. 교사, 상담사 등과 같이 말을 많이 하는 직업도 턱관절장애 발생 빈도가 높다(Davies SJ & Al-ani Z.; 2007, Shargill I, et al; 2007).

10) 스트레스와 같은 정신적 요소

스트레스는 면역을 저하시키는 중요한 원인으로 작용하며 지속적으로 구강내 건강을 해친다. 이악물기, 이 갈이 등의 악습관을 유발하고 다양한 구강질환, 턱관절과 관련된 두통이나 구강악안면질환을 유발시킨다. 턱관절장애는 만성 통증 장애의 일종으로 정신병리학적 장애(정서적 스트레스, 과도한 걱정, 우울증, 공황장애, 수면장애 등)와 많은 연관성을 가진다. 특히 근육성장애는 중추신경계 민감화가 동반되면서 이상 증상들이 수반되고 신체화증(somatization)이 나타나는 경우가 많다(한경수 등; 2002, Celic R, et al; 2006, De la Torre Canales G, et al; 2020, Joyce PR, et al; 1989, Kim YK, et al; 2012). 통증이 광범위하게 확산되기도 하고 신체화 척도, 강박증, 대인 예민성, 적대감, 공포 및 불안감이 높은 양상을 보인다. 턱관절장애 치료 시 초기에 정신적 인자들을 찾아내서 조치를 취해야 하며 그렇지 못할 경우 상태를 더욱 악화시키고 결국 치료 실패로 이어질 수 있다고 한다(Celic R, et al; 2006, Cimmino MA, et al; 2011, De Leeuw R, et al; 2005, Ferrando M, et al; 2004, Kim & Rhee; 1992, Larsman P, et al; 2013, Reissmann DR, et al; 2014, Simon GE, et al; 1999, Yoon HJ, e al; 2012).

11) 신경학적 원인

중추신경계 과다흥분(CNS hyperexcitability), 뇌 이상(abnormalities in the brains)이 턱관절장애 발병에 관여할 수 있다는 의견이 제시되었다(Silveira A, et al; 2014).

12) 세균학적 요인

*Chlamydia trachomatis, Myoplasma genitalium, Mycoplasma fermentans, Staphylococcus aureus*와 같은 세균들이 턱관절장애와 상관관계가 있다는 의견이 제시된 바 있다(Henry CH, et al; 1999, Paegle DI, et al; 2004). Henry는 턱관절 수술을 시행 받은 26명의 환자들에서 제거된 관절원판 후방의 두겹조직(bilaminar tissue)에서 세균들의 존재 유무를 검사하였다. 검사한 결과 *Chlamydia trachomatis* 42%, *M. fermentans* 23%, *M. genitalium* 35%가 검출되었으며 이런 세균들이 반응성 관절염(reactive arthritis)을 유발하는 세균들과 함께 작용하여 퇴행성관절질환, 턱관절 염증 등을 유발한다고 하였다(Henry CH; 1999).

13) 해부학적 요인

관절융기의 각도가 가파를수록(steep) 저작근에 과도한 힘이 가해지면서 과두가 후방으로 전위되고 관절원판이 전내방으로 전위될 가능성이 커진다(Atkinson WB & Bates RE; 1983).

14) 치과치료

치과치료 자체가 입을 크게 벌리면서 턱관절에 충격을 주는 술식이고 치과치료에 대한 스트레스로 인해 저작근의 과긴장이 발생하면서 턱관절장애가 새로 발생하거나 이미 존재하고 있던 턱관절장애를 더욱 악화시킬수 있다(이기철; 2008, Hawkins J & Durham PL; 2016, Huang GJ, et al; 2002, Pullinger AG & Monteiro AA; 1988).

15) 전신마취

전신마취를 위한 기관삽관 시 사용되는 후두경(laryngoscope)이 턱관절에 무리한 힘을 가할 수 있다. 특히턱관절장애 병력이 있는 환자들이 전신마취 후 증상이 악화될 수 있기 때문에 전신마취 전에 환자의 턱관절에 대한 간단한 진찰과 문진을 시행하고 전신마취 후 턱관절장애 발생 가능성에 대해 사전에 설명하는 것이 필요하다(Martin MD, et al; 2007).

16) 전신질환

턱관절장애와 연관이 있는 전신질환들은 Congenital disturbances, Rheumatoid arthritis, Psoriatric arthritis, Ankylosing spondylitis, Systemic lupus erythematosus, Neoplasm, Tinnitus, Fibromyalgia, Whiplash injury, Rotator cuff disease 등이 있다(Bonato LL, et al; 2016).

3. 턱관절장애의 발병기전(Pathogenesis)

1) 개구제한

(1) 관절원판 유착증(Disc adhesion): Anchored disc phenomenon (ADP)

활액막염(synovitis), 혈종, 턱관절 과부하로 인해 발생하는 경우가 많다. 갑자기 관절원판이 관절와에 견고하게 유착되는 증상으로서 과두의 회전운동(rotational movement)만 이루어지고 활주운동(sliding movement)은 전혀 이루어지지 않는다. 20 mm 내외의 개구상태를 보이며 개구 시 이환측으로 턱이 편위되며 전방 및 비이환측으로의 측방운동이 잘 안 된다(Fig 2-3). 일반 방사선사진에서 특이 소견이 관찰되지 않으며 MRI 상에서 관절원판이 관절와에 유착된 소견이 관찰되면서 확진될 수 있다. 일반적인 물리치료 및 약물치료에 반응을 보이지 않을 경우 보존적 치료만을 고집하지 말고 상관절강 주사요법이나 턱관절세정술을 통해 해결해야 한다(Fu K, et al; 1995, Kubota E, et al; 1997, Murakami, et al; 1992, Nitzan DW; 2003, Nitzan, et al; 1992, Nitzan DW & Marmary; 1997).

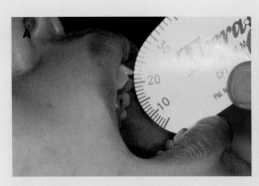

Fig 2-3. 관절원판 유착증으로 인한 개구제한 및 악골운동장애

A: 23 mm 개구제한을 보이고 있다. **B:** 하악 전방 운동 시 우측으로 틀어지면서 운동에 제한을 받는 소견이 관찰된다.

(2) 비정복성 관절원판 전방전위(disc anterior displacement without reduction): 과두걸림(closed lock)(Nitzan; 2001)

정상 턱관절에서는 surface-active phospholipids이 윤활제로 작용하며 Hyaluronic acid는 phospholipids이 phospholipase A2에 의해 용해되는 것을 방지한다. 관절 과부하는 산화과정(oxidation)을 통해 free radicals을 발생시키며 Hyaluronic acid의 생합성이 방해를 받으면서 파괴된다. 결국 Surface-active phospholipids은 쉽게 용해될 수 있는 환경에 노출된다. 관절원판과 관절와 사이에 마찰(friction)이 증가하고 외측익돌근에 의해 과두가 전방으로 밀리면서 관절원판-과두 부착조직들이 늘어나게 된다(stretching). 관절원판은 전내방으로 전위되고 개구 시 과두에 의해 더욱 전방으로 밀리면서 비정복 상태로 진행된다(**Fig 2-4~6**).

개구제한을 유발하는 다양한 턱관절질환들의 감별진단(Nitzan & Marmary; 1997)				
	Ankylosis	**Osteoarthritis**	**DDwoR**	**ADP**
C.C	MOL	MOL + pain	MOL + pain	MOL
Onset	gradual	gradual	gradual	sudden
Clicking history	No	No	Yes	No
Opening amount	<25 mm	15–30 mm	30–35 mm	13–25 mm
Nature of limitation	Persistent	Pliable	Pliable	Persistent
Pain level	+	++++	+++	+++
Dysfunction level	+++	+++	++	+++
Bony change (X–ray)	Yes/No	Yes	No	No
Change on MRI	Yes	Yes	Yes	Yes
Efficacy of conservative Tx.	No	90%	90%	10%
Success rate of arthrocentesis	No	70%	40%	90%

C.C: Chief complaint, DDwoR: disc displacement without reduction

ADP: anchored disc phenomenon (closed lock)

MOL: mouth opening limitation, Tx.: treatment

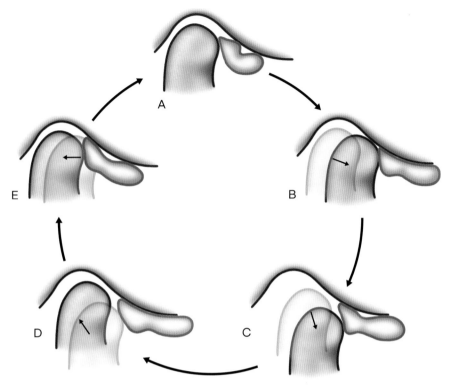

Fig 2-4. 턱관절 관절원판의 비정복성 전방전위로 인해 발생하는 개구제한 모식도

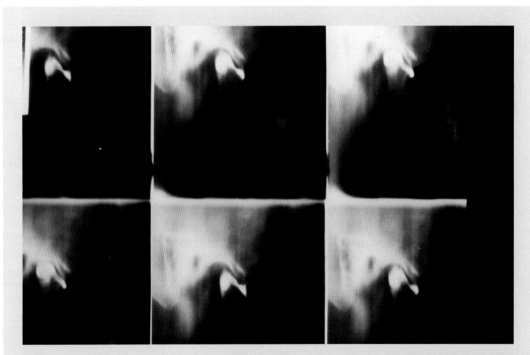

Fig 2-5. 과거에는 턱관절조영술(arthrography)을 통해 간접적으로 관절원판의 위치 변화 및 병변을 확인하였다. 본 증례에서 관절원판의 비정복성 전방전위가 관찰되고 있다.

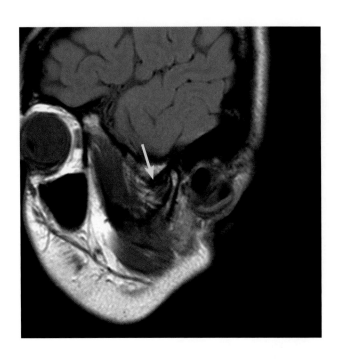

Fig 2-6. TMJ MRI를 촬영하면 개폐구 시 관절원판의 위치를 정확히 파악할 수 있다. 본 증례는 개구 시 관절원판(화살표)이 하악과두 전방에 위치하면서 개구제한이 존재하는 것이 확인된다.

2) 골관절염(Osteoarthritis)

관절내 염증성 산물이 축적되고 통증과 섬유성 유착이 발생하면서 개구제한이 발생할 수 있다. Dijkgraaf 등(1997)이 턱관절 골관절염 환자들에서 활액막을 채취하여 조직병리학적 연구를 시행한 결과 초기 증식기에 활액내막세포(synovial intima cell), 섬유모세포(fibroblasts), 내피세포(endothelial cells)의 증식 소견이 관찰되며 말기로 가면서 광범위한 섬유화가 발생하는 경향을 보였다고 언급하였다(Fig 2-7).

3) 관절잡음

(1) 관절원판 전위에 의한 단순 관절잡음(click)

개구 시와 폐구 시 모두 단순 관절잡음이 나타나기때문에 종종 왕복성 관절잡음(reciprocal clicking)이라고 부른다. 임상적으로 일정한 유형을 따르고 있으며 다른 심각한 증상이 동반되지 않는다면 치료 대상으로 볼 수 없다. 과거 1980년대에는 단순 관절잡음이 기능 장애의 심각한 징후이며, 관절원판이 영구적으로 전위되어 턱운동 장애, 통증, 그리고 장기적으로 골관절염성 변화 등이 생기는 위험을 방지하기 위해 조기 치료(당시에는 외과적 처치가 많이 시행되었음)가 필요하다고 믿었으나 이런 이론에 대한 과학적 뒷받침은 대단히 미약하며 최근엔 치료 대상으로 생각하고 있지 않다(Fig 2-8).

환자로 하여금 입을 크게 벌리게 해서 단순 관절잡음을 발생시킨다. 그 상태에서 턱을 내밀게 한 다음 절단면 대 절단면의 위치로 입을 다물게 한다. 만약 이러한 절단면 대 절단면의 위치에서 관절잡음이 없어지고 개구제한이 없다면 관절원판 전위로 인한 관절잡음으로 진단할 수 있다.

(2) 관절원판 혹은 관절면의 형태 이상으로 인한 관절음

관절원판이 천공되었거나 형태가 변형된 경우, 골관절염이 발생하면서 하악과두 혹은 관절와 표면이 불규칙한 형태로 변한 경우에는 입을 벌리거나 다물 때 거대 관절음(popping)이나 염발음(crepitus)이 발생할 수 있다.

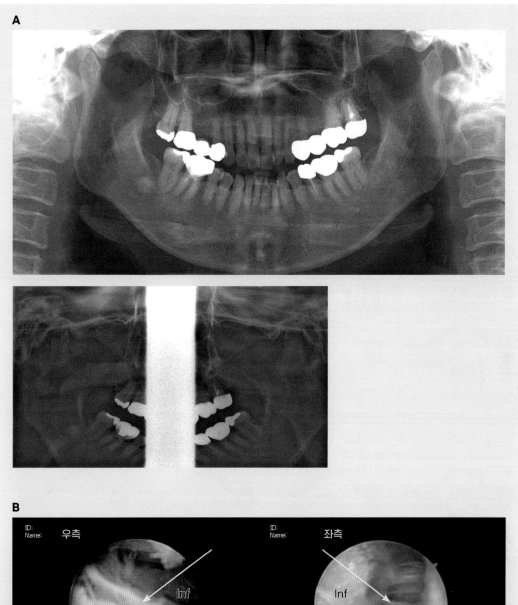

Fig 2-7. 57세 여자 환자의 양측 턱관절 골관절염에 대한 턱관절경 시술을 시행한 증례

A: 초진 시 방사선사진. 양측 과두 첨부가 뾰족한 형태를 보이며 임상적으로 개구제한과 양측 턱관절 통증이 존재하고 있었다. **B:** 양측 턱관절경을 이용한 세척 및 용해술을 시행하는 모습. 섬유성 유착증(화살표)과 노란색을 띤 염증성 산물(Inf)들이 관찰되고 있다.

1. 정상

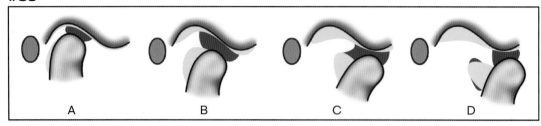

2. 개구 초기의 clicking

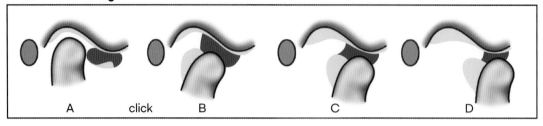

3. 개구 중기의 clicking

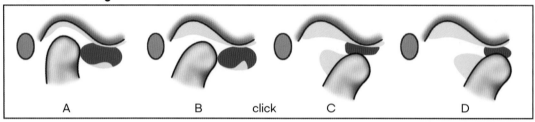

4. 개구 말기의 clicking

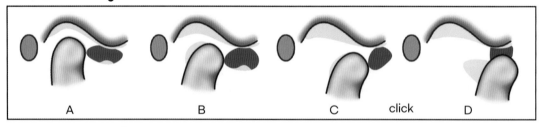

Fig 2-8. 왕복성 관절잡음이 발생하는 모식도

4. 분류

    턱관절장애는 측두하악관절 및 저작근과 관련이 있는 구조적이고 기능적인 장애를 의미하며 교합이상, 턱 관절과 주위 근육의 상태, 정신적 및 전신적 상태 등 다양한 인자에 의해서 발병된다. 진단 및 엄격한 분류를 시행하는 것은 쉽지 않고 오래전부터 많은 학자들에 의해 다양한 분류법이 제시되어 왔다. 국제두통학회에서 는 턱관절장애를 이차두통장애(secondary headache disorders)의 하나로 분류하고 있다(Olesen; 2004). 임상적 분류법은 복잡하지 않고 이해하기 쉬워야 한다. 분류가 잘 이루어진다면 그에 따른 체계적인 치료가 시행될 수 있다. 필자는 현실에 맞고 쉽게 임상에서 활용하기 쉬운 일본턱관절학회 분류법을 선호하고 있다(사단법인

대한턱관절협회; 2004). 다양한 학자들과 학회에서 제시한 분류법들을 다음과 같이 정리할 수 있으며 독자들은 나름대로 자신에게 가장 적합한 분류법을 활용하길 바란다.

1) Okeson 분류법(Okesen JP; 2004, 2008, 2019)

(1) 저작근장애

(2) 측두하악관절장애: 관절면의 구조적 부조화 및 염증성 장애

(3) 만성 하악운동장애

(4) 성장장애

(5) 외상

2) 일본턱관절학회 분류법(사단법인대한턱관절협회; 2004)

(1) 1형: 저작근장애

(2) 2형: 관절낭 염증, 인대장애

(3) 3형: 관절원판장애

(4) 4형: 골관절염이나 퇴행성관절염을 포함하는 변형성 관절증

(5) 5형: 1-4형에 해당되지 않는 유형으로서 정신적 요인이 많이 관여되어 있다.

3) 미국 구강안면통증학회의 분류법(De Leeuw; 2008)

크게 관절장애와 근육성장애로 분류한 후 각각을 세부적으로 분류한 것이 특징이다.

(1) Articular disorders

① Congenital or developmental

A. First and second branchial arch disorders: hemifacial microsomia, Treacher Collins syndrome, bilateral facial microsomia

B. Condylar hyperplasia

C. Idiopathic condylar resorption (Condolysis)

② Disk-derangement disorders

A: Displacement with reduction

B: Displacement without reduction (Closed lock)

C: Perforation

③ Degenerative joint disorders

A: Inflammatory

capsulitis, synovitis, polyarthritides(rheumatoid arthritis, psoriatric arthritis, ankylosing spondylitis, Reiter's syndrome, gout)

B: Noninflammatory

Osteoarthritis

④ Trauma

Contusion, Intracapsular hemorrhage, Fracture

⑤ TMJ hypermobility

Joint laxity, Subluxation, Dislocation

⑥ Infection

⑦ Neoplasia

(2) Masticatory muscle disorders

① Myofascial pain disorder

② Local myalgia

③ Myositis

④ Myospasm

⑤ Myofibrotic contracture

⑥ Neoplasia

4) 턱관절내장증(TMJ Internal Derangement)의 분류

(1) Type I: disc displacement with reduction

(2) Type II: disc displacement with reduction & episodic catching: intermittent locking
－"catching sensation"

(3) Type III: disc displacement without reduction, closed lock

5) 저작근장애의 분류

구강악안면 근육의 병적 상태나 기능 장애로 인해 통증을 나타내는 질환으로서 아래와 같이 세분화할 수 있지만 임상적으로 정확히 구분하기 어려운 경우가 대부분이다(김철훈; 2012).

(1) 보호성 상호수축(Protective cocontraction, muscle splinting)

① 최근 치료받은 보철물이 높거나, 국소마취제에 의한 근육손상, 구강내 통증이 지속되는 경우 외상으로부터 보호하기 위해 중추신경계가 반응하면서 근육의 수축이 발생하고 입을 벌리는 것이 어렵게 되는 경우를 의미한다.

② 장기간 증상이 지속되면 급성 근육성 통증장애가 뒤따를 수 있으므로, 빠른 시간 내에 원인을 제거해야 한다.

(2) 국소근육통증(Local muscle soreness, noninflammatory myalgia)

① 보호성 상호수축이 장기화되거나 근육에 국소적인 외상이 있을 경우, 근육을 무리하게 사용한 경우 및 심한 스트레스로 인해 발생한다.

② 해당 근육 촉진 시 국소적인 압통이 존재한다.

(3) 근막통증(Myofascial pain, trigger point myalgia)

① 근육 기원성 통증의 50%를 차지

② 발통점 존재: 단단하고 민감한 띠(taut band)

③ 연관통이 발생하는 경우가 많다.

(4) 근육경련(Myospasm)

중추신경계가 유발하는 긴장성 근육수축을 말하며 일시적으로 근육이 갑작스럽게 조이고 단단해지면서 불수의적 경련이 일어나는 현상이다. 갑작스러운 통증, 운동 제한, 하악의 위치 변화 등을 호소한다. 쥐가 나는 현상을 예로 들 수 있다.

(5) 중추매개근육통증(Chronic centrally mediated myalgia, chronic myositis)

① 대개 수년 이상의 증상을 호소하는 만성 환자들에서 자주 관찰된다.

② 안정 시에도 통증이 항상 존재한다.

③ 근육통, 근막통증이 오랜 기간 해결되지 않고 지속되면 중추성 흥분 효과가 지속되면서 발생한다.

④ 근육운동, 주사요법은 피하는 것이 좋으며, 오히려 통증이 없는 범위 내로 하악운동을 제한하는 것이 좋다.

6) Diagnostic criteria for temporomandibular disorders (DC/TMD)
(Schiffman E, et al: 2014, 김영균 등: 2018)

DC/TMD에서는 다음과 같이 12가지 유형으로 구분하고 있다: Myalgia, local myalgia, myofascial pain, myofascial pain with referral, arthralgia, 4 disc displacement disorders, degenerative joint disease, subluxation, headache attributed to TMD. DC/TMD의 Axis Ⅰ은 병력, 임상 및 방사선검사를 통해 턱관절장애를 세부적으로 진단하는 기준을 제공하고, Axis Ⅱ는 정신사회적 및 행동적 기능을 평가하는 유용한 진단 도구이다.

7) 턱관절장애 관련 상병명

대한민국 의료보험 체계는 상병명을 정확히 입력한 후 그에 상응하는 치료 및 약물 처방이 이루어져야 보험 적용을 받는다. 보험심사는 전산시스템을 통해 이루어지기 때문에 아래와 같은 세부 상병명을 정확히 입력하는 것이 중요하다. 턱관절장애는 2가지 이상이 복합되어 있는 경우가 대부분이기 때문에 관련이 있다고 추정되는 상병명들은 모두 입력하는 것이 좋다.

K07.60	턱관절내장증	K07.66	저작근장애
K07.61	턱관절잡음	K07.67	기타 명시된 턱관절장애
K07.62	재발성 탈구	K07.68	상세불명의 턱관절장애
K07.63	분류되지 않은 턱관절 통증	M79.10	근막통증증후군(MPDS)
K07.64	분류되지 않은 턱관절 경직	M79.1	근육통(myalgia)
K07.65	퇴행성관절염	S03.4	턱의 염좌(sprain)

8) 골관절염, 골관절증, 퇴행성관절질환

과거에 이들 용어를 아래와 같이 엄격히 구분해서 사용한 적이 있었으나 최근 DC/TMD에서는 하악과두와 관절융기의 골변화와 함께 관절 조직의 파괴를 보이는 골관절증(osteoarthrosis)과 골관절염(osteoarthritis)을 모두 퇴행성관절질환(Degenerative Joint Disease, DJD)에 포함시켰다(김영균 등; 2018, Dias IM, et al; 2016, Okeson JP; 2008, Schiffman E, et al; 2014).

(1) 골관절증(Osteoarthrosis)

관절통을 동반하지 않는 관절염의 휴지기(inactive phase)를 의미하며 관절면의 파괴 및 회복성 개조가 동시에 발생하는 비염증성 관절질환(noninflammatory joint disease)으로 정의한 바 있다. 임상 증상은 거의 없지만 방사선사진에서 형태 변화, 불규칙한 관절면, 편평화(flattening), 경화증, 골극과 같은 소견들이 관찰되기도 한다. 대개 턱관절내장증과 함께 존재하는 경우가 많다. 비정복성 관절원판 전방전위가 골관절증을 유발할 가능성이 높기 때문에 임상검사뿐만 아니라 정확한 영상검사를 통해 관절원판의 정확한 위치를 파악해 두는 것이 중요하다.

(2) 골관절염(Osteoarthritis)

관절통을 동반하는 퇴행성관절질환의 활동기(active phase)를 의미하며 젊은 연령층에서 'wear and tear' 현상이 지속되면서 관절의 퇴행성 변화가 심하게 진행되고 만성 안면통증 및 관련 증상들이 수반될 수 있지만 나이가 들면서 증상이 경미하거나 거의 없어지는 양상을 보인다. 방사선사진에서는 골관절증과 유사한 소견들이 관찰된다.

9) 특발성 과두흡수증(Idiopathic condyle resorption)

과두위축증(condyle atrophy), 진행성 과두흡수증(progressive condyle resorption) 등의 용어로 사용되기도 하며 골관절염의 심한 유형으로 생각되고 있다. 하악과두흡수증은 하악과두의 형태 변화와 크기 감소가 점진적 또는 갑작스럽게 일어나는 것으로 정의하며 과두흡수의 원인이 밝혀지지 않은 상태를 특발성 하악과두흡수증(idiopathic condylar resorption, ICR)으로 명명한다.

(1) 병인론

정확한 병인론은 확실하게 알려져 있지 않지만 다음과 같은 소인들이 관여하는 것으로 추정된다(Laskin DM; 2006, You MS, et al; 2011).

① 의과적 전신 질환: 류마티스관절염(Rheumatoid arthritis), 건선관절염(psoriatic arthritis), Sclerodema, 전신 홍반성 낭창(systemic lupus erythematosus), Sjögren's syndrome, 강직성척추염(ankylosing spondylitis)과 같은 결체조직 질환 및 자가면역 질환

② 세균 혹은 바이러스 감염에 의한 반응성 관절염(reactive arthritis)

③ 외상 등으로 인해 턱관절 부위에 충격이 가해진 경우 턱관절에 비정상적인 과부하가 가해지면서 압박성 골흡수가 발생한다.

④ 스테로이드 장기 사용

⑤ 턱교정수술: 수술 후 하악과두의 위치 변화 및 턱관절에 지속적인 과부하가 가해지면서 발생할 수 있다.

⑥ 턱관절내장증(특히 비정복성 관절원판 전위: disc displacement without reduction)과 골관절염(osteoarthritis)이 존재할 경우 활액막 조직의 비대(hypertrophy)가 발생하면서 화학물질들이 분비되고 과두가 흡수되면서 하악이 후방으로 이동될 수 있다.

⑦ 젊은 여자 환자들에서 빈발: estrogen과 같은 여성 호르몬과의 연관성

⑧ 하악과두 혈액 공급 제한으로 인한 골괴사: 하악과두는 말단동맥(end artery)에 의해 혈액 공급을 받는데 전위된 관절원판에 의해 혈액 공급이 차단될 수 있다. 이런 이론에 근거하여 과두에 구멍을 뚫어서 혈액 공급을 촉진시키는 치료법이 시도된 적이 있다.

(2) 진단

① 전신질환 감별을 위한 이학적 검사

류마티스관절염, 피부경화증(scleroderma) 및 다른 자가면역질환들을 감별하기 위해 erythrocyte sedimentation rate (ESR), C-reactive protein level (CRP), rheumatoid factor (류마티스관절염 환자들의 80%, scleroderma의 33%에서 양성 반응), antinuclear antibodies (류마티스관절염 환자의 40-60%에서 검출됨) 검사 시행

② 스테로이드 사용 병력 조사

③ 교정치료 혹은 악정형치료 병력 조사

Chincups, 하악견인장치와 같은 교정 장치, 척추측만증(scoliosis), 척추후만증(kyphosis) 치료를 위한 orthopedic braces 착용 유무 조사

④ 방사선검사

파노라마, CT 등 방사선사진에서 하악과두의 형태 변화를 평가한다. 대개 과두가 작고 가늘며 (slender) 피질골 표면이 불규칙해지는 양상을 보인다. 그러나 골흡수가 안정화 되었다면 피질골의 형태가 정상일 수도 있다. 측모두부규격 방사선사진에서 하악지가 짧아지고 하악골이 시계 방향으로 회전하면서 다양한 개방교합이 관찰될 수 있다.

⑤ 핵의학검사

일반 핵의학검사에 비해 single photon emission computerized tomography (SPECT)의 진단적 가치가 훨씬 높은 것으로 알려져 있다. 10대 환자들의 과두 성장이 지속되고 있을 경우엔 핵의학검사에서 양측이 대칭적으로 섭취율이 증가하는 양상을 보인다. 그러나 비정상적으로 섭취율이 증가하거나 비대칭 양상을 보일 경우엔 과두의 흡수 혹은 염증성 병변 진행을 의심할 필요가 있다.

⑥ MRI

관절원판의 위치, 골과 연조직의 변화, 염증반응을 정확히 식별할 수 있는 진단 도구이다.

특발성 과두흡수증을 강하게 의심할 수 있는 객관적 소견들(Fig 2-9)

1. Vertical overbite 감소 혹은 전치부 개방교합

2. Sagittal overjet 증가

3. 서서히 진행되는 교합 변화

4. 방사선사진에서 하악과두의 용적 감소 및 불규칙한 외형이 관찰됨

5. 핵의학검사에서 섭취율 증가

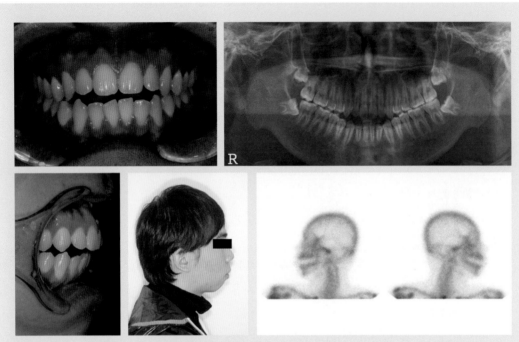

Fig 2-9. 15세 남자 환자에서 발생한 특발성 과두흡수증. 전치부 개방교합, sagittal overjet 증가, 양측 하악과두의 형태 변화 및 용적 감소, 하악골 후퇴증, 핵의학검사에서 양측 턱관절 부위의 섭취율 증가 소견이 관찰된다.

5. 진단

1) 임상검사

턱관절장애를 포함한 대부분의 턱관절질환들은 임상검사를 세밀하게 수행하면 쉽게 진단될 수 있다. 방사선검사를 포함한 다른 검사들은 부수적인 것이며 절대적으로 의존해선 안 된다. 환자의 주관적 증상을 잘 파악하고 객관적 검사를 통해 이상 소견들을 잘 찾아내는 것이 중요하다. 임상검사의 정확성은 59~90%로 매우 다양한 양상을 보이지만 비침습적이면서 신속하게 검사를 할 수 있으며 부가적인 검사 필요성을 결정하기 위한 가장 기본적인 진찰법이다(Roberts CA, et al; 1987, 1991, Kim HW, et al; 2007).

> **임상검사 시 반드시 평가해야 하는 항목들**
> (조상훈; 2017, Bernhardt O, et al; 2004, Dworkin SF, et al; 1990, Kim YK; 2014, Levitt SR, et al; 1994, Saldanha ADD, et al; 2012, Wright EF; 2007)

1. **병력 청취:** 의과적 질환, 교정치료를 포함한 치과치료 병력, 외상 병력

2. **통증:** 통증은 주관적 개념으로서 객관화 및 정량화시키는 것이 매우 어렵다. 그러나 통증의 주관적 정도를 10 cm VAS에 환자가 직접 표시하게 하고 치료 후 경과를 관찰하면서 VAS에 주기적으로 표시함으로써 통증의 변화를 파악할 수 있다(Fig 2-10).

3. **관절잡음(Joint noise):** 환자가 입을 벌리고 다물거나 전방 혹은 측방으로 턱을 움직이도록 하면서 턱관절 주변을 손가락으로 촉진하면 관절잡음의 종류를 쉽게 파악할 수 있다. 청진기를 사용하면 좀 더 정확하게 관절잡음의 양상과 정도를 파악할 수 있다. 관절잡음은 clicking, crepitus, popping sound로 분류할 수 있으며 턱관절 증상이 없고 정상적인 악골운동을 보이는 사람들에서도 단순한 관절잡음이 존재하는 경우가 많다.

4. **촉진(Palpation):** 근육, 턱관절 부위를 촉진하여 압통이 존재하는지 평가한다.

5. **악골운동검사:** 개구량, 개구 시 악골 편위(deviation) 혹은 편향(deflection), 입을 벌리지 못하거나 잘 다물지 못하는 증상들을 평가한다(Fig 2-11).

6. **치아 및 교합검사(Fig 2-12, 13)**
치아들의 교모증, 치경부 침식 혹은 마모증, 치아파절이나 균열 등을 검사한다. 교합검사는 Class I, II, III 교합 상태, 치열궁의 붕괴, 치아 결손 상태, 외상성 교합 유무, CO-CR discrepancy 등을 평가한다.

7. **부하검사(Loading test)(Fig 2-14)**
설압자를 편측으로 물게 하여 턱관절에 가해지는 부하를 검사하는 방법이다. 깨무는 동측에서 통증이 발생하면 근육성장애를 의미하고, 반대측에서 통증이 나타나면 관절장애를 의심할 수 있다.

8. **저항검사(Resistance test)(Fig 2-15)**
근육에 저항력을 가하면서 이상 유무를 평가하는 방법이다. 예를 들어 하악을 전방으로 내밀지 못하게 술자의 엄지손가락으로 누르면서 환자로 하여금 턱을 전방으로 내밀게 한다. 이때 활성화되는 외측익

돌근에 대한 상태를 확인할 수 있다.

9. 이명(Tinnitus)

턱관절장애를 보유한 환자군에서 이명, 어지럼증과 같은 귀 관련 증상들이 좀 더 빈발한다는 논문이 많다. 턱관절장애와 귀 관련 증상이 동시에 시작되었을 경우 턱관절장애를 치료하면서 이비인후과적 치료를 병행하면 귀 관련 증상들이 잘 치유될 가능성이 있다.

10. DC/TMD

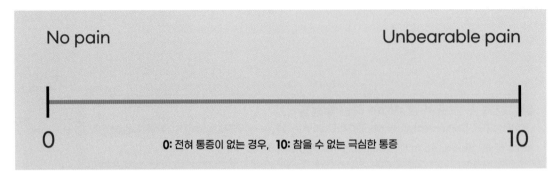

Fig 2-10 VAS scale

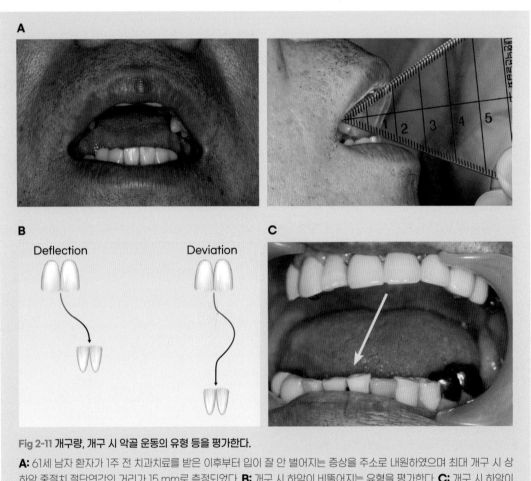

Fig 2-11 개구량, 개구 시 악골 운동의 유형 등을 평가한다.
A: 61세 남자 환자가 1주 전 치과치료를 받은 이후부터 입이 잘 안 벌어지는 증상을 주소로 내원하였으며 최대 개구 시 상하악 중절치 절단연간의 거리가 15 mm로 측정되었다. **B:** 개구 시 하악이 비뚤어지는 유형을 평가한다. **C:** 개구 시 하악이 우측으로 편향(deflection)되는 모습이 관찰된다.

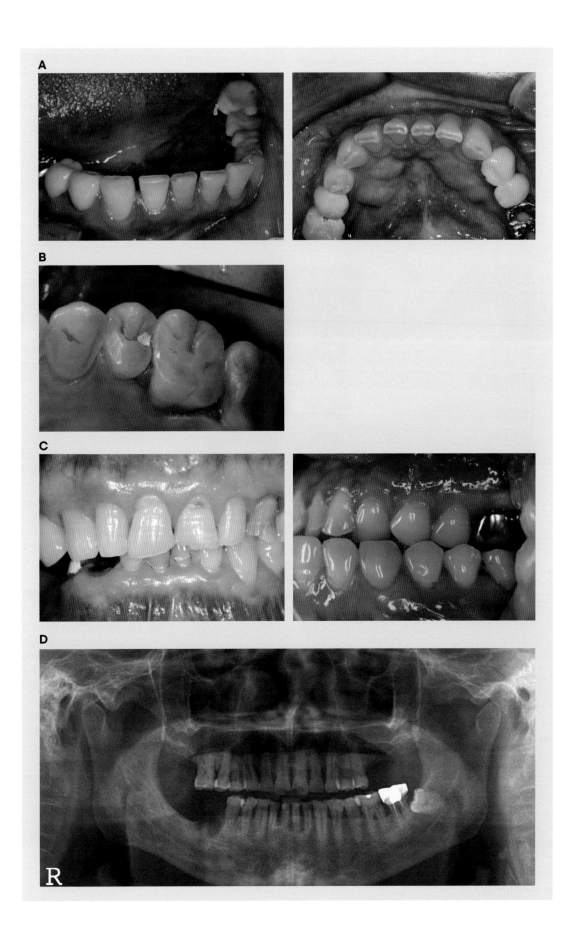

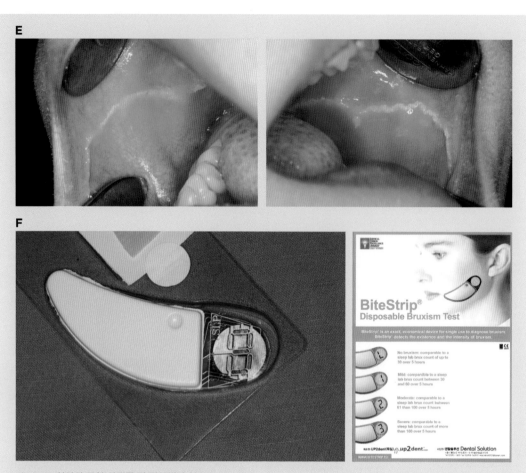

Fig 2-12. 치아와 교합 상태를 잘 평가해야 한다.

A: 하악 전치부의 심한 교모증과 설측 골융기가 관찰된다. 이와 같은 경우엔 야간 이갈이 혹은 이악물기와 같은 구강악습관이 존재할 가능성이 크기 때문에 좀 더 세밀한 검사 및 진단이 필요하다. **B:** 소구치와 대구치의 심한 교모증(attrition)이 관찰된다. **C:** 상악 전치부와 소구치 치경부 구조물이 소실(cervical abfraction)되어 있으며 치아 절단연 파절 소견들이 관찰된다. 이갈이 혹은 이악물기가 존재할 가능성을 의심해야 한다. **D:** 파노라마 방사선사진에서 상하악 전치, 견치, 소구치의 심한 교모증 소견이 관찰된다. **E:** 이갈이가 심한 14세 여자 환자의 협점막에서 백선이 매우 뚜렷하게 관찰된다. **F:** 휴대용 근전도 검사기구로서 야간 이갈이 혹은 이악물기 진단을 위해 유용하게 사용할 수 있다.

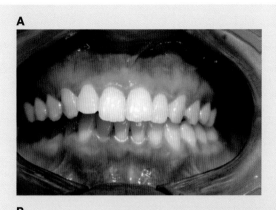

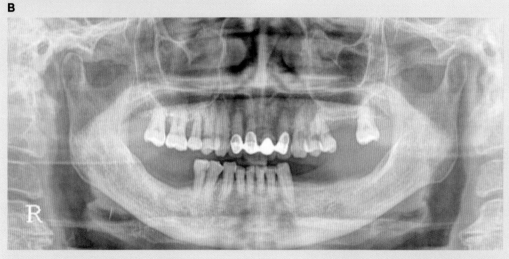

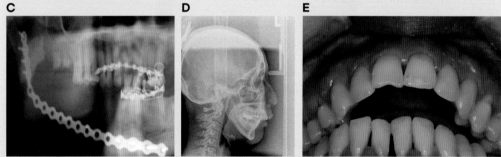

Fig 2-13. 구강 및 방사선검사를 통해 환자의 교합 상태, 치열궁의 붕괴 및 치아 결손, CO-CR discrepancy 등을 평가한다.

A: 좌측은 정상적인 교합을 보이지만 우측은 Scissors bite가 존재하면서 좌측으로만 음식을 씹는 편측저작 습관이 존재하는 환자이다. **B:** 파노라마 방사선사진에서 #26과 양측 하악 구치부가 소실된 소견이 관찰된다. 이와 같이 다수 치아들이 소실된 환자들은 비정상적인 저작기능으로 인해 턱관절장애가 잠재하고 있을 가능성을 생각해야 한다. **C:** 파노라마 방사선사진에서 하악골종양 수술 후 재건용금속판이 장착되어 있는 소견이 관찰된다. 비정상적인 저작기능으로 인해 턱관절장애가 존재하고 있을 가능성이 매우 크다. **D:** 골격성 II급 부정교합이 존재하는 환자의 Cephalometric lateral view. 하악골 후퇴, sagittal overjet 증가 소견이 관찰되며 특발성 과두흡수증, 골관절염과 같은 턱관절장애가 존재하고 있을 가능성이 크다. **E:** Large CR-CO discrepancy와 전치부 개방교합을 보이는 구강 사진.

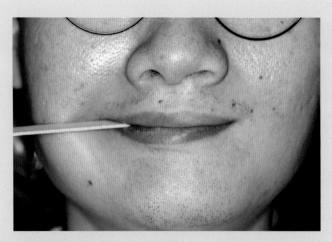

Fig 2-14. Loading test

설압자를 물게 하여 관절에 가해지는 부하를 검사한다. 깨무는 동측에서 통증이 발생하면 근육성 장애를 의미하고, 반대측에서 통증이 나타나면 관절장애를 의심할 수 있다.

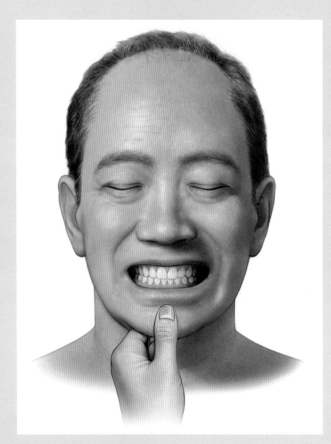

Fig 2-15. Resistance test

하악을 전방으로 내밀지 못하게 술자의 엄지손가락으로 누르면서 환자로 하여금 턱을 전방으로 내밀게 한다.

1. End feel

개구장애가 존재할 경우 술자가 엄지와 검지손가락을 이용하여 환자의 입을 천천히 벌리면서 느껴지는 종말감각을 통해 원인 부위를 찾을 수 있다.

1) 부드러운 종말감(Soft end feel)

근육-근막 장애의 경우에 교근, 측두근 등을 부드럽게 마사지하거나 손으로 굳었던 근육을 풀어주면서 서서히 개구하면 부드럽게 입이 벌어진다.

2) 딱딱한 종말감(Hard end feel)

개구 시 관절원판이 전방으로 전위되어 고착되었거나 턱관절강직증이 존재하는 경우에는 하악의 활주운동이 이루어지지 않는다. 수동적으로 강제 개구를 시켜도 입이 안 벌어지는 양상을 보인다.

2. 관절 촉진

1) 턱관절 측방: 귀 전방의 오목한 부분에 검지 손가락을 대고 환자로 하여금 입을 벌리고 다물게 하면서 과두의 움직임과 관절잡음, 통증 유무를 확인한다.

2) 턱관절 후방: 귓속으로 손가락을 넣어서 과두의 움직임과 압통 유무를 확인한다.

3. 근육 촉진

1) 저작근: 교근, 측두근, 외측익돌근, 내측익돌근

2) 경부 근육: 악이복근(digastric muscle), 두판상근(splenius capitus), 승모근(trapezius), 사각근(scalene), 흉쇄유돌근(sternocleidomastoid muscle)

악골운동검사

1. 개구 시 하악 운동

1) 편위(deviation)

개구 시 하악이 한쪽으로 틀어지다가 최대 개구 시에는 정상으로 돌아오는 것을 의미한다. 지그재그, S자형으로 입이 벌어지는 경향을 보인다.

2) 편향(deflection)

개구할 때 하악이 한쪽 방향으로 틀어지는 것을 의미한다

2. 능동적 운동범위(active range of movement)

1) 개구량(mouth opening)

정상 개구량은 35-55 mm의 범위에 있지만 환자들에 따라 정상 개구량은 많은 차이를 보인다. 일반적으로 검지, 셋째, 넷째 손가락 3개를 세워서 입안에 넣을 수 있는 정도를 각 환자의 정상 개구량으로 보면 무난하다.

2) 전방 및 측방 운동

정상 전방운동 범위는 7-10 mm, 측방 운동범위는 10-15 mm이다.

3) 개폐구 운동 시 턱관절 측방과 귀 전방에 손가락을 넣어 관절의 움직임을 촉진한다.

3. 수동적 운동범위(passive range of movement)

능동적 개구운동을 시킨 상태에서 술자가 손으로 좀 더 개구시키는 범위를 의미한다. 2 mm 이상 개구량이 증가하면 근육성 통증을 추정할 수 있으며, 2 mm 미만으로 딱딱한 종말감(hard end feel)이 느껴진다면 턱관절강직증이나 비정복성 관절원판전위를 추정할 수 있다

2) 행동 및 사회심리학적 평가

턱관절장애는 만성 질환이며 만성 질환은 우울증, 조울증, 심리적 스트레스와 같은 정신과적 문제가 동반될 수 있다. 따라서 모든 턱관절장애 환자들에 대한 심리정신적 평가는 진단 및 치료 과정에서 매우 중요하다(Dworkin SF, et al; 2002, Ohrbach R, et al; 2010). Manfredini 등(2010)은 1,149명의 턱관절장애 환자들을 평가한 결과 통증과 연관된 심각한 장애가 5.7%에서 관찰되었다고 보고하였다. 또한 심각한 우울증은 21.4%, 심각한 신체화(somatization) 증상은 28.5%에서 나타났다.

통증 관련 장애(Pain-related disability)는 우울감과 신체화의 수준과 큰 연관성이 있고, 통증의 기간과도 연관이 있다. 따라서 턱관절장애 환자들을 진단할 때 정신적 및 신체적 요소들에 대한 평가가 중요하다(Manfredini D, et al; 2010). 김영균 등(2012)에 의하면, 근근막통증장애증후군(myofascial pain dysfunction syndrome, MPDS) 환자들이 턱관절내장증(internal derangement, ID) 환자들에 비해 더 심한 우울감과 비특이적 신체 증상을 보이는 것을 확인하였으며 턱관절장애의 진단과 치료법을 결정할 때 반드시 심리적 요소와 비특이적 신체 증상들도 고려해야 한다고 언급하였다(Kim YK, et al; 2012, 2013).

3) 영상의학적 검사

영상진단 기술이 현저히 개선되었음에도 불구하고 턱관절장애의 특정 병태 생리를 완전히 이해하기 어렵고 진단의 정확도에도 많은 제한이 있다. 따라서 영상진단은 부가적인 방법으로 이용되어야 하며 남용되어서는 안 된다. 턱관절질환 진단을 위해 많이 활용되는 영상의학적 검사들은 파노라마, 턱관절파노라마(TM panorama), 횡두개상(Transcranial view), Computed tomography (CT) 혹은 Cone-beam computed tomography (CBCT), Magnetic resonance imaging (MRI), 핵의학검사 등이 있다(구윤성; 2010. 김태우; 2004, 김영균 등; 2018, Bakke M, et al; 2014, Kim SB, et al; 2015, Ku JK, et al; 2015, Myoung SW & Park JU; 2006, Scrivani SJ, et al; 2008, Tucker MR, et al; 1986, Ye YG; 2005)(Fig 2-16, 17).

특히 핵의학검사의 일종인 섬광조영술(scintigraphy)은 일반 방사선사진이나 CT, MRI 검사에서도 발견되지 않는 골관절염, 특발성 과두흡수증, 종양 등의 질환을 찾아낼 수 있으며 치료에 대한 반응과 예후를 평가하는 측면에서도 매우 유용하게 활용될 수 있다(Hersek N, et al; 2002, Kim JH, et al; 2012, Krasnow AZ, et al; 1987, Ku KJ, et al; 2015). Coutinho 등(2006)은 SPECT/CT의 턱관절장애 진단의 Sensitivity는 100%, Specificity는 90.91%, Accuracy는 96.97%라고 보고하였다(Fig 2-18).

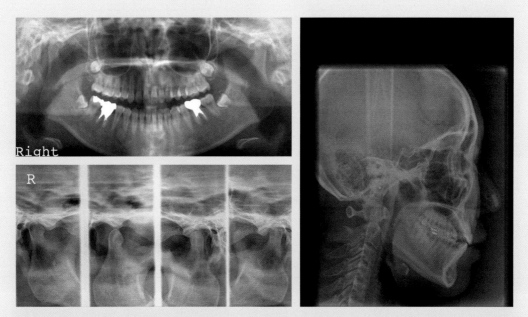

Fig 2-16. 파노라마, TM 파노라마, 측모두부규격 방사선사진 등과 같은 일반 방사선사진들이 턱관절질환 진단을 위해 우선적으로 선택되어야 하는 영상검사이다.

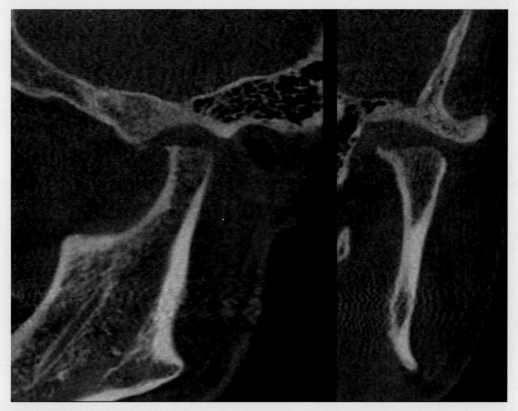

Fig 2-17. 일반 방사선사진에서 턱관절 구조물에 이상 소견이 관찰될 경우 CBCT를 촬영하여 상세히 평가해야 한다. 턱관절장애 진단을 목적으로 처음부터 CBCT를 촬영할 경우 청구한 보험금이 전액 삭감되니 주의해야 한다.

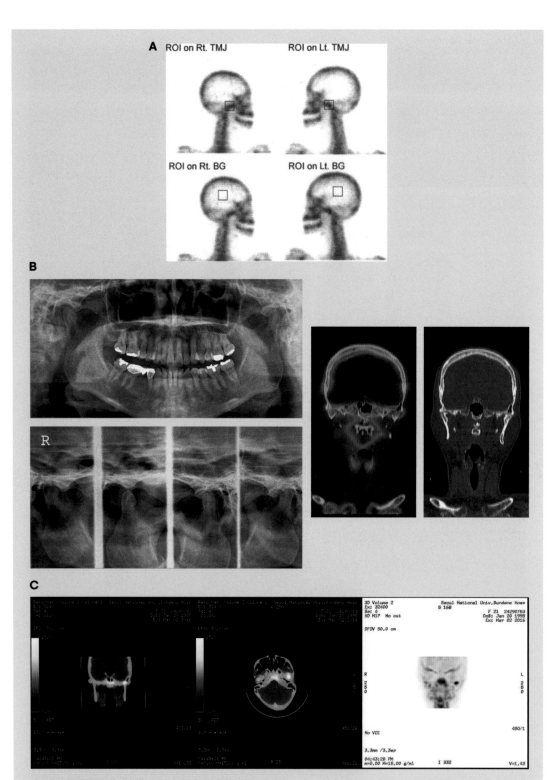

Fig 2-18. 턱관절질환 진단을 위해 사용되는 다양한 핵의학검사

A: Bone scan. **B:** 류마티스관절염 치료를 받고 있는 50세 여자 환자의 일반 방사선사진에서는 특별한 이상 소견이 관찰되지 않았다. Bone SPECT를 촬영한 결과 양측 턱관절의 류마티스관절염이 확진되었다. **C:** PET CT는 턱관절 골관절염, 턱관절 종양 등 다양한 병변을 찾아낼 수 있는 매우 정확한 검사이지만 검사비가 매우 고가이기 때문에 적응증이 되는 경우에만 선별적으로 선택해야 한다.

자기공명영상(MRI)

환자 및 의료인들에게 MRI (magnetic resonance imaging)는 질병의 진단에 가장 정확하고 만능의 장비로 생각되고 있으나 결코 그렇지 않다. 특히 턱관절질환의 진단에서는 항상 보조적 수단으로만 사용해야 한다. 즉 임상검사, 일반 방사선검사, CT 등으로 진단하기 어려운 경우에 한해서 선택적으로 적용해야 한다. 즉 진단과 치료계획 수립을 위해 관절원판의 정확한 위치를 파악할 필요가 있을 때, 관절원판의 병적변화, 턱관절내부의 염증성 병변 및 삼출증, CT에서 잘 관찰되지 않는 턱관절 주위 종양을 확인하기 위해 촬영하는 것이 원칙이다(Emshoff R, et al; 2003, Koh KJ, et al; 2009, Ohlmann B, et al; 2006)(Fig 2-19).

4) 턱관절경(TMJ arthroscopy)

진단과 치료 목적으로 턱관절경 시술을 시행할 수 있다. 관절내부의 상태를 사진으로 찍어서 보관하고 환자에게 설명하면 환자의 치료에 대한 신뢰감을 증가시킬 수 있다. 김영균 등은 턱관절경 시술 도중에 채취한 조직시편들에서 대부분 섬유성 조직, 지방조직 및 석회화 조직들이 관찰되었다고 보고하였다(김영균; 2007, Dijkgraaf LC, et al; 1999)(Fig 2-20).

5) 기타 부가적인 검사

근전도, 초음파검사, 체열검사, 하악운동궤적검사, 음파촬영술 등이 보조 진단과 연구 목적으로 사용되기도 한다(Fig 2-21). Weller 등(1999)은 말의 턱관절질환을 진단할 때 방사선검사, 핵의학검사, 초음파검사를 시행하여 비교하였으며 초음파검사는 값이 저렴하고 촬영 술식이 쉽고 비침습적인 유용한 진단 방법이라고 언급하였다. 최근 초음파를 이용한 턱관절질환 진단에 대한 관심이 증가하고 있으며 관련 연구들이 많이 진행되고 있고 양질의 장비들이 계속 개발되고 있어서 조만간 턱관절 분야의 필수 진단장비로 자리 잡을 것으로 예상된다. 한편 턱관절강으로부터 활액을 채취하여 염증성 산물들을 찾아내는 연구가 오래전부터 시행되었으며 턱관절 골관절염의 진단에 유용하게 사용될 수도 있다. 정상인의 턱관절강에서 활액을 채취하여 분석하면

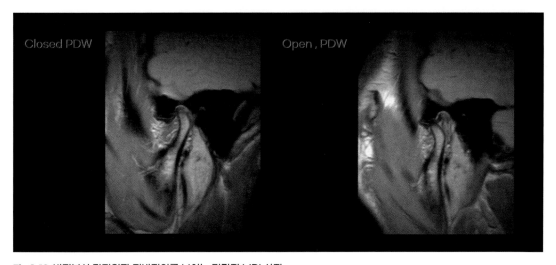

Fig 2-19. 비정복성 관절원판 전방전위를 보이는 턱관절 MRI 사진

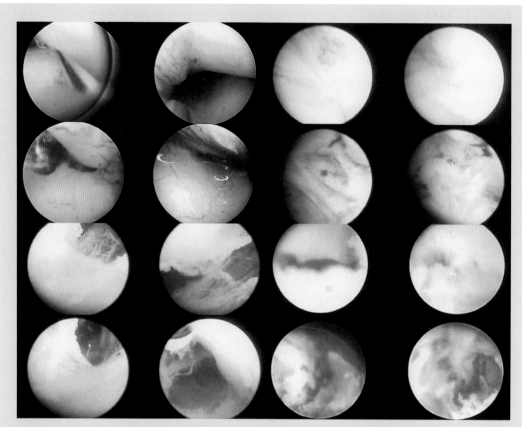

Fig 2-20. Synovitis, osteoarthritis, adhesion, ecchymosis 등의 소견을 보여주는 턱관절경 사진

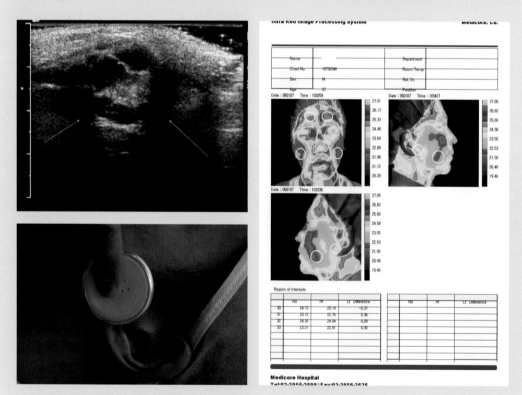

Fig 2-21. 초음파, 체열검사, 턱관절 잡음을 시각화하여 보여주는 음파촬영술 등이 보조 진단 수단으로 사용되기도 한다.

염증에 관여하는 cytokines은 존재하지 않아야 한다(Kim YK, et al; 2012). Emshoff 등(2000)은 턱관절 통증이 존재하는 환자의 양측 턱관절강에서 활액을 채취하여 tumor necrosis factoralpha (TNF−α)를 분석하였다. 통증 부위에서 13.01 ng/ml, 통증이 없는 부위에서 7.73 ng/ml를 보였으며 턱관절세정술을 시행하면 TNF−α가 현저히 감소되고 통증도 현저히 감소되는 효과를 보인다고 언급하였다.

6. 감별진단

개구제한 및 통증은 턱관절장애의 주증상이기 때문에 턱관절 주변에 발생하는 다른 질환들이 유사한 증상을 보일 경우 턱관절장애로 오진될 수 있다. Cohen 등(1988)은 턱관절장애로 오진될 수 있는 5명의 증례들(감염 2증례, 일차성 악성종양 2증례, 전위성 악성종양 1증례)을 보고하였다. 따라서 세밀한 임상검사와 병력 청취, 초기에 시행하는 치료에 대한 반응을 주의 깊게 살펴봐야 한다. 적절한 턱관절장애 치료에도 불구하고 증상이 지속된다면 재평가가 필수적이며 자세한 정밀검사를 시행해야 한다.

1) 감염 (Fig 2-22)
개구제한 및 악골 통증이 동반된 감염이 턱관절장애로 오진되는 경우가 많다. 따라서 CRP를 포함한 혈액검사 및 CT 검사를 통해 숨어있는 감염을 식별해야 한다(Ogi N, et al; 2002). 특히 구강 외 종창이 심하지 않으면서 통증과 개구장애를 보이는 익돌하악간극 감염(pterygomandibular space infection), 인후주위감염(parapharyngeal infection), 골수염 등은 턱관절장애로 진단된 상태로 장기간 부적절한 치료가 시행되면서 감염이 만성화되고 좋지 않은 결과를 초래할 수 있다(이상화; 2008, Brown RS, et al; 1994, Drun RK, et al; 1993, Huntley TA & Wiesenfeld D; 1994).

2) 외상 (Fig 2-23)
하악과두골절, 턱관절 진탕은 턱관절장애와 증상이 매우 유사하다(Ju HJ, et al; 2010, Lello GE & Makek M. 1986, Yoon OB; 2002).

3) 오훼돌기 증식(Coronoid hyperplasia) (Fig 2-24)
턱관절에는 문제가 없음에도 불구하고 오훼돌기가 상악골 후방부와 접촉되면서 개구장애를 유발한다. 파노라마 방사선사진을 세밀하게 관찰하지 않으면 놓치는 경우가 많다(Kreutz RS & Sanders B; 1985, Prael FR.; 1984).

4) 활액막낭종(Synovial cyst)
턱관절에서 매우 드물게 발생하는 질환으로 10−30대 여성에서 주로 발생하며 개폐구시 통증, 전이개부 종창, 개구장애 증상을 보인다. Cho 등(2008)은 27세 남자 환자에서 발생한 턱관절의 염증성 활액막낭종 증례를 보고하였다.

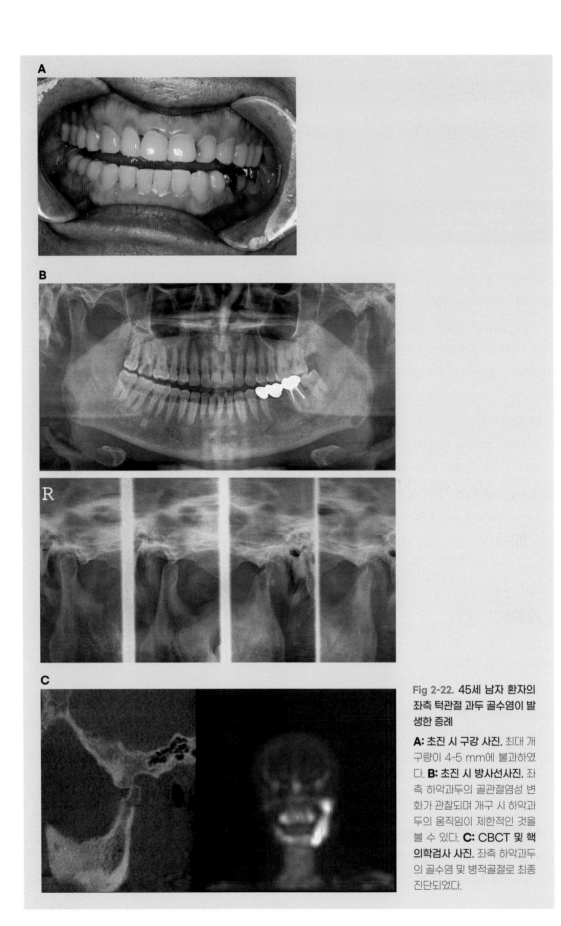

Fig 2-22. 45세 남자 환자의 좌측 턱관절 과두 골수염이 발생한 증례

A: 초진 시 구강 사진. 최대 개구량이 4-5 mm에 불과하였다. **B:** 초진 시 방사선사진. 좌측 하악과두의 골관절염성 변화가 관찰되며 개구 시 하악과두의 움직임이 제한적인 것을 볼 수 있다. **C:** CBCT 및 핵의학검사 사진. 좌측 하악과두의 골수염 및 병적골절로 최종 진단되었다.

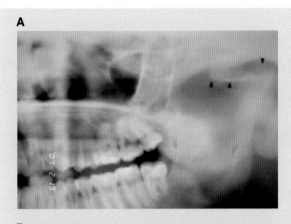

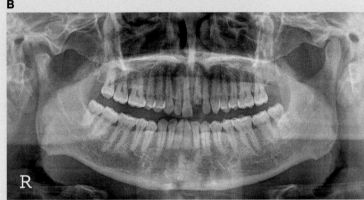

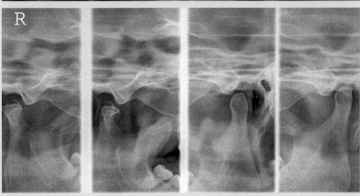

Fig 2-23. 하악과두골절은 턱관절장애와 매우 유사한 증상들을 보인다.

A: 22세 남자 환자의 좌측 하악과두골절을 보여 주는 방사선사진. 과두골편이 전내방으로 전위된 소견이 관찰된다.

B: 39세 남자 환자에서 우측 하악과두골절이 발생한 증례. 과두 상방에서 골절이 발생할 경우 방사선사진을 자세히 살펴보지 않으면 골절을 발견하지 못하는 경우가 많다.

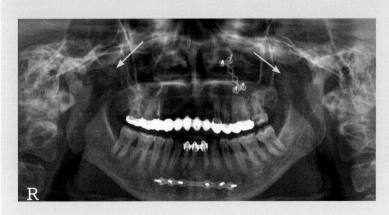

Fig 2-24. 개구장애가 존재하는 41세 여자 환자의 초진 시 파노라마 방사선사진. 양측 오훼돌기의 증식 소견이 관찰된다.

5) 가성통풍(Pseudogout)

Calcium pyrophosphate dehydrate (CPPD) crystal deposition disease로 무릎, 손목과 손에서 호발한다. Nakagawa 등(1999)은 우측 턱관절의 심한 통증과 종창을 주소로 내원한 76세 남성 환자의 증례를 보고하였다. 남성은 개구제한과 하악 측방운동 제한을 보였으며, ESR, WBC, serum sialic acid의 증가를 보였다. 요검사상 케톤증(ketosis)이 확인되었고, MRI 검사상 턱관절삼출증이 관찰되었지만 관절원판의 위치는 정상이었다. 상관절강에서 활액을 채취하여 검사한 결과 turbid and yellowish-white color, no microorganism이 확인되었다. Ca/P ratio는 1.0으로 최종진단은 CPPD arthritis of the TMJ로 내려졌으며 턱관절세정술을 시행하여 양호하게 치유되었다.

6) 양성 및 악성종양 (Fig 2-25)

골연골종, 활액막연골종증은 턱관절에서 많이 발생하는 양성종양으로서 턱관절장애와 증상이 매우 유사하기 때문에 초진 시 많은 치과의사들이 오진하는 경우가 매우 많다. 그 외에도 드물지만 턱관절장애와 초기 증상이 유사한 다양한 악성종양이 발생하는 경우도 있기 때문에 초기 치료에 잘 반응을 보이지 않는 턱관절장애는 세밀한 정밀검사를 시행하면서 재평가하는 것이 좋다(Cohen SG & Quinn PD ; 1988, Holmlund AB, et al; 2004, Ji H, et al; 2017, Martin-Granizo R, et al; 2005, Rajwanshi A, et al; 2009, Wong WW, et al; 1998).

7) 턱관절을 포함하는 두개저 골수염

만성적인 난치성 중이염 등으로 인해 발생할 수 있으며 중요 해부학적 구조물을 포함하기 때문에 생명에 위협을 가져올 수 있는 심각한 질환이다. 위험요소는 당뇨, 면역저하이다. 드물지만, 턱관절을 포함하는 경우, 증상이 일반적인 턱관절질환과 유사하여 MRI를 이용한 감별진단을 시행하지 않으면, 턱관절장애로 오인하여, 두개저 골수염에 대한 적절한 진단 및 치료를 놓칠 수 있으므로 주의해야 한다(이상화; 2008).

8) 동반질환(Comorbidity)

동반질환이란 2가지 이상의 질환이 동시에 나타나며 같은 병인론을 공유하는 경우를 의미하는 용어이다. 만성 통증이 지속되는 원인은 중추민감화(central sensitization), 하행통증억제체계장애(descending pain inhibitory system impairment), 신경세포성 집합(neuronal convergence) 등이 제시되고 있다. 즉, 만성적인 턱관절 통증이 지속될 경우 일반적인 턱관절장애 증상 이외에도 두통, 만성 피로증후군(chronic fatigue syndrome), 섬유근육통(fibromyalgia) 및 이명(tinnitus) 등이 빈발하는 경향을 보인다(Ayouni I, et al; 2019, Bonato LL, et al; 2016).

9) 외상후스트레스장애(Posttraumatic Stress Disorder, PTSD)

사람이 충격적인 사건을 경험한 후 발생할 수 있는 정신적 및 신체 증상들로 이루어진 증후군을 의미한다. Burris 등(2010)이 1997년부터 2007년 사이에 Kentucky orofacial pain center를 방문했던 411명의 여성 환자들을 대상으로 조사한 결과 이들 중 23.6%의 환자들이 PTSD를 호소하였다. PTSD가 심할수록 턱관절장애를 포함한 정신적 우울감, 통증으로 인한 일상생활의 장애, 수면의 질 감소와 같은 증상들이 동반되었다. 턱관절장애는 저작근 관련 문제가 가장 많았으며 섬유근육통, 두통이 동반되는 경우가 매우 많았다(Bertoli E, et al; 2007).

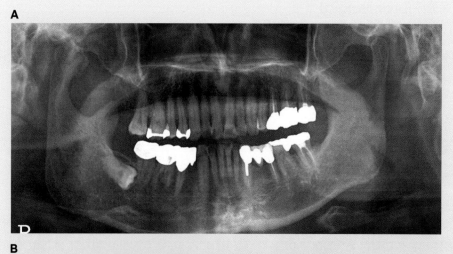

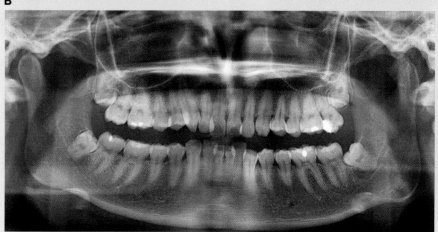

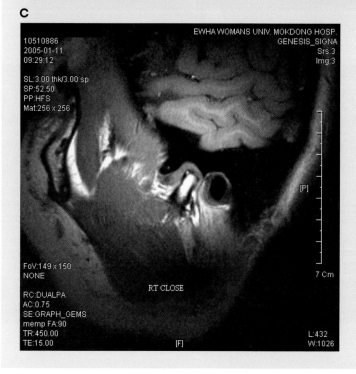

Fig 2-25. 턱관절장애로 오진될 수 있는 양성종양들

A: 70세 여자 환자의 우측 하악과두 부위에 발생한 골연골종. **B:** 26세 여자 환자의 좌측 과두 부위에 발생한 골연골종. **C:** 26세 여자 환자의 우측 턱관절 MRI 사진에서 관절강 내에 종물이 관찰되었고 수술 후 조직검사에서 활액막연골종증으로 진단되었다.

10) 섬유근육통(Fibromyalgia)

섬유근육통은 신체 전체에 걸친 만성 근골격성 통증으로서 저작근과 턱관절 통증을 수반하는 경우가 많다. Ayouni 등(2019)은 섬유근육통 환자에서 턱관절장애의 높은 유병률을 보이는 것을 확인하였고 이러한 환자의 통증 관리를 위해 섬유근육통을 진단할 때 반드시 턱관절장애의 징후와 증상을 고려해야 함을 강조하였다.

7. 턱관절장애의 치료

턱관절장애는 평생 동안 언제든지 발생할 수 있으며 잘 치유되었다가도 재발 혹은 악화되는 과정을 반복한다. 즉, 스트레스를 비롯한 다양한 소인들이 관여하면서 턱관절에 과부하를 유발하고 환자의 생리적 적응 능력이 저하되어 있다면 발병할 수 있다. 턱관절장애의 치료에 사용되는 모든 방법(가역적 혹은 비가역적 치료)들은 스트레스를 감소시키면서 환자의 생리적 적응력을 향상시키려는 목적으로 시행된다. 턱관절 치료법은 술자들의 임상 경험 및 숙련도, 환자들의 희망사항 등에 따라 매우 다양하지만 가급적 학문적 근거를 기반으로 선택되어야 한다(American Association for Dental Research ; 2010, Goldstein BH; 1999, Lee BK; 2012).

또한 턱관절장애의 진단 및 치료에 관한 치과 관련 웹사이트의 정보들은 대부분 부정확하거나 학술적 근거가 부족한 경우가 매우 많다. 따라서 치과의사들은 이러한 웹사이트 오류를 정정하기 위해 노력을 기울여야 하고 잘못된 정보를 가지고 내원하는 환자들을 잘 치료할 수 있는 자세를 갖추어야 한다(Desai B, et al; 2016). 턱관절장애의 치료 원칙과 목표는 다음과 같다.

턱관절장애의 치료 원칙

1. 환자의 병력, 임상검사 및 부가적인 영상검사를 통해 감별진단이 잘 이루어져야 한다. 근거가 충분하지 않은 부가적인 진단은 가급적 자제해야 한다.
2. 치료는 근거를 기반으로 한 가역적인 보존적 치료를 우선적으로 시행해야 한다. 초기에 교합 조정, 보철 수복과 같은 비가역적인 치료는 절대 선택해선 안 된다.
3. 전문적인 치료가 이루어지고 부가적으로 집에서 환자가 스스로 관리할 수 있는 홈케어 프로그램(homecare program)이 잘 시행되어야 한다.

턱관절장애 관리를 위한 홈케어 프로토콜

1. 입을 크게 벌리지 않도록 주의하십시오: 하품, 노래 부르기, 큰 음식 섭취, 소리 지르기 등을 자제하는 것이 좋습니다.
2. 질기고 딱딱한 음식을 피하고 부드러운 음식을 드십시오.
   질긴 음식: 오징어, 쥐포, 갈비 등

딱딱한 음식: 아몬드, 얼음, 삼겹살의 오돌뼈, 게장 등

3. 턱을 괴거나 이를 악물지 않도록 주의하십시오. 윗니와 아랫니 사이가 2-3 mm 떨어지도록 유지하는 것이 좋습니다.

4. 턱관절 주변에 따뜻한 찜질을 약 10분, 하루 2-3회 시행해 주십시오. 찜질 후 심하게 붓거나 악화되는 경우 즉시 중단해야 합니다.

5. 6 X 6 X 6 턱근육운동

1) 혀를 위 앞니 안쪽에 닿도록 합니다.

2) 혀를 세운다는 느낌으로 최대한 입을 벌리고 약 6초간 유지합니다.

3) 위 운동을 하루 6차례에 걸쳐 6번씩 반복합니다.

6. Hinge exercise

1분 동안 빠른 속도로 입을 벌리고 다물도록 하며 이때 치아가 닿지 않도록 합니다. 이것을 하루 10회 시행합니다.

7. 처방된 약물을 정해진 시간에 맞추어 계속 복용해야 합니다. 만일 부작용이 있다면 투약을 중단하고 의료진에게 연락하십시오.

턱관절장애의 치료 목표(김영균 등; 2018, 최재갑: 2000)

턱관절장애의 치료는 통증과 염증의 감소, 근육 과활성의 감소, 관절과 근육에 대한 역학적 부하의 감소, 정상적인 악골 기능의 회복을 목표로 시행되어야 한다. 턱관절장애는 신체적 장애, 심리적 고통, 그리고 장애라는 관점에서 이해되어야 하며 질병을 치료하기보다는 장애(disorder)의 관리에 초점이 맞추어져야 한다.

1. 관절조직의 보존: 활액막, 관절연골, 관절원판과 같은 관절조직의 보존

2. 관절부하의 감소: 연한 음식 섭취, 구강악습관에 의한 근육 과활성 방지, 심리적 스트레스 해소

3. 관절운동성의 유지 및 회복: 재활 물리치료

4. 만성 통증 환자에서는 원인과 결과라는 양방향으로 작용하는 심리적 영향이 매우 일반적이다. 즉 통증을 분석할 때 정신과 몸을 분리해서 생각해서는 안 된다.

치료 예후 예측

치료 기간, 치료 횟수, 복수 진단, 만성도, 생활 장애와 같은 인자들이 보존적 치료의 예후에 영향을 미친다. 즉 복수 진단, 6개월 이상의 병력, 10개월 이상의 긴 치료 기간, 19회 이상의 치료 횟수, 초진 시 심한 관절잡음과 개구제한이 존재하는 경우, 일상생활에 큰 장애가 있는 환자들에서 치료가 잘 되지 않는 양상을 보인다(이혜진 등; 2001). 난치성 턱관절장애는 정신적 인자가 관여되어 있고 구강악습관이 지속되며 질환 보유기간이 길고 환자의 비협조 및 의료기관에 대한 불신, 치과의사의 특정 이론과 치료에 대한 아집 등과 관련이 있

다. 따라서 다양한 병인론, 진단, 치료 및 예후 등을 잘 이해하고 다변화된 치료법들을 도입해야 한다(Kim YK; 2014, Yoon HJ, et al; 2012). 증상이 급성일수록 치료에 잘 반응을 보이기 때문에 턱관절장애를 조기에 발견하여 적극적으로 치료하는 것이 좋다(Levitt SR, et al; 1993).

핵의학검사는 턱관절의 골관절염이나 골개조 과정을 평가하고 종양, 감염 등을 진단하는데 매우 유용하며 턱관절 압통 및 통증을 가진 환자들의 진단과 치료 경과 평가에 도움을 줄 수 있다(김병수 등; 2005, Epstein JB, et al; 2002, Harris SA, et al; 1988, Lee SM, et al; 2009).

자연회복(Natural recovery)

턱관절장애는 자기한정적 장애(self-limiting disorder)이다. 즉 시간이 경과하면서 대부분 자연적으로 회복된다. 그러나 증상이 존재할 때 자연회복을 기다리면서 방치해선 안 되며 환자의 고통과 걱정을 경감시키고 질환이 더 악화되는 것을 방지하는 관점에서 관리를 해주어야 한다. 방치함으로 인해 턱관절장애가 난치성으로 진행될 수도 있기 때문에 적극적인 관리를 하는 것이 치과의사의 책무이다(Brown DT & Gaudet EL Jr; 1994, de Bont LGM, et al; 1997, Sato S, et al; 1997, 1998, 2002, 2003, Zhuo Z & Cai XY; 2016). 턱관절은 적응 능력이 뛰어난 구조물이기 때문에 환자들에게 발병기전과 주의사항을 잘 설명하고 자가운동요법 등을 교육시키면 잘 회복될 수 있다(Craane B, et al; 2012, Yatani H, et al; 1997).

1) 상담(counseling)

상담을 통해 환자가 궁금해하고 걱정하는 것을 해결해 주고 턱관절장애의 병인론, 발병기전, 스트레스 및 정신적 요인에 대한 설명과 더불어 자가 관리법과 진단, 치료 및 예후를 친절하게 설명하면 대부분의 환자들이 상담 이후 증상이 많이 경감될 수 있다. 그러나 현실적으로 치과에서 상담 진찰료 처방이 불가능하고 환자 1명을 위해 많은 진료 시간을 할애할 수 없는 한계점에 직면하게 된다. 김영균 등(2000)은 상담 및 투약이 턱관절장애 환자의 초기 치료 효과를 월등히 높일 수 있다고 보고하였다(McKinney MW, et al; 1990, Mishra KD, et al; 2000, Yoo JH, et al; 2002). Haketa 등(2006)은 자가운동요법(Self joint mobilization exercise)을 다음과 같이 제시하였으며 적극적으로 환자가 잘 협조한다면 좋은 치료 효과를 보일 수 있다고 하였다.

Self joint mobilization exercise (Haketa T, et al; 2006)

1) 소량의 개폐구 운동을 통한 사전 준비(warming up)
2) 둘째, 넷째 손가락을 하악 전치부 절단연에 위치시킨 상태에서 하악을 전하방으로 끌어당기면서 개구 운동을 시행한다. 최대 개구는 이환측 턱관절에서 통증이 느껴지기 직전까지 시행하며 최대 개구 상태에서 최소 30초 유지한다.
3) 이와 같은 과정을 하루 4회(식사 후, 목욕 중) 한 번에 3회 반복한다.

2) 약물치료

턱관절장애 치료에 매우 유효한 효과를 보인다고 밝혀진 특정 약물은 없다. 턱관절장애 치료 시 약물치료에만 의존해선 안 되고 보존적 치료를 시행하면서 증상에 따라 적절한 약물을 처방하면 좋은 치료 효과를 얻을 수도 있다. 만약 약물을 사용하게 된다면 적절한 효과를 얻기 위해서 최소 2-4주간 처방할 필요가 있다. 지속적으로 혈중 농도를 높여야 하기 때문에 필요할 경우만 투약하는 처방법은 부적절하다. 그러나 장기간 처방할 경우 위장관장애와 같은 부작용이 발생할 가능성을 항상 생각하고 대비해야 한다(김영균 등; 2018, 김영균 & 김일형; 2021, 전성현 등.; 2012, Catapano S, et al; 1998, Dionne RA; 1997). 치과의사들은 턱관절장애 치료에 사용될 수 있는 다양한 약물들에 친숙해야 하고 약물치료의 장단점, 부작용, 약물상호작용 등에 대해 숙지하고 있어야 한다(de Leeuw R & Klasser GD; 2018). 또한 대한민국 심평원에서는 아래 소개되는 약물들 중 턱관절장애 상병명으로 처방할 경우 NSAIDs와 일부 항우울제를 제외하고 보험으로 인정하지 않는 경우가 많다. 따라서 보험 적용되는 약물과 전액 환자 본인부담으로 처방해야 하는 약물들을 잘 구분하여 처방해야 한다. 각 지역 심평원에 따라 상이한 지침을 가지고 있는 경우도 많고 증례에 따라 보험 인정 여부가 수시로 변하기 때문에 본 책자에서 명확한 기준을 제시할 수 없음을 이해하기 바란다.

(1) Nonsteroidal anti-inflammatory drugs (NSAIDs)

COX-1, COX-2 두 가지를 모두 억제(COX-1은 위점막 보호에 관여하고, COX-2는 발열, 염증, 통증에 관여)한다. NSAIDs 약물들은 대부분 해열, 소염, 진통 작용을 나타내지만, 위장관에 대한 부작용도 일으킬 수 있다. 또한 COX는 혈소판의 응집을 촉진하는 트롬복산(thromboxane) A2의 생성에도 작용하기 때문에 NSAIDs는 혈소판 응집을 억제하여 출혈시간을 연장시킬 수 있다.

모든 NSAIDs은 심장, 간, 신장 및 소화기에 나쁜 영향을 미친다. 심장 질환이 있는 환자들에서는 Celebrex 계통의 진통제는 사용하지 않는 것이 좋다. 만성 간질환, 신장 질환을 보유한 환자들은 모든 약물의 용량을 줄여서 사용해야 하며 가급적 NSAIDs 대신에 Acetaminophen을 사용하는 것이 좋다. 장기 복용 시 소화기 점막 자극, 궤양 및 출혈을 유발하며 60세 이상에서는 그 위험도가 현저하게 증가된다. 위점막 보호 작용을 하는 Misoprostol (Cytotec)와 같은 약물은 NSAIDs 투여로 인한 위, 십이지장염 또는 궤양의 예방과 치료에 효과적이다.

NSAIDs 투여 시 통증이 잘 조절되지 않거나 알레르기 반응이 발생하면 약물을 변경하는 것이 좋다. 가령 acetic acid 계열의 Aceclofenac를 사용하다가 문제가 발생하거나 통증 조절이 잘 되지 않으면 Propionic acid 계열의 Ibuprofen, Naproxen, Lexoprofen 등으로 변경하여 투약하면 좋은 효과를 얻을 수도 있다(홍종락; 2015).

① Nabumetone 500 mg bid : Relafen, Procton

COX-1, COX-2에 모두 작용하지만 COX-2에 좀 더 우선적으로 작용하여 위장관 부작용이 비교적 적은 약물이다.

② Ibuprofen 200 mg tid

가장 많이 사용되는 진통제 중 하나이다. 용량이 높아야 효과를 발휘하며 작용시간이 짧은 것이 단점이다. 따라서 작용시간을 늘리기 위해 Paracetamol을 병용 투여하기도 한다. 비슷한 진통 · 해열 효과를 지닌 Acetaminophen에 비해선 작용시간이 길고, 간에 미치는 영향이 덜한 것으로 알려져 있다.

③ Naproxen 500 mg bid: Naxen

Propionic acid 계열의 NSAID로서 골격근 장애, 급성 통풍, 편두통, 수술 후 또는 발치 후 통증 완화를 위해 단기간 사용한다. 장기요법으로는 관절염, 강직성 척추염 등의 만성 질환의 염증과 통증을 감소시키기 위해 사용한다. 작용시간이 길어서 턱관절 통증 완화를 위해 많이 사용되고 있다.

④ Selective COX-2 inhibitor: Cele V, Celebrex, Celecoxib, Rofecoxib

장기간 투여 시 위장관 장애를 덜 유발하면서 진통 효과를 얻을 수 있기 때문에 소화기 장애가 있는 환자들이나 심장질환이 없는 젊은 환자들에게 유용하게 사용할 수 있다. 턱관절장애 치료 시 Celebrex가 Naproxen 보다 더 효과적이라는 보고가 있지만 일반적인 치과 수술 후 통증 조절에는 Ibuprofen보다 효과가 적기 때문에 급성 통증 조절을 위해서는 사용을 권장하지 않는다. 한편 Rofecoxib (Vioxx)는 Ibuprofen과 같은 정도의 진통 효과를 나타내며 작용시간이 길어서 치과수술 환자 중 위장장애가 있는 경우에 유용하게 사용할 수 있다.

⑤ 국소 도포용

위장장애가 매우 심한 경우엔 국소적으로 소염진통제(Diclofenac sodium, Ketoprofen, Ibuoprofen, Piroxicam, Indomethacin 등)를 사용하는 방법도 생각해 볼 필요가 있다(Argoff CE; 2013) 정형외과 영역에서는 Topical NSAIDs가 무릎과 손의 골관절염 치료에 효과적인 것으로 알려져 있다. 국소적인 소염진통제 사용은 위장관 부작용을 줄일 수 있고, 다른 약물과의 상호작용을 피할 수 있다는 장점이 있다. 그러나 턱관절 부위에서는 측방에 국소적으로 도포하는 것만 가능하며, 약물이 흡수되는 양에 영향을 받기 때문에 진통 효과에 한계가 있다. 그 외에도 환자의 피부 특성, 나이, 약물의 농도, 약물의 운반체, 도포하는 빈도 등에 따라 영향을 받는다(Senye M, et al.; 2012, Tannenbaum H, et al.; 2006, Vaile JH & Davis P.; 1998).

(2) Acetaminophen

Para-aminophenol derivatives로서 소염 작용은 없고 진통 해열 작용을 가지고 있으며 소화기 장애를 거의 유발하지 않는다. 의료진과 일반인들에게 Tylenol이라는 상품명으로 널리 알려져 있는 약물이다.

(3) 마약성 진통제(Narcotic analgesics)

마약성 수용체에 작용함으로써 아주 강력한 진통 효과를 가지고 있는 Tramadol 계통이 많이 사용되는데 단독 사용 시 부작용이 매우 심하다. 따라서 Acetaminophen과 혼합된 약물이 많이 사용된다. 중독이나 의존성이 발생할 수 있기 때문에 극심한 통증 조절 목적으로 단기간 사용해야 한다. 한국에서는 마약이 아니지만 미국 마약단속국에서는 항정신성 의약품인 디아제팜과 같은 수준의 Schedule IV 의약품으로 분류하여 관리한다. 한국에서는 마약 처방전 없이 일반 처방할 수 있다.

· **Tramadol HCl/Acetaminophen: Ultracet**

Tramadol 37.5 mg과 Acetaminophen 325 mg이 혼합된 약물로서 1회 2T를 4시간 혹은 6시간 간격으로 투여한다. 하루 최대 용량은 8T이다. 부작용은 빈맥, 고혈압, 피로, 졸음, 두통, 구역, 구토, 변비, 구강건조증, 식욕부진, 설사, 발한, 가려움, 홍반 등이 있다.

(4) 근육이완제(Muscle relaxants)

급성 근육통 조절 목적으로 가끔 사용되는 약물인데 물리치료를 우선적으로 시행해야 하며 일상적으로 근육이완제를 사용하는 것은 좋지 않다.

① Baclofen: Lioresal, Prex

중추성 골격근이완제로 근육경련, 대뇌질환으로 인한 경직, 삼차신경통 등의 치료에 사용된다. 초회 5 mg을 하루 3회 복용하고 이후부터는 3일 간격으로 5 mg씩 증량한다. 최적 용량은 30–80 mg/day이다. 부작용은 구역, 설사, 두통, 환각, 혈압강하, 배뇨곤란 등이 있으며 간질 병력, 정신 질환, 신장, 간장장애, 소화기 궤양, 중증신부전증 환자에서는 주의해서 사용해야 한다.

② Eperisone: Exoperine

1회 50 mg씩 하루 3회 투여하는 중추성 근육이완제로서 근골격계 질환에 수반되는 근육 통증과 신경계 질환으로 인한 경직성 마비 치료에 사용된다. 운동신경에 직접 작용하여 신경전도를 감소시킴으로써 근육을 이완시키고, 혈관을 확장시키고 혈액 순환을 개선하는 작용도 있다.

③ Tizanidine: Sirdarud

국소 근육통 및 두통에 효과적이며 1회 1–3 mg씩 하루 3회 복용한다.

(5) 항우울제(Antidepressants)

저용량으로 투여할 경우 잠을 잘 자게하면서 만성통증을 조절하는 효과가 있기 때문에 만성통증성 질환의 일종인 턱관절장애 치료에 유용하게 사용될 수 있다(Ganzberg S; 2010).

① 삼환항우울제(Tricyclic antidepressants)

Amitriptyline, Nortriptyline, Desipramine, Imipramine, Doxepine과 같은 항우울제를 저용량으로 사용할 경우 만성통증 조절에 유용하다고 한다. 또한 두통, 편두통, 신경병성 통증, 관절염 등으로 인한 통증치료를 위해 많이 사용되고 있다. 항우울제는 장기간 꾸준히 사용해야 시간이 경과하면서 약물효과가 지속될 수 있다(Magni G; 1991). 그러나 구강건조증, 과도한 진정, 변비와 같은 부작용이 잘 발생하기 때문에 환자에게 잘 설명하고 부작용이 매우 심할 경우엔 투약을 중단하거나 다른 약물로 교체해야 한다(Pettengill CA & Reisner-Keller L; 1997, Tollison CD & Kriegel ML; 1988).

고찰 331

② Selective Serotonin Norephnephrine Reuptake Inhibitor (SSNRI)

부작용은 오심, 구갈, 불면증, 어지럼증, 변비 등이 있다.

- **Venlafaxine:** 당뇨성 신경병변증(diabetic neuropathy) 치료를 위해 저용량으로 사용하며 금단 (withdrawal) 증상이 있으므로 천천히 중단해야 한다.
- **Duloxetine:** 말초 신경병변증(peripheral neuropathy), 만성 요통, 골관절염, 당뇨성 신경병변증, 섬 유근육통 등에 사용되며 우울증을 동반한 통증에 효과적이다.

(6) 진정제: Benzodiazepines

진정 및 근육 이완 목적으로 사용하며 근육성 턱관절장애 치료에 선택적으로 사용할 수 있다. 만성적인 저작근 통증이 지속될 경우 Clonazepam 0.5 mg 1T 또는 Cyclobenzaprine 10 mg을 취침 전에 2–4주간 투여하면 좋은 효과를 보일 수 있다는 보고가 있다(Dellemijn PL & Fields HL; 1994, Dionne RA; 1997, Herman CR, et al; 2002, Singer E & Dionne R; 1997). 그러나 아직 턱관절장애 치료에 유효하다는 근거가 부족하기 때문에 일상적으로 사용해선 안 되고 잠재적인 중독과 의존성 증가 위험이 있기 때문에 단기간 사용해야 한다(List T & Axelsson S; 2010, Mujakperuo HR, et al; 2010).

(7) Imotun (Avocado-soya unsaponifiables)

골관절염성 통증의 보조요법과 치주염에 의한 출혈 및 통증의 보조요법으로 사용된다. 다른 약물들의 투여 필요성을 줄여주고 부작용이 거의 없으며 다음과 같은 보조적인 기능을 가지고 있다(Catunda IS, et al; 2016).

① 연골 파괴 억제

② 연골생합성 촉진

③ 부작용이 거의 없어서 노인 환자에게도 안전하게 장기 복용할 수 있다. 간혹 발생하는 부작용은 소화기 관련 증상(식욕부진, 소화불량, 설사, 구역)들이다.

④ 약물 투여를 중단한 경우에도 효과가 2개월 정도 유지된다.

⑤ NSAIDs의 병용 투여 필요성을 줄여준다.

(8) 영양제

일부 논문들에서 Glucosamine hydrochloride, Chondroitin sulfate와 같은 영양제가 골관절염 치료에 효과적이라고 보고된 바 있다. 또한 턱관절장애 환자에게 투여할 경우 통증, 압통, 관절잡음 등과 같은 임상증상들이 많이 개선되었다는 보고도 있었다(Nguyen P, et al; 2001, Singh JA, et al; 2015). 그러나 전혀 효과가 없다는 연구결과들도 있으니 임상가들이 각자 판단에 따라 사용하길 바란다(Cahlin BJ & Dahlstrom L; 2011, Thie NM, et al; 2001). 필자는 다양한 치료에 잘 반응을 보이지 않는 난치성 턱관절장애와 같은 만성 질환에 사용해 보는 것도 나쁘지 않다고 생각한다.

3) 물리치료

물리치료는 단독치료 보다는 다른 치료들과 함께 적용하는 보조적인 요법으로 이해해야 하며 환자들에게도 이점을 분명히 설명해야 한다. 환자들은 물리치료를 받으면 완전히 회복되거나 현저히 증상이 개선될 것으로 믿는 경우가 많기 때문에 사전에 물리치료의 효과에 대해 적절히 설명하지 않고 치료를 진행한다면 문제가 발생할 소지가 크다. 절대적으로 우수한 특정 물리치료법은 없으며 각자의 진료실 사정과 치과의사의 선호도, 그리고 선학들의 연구 및 본인의 임상경험에 따라 선택하고 몇 가지 치료법을 조합하여 시행하는 것이 좋다(전양현; 2004). 물리치료는 턱관절세정술, 턱관절경 시술 및 턱관절 개방수술과 같은 외과적 치료 이후 악기능 회복을 위해서도 매우 유용한 치료법이다(Austin BC, Shupe SM.; 1993).

대한민국 건강보험에서는 턱관절치료와 관련하여 시행하는 물리치료를 "측두하악관절자극요법"이라고 칭하고 있으며 치과만의 특수성을 고려하여 의도적으로 자극요법이라는 용어를 사용하는 것이다. 보험 청구를 위해 3가지 방법으로 구분하고 있다.

턱관절 물리치료의 건강보험 청구를 위한 항목 분류(최희수: 2017)

1. 단순자극요법: 표층 혹은 심층열, 냉각요법, 적외선 치료기, 초음파 치료
2. 전기자극요법: TENS, EAST, Myomonitor, SSP
3. 복합자극요법: 저출력레이저, 근막 발통점 주사, 이온삼투요법, Biofeedback을 이용한 자기제어치료
\# 상기 3가지 방법 모두 혹은 2가지 동시 청구가 가능한다. 그러나 동일한 치료법 범주에 해당하는 치료를 다양하게 시행했다고 해서 여러 번 청구해선 안 된다. 가령 TENS, EAST, SSP 치료를 모두 했다 하더라도 전기자극요법 1회만 청구해야 한다.

(1) 온열요법(Heat therapy)

따뜻한 젖은 수건, 전기 패드, 적외선(infrared therapy), 초음파(ultrasound) 등을 이용하여 열을 가하는 치료법으로서 열이 가해지는 부위의 혈액 순환을 증진시키는 원리에 기반을 두고 있다.

(2) 냉각요법

얼음을 비닐이나 수건으로 감싼 상태로 이환부에 가만히 대고 압박 없이 회전 운동을 하면서 적용한다. 한 번에 5분 이상 조직에 적용하면 안 된다. fluoromethane, ethyl chloride와 같은 기화성 냉각제를 분사하여 급성 통증을 완화시키는 방법도 냉각요법에 해당된다.

(3) 전기자극요법

TENS, EAST 등과 같은 장비로 전기 자극을 가할 때 삼차신경 영역의 모든 신경섬유들에서 균일한 전류인지역치(current perception threshold, CPT) 증가를 보였다. 즉 3가지 종류의 감각신경섬유의 전류인지역치에 영향을 미침으로써, 구강안면통증의 감소에 효과를 발휘한다(Chung JW.; 1999). 심장 페이스메이커(pacemaker) 장착자, 정신질환자, 임신 초기, 뇌혈관장애가 있는 환자들에게는 전기자극요법을 시행하지 않는 것이 좋다. 또한 신경이나 혈관이 파괴되고 있는 부위나 염증으로 인해 조직파괴가 있는 부위에서는 전기자극요법의 효과가 현저히 감소된다(Kim SM, et al; 1998).

① TENS (transcutaneous electrical neve stimulation: 경피전기신경자극)

주파수 50–100 Hz, 전류 10–30 mA를 사용하는 전기자극요법이다. 안면근육과 저작근육을 매우 정교하고 규칙적으로 자극하여 이완시킴으로써 근긴장성 경련, 근육 피로 및 통증을 완화하고 근육의 재교육, 혈액과 림프액 순환촉진, 비정상적인 근경련 감소 등의 효과를 발휘한다. 피부의 신경섬유에 통증 역치 이하의 지속적인 자극을 가하는 술식이다. 환자는 거의 불편함을 느끼지 못하고 오히려 약간의 마취 효과도 있으며, 근육의 수축이 없고, 효과도 빠르게 나타나는 장점이 있다. 발통점이나 침술을 위한 경혈에 경피전기신경자극을 가할 경우 통증 조절에 매우 효과적이라고 보고되었다(Melzack R.; 1975).

② EAST (electroacupuncture stimulation therapy: 전기침자극요법)

저빈도 저주파(1–4 Hz)의 높은 강도의 전류(30–80 mA)를 사용한다. 전기저항이 낮고 가장 효과적으로 유해자극을 가할 수 있는 특수 부위(경혈)에 시행하는 것이 가장 효과가 있다고 하지만 임상에서는 통증이나 감각마비가 존재하는 부위에 침을 삽입하고 적절한 전기자극을 가하면 된다. 전기침 자극은 5일 이상 지속적으로 시행해야 임상적으로 통증 억제 효과가 나타난다. 술 후 통증, 턱관절 통증 및 수술 후 지각이상의 개선에 좋은 효과를 발휘한다(김영균 등; 2000, Chung AR & Kim KS.; 1995).

(4) 침술(Acupuncture)

DeBar 등(2003)은 턱관절장애 치료 시 대체의학적 치료가 보조적인 대증요법으로 사용될 수 있다고 하였다. 침술은 질환 예방, 치료 혹은 건강 유지 목적으로 인체의 어떤 부분에 견고한 바늘을 삽입하는 행위로 정의된다. 침술은 구토반사 관리, 턱관절 및 안면 통증치료, 진정요법, 삼차신경병변 등의 치료에 유용하게 사용될 수 있다는 보고도 있다. 특히 입술턱주름(순이주름: labiomental fold)에 침을 삽입하면 구토반사를 최소화하는 데 도움이 된다고 한다. 침술은 모든 질환에 대한 만병통치가 아니지만 치과치료의 질을 향상시키는 보조적 치료법으로 사용될 수 있고 환자들에게 호감을 갖게 하는 좋은 치료법이다(Elsharkawy TM & Ali NM; 1995, Hao J, et al; 1995, Rosted P; 1998, Risted P, et al; 2001, Smith P, et al; 2007, Tom Thayer ML; 2007). 필자는 턱관절장애, 구강안면통증, 신경손상 환자들에게 침술치료를 시행하는 것을 절대 부정하지 않는다. 그 유효성이 입증되지 않았다 하더라도 침술은 물리치료의 일종이며 아무것도 하지 않고 방치하는 것보다 나은 것은 분명하다.

(5) 레이저치료(Laser)

Low level laser therapy (LLLT, 저수준레이저치료)는 통증 완화 및 턱관절의 기능 회복에 좋은 효과를 보이는 것으로 알려져 있다(Cho SH, et al; 2003).

(6) 이온삼투요법(Iontophoresis)

패드 위에 약물을 놓고 대상 부위의 조직에 적용한다. 이후 저전류를 가함으로써 약물이 조직내로 침투한다. 흔히 사용되는 약물은 국소마취제와 소염진통제이다. 주사로 인한 통증과 환자의 불편감 및 부작용이 거의 없기 때문에 관절강 주사요법의 대체요법으로 선택될 수 있다.

(7) 관절가동술(Joint mobilization), 운동요법(Exercise therapy)

관절의 움직임을 증가시키기 위한 치료법으로서 6×6×6 턱근육운동, 자가 관절가동운동(self joint mobilization exercise), Hinge 운동, 자세 운동 등이 있다(안형준; 2006). 보다 자세한 내용은 김영균 등(2018)이 집필한 "턱관절장애와 수술교정"의 물리치료 파트에서 자세히 기술되어 있으니 참고하기 바란다. 본 책자에서는 치과 임상의들과 환자들 모두 쉽게 이해하고 적용할 수 있는 운동법을 소개하고자 한다.

Rocabodo's 6×6 Exercises (하루 6회, 한 번에 6번씩 운동)(Rocabado M; 1983)

1. 혀의 안정 위치 교육

혀를 입천장에 대고 '딱' 소리를 낸 다음 이 위치를 유지한다. 이때 혀의 앞부분 1/3을 입천장에 살짝 당도록 하되 혀가 어떤 치아들에도 닿아서는 안 된다. 상·하악의 치아는 맞닿아 있으면 안 되며 숨은 코로 쉬도록 한다. 이와 같은 상태가 평상시에도 잘 유지되도록 한다.

2. 턱관절 회전 운동

혀를 안정위에 위치시킨다. 턱관절 부위에 양손의 검지 손가락을 대고 입을 벌리되 턱관절의 돌출되는 부위가 손가락보다 앞으로 나오는 느낌이 들면 입벌리기를 중단하고 그 상태에서 입을 다문다. 양쪽의 턱관절이 돌출되는 것이 동시에 이루어지도록 입을 똑바로 벌려야 한다. 혀는 입천장에서 떨어져선 안 된다. 이 범위 내에서 음식을 씹도록 훈련하면 턱관절이 탈구되는 것을 예방할 수 있다.

3. 하악의 개·폐구, 전방 및 측방 운동을 시행하여 하악골의 정상 기능을 회복시킨다.

기본적인 근육조건화운동(Muscle conditioning exercise)

1. 수동적근육신장(Passive muscle stretching)

통증이 나타나는 위치까지 아주 천천히 개구하도록 교육한다. 거울을 보면서 자신의 개구 경로가 일직선이 되는 것을 관찰하면서 운동한다. 반드시 무통성 범위 내에서 시행한다.

2. 보조적근육신장(Assisted muscle stretching)

최대로 입을 벌린 상태에서 환자의 엄지는 상악 절치에, 검지는 하악 절치에 위치시키고 부드러운 힘을 지속적으로 가하면서 개구 운동을 한다. 이때 온찜질을 병행하는 것도 좋다.

3. 저항운동(Resistance exercise) = 등척성운동(Isometric exercise)

반사이완(reflex relaxation) 혹은 상호억제(reciprocal inhibition)의 개념을 이용하여 약화된 저작근을 강화하고 편위나 편향, 지그재그의 개구 경로와 같은 비대칭적인 하악 운동을 개선하며 근육의 이완을 돕는 운동법이다.

(8) 턱관절고착해소술

턱관절의 급만성 과두걸림을 손으로 해소시키는 술식으로서 manipulation이라는 용어를 사용한다. 술자의 엄지손가락을 하악 구치부에 대고 나머지 손가락들은 턱 하방에 위치시킨 상태에서 하악을 하방으로 내리면서 전방으로 빼낸다. 이와 같은 조작을 수차례 함으로써 전방으로 전위된 관절원판이 원위치로 정복될 수 있도록 하는 방법이다(Fig 2-26).

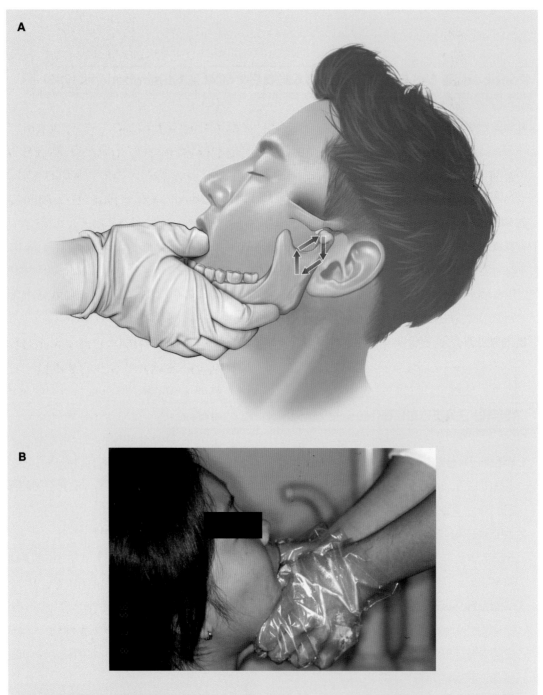

Fig 2-26. A: 턱관절 과두걸림으로 인해 입이 안 벌어지는 환자를 손을 사용하여 턱관절고착을 해소시키는 술식 모식도. 엄지손가락을 환자의 하악 구치부에 대고 나머지 손가락들은 턱 하방에 위치시킨 상태에서 하악을 하방으로 내리면서 전방으로 빼낸다. **B:** 양측 턱관절고착을 해소하기 위해 manipulation을 시행하는 모습.

(9) 냉각제분사신장요법(Vapocoolant spray and stretching)

Fluoromethane, ethyl chloride와 같은 기화성 냉각제를 분사하여 통증을 완화시키는 방법이다. 근육 통증 부위에 분사한 후 근육 발통점 부위를 신장시키면 혈류 공급이 증가하면서 통증 완화에 매우 효과적이다.

4) 스플린트 치료

스플린트는 턱관절장애 치료에 효과가 좋다는 의견과 별다른 효과가 없다는 의견도 있다. 그러나 상담 및 투약, 물리치료 등에 반응을 보이지 않을 경우 사용해서 나쁠 것은 없다. 스플린트 치료는 가역적인 보존적 치료의 일종으로서 초기 치료법으로 선택할 수도 있으며 경우에 따라서는 장기 치료법으로 이용되기도 한다. 그러나 일반적으로 장착기간이 짧은 편이 좋고 증상이 소실되면 바로 철거하는 것이 바람직하다. 스플린트는 눈이 나쁜 사람이 안경을 착용하고, 발을 다친 사람이 목발을 착용하는 것과 같이 턱관절이 나쁜 사람은 스플린트를 착용하는 것으로 생각하면 된다. 다른 보존적 치료법들과 병행할 경우 치료 효과가 좋다는 연구 결과들이 많다(Alvarez-Arenal A, et al; 2002, Fouda AAH; 2020, Gavish A, et al; 2002, Klasser GD & Greene CS.; 2009).

구강내에서 사용되는 스플린트 장치들은 안정위스플린트(교합안정장치; stabilization splint), 쇼어장치, 전방교합장치, 탄성교합장치(연성장치, soft splint), 하악재위치교합장치(전방재위치교합장치: ARS), 교합거상장치, Template 등 다양한 장치들이 있으며 나름대로의 장점과 치료 효과들이 소개되었다. 그러나 필자는 특수하고 복잡한 장치들은 가급적 사용하지 말 것을 추천한다. 특수한 장치들은 특수한 증례들에서 선택적으로 사용되며 그 장치들의 사용에 익숙한 전문가들이 사용하면 된다. 대다수의 임상가들은 장기간 사용하더라도 합병증이 거의 없으면서 70-90%의 치료 효과를 보이는 안정위스플린트를 사용하는 것이 좋다(Fig 2-27). 무분별하게 구강장치들을 장기간 착용하고 치과의사의 관리감독이 잘 이루어지지 않는다면 부정교합과 안모변형과 같은 심각한 합병증이 발생할 것이다(Kurita H, et al; 1998, Schmitter M, et al; 2005).

아래의 내용들은 안정위스플린트를 기준으로 설명한 것임을 참조하기 바란다. 안정위스플린트 (stabilization splint)는 교합안정장치(occlusal stabilization appliance), 완전피개장치(full-coverage splint), 평면스플린트(flat splint), 교합보호장치(occlusal bite plane), 근육이완스플린트(muscle relaxation splint) 등의 용어로 사용되기도 한다. 턱관절장애와 관련된 치아, 저작근, 턱관절의 급만성 통증과 과도한 근육활성의 완화, 구강악습관으로 인한 유해작용 방지, 외상으로 인한 턱관절염 등의 치료 목적으로 가장 많이 사용되는 장치이다(김영균 등; 2018, 최병갑; 2004, Ok SM, et al; 2016). 가끔 탄성 교합장치가 임상에서 사용되기도 하는데 착용감이 좋아서 환자들이 매우 좋아하는 장치이며 스포츠 마우스가드(sports mouthguard) 용으로도 사용된다(Fig 2-28). 모든 운동선수들은 치아 및 턱관절 외상을 방지할 목적으로 스포츠 마우스가드 착용을 적극 권장해야 한다. 축구, 복싱과 같은 과격한 운동 도중에 외상으로 인해 발생한 턱관절장애를 스플린트를 이용하여 치료함으로써 통증 조절과 운동 능력 향상 효과를 얻었다는 증례 보고가 발표된 바 있다(Choi SH, et al; 2015).

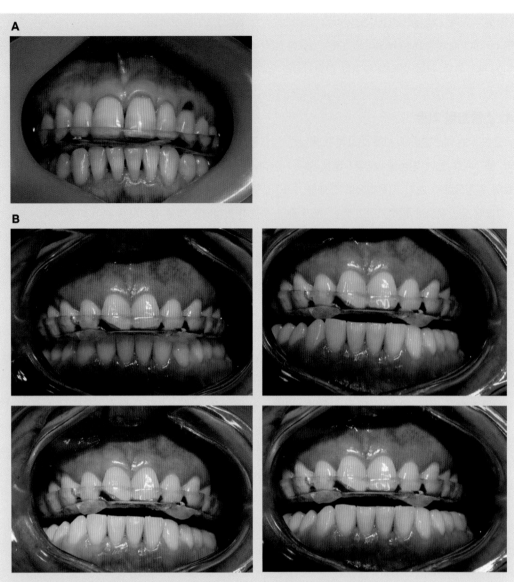

A

B

Fig 2-27. 턱관절장애 치료 시 안전하게 가장 많이 사용되는 장치는 안정위스플린트이다.

A: 안정위스플린트를 장착한 모습. Canine guidance를 부여하기도 하고 그냥 편평한 형태로 제작하여 장착하기도 한다. 스플린트 치료의 주목적은 교합치료가 아니다. 근육과 턱관절을 안정시키고 pacebo effect를 기대하는 것이 주목적이다. **B:** 견치유도를 부여한 안정위스플린트를 구강 내에 장착한 모습.

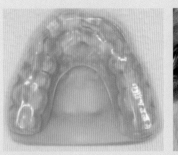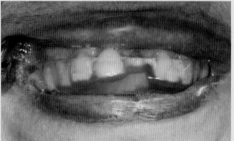

Fig 2-28. Soft splint.

탄성교합장치(soft splint)의 사용 요약

1. 유치열, 혼합치열기의 소아나 청소년에서 유용하게 사용될 수 있다.

2. 상하악 어디에든 착용할 수 있다. 환자 개별 맞춤형으로 제작하여 착용감이 좋고 교합장애가 발생하지 않도록 해야 한다.

3. 15분 안에 제작이 가능하여 급성 장애의 치료를 위한 임시 장치로 사용할 수 있으며 가격이 저렴하다.

4. 총의치 환자나 임플란트에 의해서 유지되는 국소의치환자에서 유용하게 사용할 수 있다.

5. 내구성이 떨어지므로 지속적으로 사용할 필요성이 있는 경우에 부적합하다.

6. 스포츠 마우스가드 목적으로 사용되기도 한다.

7. 턱관절장애 치료나 이갈이, 이악물기 방지를 위해 사용하는 장치는 딱딱한 안정위스플린트를 사용하는 것이 원칙이다. 그러나 이물감 등으로 불편감이 매우 심해서 딱딱한 장치를 착용할 수 없는 환자들에서 대체용으로 사용하기도 한다.

(1) 스플린트 사용 목적

① 이갈이, 이악물기 환자의 치아, 구강점막, 혀 및 턱관절 보호

② 턱관절 부위에 가해지는 과부하 감소

③ 저작근 이완을 통해 긴장성 두통이나 경부 근육통 환자의 증상 완화

안정위스플린트는 장착 직후 근육의 활동을 감소시키며 좌우측 근육의 균형이 잘 이루어지도 한다 (Ferrario VF, et al.; 2002).

④ 불안정한 교합이나 교합간섭으로 인한 증상 완화

⑤ 광범위한 교합재건치료 전 효과적인 교합관계 설정

⑥ 관절와 내에서 과두와 관절원판간의 관계 개선

(2) 스플린트 치료 기전

① 저작계에 가해지는 부하를 분산시킴으로써 턱관절장애의 증상과 징후를 감소시킨다.

② 일시적인 교합간섭 제거

③ 구강악습관으로 인해 구강안면조직에 가해지는 충격을 흡수한다.

④ 강한 위약 효과(placebo effect)

(3) 스플린트 장착 위치

상 · 하악 차이가 없지만 장착의 용이성 때문에 상악에 많이 사용된다. 그러나 주간에 장착하는 경우엔 심미적인 이유로 하악에 장착할 수 있다. 하악 장치는 혀의 활동을 방해하거나 하악 장치의 전방 사면이 하순에 지장을 주어 불편할 수도 있다. 또한 상악 장치에 비해 약해서 파손에 주의해야 한다.

(4) 스플린트 치료 지침

① 환자 개인의 특성에 맞추어 치료를 시행하며 무조건 1차 치료로 선택해서는 안 된다.

② 치료 혹은 진단의 보조 수단으로 이용될 수 있다. 턱관절장애 증상에 교합이 관여되어 있다고 추정되는 경우, 어느 부분이 어떤 상태로 관여하고 있는지 명확하지 않은 경우, 혹은 교합이 관여하고 있는지 없는지조차 불확실한 경우에 단기간 착용하면서 경과를 평가해 볼 수 있다.

③ 스플린트는 일반적으로 장착 기간이 짧은 편이 좋고 증상이 소실되면 바로 철거하는 것이 바람직하다.

④ 스플린트를 처음 착용시킬 때 10분 이상 장치를 조정해선 안 된다. 스플린트 치료의 목적은 교합 치료가 아니기 때문에 장치 표면이 평탄하고 대합치와 접촉할 때 좌·우가 움직이지 않는 것을 확인한 후 귀가시킨다. 이후 세밀한 조정은 정기 내원 시마다 서서히 해 주면 된다. 교합 조정에 너무 시간을 소요함으로써 환자가 교합의 중요성에 집착하지 않도록 해야 한다.

⑤ 대부분의 환자들은 야간에 스플린트를 장착함으로써 긍정적인 치료 결과를 보이지만, 환자의 증상에 따라 주간에도 장착할 수 있다.

⑥ 장착 후 1차 점검 시점에는 장치가 제대로 장착되고 있는지 여부, 기타 특이 부작용 발현 여부 평가, 간단한 장치 조정 등을 시행한다. 이때 주관적인 증상 개선을 기대하는 것은 아니다.

⑦ 2-3개월 후 경과를 관찰할 때 주관적 증상 변화를 기대할 수 있다.

⑧ 증상이 사라질 때까지 2-3개월 간격으로 점검하고, 치료 효과가 나타나면 점차 장치 사용을 줄여 나간다.

⑨ 증상이 재발되면 장치를 다시 사용한다. 실제로 증상이 소실되어 장치를 철거하면 다시 증상이 생기는 경우가 많다. 즉 장치 단독으로는 치료법에 한계가 있는 경우가 많기 때문에 대부분의 경우 다른 치료들을 병용해야 할 것이다.

⑩ 장치만으로 근육기능을 개선시킬 수 있다 하더라도 그 상태를 지속시키기에는 불충분한 경우가 많다.

⑪ 다음과 같은 합병증 발생 위험성이 있으며 정기 내원 시 주의 깊게 관찰해야 한다. 이상 반응이 나타나면 즉시 장치 착용을 중단해야 한다.

　– 교합 변화

　– 저작계의 다른 부분에 증상 유발

　– 치아우식증

　– 치은염증

(5) 주의사항 및 환자 교육

치료 목적을 설명한다. 근육과 턱관절의 긴장을 줄여주며 이갈이 등과 같은 구강악습관에 의한 턱관절 손상과 치아 교모증, 파절 등을 방지하는 효과가 있다. 대부분 6개월 이내까지 장착하지만 오랫동안 규칙적으로 정기적으로 사용할 수도 있다. 또한 장치를 장착하고 철거하는 방법을 잘 교육해야 한다.

스플린트 착용 시 주의사항

1. 의료진의 설명에 따라 올바르게 장착하고 치아가 조여질 수 있기 때문에 치아가 민감해지면 신속히 내원하십시오.

2. 장치 착용 후 처음 1주일 동안 침이 많이 분비될 수 있으나 정상적인 것이며 시간이 지나면서 소멸됩니다.

3. 밤에 장착할 경우 수면 30분 전에 장착하십시오. 아침에 장치를 제거했을 때 이가 물리는 것이 이상하게 느껴질 수 있습니다. 이것은 근육들이 이완되어 나타나는 현상으로, 아래 치아와 위 치아가 약간 다른 위치에서 접촉되기 때문이며 시간이 경과하면서 정상으로 회복됩니다. 이상교합이 지속되거나 턱관절 통증 및 증상들이 악화되면 장치 착용을 중단하고 신속히 내원하십시오.

4. 철저한 구강 위생 관리가 중요합니다. 장치는 환자의 치아처럼 깨끗하게 유지되어야 하고 악취나 지저분한 물질들이 축적되지 않도록 주의하십시오.

5. 장착 전·후에 장치를 칫솔을 사용하여 깨끗이 하십시오. 치약은 사용하지 않는 것이 좋은데 그 이유는 마모제가 포함되어 있어 장치를 마모시킬 수 있기 때문입니다.

6. 장기간 사용하지 않는 장치는 물에 담가서 보관하는 것이 좋습니다. 아무렇게나 방치할 경우 장치가 많이 변형되어 다시 장착할 때 착용이 안 되거나 심한 통증을 유발할 수 있습니다.

7. 정기 검사 때에는 항상 장치를 소지하고 내원하셔야 합니다.

8. 장치 착용 후 통증이 더 심해지면 즉시 착용을 중단하고 치과를 방문하십시오.

9. 의도적으로 장치를 계속 물거나, 심하게 물지 마십시오. 장치는 교합을 맞추는 치료법이 아니며 치과의사가 장치와 교합을 체크할 때만 물면 됩니다.

10. 장치 소독을 원하면 약국에서 틀니세정제를 구입해서 물에 녹여서 장치를 담가두거나 구강소독액에 일정 시간 동안 담가두면 됩니다. 절대로 끓는 물이나 전자레인지를 사용해선 안 됩니다.

11. 장치 사용을 줄여나갈 때
    1) 2-3주 동안은 2일에 한 번 야간에 장착합니다.
    2) 증상이 계속해서 없으면 다음 2-3주 동안은 3일에 한 번 야간에 장착합니다.
    3) 스플린트 사용을 중단한 후 증상이 재발하면 다시 스플린트를 사용해야 합니다.

(6) 스플린트 치료의 효과 및 임상연구 결과

사춘기 턱관절장애 환자들의 스플린트 치료 효과는 매우 우수하다고 알려져 있다. 환자 스스로 주의사항을 지키면서 자가운동요법을 하는 것에 비해 스플린트를 착용할 경우 치료 반응률이 약 3배 이상 증가하는 것으로 보고되었다(Wahlund K, et al; 2015). 긴장성 두통(tension-type headache, TTH)의 40-70%가 턱관절장애와 연관성이 있으며 스플린트를 착용할 경우 치료 효과가 매우 좋다(Doepel M, et al; 2011). 그 외에도 많은 학자들의 연구에서 약물, 물리치료 등과 함께 안정위스플린트 치료를 병행하면 증상을 개선시키는 효과가 현저히 우수하다고 발표되었다(Kai S, et al; 1998, Ko MY, et al; 2003, Schmitter M, et al; 2005).

한편 통증은 심하지 않지만 악골운동제한이 심한 환자(Moderate jaw function interference group)들일수록 일반적인 물리치료, 스플린트 치료 혹은 NSAIDs와 같은 약물치료에 좋지 않은 결과를 보인다(Clark GT, et al;

2009). 편측성 턱관절장애 환자에서 핵의학검사를 이용하여 스플린트 치료에 대한 예후를 예측할 수 있다. 즉 양측 섭취율을 비교할 때 치료로 호전을 보이는 그룹에서는 비호전군에 비해 비대칭 지표(asymmetric index)가 유의하게 증가되어 있는 것이 관찰되었다. 즉 반대측 정상관절에 비해 상대적으로 섭취율이 높다면 스플린트 치료의 효과가 좋음을 예측할 수 있다(이상미 등; 2009).

5) 주사치료

Hyaluronic acid, corticosteroid, opioid, 국소마취제 등을 턱관절강에 직접 주사하거나 보툴리눔독소를 측두근, 교근 부위에 주사하여 증상을 경감시키는 치료법들이 소개되었고 적응증이 되는 증례들에서는 좋은 결과가 보고되고 있다. 특히 Hyaluronic acid는 연골 재생, 진통 효과, 관절 윤활작용 등의 효과가 있으며 부작용이 거의 없는 장점을 가지고 있다.

(1) Hyaluronic acid(HA)(Fig 2-29)

항염증 작용, 연골손상 보호, 진통 효과 및 관절기능 회복 효과가 있어서 턱관절장애 치료에 유용하게 사용될 수 있으며 턱관절세정술, 스플린트 치료와 병행하면 효과가 더욱 좋다고 보고되었다. 그러나 소아, 임산부, 수유부에서는 안정성이 입증되지 않았다(de Souza RF, et al; 2012, Fader KW, et al; 1993, Guarda-Nardini L, et al; 2007, 2012, 2017, Kim JJ; 2006, Korkmaz YT, et al; 2016, Manfredini D, et al; 2009, Moon CW & Kim SG; 2006, Onder E, et al; 2014, Tanaka E, et al; 2005). Hirota (1998)는 상관절강에 1 ml (10 mg)의 Sodium hyaluronate를 주입하고 2주 후에 반복 주사하여 염증산물의 감소, 통증의 감소, 개구량 증가 및 관절잡음 감소 효과를 확인하였다. Sato 등(1997, 1999, 2001)은 비정복성 관절원판전위 환자에서 Sodium hyaluronate를 주사(1주 간격으로 5회 주사)하는 치료법은 효과가 좋다고 언급하였다. Kopp 등(1985, 1991)은 보존적 치료에 효과가 없는 턱관절장애 환자에게 Hyaluronic acid나 스테로이드를 주사하면 임상적 증상, 객관적 징후, 최대 교합력 등이 개선되었고 두 약제간의 단기간 효과를 비교하면 유의한 차이를 보이지 않으나 장기간 사용 시 부작용을 고려하면 Hyaluronic acid가 더 바람직한 약제라고 언급하였다(Sato S, et al;

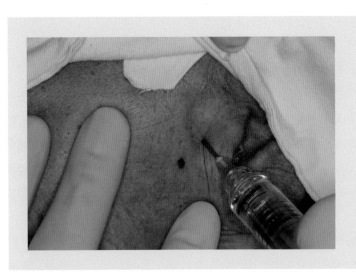

Fig 2-29. 좌측 턱관절의 상관절강에 Hyaluronic acid를 주입하는 모습

1999). 최근의 체계적인 문헌고찰 연구들에서 HA의 턱관절강 주사가 매우 좋은 치료 효과를 보이는 것으로 입증되었다. 즉 통증 완화 및 기능장애 개선, 염증성 매개 산물의 제거에 도움을 주는 것으로 확인되었다(Escoda-Francolí J, et al; 2010, Goiato MC, et al; 2016, Iturriaga V, et al; 2017, Manfredini D, et al; 2010).

(2) 스테로이드(Corticosteroids)

스테로이드를 장기간 반복적으로 사용하면 부작용이 발생할 수 있지만 관절강에 국소적으로 1-2회 주사하는 것은 관절염과 급성 통증을 완화시키고 턱관절 기능을 개선시키는 측면에서 효과가 좋다고 알려져 있다(Bjornland T, et al; 2007, Kopp S, et al; 1991, Wenneberg B, et al; 1991). 턱관절장애의 치료를 위해 스테로이드와 HA, 식염수 등을 관절강 내 주입한 연구에서 스테로이드를 주입한 관절에서 가장 좋은 치료 효과를 보였으며, 그 다음으로 HA를 주입한 관절에서 효과가 있었고, 식염수를 주입한 관절에서도 위약 효과를 얻을 수 있었다는 보고가 있다. 스테로이드는 항염증 및 항부종 작용이 강력하지만 관절연골의 변성 촉진과 골의 괴사를 유발하는 부작용이 있어 장기간 반복적으로 사용하는 것은 바람직하지 않다. 나이가 많은 환자에서 관절 내에 1회 정도 주사하는 것은 유용할 수 있으나 25세 이하에서는 치료 효과가 좋지 않다고 보고된 바 있다. 한편 류마티스관절염 환자에게 주사하면 급성의 턱관절 증상 개선에 도움이 된다고 한다. 턱관절의 급성 염증에는 50 mg 이하의 스테로이드 주사가 좋은 효과를 보이며 안전하고 약 10주간 통증 완화 효과가 지속되는 장점이 있다(김영균 등; 2018, Kopp S, et al; 1991).

(3) 국소마취제

통증이 특정 근육 내에 국소적으로 나타날 때에는 국소마취제를 주사할 수 있다. 가장 흔히 사용되는 약제는 혈관 수축제가 포함되지 않은 2% Lidocaine이며 장시간 작용이 지속되는 마취제가 필요할 때에는 0.5% Bupivacaine이 추천된다. Sahlstrom 등(2013)의 연구에서는 통증이 동반된 비정복성 관절원판전위 환자들에서 관절강에 국소마취제만 주입하여도 증상을 많이 개선시킬 수 있다고 하였다. 3개월 후 경과를 관찰한 결과 국소마취제만 주입한 경우 치료 성공률은 76%, 국소마취제 주사 후 세척(lavage)을 병행한 경우 55%의 성공률을 보였다.

국소마취제 사용 적응증

1. 진단 목적

관절강 내에 국소마취제를 주입하여 통증의 변화 및 개구량의 변화를 조사할 수 있다. 관절강 주사 후 통증이 소멸되고 개구량이 증가하면 턱관절 내부 혹은 주위낭에 문제가 있는 것으로 진단할 수 있다. 그러나 아무런 증상 개선이 없다면 근육성장애를 의심할 수 있다. 또한 근육 마취주사는 연관통이나 이차 통각과민증(secondary hyperalgesia)이 의심될 때, 통증의 근원을 확인하는 데 도움을 준다.

2. 급성 과두걸림의 치료

국소마취 후 manipulation을 시행하여 좋은 효과를 얻을 수도 있다.

3. 근근막발통점(Myofascial trigger point)의 치료

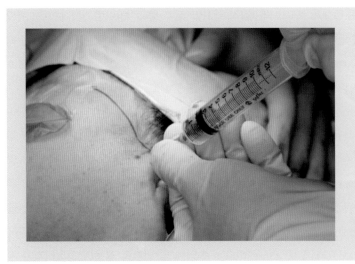

Fig 2-30. 관절강 pumping을 시행하는 모습

발통점에 Lidocaine을 주사하여 일시적으로 통증의 사이클을 차단하고 환자가 정상적인 생활을 할 수 있도록 한다.

4. 관절강 pumping

국소마취제를 약 3회, 약 30초간 pumping (주입액의 반복적인 주입 및 흡인 동작) 방식으로 관절강에 주입하여 내면을 마취하고, 이어서 생리식염수로 pumping을 반복하여 국소마취제를 제거한다(Fig 2-30).

(4) 보툴리눔독소 주사

햄, 소시지, 통조림 등 밀폐된 곳에 오래 저장된 음식물에서 발견되는 병원균이 분비하는 여러 독소 중 하나인 clostridium botulinum type A가 임상에서 사용되고 있다. 운동신경과 근육이 만나는 곳에서 신경전달물질인 acetycholine의 분비를 막아 근육을 마비시키는 신경독소로서 근육 수축을 억제하고 근육의 힘을 약화시키는 작용을 하기 때문에 수술을 하지 않고도 안면비대칭이나 사각턱을 교정하는 데 사용할 수 있다. 보툴리눔독소 주사 후 근육의 약화 혹은 마비 증상은 평균적으로 2-14일 후부터 시작된다. 주입 후 1-3개월 사이에 치료 효과가 나타나며 4개월까지 지속될 수 있으나, 6개월이 경과하면 기능적으로 거의 회복된다(Borodic GE, et al; 2001). 보툴리눔독소 주사 후 효과가 4-6개월 지속되다가 사라지는 이유는 마비된 말단에서 신경이 다시 살아나면서(nerve sprouting) 새로운 신경말단(nerve ending)이 생성되는 데 소요되는 시간에 해당된다. 이는 임상 효과의 유지목적으로 4-6개월마다 반복시술이 필요하다는 주장의 근거가 된다.

치과 영역에서 보툴리눔독소는 근근막통증증후군, 긴장성 두통, 턱관절장애의 보조적 치료, 이갈이, 이악물기와 같은 구강악습관의 보조적 치료, 교근비대증(사각턱) 치료, 안면 쁘띠성형 등에 사용되고 있다. 그러나 청소년 환자들에서는 가급적 사용을 자제해야 한다(Freund B, et al; 1999, 2002, Kim HS.et al; 2016). Chen 등(2015)은 보툴리눔독소가 여러 분야에서 효과를 발휘할 수 있지만 아직 턱관절장애 치료 시 보툴리눔독소 치료의 장점에 관한 결론을 내릴 수 있는 과학적 근거는 부족하며 좀 더 많은 연구들이 이루어져야 할 것으로 생각된다고 주장하였다. 그러나 일반적인 보존적 치료에 잘 반응을 보이지 않는 턱관절 환자들에서 보툴리눔독소는 저작근을 이완시킴으로써 근육성 통증을 완화시키고, 이갈이를 감소시키거나 이갈이, 이악물기로 인해 치아 및 구강안면조직에 발생하는 유해 작용을 감소시키는 효과도 있으며 턱관절에 가해지는 과부하를 방지함으로써 턱관절장애 치료에 좋은 효과를 보인다는 논문들도 많이 발표되고 있다. 특히 스플린트, 턱관절강 주사, 턱관절세정술 혹은 턱관절경 시술 등과 병행할 경우 매우 좋은 치료 효과를 얻을 수 있으며 만성 근근막통증증후군의 치료에 유효한 효과가 있다는 연구결과가 발표되었다(Abboud WA, et al; 2017, Borodic GE, et al; 2002, Brian F & Marvin S; 2002, Chen YW, et al; 2015, Connelly ST, et al; 2017, Freund B, et al; 1999, 2002, Guarda-Nardini L, et al; 2008, Khalifeh M, et al; 2016, Kim HS, et al; Kurtoglu C, et al; 2008, 2016, Oksana I, et al; 2016, Patel AA, et al; 2017). 필자는 턱관절장애 치료 시 보툴리눔독소 사용을 절대로 망설이지 말고 적극적으로 도입하여 사용할 것을 권장한다. 6개월 이상 보존적 치료에도 반응을 보이지 않는 환자들을 질질 끌면서 시간을 낭비하는 것은 절대로 바람직하지 않다. 턱관절장애가 만성화될 경우 난치성으로 진행될 수 있음을 명심해야 한다. 재발성 턱관절탈구 치료 시 보툴리눔독소를 외측익돌근에 주입(25-50U)하면 하악골 과두가 전방으로 탈구되는 증상을 줄일 수 있다. 따라서 전신 질환 혹은 신경성 질환을 가진 노인들의 턱관절 습관성탈구 치료 시 보툴리눔독소 주사가 1차 치료법으로 선택될 수 있다(Fu KY, et al; 2010, Martinez-Perez D, et al; 2004).

사용 금기증 혹은 주의해서 사용해야 하는 경우

① 근육활동장애(Muscular activity disorder)를 보이는 질환을 보유한 환자: Myasthenia gravis, Lambert-Eaton-Rooke syndrome
② 보툴리눔독소에 과민반응을 보이는 환자
③ 신경근전달(neuromuscular transmission)에 영향을 미치는 약물(근육이완제 등)을 사용 중인 환자들
④ 항응고제를 복용 중인 환자들
⑤ 혈액응고질환
⑥ 임산부, 수유부
⑦ 비협조적인 환자
⑧ 정신질환자

합병증 및 주의사항

심각한 합병증이 보고된 경우는 없었으며, 자입부위의 국소적 통증, 주사 부위 혈종 혹은 피하출혈이나 불편감을 호소할 수 있다. 주사를 맞은 당일은 격렬한 운동은 피하는 것이 좋고, 시술 후 2-3일이 지나면 딱딱하거나 질긴 음식을 씹을 때 불편을 느끼는 정도의 부작용이 있을 수 있다. 아래와 같은 주의사항 용지를 만들어서 시술 후 환자에게 배부하면서 상세히 설명하는 것이 좋다. "보톡스"는 특정 회사가 시판하는 상품명이긴 하지만 일반인들에게 널리 알려져 있는 용어이기 때문에 환자 입장에서 이해하기 쉽도록 이 용어를 사용하는 경우가 많다.

① 주사 직후 피부가 볼록 솟아오르는데, 이런 증상들은 1시간 이내에 모두 사라집니다. 주사 부위 주변으로 멍이 들거나 부종이 생길 수 있으나 시간이 경과하면서 정상으로 회복됩니다.

② 주사 부위 통증이나 부종이 심한 경우에는 시술 후 2일간은 냉찜질을 하고 소염진통제를 복용합니다.

③ 주사 후 일시적인 피로감, 구역질, 어지럼증 등이 올 수 있지만 휴식을 취하면 사라집니다.

④ 귀가 후 심한 피부 발적, 두드러기, 가려움증, 전신적 이상 증상이 발생하면 의료진에게 연락하고 신속히 치료받은 병원이나 응급 의료 기관을 방문하십시오.

⑤ 시술 후 6시간 후부터 세수 및 화장이 가능합니다.

⑥ 높은 온도의 찜질방이나 사우나, 목욕은 1주일간 금하는 것이 좋습니다.

⑦ 주사 부위에 과도한 자극을 주는 마사지는 1주일간 금하는 것이 좋습니다.

⑧ 보톡스 주사 1주 후에 내원하여 경과를 관찰해야 합니다. 이때 추가로 보톡스가 주입될 수 있습니다.

⑨ 주사 후 눕지 말라는 것은 '속설'에 지나지 않습니다. 시술 직후 신체 자세는 큰 영향을 주지 않으니 신경쓰지 않으셔도 됩니다.

⑩ 부위별 주의 사항

A. 눈가, 미간, 콧등, 이마 등의 주름 치료목적으로 주입한 경우에는 주사 부위를 절대로 압박하거나 비벼서는 안 됩니다. 비빌 경우에는 보톡스가 주변의 주요 해부학적 구조물로 확산되어 부작용을 유발할 수 있습니다.

B. 턱관절장애, 근육통증, 사각턱 등의 치료목적으로 근육에 주사한 경우에는 다음과 같은 점에 주의하셔야 합니다.

　a. 저작근에 주사한 경우에는 일시적인 저작력 감소, 교합이상 증상이 있을 수 있으나 시간이 경과하면서 정상으로 회복되니 걱정하지 마십시오.

　b. 저작근에 주사한 경우에는 딱딱하고 질긴 음식을 피해야 합니다.

C. 승모근 주입

　a. 어깨와 팔의 무거움과 통증이 1-2주 정도 지속될 수 있습니다. 이때 무거운 물건을 들지 마시고 양팔의 과도한 사용을 자제하는 것이 좋습니다. 대개 2-4주 후에 완전히 사라집니다. 통증이 심한 경우에는 진통제를 복용하십시오.

　b. 경부 근력이 매우 약한 여성들은 누울 때 머리가 뒤로 힘없이 처지는 현상이 발생할 수 있습니다. 누울 때 보호자가 목을 받쳐주거나 팔-어깨-머리 순서로 옆으로 천천히 눕도록 설명해야 합니다.

D. 근육의 볼륨이 많은 부위

교근, 승모근과 같은 부위에 주입한 경우에는 보톡스가 주변 근육으로 잘 확산될 수 있도록 가볍게 마사지 하는 것이 추천됩니다.

(5) 발통점 주사(Trigger point injection)

혈관 수축제가 포함되지 않은 2% Lidocaine을 사용한다. 주사할 근육의 크기에 따라 2-3 cartridges을 사용하며 승모근에서는 1/2 cartridge, 측두근 발통점에는 1/3 이하가 적당하다. 근육을 부드럽게 신장시킴으로써 정상적인 길이와 기능을 회복하도록 도울 수 있다. 기화성 냉각제 분사(vapocoolant spray)와 병행하면 발통점을 치료하는 데 큰 도움이 될 수 있다.

Venancio 등(2009)은 두통을 동반한 근근막통증(교근, 측두근, 후두근, 승모근) 환자들의 발통점 주사에 dry-needling, 0.25% Lidocaine, 보툴리눔독소를 사용한 후 비교 평가하였다. 두통의 유형은 tension type 25%, migraine 15%, mixed headache 60%였다. 비용과 효과를 고려할 때 Lidocaine을 1차로 선택하고 치료에 잘 반응을 보이지 않는 난치성일 경우 보툴리눔독소를 선택할 것을 추천하였다. 발통점은 팽팽한 밴드(taut band)를 가진 국소적인 근육 압통이 존재하는 부위로서 1.5 kg의 압력으로 촉진하거나 pressure algometer를 이용하여 발통점을 찾아낸다. 이후 70% 알코올로 피부를 소독하고 발통점에서 1–2 cm 떨어진 부위에서 주사침을 피부에 30° 각도로 자입하고 Lidocaine을 주입한다. 1차 주입 후 주사침을 약간 빼낸 후 상방, 하방, 측방 등으로 방향을 바꿔가면서 근육의 팽팽한 정도가 사라질 때까지 소량(한 번에 0.2 mL)으로 주입한다(Aoki KR; 2003, Venancio Rde A, et al; 2009) **(Fig 2-31)**.

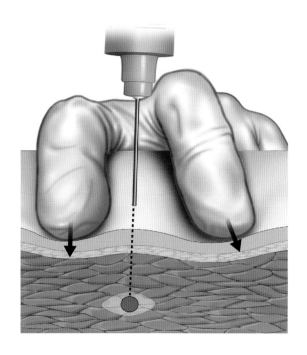

Fig 2-31. 발통점 주사 모식도

Alvarez & Rockwell (2002)은 스테로이드나 에피네프린이 함유되지 않은 Lidocaine을 사용하는 것이 좋다고 하였다. 건성 주사(dry needle injection)는 바늘을 삽입한 것 자체가 발통점을 파괴하기 때문에 효과가 있을 수 있지만 주사 후 통증이 더 심해질 수 있기 때문에 추천하고 싶지 않다. 리도카인과 같은 국소마취제를 투입할 경우엔 바늘로 인한 발통점 파괴 및 신경 전달 차단을 통해 더욱 좋은 진통 효과를 발휘할 수 있다(Fernández–de–las–Peñas C, et al; 2007).

(6) 증식요법(Prolotherapy)

관절강 내에 식염수, 포도당, 혈소판풍부혈장(platelet rich plasma, PRP)과 같은 것을 주입하는 치료법으로서 턱이 자주 빠지는 환자들의 턱관절강 혹은 주위 결체조직 부위에 수개월 간격으로 반복적으로 주입한다. 최근 발표된 메타분석 논문에서 장기간 지속되는 턱관절 골관절염 치료 시 PRP 주입은 턱관절세정술 혹은 턱관절경 시술의 보조적 수단으로 사용될 수 있다고 보고되었다(Chung PY, et al; 2019, Kilic SC & Gungormus M;

2016). 정형외과 분야에서 무릎의 중등도 관절염 증상 완화 목적으로 사용할 때 plasma rich in growth factor (PRGF)가 HA에 비해 더 좋은 효과를 보였다는 보고가 있으며 턱관절장애 치료에도 일부 시도된 바 있다. 그러나 Fernandex Sanroman은 Wilkes stage Ⅳ형의 턱관절내장증 환자에서 턱관절경 시술 후 PRGF를 주입하였으나 식염수를 주입한 대조군에 비해 더 나은 효과를 보이지 않았다고 보고하였다(Fernandex Sanroman J, et al; 2016).

6) 도수조작(Manipulation)

관절원판이 전내방으로 전위되면 개구 시 과두에 의해 더욱 전방으로 밀리면서 비정복 상태로 진행되며 입이 잘 안 벌어지고 턱관절장애 관련 증상이 점점 심해질 수 있다. 이런 경우를 턱관절 관절원판 비정복성전위(disc displacement without reduction) 혹은 과두걸림(closed lock)이라 명명한다. 관절원판의 위치 변화를 교정하는 것에 초점을 맞추어 시행하는 치료법들은 스플린트, manipulation therapy, Intraoral vertical ramus osteotomy (IVRO) 등이 있으며 manipulation은 1차로 시도해 볼 수 있는 방법이며 치과 건강보험에서 "턱관절 고착해소술"이라는 항목으로 보험 청구가 가능하다(Chung H, et al; 1992). 도수조작을 통해 전위된 관절원판을 정복할 수 있지만 조작 도중에 심한 통증이 발생할 경우엔 국소마취 후 manipulation을 시행하면 좋은 효과를 얻을 수 있다. 환자의 나이가 어리고 과두걸림 기간이 짧을수록(4주 이내) 치료 성공률이 높다(Minagi S, et al; 1991, Yoshida H, et al; 2005).

Pumping & manipulation

관절강 pumping은 정형외과 영역에서 오래전부터 사용되고 있는 치료법으로서 관절강 내로 마취제나 생리식염수의 주입과 흡인을 반복함으로써 활막 조직에 자극을 가하여 관절의 순환을 개선시키면서 치유를 도모하는 것이다. 턱관절에서는 관절강 내의 환경 개선을 통해 전위된 관절원판을 정복시키거나 유착된 관절원판을 분리시키는 효과를 얻을 수 있다(Sato S, et al; 2008). 주입한 국소마취제의 작용으로 무통 상태에서 manipulation을 시행하는 것은 단순한 manipulation에 비해 치료 효과가 높기 때문에 외과적 치료 전에 선택할 수 있는 유용한 치료법이다(김법수 등; 1997).

국소마취제를 이용한 관절강 pumping 후 관절 내부의 기질적 변화가 없는 경우엔 개구량 증가가 컸지만 기질적 변화가 있는 경우엔 개구량 증가가 거의 없었다. 따라서 국소마취제를 이용한 관절강 pumping은 치료 외에도 턱관절장애의 감별진단에 매우 유용할 수 있다(Chung H, et al; 1992, Kurita H, et al; 1999, Sahlstrom LE, et al; 2013). Murakami 등은 만성적으로 관절원판이 전방으로 전위된 경우에 리도카인 3-4 mL로 상관절강 pumping과 manipulation을 시행한 후 스테로이드(betamethasone)를 주사할 경우 전위된 관절원판의 움직임에 도움을 주면서 턱관절 내에서 기능적 운동을 회복시킬 수 있다고 언급하였다. 반면 하관절강에서 pumping을 시행하는 것은 성공적이지 못한데 그 이유는 관절원판 유착증이 대부분 상관절강에서 발생하기 때문이라고 하였다(Murakami K, et al; 1987).

(1) 치료 효과

① 관절강내 수압을 증가시킴으로써 전위된 관절원판 정복이 용이해진다.

② 관절강내의 점성 저항이 감소되어 관절원판과 하악과두의 움직임이 자유로워진다.

(2) 장점

① 합병증이 거의 없다.

② 술식이 매우 간단하다

③ 통증 감각이 차단되어 마음껏 도수정복을 시도할 수 있다.

(3) 술식

① 소독 및 draping

② 턱관절 부근의 침윤마취

③ 하악과두 후관절면의 약간 상방에서 관절결절 후사면을 향하여 21 gauge 주사바늘을 자입한다.

④ 혈관수축제가 없는 2% Lidocaine 용액으로 여러 차례 pumping한 후, 주사기에 가벼운 저항이 생길 때까지 약 2 cc를 주입한다.

⑤ 주사 부위를 소독한 후 멸균거즈를 부착한다.

⑥ 환자를 등받이가 있는 장소에 앉힌 후 도수정복술을 시행한다.

환자의 양측 최후방 구치부 교합면에 엄지손가락을 얹고 나머지 손가락으로 하악 하연을 잡는다. 이 때 술자의 엄지손가락을 거즈로 보호해야 한다. 환자의 하악을 힘껏 압박하면서 턱을 전방으로 잡아 당겨서 관절원판 정복을 시도한다.

7) 턱관절세정술(TMJ arthrocentesis)

턱관절세정술은 급성 혹은 만성의 과두걸림 증례에 유용한 치료법으로 1991년 Nitzan 등(1991)에 의해 보고된 이래 임상에서 많이 사용되어 왔으며 다수의 논문들이 발표되었다(Emshoff R, et al; 2003, Nitzan DW, et al; 1994, 1997, 2001). 이 방법은 턱관절의 상관절강에 2개의 주사침(18G, 21G)을 삽입하여 생리식염수 혹은 Hartman 용액으로 관절강 내부를 세정해주는 방법으로, 쉽게 시행할 수 있고 증례가 적절히 선택된 경우에는 시술 후 70-90%의 치료 효과를 보이는 것으로 알려져 있다. 관절강 내의 유착조직을 강한 수압을 이용하여 박리하고 관절액 중에 존재하는 염증과 통증 유발 물질들을 세정하여 제거하고 관절강 내의 음압을 해소함으로써 통증을 감소시키고, 개구 운동을 증가시키는 효과가 있다. 관절강 내부를 세정한 후에 HA를 주입하면 좀 더 바람직한 효과를 얻을 수 있다는 연구결과들이 많이 보고되었다. 외과적 수술, 턱관절경 치료에 비해 침습도가 적고 치료 비용이 저렴하고 합병증이 거의 없는 장점이 있으며 턱관절 골관절염의 치료에도 효과가 좋고 안정위스플린트 치료를 병행하면 치료 효과가 더욱 좋다고 보고되었다(Carvajal WA & Laskin DM; 2000, Emshoff R, et al; 2003, Emshoff R & Rudisch A; 2004, Frost DE & Kendell BD.; 1999, Hyun YO, et al; 2001, Kropmans TJ, et al; 1999, Lee SH & et al; 2009, Onder ME, et al; 2009, Park YH, et al; 2010, Tatli U, et al; 2017). 턱관절세정술과 함께 측두근과 교근 부위에 보툴리눔독소를 주사할 경우 최대 개구량 증가 및 통증 감소 효과가 현저히 증가한다는 연구결과가 발표되기도 하였다(Ivask O, et al.; 2016). 효과적인 세정술을 위해 100-300

cc의 normal saline 혹은 Ringer's lactate solution을 15–20분간 시행하는 것을 추천하지만 용량보다도 강한 압력이 더 중요하다는 의견들이 많다(Alkan A & Kilic E; 2009, Kaneyama K, et al; 2004, Yura S, et al; 2003, Yura S & Totsuka Y; 2005, Zardeneta G, et al; 1997)**(Fig 2-32, 33)**.

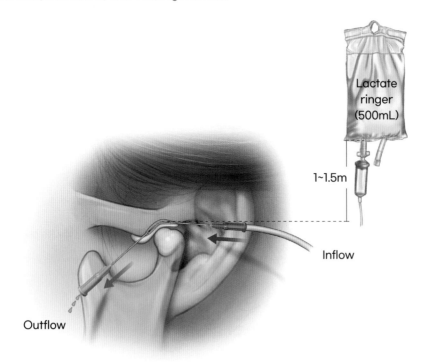

Fig 2-32. 환자의 턱관절 상방 1-1.5 m 위치에 수액을 달고 세정술을 시행한다. 보조자가 수액에 직접 압력을 가하거나 infusion accelerator for blood bag을 사용할 수도 있다.

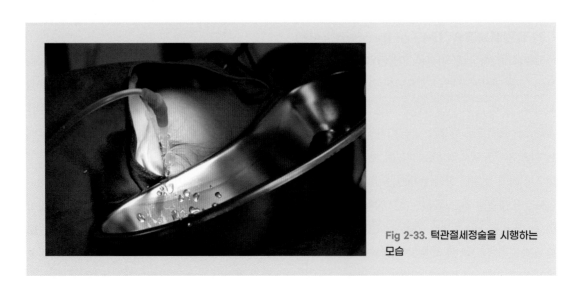

Fig 2-33. 턱관절세정술을 시행하는 모습

턱관절세정술은 결코 침습적인 외과적 치료가 아니다. 턱관절장애 치료에 경험이 많고 능숙한 치과의사들은 국소마취하에 외래에서 단시간 내에 쉽게 시술할 수 있기 때문에 적응증에 해당되는 경우엔 시간을 질질 끌면서 오랜 기간 동안 환자를 방치하지 말고 초기부터 적극적으로 시도해 보는 것도 결코 나쁘지 않다. 치과의사와 환자들 모두 턱관절세정술은 절대로 과잉진료가 아님을 잘 이해해야 한다.

(1) 적응증(Honda K, et al; 2011, Nitzan DW & Price A; 2001, Tarro A; 1999, Trieger N, et al; 1999, Yi AN, et al; 2000)

① 30 mm 미만의 급·만성 개구장애의 경우 일부 학자들은 비외과적 치료를 오래 시행하지 말고 가급적 조기에 턱관절세정술을 시행하여 환자의 가장 큰 불편감을 빨리 해결해 주는 것이 좋다고 주장한다.

② 비정복성 관절원판전위

③ 경미한 관절원판의 섬유성 유착증(fibrous adhesion)

④ 개구나 저작 운동 시 턱관절 통증이나 압박감이 지속되는 경우

⑤ 골관절염, 활액막염, 관절낭염, 원판후조직염

⑥ 류마티스관절염 증상의 단기치료를 위한 보조요법으로 시도할 수 있다.

⑦ 턱관절세정술은 외과적 치료 전 진단 도구로 활용될 수도 있다. 즉 세정술 실패는 섬유성 유착증, 골극과 같은 만성 염증성 변화가 존재하기 때문에 외과적 치료가 필요하다는 것을 의미할 수도 있다.

(2) 금기증

① 단순 관절잡음만 존재하는 턱관절내장증

② 턱관절강직증(TMJ ankyloses)

③ 턱관절 종양

(3) 턱관절세정술의 경과 예측

젊은 환자들, 증상 보유기간이 짧은 경우, 시술 전 개구량이 25 mm 미만, 통증 지수가 VAS 7 이상인 경우, 세정술 도중에 clicking이 발생, 38 mm 이상의 최대 개구량 확보에 필요한 세정액이 150 cc 이하인 경우, 골관절염이 동반된 과두걸림증 환자가 턱관절세정술 후 효과가 좋다고 언급되었다(유상일 등; 2008, Andrabi SW, et al; 2019, Emshoff R, et al; 2003, Kim CH, et al; 2003, Vos LM, et al; 2013). 한편 활액에 IL-6, IL-1β가 적게 존재할수록 턱관절세정술의 성공에 중요한 영향을 미친다고 한다. 즉 IL-6은 성공 증례들의 72.2%, 실패 증례들의 95.5%에서 검출되었고 IL-1β는 성공 증례 0.017 pg/100 ug, 실패 증례 0.046 pg/100 ug 정도로 검출되었다(Nishimura M, et al; 2001, 2004). 턱관절세정술 전후 턱관절경으로 관찰한 결과 충분한 압력으로 세정술을 시행할 경우 유착증이 해소되면서 과두걸림이 잘 치료되는 것이 관찰되었다(Yura S, et al; 2003).

8) 턱관절경 시술: 세척 및 용해술(Arthroscopic lavage and lysis)

턱관절경(TMJ arthroscopy)은 증례들에 따라 진단 및 치료 목적으로 다양하게 적용할 수 있으며 턱관절경을 이용한 진단(diagnostic arthroscopy), 턱관절경을 이용한 세척 및 용해술(arthroscopic lavage and lysis, ALL), 수술 혹은 진보된 턱관절경 시술(operative or advanced arthroscopy)로 분류할 수 있다(Murakami KI, et al; 1998). 그러나 최근에는 세척 및 용해술이 주로 임상에 적용되고 있으며 과거에 사용되었던 치료 목적의 관절경 수술은 치료의 복잡성과 좋지 않은 임상 성적으로 인해 거의 사용되지 않는다. 필자는 세척 및 용해술만 시행하고 있으며 이것을 중심으로 설명하고자 한다.

턱관절세정술의 적응증과 거의 유사하지만 관절경으로 직접 관찰하면서 정확하게 관절 내부의 세척 및 용해술을 시행할 수 있고 치료 도중에 촬영한 사진을 환자에게 보여주면서 설명하면 환자의 이해도 및 치료 협

조도와 심리적 상태를 호전시키는 좋은 효과를 얻을 수 있다(Holmlund AB, et al; 2001, Ohnuki T, et al; 2003, Saito T, et al; 2010). 턱관절경으로 관절강 내부를 관찰하면서 관절원판후조직 주변에 약물을 주입하고 관절원판후조직에 인위적으로 손상을 유발하여 흉터조직을 형성함으로써 턱관절 습관성탈구의 치료에 매우 유용하게 사용할 수 있다(Tarro A, et al; 1999).

턱관절경을 이용한 세척 및 용해술(Arthroscopic lavage and lysis, ALL)

ALL이 가장 많이 시행되는 방법이며 치료 효과도 매우 우수하다. 턱관절경으로 상관절강, 관절원판, 관절와, 활액막 등을 관찰하면서 삽입된 outflow needle을 이용하여 세척 및 용해술을 시행한다. 관절경이 삽입된 캐뉼러(cannula)를 통해 Hartman 용액을 강한 압력으로 주입하고 outflow needle을 통해 빠져 나오도록 한다. 동시에 바늘을 사용하여 섬유성 유착조직을 박리하여 용해시키면서 하악의 개폐구, 전후 및 좌우 운동이 자유롭게 이루어질 수 있도록 한다. 필자는 개인적으로 세척 및 용해술을 잘 하기 위해선 18 gauge의 굵은 바늘을 사용하는 것이 좋다고 생각한다(Fig 2-34).

ALL의 성공률은 학자 및 연구 방법들에 따라 다양한 결과를 보이지만 일반적으로 80~90%의 성공률을 보이는 것으로 알려져 있다(Dimitroulis G.; 2002, González-García R, et al; 2008, Hamada Y, et al; 2005, 2006, Kim YK, et al; 2009, Kurita H, et al; 2007, Sorel B & Piecuch JF; 2000). 치료 효과는 관절원판 위치의 정상 회복에 기인하는 것이 아니며 관절원판의 움직임이 자유로워지고 관절강 내의 염증 및 퇴행성 산물들이 제거되는 것에 기인하는 것으로 생각된다(Kircos LT, et al; 1987, Montgomery MT, et al; 1989, 1991, Moses JJ, et al; 1991).

시술 전에 존재하거나 술 후 새로 형성된 섬유성 유착증은 턱관절세정술 혹은 턱관절경 시술 후 증상 개선(개구량 증가, 통증 감소)에 큰 영향을 미치지 않는다. 중요한 것은 관절강 세척을 통해 염증 산물들을 제거하는 것이다. 관절강을 씻어내면서 동시에 하악 운동을 유도하면 관절강 내에 남아있는 섬유성 유착조직의 탄력성이 증가하면서 개구량이 증가하게 된다. 따라서 필자는 침습적인 관절경 수술(operative arthroscopy)이나 턱관절 개방수술 대신에 비침습적인 ALL을 우선적으로 선택하여 시술하고 있다(Hamada Y, et al; 2005, Holmlund AB, et al; 2001). ALL 후 상관절강에 HA를 주입하면 치료 효과가 더욱 향상될 수 있다(Clark GT, et al; 1991).

9) 교합치료, 보철치료

보철, 교정치료와 같은 비가역적인 치료는 잠복기 상태의 턱관절장애 유무를 세심하게 평가한 후 시작해야 한다. 만약 턱관절장애가 존재하는 것이 확인된다면 비침습적 보존적 치료를 통해 턱관절의 상태를 안정시키는 것이 우선되어야 하며 보철 혹은 교정치료 도중에도 턱관절장애 증상을 지속적으로 모니터링 해야 한다. 당연히 과도한 개구 등으로 인해 턱관절에 과부하가 가해지지 않도록 주의하고 가급적 진료시간을 짧게 여러 번에 나누어서 하는 것이 좋다.

교합과 정신-신경성 요인 및 턱기능 이상의 상호 연관성에 대해서 다음과 같은 3가지 개념들이 제시된 바 있으며 2, 3번째 개념이 타당성을 인정받고 있다.

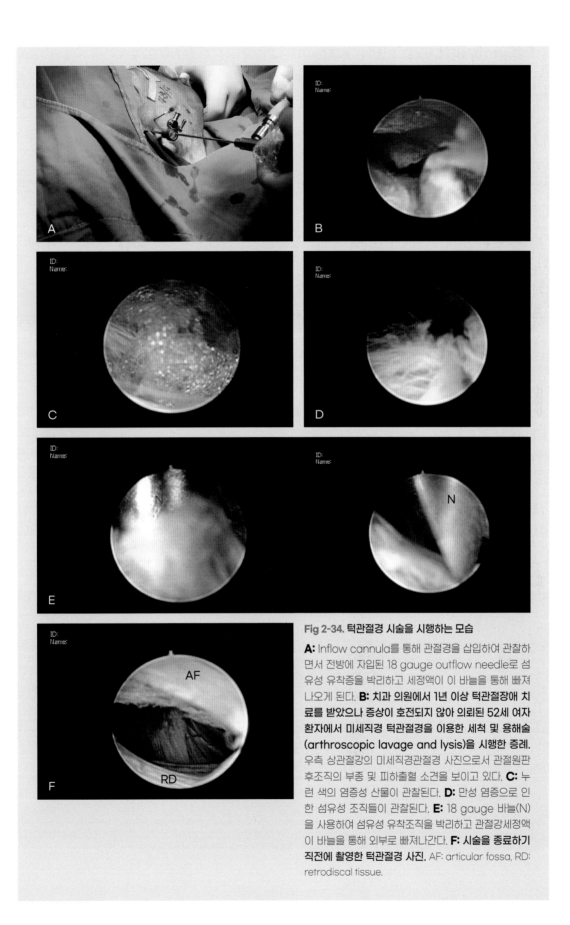

Fig 2-34. 턱관절경 시술을 시행하는 모습

A: Inflow cannula를 통해 관절경을 삽입하여 관찰하면서 전방에 자입된 18 gauge outflow needle로 섬유성 유착증을 박리하고 세정액이 이 바늘을 통해 빠져나오게 된다. **B:** 치과 의원에서 1년 이상 턱관절장애 치료를 받았으나 증상이 호전되지 않아 의뢰된 52세 여자 환자에서 미세직경 턱관절경을 이용한 세척 및 용해술 (arthroscopic lavage and lysis)을 시행한 증례. 우측 상관절강의 미세직경관절경 사진으로서 관절원판 후조직의 부종 및 피하출혈 소견을 보이고 있다. **C:** 누런 색의 염증성 산물이 관찰된다. **D:** 만성 염증으로 인한 섬유성 조직들이 관찰된다. **E:** 18 gauge 바늘(N)을 사용하여 섬유성 유착조직을 박리하고 관절강세정액이 바늘을 통해 외부로 빠져나간다. **F:** 시술을 종료하기 직전에 촬영한 턱관절경 사진. AF: articular fossa, RD: retrodiscal tissue.

⑴ 부정교합이 턱관절장애를 유발하는 주된 인자라는 의견은 아주 오래전 개념으로 최근엔 거의 받아들여지지 않는 이론이다(Aboalnaga AA, et al; 2019, Mohlin B, et al; 2007, Mongini; 1980). 물론 일부 소인으로 관여할 수는 있지만 부정교합을 절대적 원인으로 생각하고 교합치료, 교정치료를 통해 턱관절장애를 치료하려고 시도해선 안 된다.

⑵ 부정교합이 소인으로 관여할 수 있지만 동시에 정신적 스트레스가 깊게 관여되어 있다는 의견(Fillingim RB, et al; 2013. Stallard; 1969)

⑶ 턱기능 이상의 발현은 정신적 스트레스가 주요인이며, 부정교합은 2차적 요인이거나 그다지 중요하지 않다는 의견(Carlsson; 1985, Draukas, Lindee, Fillingim RB, et al; 2013, Franks; 1965, Lasin; 1969)

10) 복합치료

턱관절장애의 병인론과 병태생리학은 매우 다양하며 아직 밝혀지지 않은 것이 매우 많다. 따라서 치료는 여러 전문분야적 접근(multidisciplinary approaches)을 필요로 하며 특정 치료법 한 가지만을 고수해선 절대로 좋은 결과를 얻을 수 없다. 정신적 문제가 동반되거나 의과적 전신질환이 함께 존재하는 경우도 많으며 의과와의 협진 치료가 필요한 경우도 많다. 턱관절 통증에 정신적 인자들이 미치는 중요성을 인지하고 반드시 다변화된 치료법 및 환자교육을 시행할 필요가 있다(Braido GVDV, et al; 2020, McNeill C; 1997, Turp JC, et al; 2007, von Korff M, et al; 1992, Yoon HJ, et al; 2012).

(1) 약물치료 + 물리치료

물리치료를 단독으로 시행하는 것은 치료 효과가 미약하다. 약물치료와 병행하는 것이 일반적이며 치료 효과를 더욱 향상시킬 수 있다. Yuasa 등(2001)은 골변화가 없는 비정복성 관절원판전위 환자들에서 1차 치료법으로 4주 동안 소염진통제(AmPiroxicam 27 mg once a day)와 개구 운동을 시행한 결과 좋은 효과를 보였다고 보고하였다.

(2) 물리치료 + 행동치료(McNeill C; 1997)

(3) 상담 + 바이오피드백을 이용한 스트레스 관리 + 스플린트
(Turk DC, et al; 1996, Stechman-Neto J, et al;2016)

(4) 물리치료 + 소염진통제 + 턱관절세정술 + 스테로이드 관절강 주사
(Cavazza S, et al; 2005, Kurita K, et al; 1999, Moffat M; 1997)

(5) 턱관절세정술 + HA 관절강 주사 + 안정위스플린트(박용희 등; 2010)

(6) 턱관절세정술 + 관절강 주사 + 약물치료 + 물리치료(Ishida Y, et al; 2003)

(7) 스플린트 + 턱관절세정술 + 발통점 주사(Bilici IS, et al; 2018)

(8) 물리치료 + 스플린트 치료

통증을 동반한 관절잡음의 치료 시 물리치료 단독으로 시행하는 경우보다 물리치료와 스플린트 치료를 병행한 경우가 증상 개선이 더욱 현저하였고, 치료 후 통증이 많이 감소되었다(고명연 등; 2003).

(9) 2가지 이상의 약물치료

약물로만 치료하는 경우에도 약물을 한 가지만 사용하는 것보다 두 가지 이상을 함께 사용하는 것이 효과가 좋다. Jayachandran 등(2017)은 턱관절 골관절염의 치료 시 Diclofenac sodium과 같은 NSAID와 bromelain, trypsin, rutoside trihydrate와 같은 구강 효소를 병용하는 경우 효과가 월등히 좋다고 보고하였다.

11) 턱관절 개방수술, 관혈적 턱관절 수술(Open joint surgery, Arthrotomy)

보존적 치료(턱관절세정술, 턱관절경 시술 포함)에 6개월 이상 반응하지 않는 경우나 CT, MRI검사에서 관절원판의 섬유성유착이나 천공, 종양, 강직증 등 심한 구조적 변형이 확인되는 경우 외과적 치료를 적극 고려해야 한다. 특발성 하악과두흡수증이나 외상으로 인한 하악과두의 상실 등으로 인해 하악이 비정상적으로 후퇴되거나 이환측으로 변위된 경우엔 교정치료를 동반한 턱교정수술이나 인공턱관절치환술이 필요할 수 있다(Cha YH, et al; 2010).

관절원판 전위를 동반한 턱관절내장증을 치료할 목적으로 과거에 많이 시행되었던 관절원판성형술은 최근에는 거의 시행되지 않는다(Montgomery MT, et al; 1992). 즉 관절원판 전위가 턱관절장애의 주요 병인론이 아니며 관절원판을 정상 위치로 회복시킨다고 하여 턱관절장애가 치유되지 않기 때문이다. 과거에는 턱관절장애 치료를 위한 외과적 치료의 비율이 4-5%를 차지한 적도 있었지만 최근엔 수술을 시행하는 경우가 현저히 감소되었다(Dolwick MF & Dimitroulis G; 1994, Politis C, et al; 1989). 그러나 적응증에 해당되는 경우엔 아주 드물지만 과두절제술(condylectomy), 과두성형술(condyloplasty), 변형된 과두절단술(modified condylotomy), 관절융기절제술(eminectomy), 관절원판성형술(meniscoplasty), 관절원판정복술(meniscorrhaphy), 관절원판절제술(meniscectomy) 등과 같은 관절성형술(arthroplasty)이 시행될 수 있다(Abramowicz S, Dolwick MF; 2010, Dun MJ, et al; 1981, Farina R, et al; 2015, Hall DH; 1994, Hall HD, et al; 1993, House LR; 1994, Matukas VJ & Lachner J; 1990, Montgomery MT, et al; 1992, Stern NS; 1988, Wilkes CH; 1991)(Fig 2-35).

턱관절 개방수술은 장점과 단점, 합병증, 적응증과 금기증 등을 잘 이해하고 환자들에게 수술로 인해 얻을 수 있는 장단점을 충분히 이해할 수 있도록 설명하고 환자의 동의를 득한 후 시행되어야 한다. 환자들은 외과적 수술을 받으면 완치될 것이라는 기대 수준이 매우 높기 때문에 수술을 통해서도 완벽히 해결할 수 없다는 한계점을 충분히 설명하고 술자와 환자 모두 이 사실을 인정하고 치료가 진행되어야 한다. 턱관절 수술 관련 합병증은 안면신경 마비와 흉터가 가장 빈발하는 합병증이며 그 외에도 부정교합, 개구제한, 난청 등이 있지만 숙련된 외과의사가 수술하는 경우 합병증은 일시적이며 5% 미만으로 알려져 있다. 그러나 악골 운동 장애(개구제한, 개구 시 악골편위, 편향 등)는 수술 후에도 계속 남는 경우가 대부분이다(Dimitroulis G; 2011, Widmark G, et al; 1997)(Fig 2-36).

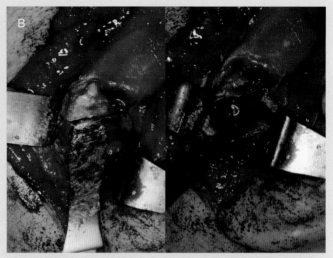

Fig 2-35. 다양한 관절성형술

A: 천공되었거나 변형된 관절원판후 조직의 일부를 제거하고 전위된 관절원판을 원위치시킨 후 주변 조직과 봉합하여 고정하는 술식을 관절원판성형술(meniscoplasty)이라고 칭한다. 한편 관절원판 조직을 제거하지 않고 전위된 관절원판을 원위치로 이동시켜 봉합하는 술식을 관절원판정복술(meniscorrhaphy)라고 칭한다.
B: 관절융기절제술(eminectomy). 관절강의 공간을 넓혀서 압력을 줄여주고 관절원판과 하악과두의 움직임을 자유롭게 해 주는 술식이다. **C:** 하악과두절제술(condylectomy) 혹은 과두성형술(condyloplasty). 하악과두

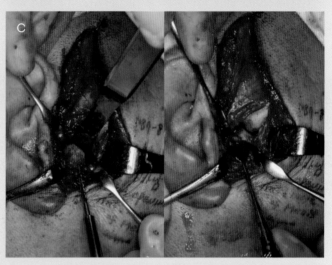

의 종양 혹은 골관절염으로 인해 파괴가 심한 경우 과두의 상당 부분을 제거하는 술식을 과두절제술(condylectomy)이라고 칭한다. 한편 변형된 과두의 일부분만을 최소한으로 제거하고 외측익돌근에 손상을 주지 않는 변형된 술식을 과두성형술(condyloplasty) 혹은 고위과두절제술(high condylectomy)이라고 칭한다.

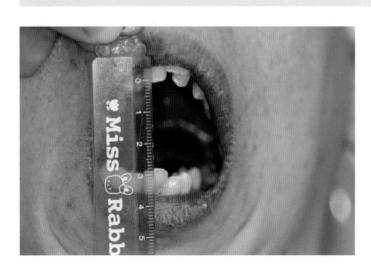

Fig 2-36. 50세 여자 환자에서 턱관절 개방수술 후 3 cm의 개구량을 보이고 있다. 정상 개구량은 35-55 mm이지만 수술 후에도 정상에 미치지 못하는 경우가 매우 많다. 특히 턱관절강직증 수술 후에는 정상 개구량을 회복하는 것이 매우 어렵다.

(1) 적응증

보존적 치료 혹은 최소 침습적 외과적 치료(턱관절세정술, 턱관절경 시술)가 실패한 경우와 이전의 턱관절 개방수술이 실패하여 재수술이 필요한 경우에 선택된다. 턱관절 개방수술은 턱관절 내에서 통증과 기능 이상이 유발된다는 것이 분명하게 확인된 후 시행되어야 한다(Dolwick MF; 2007, Lund B, et al; 2014).

① **절대적 적응증(Absolute indication)**

수술 이외에는 다른 해결 방법이 없는 질환들로서 종양, 골절, 턱관절강직증, 성장장애 등을 들 수 있다(Shim CH, et al; 2002)**(Fig 2-37)**.

② **상대적 적응증(Relative indication)**

보존적 치료에 전혀 반응을 보이지 않는 심한 통증과 기능 장애가 있으면서 영상진단을 통해 턱관절 이상 소견이 발견되는 경우 증례들을 잘 평가하여 수술 여부를 결정할 수 있다. 턱관절 개방수술은 통증 조절을 목적으로 시행되는 경우는 드물며 악골의 기능 개선을 목적으로 시행되는 경우가 대부분이다. 따라서 환자의 일차 주소가 통증인 경우엔 절대 수술을 고려하지 말고 약물치료와 같은 보존적 치료를 고려해야 한다(Quinn P; 2000)**(Fig 2-38)**.

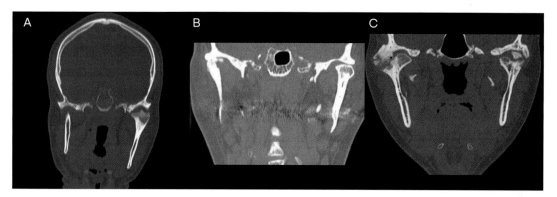

Fig 2-37. 턱관절 개방수술의 절대적 적응증
A: 좌측 하악과두에 발생한 골연골종. **B:** 우측 턱관절강직증. **C:** 좌측 하악과두골절로 인한 턱관절강직증

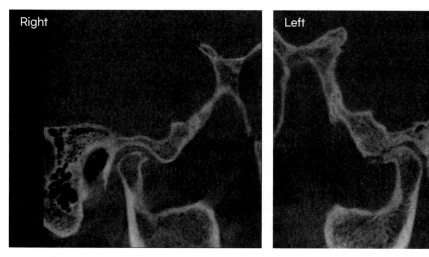

Fig 2-38. 양측 턱관절장애가 장기간 지속된 56세 여자 환자

CBCT에서 우측 하악과두 전방부 골 침식증과 좌측 하악과두의 골극 및 골관절염성 변화가 관찰된다. 1년 이상 보존적 치료를 받았으나 호전되지 않아서 양측 턱관절 개방수술을 시행하였다.

(2) 턱관절 개방수술 실패의 원인(Dolwick MF; 2001, Vega LG, et al; 2011)

① 증례 선택 오류

증상 및 병소가 턱관절에 국한된 경우에 효과가 좋다. 광범위하거나 특정 부위를 잘 지목하지 못할 경우엔 외과적 치료 결과는 좋지 않다.

② 환자와 외과의사의 잘못된 기대 수준

어떠한 외과적 치료도 턱관절장애의 모든 증상들을 완벽하게 해소할 수 없다. 수술을 선택하는 환자들은 기존의 치료법에 비해 좀 더 높은 기대 수준을 갖게 된다. 즉 통증, 관절 잡음, 악골 운동 등 모두가 정상적으로 회복되길 기대하면서 수술이 진행되지만 술자와 환자 모두의 기대감을 충족시킬 수 없다. 즉 악골 기능 제한, 턱관절 잡음 및 통증은 정도의 차이는 있지만 반드시 남게 된다.

③ 외과의사의 경험 부족

외과적 치료는 단독으로 시행되는 경우는 없으며 보존적 치료가 함께 시행되어야 한다. 외과적 치료 후 적극적인 물리치료가 치료 성공을 위해 매우 중요하다. 수술 3일 후부터 시작하여 최소 6-12주 동안 물리치료 및 악골운동이 시행되어야 한다. 외과적 치료의 성공은 외과의사의 경험과 적절한 증례 선택에 달려있다(Dolwick MF; 2007).

12) 전체 턱관절재건술(Total TMJ reconstruction)

최근의 전체 턱관절재건술은 전 세계 구강악안면외과의들에 의해 매우 성공적으로 시행되고 있으며 말기 턱관절질환의 치료법으로 선택될 수 있다(Celebi N, et al; 2011, Lotesto A, et al; 2017). 수술은 자가골 이식을 이용한 턱관절재건술과 인공턱관절을 이용한 전체 턱관절재건술로 분류되며 수술 후 합병증이 많기 때문에 적응증과 금기증을 숙지하고 적응증에 해당되는 경우에 신중히 수술을 결정해야 한다(Park MH, et al; 2015). 자세한 내용은 김영균 등(2018)이 집필한 "턱관절장애와 수술교정"을 참고하기 바란다.

(1) 적응증

① 이전의 턱관절 개방수술이 실패한 경우
② 진행성 퇴행성 관절질환: 골관절염, 류마티스 관절질환, 외상성 관절염으로 인해 과두의 골파괴가 심하게 진행된 경우
③ 턱관절강직증
④ 종양 수술 후 발생한 결손부 재건
⑤ 선천성 턱관절 기형
⑥ 하악과두의 심한 분쇄골절

(2) 금기증

① 급성감염이 존재하는 경우
② 인공턱관절 재료에 대한 알레르기가 있는 환자
③ 인공턱관절을 유지 및 지지할 수 있는 골량이 부족한 경우
④ 성장기 환자

TOUGH CASES

⑤ 술 후 경과 관찰 및 후관리가 어려운 환자들

⑥ 비조절성 전신질환을 보유하고 있거나 면역기능이 현저히 저하되어 있는 환자

8. 턱관절강직증

치과에 개구제한(trismus, mouth opening limitation)을 주소로 내원하는 환자들이 많으며 정확한 진단을 통해 조기에 적절한 치료를 시행하여 개구제한을 해소시켜 주어야 한다. 개구제한은 턱관절장애가 주원인인 경우가 많지만 턱관절강직증과 같이 수술이 반드시 필요한 경우도 종종 존재하기 때문에 적절한 감별진단 및 치료법을 숙지하고 진료에 임해야 한다(김영균 등; 2018). 정상 개구량은 35-55 mm 혹은 손가락 2-3개가 세로로 들어갈 수 있는 상태를 의미하며 사람들마다 큰 차이가 있고 여자가 남자에 비해 개구량이 적기 때문에 단순히 특정 수치를 기준으로 개구제한을 결정해선 안 된다(Nelson SJ, et al; 1992).

1) 가성 턱관절강직증(False TMJ ankylosis)

악안면 부위 외상, 종양, 감염, 오훼돌기 증식, 파상풍, 외상이나 수술 후 악안면 부위에 형성된 흉터조직, 항암치료 혹은 방사선치료 후 합병증 등 매우 다양한 원인들이 개구제한을 유발할 수 있다. 턱관절과 무관한 원인들로 인해 발생하는 개구장애들을 가성 턱관절강직증이라고 명명하기도 한다(Freihofer HPM; 1991, Ju HJ, et al; 2010, Kang HJ, et al; 2006, Steiner F, et al; 2015). 가성 턱관절강직증은 아래와 같이 분류할 수 있다.

1. 파상풍(tetanus)

2. 근육의 과활성으로 인한 개구장애

1) 구강하악 근긴장이상증(oromandibular dystonia, OD)

2) 구강안면 운동이상증(orofacial dyskinesia)

3) 약물유발 추체외로증후군(drug-induced extrapyramidal syndrome)

3. 지속적인 심부 통증(constant deep pain input)**에 의한 중추성 흥분 작용**

4. 흉터(scar)

5. 중안면골 혹은 상악골과 하악골의 직접적인 유합

6. 오훼돌기 증식증(coronoid hyperplasia)

7. 측두근 섬유화증(temporal muscle fibrosis)

8. 구강 점막하 섬유화증(oral submucous fibrosis, OSF)

2) 진성 턱관절강직증(True TMJ ankylosis)

외상과 감염이 주원인으로 생각되며 하악과두와 관절와 사이가 골성 조직 혹은 섬유성 조직으로 인해 유착되기 때문에 개구량의 현저한 감소를 보이며 임상 및 방사선학적 검사를 통해 쉽게 진단할 수 있다. 진성 턱관절강직증의 치료법은 수술적 처치밖에 없다(Ferguson JW, et al; 1993, Kumar P, et al; 2015, Lindqvist C, et al; 1988, Rajan R, et al; 2014).

강직 부위를 완전하게 외과적으로 절제하는 것이 중요하지만 부적절하게 수술이 진행될 경우 두개저를 관통하는 등 심각한 합병증을 유발할 수도 있다. 이러한 문제점을 해결하기 위해 computer-assisted surgical navigation system을 이용한 관절성형술이 도입되었으며 턱관절강직증 수술에 유용하게 사용될 수 있다고 보고되었다(He Y, et al; 2017).

진성 턱관절강직증의 표준적인 수술 protocol (Kaban LB, et al; 1990, Zhu S, et al; 2013)

1. 강직증 부위의 광범위한 절제술
2. 편측 오훼돌기절제술(coronoidectomy)
3. 반대측 오훼돌기절제술
4. 측두근막 혹은 연골이식술
5. 하악골 상행지 재건술: 늑연골 이식 혹은 인공턱관절 이식
6. 이식재의 견고한 고정
7. 초기 악골 운동 및 적극적인 물리치료

(1) Gap arthroplasty(Fig 2-39)

골성 강직증은 계속 성장하는 종양이 아니기 때문에 완전히 절제할 필요가 없다. 즉 강직 부위 기저부에서 골절단술을 시행하는데 과두하골절(subcondylar fracture)과 유사한 상황을 만들게 된다(Salins PC; 2000). 재발을 방지하기 위해 최소 10 mm 이상 간격이 생기도록 절제해야 하며 악하부 및 전이개 절개를 동시에 시행하여 시술하는 것이 일반적이다. 그러나 최근 구내 접근법을 통한 수술법이 소개되었으나 수술 시야가 좁고 수술 시간이 많이 소요되며 수술이 매우 어렵기 때문에 많이 사용되지 않는다(Rajan R, et al; 2014).

(2) Interpositional gap arthroplasty(Fig 2-40)

과두 절제술 시 10 mm 이상의 간격을 확보해야 하며 재발을 방지할 목적으로 이 공간에 적절한 조직을 삽입한다. 삽입술에 사용되는 이식 재료 및 조직들은 Silastic, 측두근근막피판[temporalis myofascial flap, 연골이식, 진피이식, 넙다리근막(fascial lata)] 등이 있다.

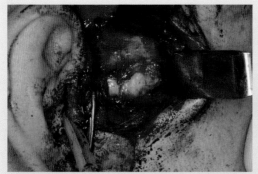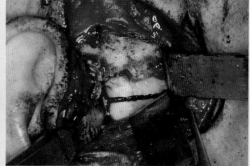

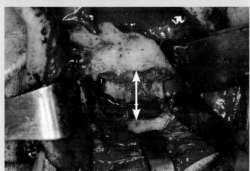

Fig 2-39. 골성 턱관절강직증으로 진단된 20세 남자 환자에서 우측 턱관절 강직 부위에서 1 cm 정도 골절제술(쌍화살표)을 시행하는 모습

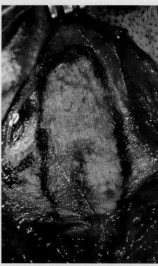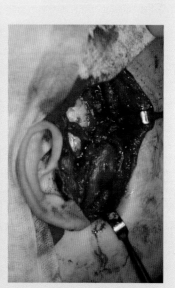

Fig 2-40. 33세 여자 환자의 우측 턱관절 강직 부위 골절제술을 시행하고 측두근근막피판을 거상하여 골절제 부위로 이동시키는 수술을 진행하였다.

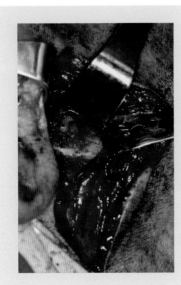

Fig 2-41. 양측 턱관절강직증 수술을 시행하면서 동시에 양측 오훼돌기절제술이 시행되었다.

(3) 오훼돌기절제술(Coronoidectomy)**(Fig 2-41)**

강직증 부위에 대한 관절성형술을 시행한 후 양측 오훼돌기절제술이 시행되어야 좋은 개구량 회복 효과를 얻을 수 있다. 턱관절강직증이 오랜 기간 지속된 경우 오훼돌기 증식이 동반되는 경우가 많기 때문에 수술 시 반드시 오훼돌기절제술을 시행하는 것이 추천된다(Kumar P, et al; 2015, Wang WH, et al; 2016).

(4) 전체 턱관절재건술 및 턱교정수술**(Fig 2-42)**

골절제를 충분히 할 경우 개구량은 회복될 수 있지만 심한 악골 결손이 불가피하며 부정교합이 발생할 수도 있다. 따라서 강직증 해소와 동시에 전체 턱관절재건술을 시행하거나 턱교정수술을 시행할 수도 있다. 턱관절강직증이 장기간 지속된 환자들은 심한 소악증(micrognathia)을 보이는 경우가 많다. 이를 해결하기 위해 전진 이부성형술을 시행하면서 턱 하방의 풍융한 잉여 연조직을 제거하고 재배열 시키면 심미적 및 기능적 문제도 개선시킬 수 있다(Salins PC; 1998, 2000).

(5) 진성 턱관절강직증 수술의 치료 성적

여러 학자들이 체계적 문헌고찰 연구를 통해 다양한 수술법의 치료 성적을 비교하였다(Al-Moraissi EA, et al; 2015, Mittal N, et al; 2019).

① Interpositional gap arthroplasty (IPG)가 gap arthroplasty (GA)만 단독으로 시행하는 것에 비해 개구량 개선 효과가 우수하였고 재발률이 훨씬 적었다.

② IPG는 늑연골이식(costochondral graft, CCG)에 비해 개구량 개선 효과가 좀 더 우수하였고 재발률은 유사한 결과를 보였다.

③ GA와 CCG의 재발률은 유사하였다.

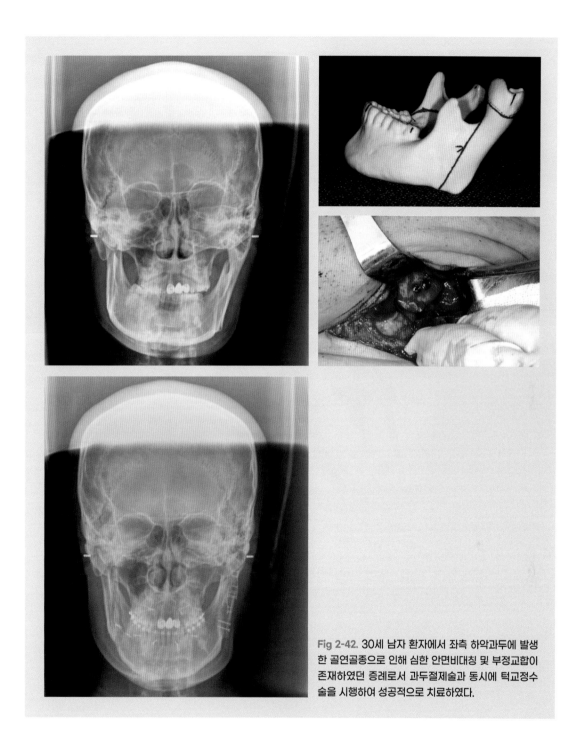

Fig 2-42. 30세 남자 환자에서 좌측 하악과두에 발생한 골연골종으로 인해 심한 안면비대칭 및 부정교합이 존재하였던 증례로서 과두절제술과 동시에 턱교정수술을 시행하여 성공적으로 치료하였다.

④ CCG는 인공턱관절에 비해 좀 더 큰 개구량 회복을 보였다.

⑤ 인공턱관절은 CCG에 비해 통증 감소 효과가 더 우수하였다.

⑥ 자가이식재를 이용한 IPG는 CCG, 인공턱관절 재건술과 유사한 임상성적을 보였다.

3

턱관절 관련 의료분쟁

TOUGH CASES　치과진료 후 발생하는 궂치 아픈 증례들

3

턱관절 관련 의료분쟁

아래 작성된 사례들 중 일부 내용들은 각색되어 원본과 다를 수 있습니다.

1. 사각턱축소술 등 성형수술 후 턱관절장애가 발생한 증례

(한국의료분쟁조정중재원 조정중재사례)

1) 진료과정과 의료사고의 발생 경위

신청인은 2012년 ○월 ○일 피신청인 병원에 내원하여 하안검성형술(눈 밑지방 제거술), 사각턱성형술, 목 지방흡입술, 미니 안면거상술(얼굴 주름제거술), 융비술 등(이하 '이 사건 수술'이라고 한다)을 상담하였고, 2013년 △월 △일 피신청인 병원에서 이 사건 수술을 받고 같은 해 □월 □일 퇴원하였다. 신청인은 2013년 ○월 ○일 오른쪽 귀 밑에 고여 있는 혈종을 발견하자 같은 해 3월 3회에 걸쳐 자가지방 주입술, 안면 거상술 부위의 트리암시놀론 주사, 턱 등 부위의 보톡스 주사를 맞는 등 치료를 받았다. 그 후 고름이 섞인 콧물, 코 막힘, 안면 통증, 귀 충만감 등을 호소하다가 같은 해 △월 △일 왼쪽 귀의 통증, 턱관절에서 휘파람 같은 소리가 들리고, 코 증상이 더욱 악화되어 같은 해 □월 □일 ○○병원의 이비인후과에서 삼출성 중이염으로 진단받고 왼쪽 고막절개술을 시행받았다.

2) 분쟁의 요지

신청인은 피신청인이 이 사건 수술을 시행함에 있어 의료상 과실로 인하여 오른쪽 귀의 아래 부위가 부어오르고 혈종이 고였고, 왼쪽 귀의 통증, 코 막힘 증상, 중이염 등이 발생하였고, 급성 범부비동염, 양측 급성

화농성 중이염은 물론 코 막힘 증상과 턱 통증이 지속되어 오케스트라의 바이올린 연주자로 활동함에 있어 상당한 지장을 초래하였다고 주장하면서 피신청인에게 지불한 이 사건 수술비인 12,000,000원에 상당하는 손해배상을 청구하였다. 피신청인은 신청인의 피부를 당겨 얼굴을 갸름하게 만들고 코 모양을 수정하기 위한 성형수술을 시행함에 있어 의료상 과실이 없었을 뿐만 아니라 이 사건 수술로 인하여 뚜렷한 합병증 또는 부작용이 발생하였다는 사실도 명확하지 아니하고, 이 사건 수술을 시행하기에 앞서 수술 부위별로 합병증 등을 신청인에게 설명하였다고 주장하며 특히 신청인의 이비인후과 증상은 이 사건 수술과 관련성을 인정할 수 없고, 신청인은 수술의 합병증과 관련하여 피신청인 병원의 지속적 치료에도 응하지 않았다는 사실을 강조하였다.

3) 사안의 쟁점

(1) 수술 후 신청인에게 발생한 부비동염, 삼출성 중이염과 턱 통증이 '이 사건 수술'과 의학적 연관성이 있는지 유무

(2) 사각턱성형술에서의 의료과오 및 설명의무 위반 유무

(3) 하안검성형술에서의 의료과오 및 인과관계 유무

(4) 코 성형술에서의 의료과오 여부 및 수술과 신청인에게 발생한 합병증 사이의 인과관계 유무

(5) 지방흡입술에서의 의료과오 유무

(6) 자가지방주입술에서의 의료과오 및 설명의무 위반 유무

(7) 안면거상술에서의 의료과오 및 설명의무 위반 유무

4) 감정결과의 요지

신청인에게 발생한 부비동염과 삼출성 중이염은 이 사건 수술과 직접적인 연관성을 인정하기 어렵고, 코 막힘 증상은 비익절제술을 시행한 경우에 나타날 수 있다. 수술 후의 좌우 비대칭에 대한 정도는 의료상 과실로 인정하기 어려우나 보톡스에 의한 비대칭성 교정은 효과적으로 시술되었다고 보기 어렵고, 하안검성형술의 효과는 미흡한 것으로 보인다. 비후성 반흔은 오른쪽 귀의 후방에 발생한 작은 혈종을 제거하면서 특별한 이유 없이 발생하였으나 지속적인 치료에 의하여 치유될 것으로 예상된다.

5) 손해배상책임의 유무

(1) 과실 유무

피신청인은 신청인이 피부를 당겨 얼굴을 갸름하게 만들고 코의 모양을 수정하여 달라는 요청에 따라서 이 사건 수술을 시행하였고, 한국의료분쟁조정중재원 제8감정부가 감정한 바와 같이 신청인이 호소하고 있는 증상들은 의료상의 과실로 인하여 발생한 것이 아니라 수술로 인한 합병증이라고 인정할 수 있다. 그 외에 달리 이 사건 수술을 시행하는 과정에서 피신청인의 의료상의 과실이 있었다고 인정하기는 어렵다.

한편 이 사건 수술은 침습적인 의료행위로서 피신청인이 수술의 방법, 정도와 필요성, 예상되는 생명과 신체에 대한 위험성, 수술 이후 개선 효과와 부작용 등과 관련하여 신청인에게 미리 설명하여야 하는 설명의무의 대상임은 명백하다. 특히 미용성형수술의 경우에는 의뢰인으로부터 외모에 대한 불만을 충분히 경청한 다음 원하는 구체적 결과를 실현하는 시술법을 신중하게 선택하도록 권유하고, 시술의 필요성, 난이도, 시술 방법, 시술로 인한 외모 개선의 정도, 발생이 예상되는 위험과 부작용 등을 이해할 수 있도록 상세히 설명함으

로써 의뢰인이 필요성과 위험성을 비교하여 시술을 선택할 의무가 있다는 것이 대법원 판례의 확립된 견해이다(대법원 2010. 8. 19. 선고 2007다41904 판결, 2007. 5. 31. 선고 2005다5867 판결, 2002. 10. 25. 선고 2002다48443 판결 등 참조).

피신청인은 이 사건 수술을 시행하기 전에 한국어로 인쇄된 수술승낙서와 전신마취 동의서를 신청인에게 제시하면서 피신청인 병원의 상담실장으로 하여금 수술의 합병증 가능성 등을 영어로 설명한 다음 신청인의 자필 서명을 받았다고 주장한다. 그러나 신청인은 피신청인의 권유에 따라서 2013년 1월 하순부터 같은 해 3월 중순까지 약 6주간 피신청인이 근무하는 직장의 휴식 기간을 이용하여 이 사건 수술을 한꺼번에 받기로 동의하였으나 충분한 의사소통이 이루어지지 않았고, 피신청인은 간단한 수술이므로 별다른 질환도 발생하지 아니하므로 수술을 받은 후 2주일이 지나면 바이올린을 연주하는 데 아무런 지장을 받지 않을 것이라는 취지로 말하였다고 반박한다. 신청인은 러시아 국적의 외국인으로서 한국어를 구사하거나 한국어 문장을 독해할 능력이 없을 뿐만 아니라 영어에 의한 의사소통조차 원활하지 아니하다.

피신청인은 정식의 러시아어 통역인을 참여시키거나 러시아어로 번역한 수술승낙서와 전신마취 동의서를 제시하면서 신청인에게 구체적이고 충분한 설명의무를 이행하여 신청인으로 하여금 시간적인 여유를 갖고 이 사건 수술 자체는 물론 성형의 범위 등을 자유로이 선택할 수 있는 기회를 부여했어야 마땅하다. 따라서 피신청인은 이 사건 수술을 시행하기에 앞서 신청인에 대하여 위와 같은 설명의무를 제대로 이행하지 않았다고 인정할 수밖에 없다.

(2) 인과관계

신청인은 2013년 ○월 ○일과 같은 해 △월 △일 ○○병원의 이비인후과에서 '성형외과적 수술 후 증상이 발생하였다고 호소하였고, 환자의 과거력상 특이 소견은 없었다고 하였기 때문에 이 사건 수술과 연관성이 있을 수 있다'라는 취지의 진단과 소견을 받았다. 같은 해 □월 □일 ○○이비인후과의원에서는 '급성 범부비동염, 양측 급성 화농성 중이염으로서 코의 보형물 삽입 후 코 막힘 증상을 호소하여 코 호흡이 어려운 상태'라고 진단을 받았다. 그러나 같은 해 ○월 ○일 신청인을 관찰한 다른 ○○이비인후과의원은 신청인의 귀에서 염증 등 특이 소견을 발견하지 못하였다는 소견서를 작성하였고, 이 사건 수술에 있어 비익절제술을 시행하였다는 자료도 찾아볼 수 없었다. 따라서 신청인의 부비동염과 삼출성 중이염은 이 사건 수술의 의료상 과실 또는 합병증으로 발생하였다고 단정하기 어렵고, 단지 코 막힘 증상은 진피와 연골을 코에 삽입하는 융비술을 시행한 결과 발생한 합병증 또는 부작용이라고 추정할 수가 있다.

(3) 결론

이상의 사정을 종합하면, 피신청인은 이 사건 의료사고로 인하여 신청인이 입은 손해를 배상할 책임이 있다 할 것이다.

6) 손해배상책임의 범위

(1) 위자료

피신청인은 이 사건 수술을 시행하기에 앞서 설명의무를 제대로 이행하지 아니하여 신청인의 자기결정권을 침해한 점을 고려하여 위자료 명목으로 신청인에게 금 3,000,000원의 손해가 발생하였다고 보인다.

(2) 결론

위의 여러 사항들을 참작하면 피신청인의 신청인에 대한 손해배상책임은 금 3,000,000원 정도로 추산된다.

7) 처리결과

조정결정(조정 성립)

당사자들은 감정결과를 확인하고 조정부의 쟁점에 관한 설명을 들었는 바, 결국 당사자 사이에 합의가 이루어지지 않아 조정부는 다음과 같이 조정결정을 하였고, 쌍방 당사자가 동의하여 조정이 성립하였다.

피신청인은 신청인에게 2013년 8월 30일까지 금 3,000,000원을 지급한다. 신청인은 이 사건과 관련하여 향후 민·형사상 이의를 제기하지 아니한다.

2. 임플란트 식립 후 턱관절, 잇몸 통증과 두통 발생

(한국의료분쟁조정중재원)

1) 사건개요

(1) 진료과정과 의료사고의 발생 경위

신청인은 2012년 ○월 ○일 음식물을 씹을 때의 불편감과 전체적인 치아 통증을 주소로 하여 피신청인 병원에 내원하였고, 같은 달 ○○일 피신청인 병원에서 #16, #17, #18, #47 치아의 발치 및 봉합 후 약물처방을 받았으며, 같은 해 △월 △일경 #26, #31, #42, #43, #32, #33 치아의 발치 후 즉시 임플란트를 식립하는 시술을 받았다. 같은 해 △월 △일경 신청인이 하악 전치부 임플란트 식립 시술 후 목 부위가 붓고 잠도 못 자겠다고 호소하자, 피신청인은 전치부 치아와 턱 부위는 거의 상관이 없다고 설명하고 운동을 할 것과 ○○병원에 내원하여 치료받을 것을 권유하였다. 같은 해 □월 □일경 신청인은 피신청인 병원을 재내원하여 "머리도 아프고, 얼굴 턱 아래가 딱딱하게 부은 것 같아요. 침도 못 삼키겠고 입안이 마르고 욱신거려요. 신경쓰여서 잠도 못자겠어요. 잠잘 때 귀 뒤에서도 열이 나요"라고 호소하자, 피신청인은 파노라마 촬영 후 턱관절장애 진단하에 약물처방 및 온찜질을 권유하였다. 그 뒤 신청인은 2012년 □월 □일부터 ○월 ○일까지 ○○병원과 △△병원, ☆☆병원에서 계속 치료를 받았고, 현재 턱 통증, 두통, 안면통을 호소하며 턱관절장애 및 만성 치주염을 진단받은 상태로 위 ☆☆병원에서 간헐적으로 치료(약물 복용 등) 중이다.

(2) 분쟁의 요지

신청인은 2012년 ○월 ○일 피신청인 병원의 치료(발치 및 임플란트 식립)를 받은 후부터 턱관절부위 통증 및 잇몸 통증, 두통 등의 증상들이 발생하였고, 피신청인 병원은 발치 전 검사를 통한 확진 후 발치를 했어야 함에도 이를 이행하지 않았고, 위 치료기간 동안 피신청인 병원의 치과의사에게는 임플란트 식립술 등 2–3회 정도의 진료를 받았을 뿐이고 대부분의 진료를 직원이 시행하는 등 매우 불성실한 진료를 받았다고 주장하며 치료비와 위자료 등 합계 금 9,000,000원을 청구함에 대하여, 피신청인은 위 치과치료(발치 및 임플란트 식립)와 턱관절장애 사이에는 인과관계가 없고, 신청인이 턱관절장애를 호소한 시점은 2012년 △월 △일경으로 임플란트를 식립한 후 바로 통증이 발생된 것이 아니며, 턱관절장애의 원인은 다양하고, 신청인의 치아들은 동요도가 심하고 교합이 불안정한 상태였으며 교합이 불안정한 경우 턱관절 증상이 악화될 수 있고, 염증의 원인이 치주질환이며 다수 치아의 동요도가 있었기 때문에 피신청인은 발치를 시행한 것이고, 신청인에 대한 대부분의 진료는 치과의사인 피신청인이 직접 하였다고 주장하였다.

2) 사안의 쟁점

(1) 진료상의 과실 유무

(2) 피신청인 병원에서 불성실한 진료가 행해졌는지 유무

(3) 신청인에게 발생한 턱관절 부위 등의 통증이 피신청인이 시술한 발치 및 임플란트로 인한 것인지 유무

3) 분쟁해결 방안

(1) 감정결과의 요지

만성치주염으로 인한 통증과 저작장애로 내원한 신청인에 대한 피신청인의 전반적인 치료는 적절하다고 판단되며, 신청인의 신경병성 통증과 두통 등의 증상은 다수의 발치와 임플란트 등의 외과적 처치에 따른 신체적 정신적 스트레스에 의해 야기되거나 심화되었을 가능성을 배제하기 어려우나 그 원인을 특정하기 어렵고, 설령 연관성이 있다 하더라도 피신청인의 치료는 통상적인 범위 내에서 적절하게 시술된 것으로 판단된다.

(2) 손해배상책임의 유무

① 과실유무

신청인의 만성 치주염으로 인한 통증과 저작장애에 대한 피신청인의 치료는 적절하였고, 신청인의 신경병성 통증과 두통 등은 그 원인을 특정하기 어려우며, 설령 연관성이 있다 하더라도 피신청인의 치료는 통상적인 범위 내에서 적절하게 시술된 것으로 보인다. 그러나 사람의 생명·신체·건강을 관리하는 의료행위의 속성상 환자의 구체적인 증상이나 상황에 따라 위험을 방지하기 위하여 요구되는 최선의 조치를 취하여야 할 주의의무를 부담하는 의료인 및 의료종사원 등 의료진이 그와 같은 환자의 기대에 반하여 환자의 치료에 전력을 다하지 아니한 경우에는 그 업무상 주의의무를 위반한 것이라고 보아야 할 것이고, 그러한 주의의무 위반과 환자에게 발생한 나쁜 결과 사이에 상당한 인과관계가 인정되지 않는 경우에도, 그 주의의무 위반의 정도가 일반인의 처지에서 보아 수인한도를 넘어설 만큼 현저하게 불성실한 진료를 행한 것이라고 평가될 정도에 이른 경우라면 그 자체로서 불법행위를 구성하여 그로 말미암아 환자나 그 가족이 입은 정신적 고통에 대한 위자료의 배상을 명할 수 있다. 그런데 이 사건에서 제출된 진료기록들, 엑스레이 촬영(파노라마) 등에 나타난 사실관계 및 이 사건 조정기일에서의 당사자의 진술에 이 사건 감정결과를 종합해 보면, 이 사건 치과치료가 진행되는 기간에 신청인이 의료인인 피신청인 등으로부터 치과치료를 받은 것은 임플란트 식립 시술 등을 받은 2–3차례 정도에 불과하고 그 밖의 대부분의 치과치료는 성명불상 직원 등으로부터 치료를 받아 왔다고 진술하고 있고, 진료기록에도 피신청인의 서명 없이 직원의 필적으로 치료사실이 기재되어 있는 등 이에 부합하는 듯한 취지의 기재가 있는 점, 특히 이 사건 치료계획상 상악 치아를 전부 발치하는 것으로 되어 있으나, 진료기록과 방사선사진을 보건대 전부 발치할 상황이 아닌 것으

로 보임에도 신청인의 각 치아에 대한 보존치료 여부를 면밀히 검토하지 아니한 채 위와 같이 만연히 상악 치아 전부를 발치하고 임플란트 식립을 시행하여 과잉치료의 의심마저 들게 하는 점, 하악양측 견치에 대한 치주적 평가도 사전에 이루어지지 아니한 점, 신청인에 대한 초진 시 엑스레이 촬영(파노라마), 문진 후 치아 본뜨기와 약 처방, 치료 계획 수립, 임플란트 식립 시술 등의 여러 가지 치료행위는 치과의사만이 할 수 있거나 치과의사의 지시가 있어야 할 수 있는 행위인데도 피신청인 병원의 진료기록에 따르면 위 치료행위의 일부뿐만 아니라 실밥 제거나 보철물 조정 등도 치과의사가 아닌 직원 단독으로 행한 것으로 보여지고, 실밥 제거는 정상 시기를 넘겨서 행하면 염증의 원인이 될 수 있으므로 제때 잘 제거하여야 하는데도 2012년 ○월 ○일 시술한 실밥 제거 시 실밥이 제거되지 아니한 부분이 있어 추가로 실밥을 제거한 점, 나아가 이 사건의 경우 많은 치아를 한꺼번에 발치한 후 바로 임플란트를 성급하게 식립하였고, 4개의 임플란트를 식립하는 과정에서 장시간 입을 벌린 상태로 수술을 함으로써, 감정결과에서도 지적되었다시피 신청인의 신경병성 통증과 두통 등이 다수의 발치와 임플란트 등의 외과적 처치에 따른 신체적 정신적 스트레스에 의해 야기되거나 심화되었을 가능성을 배제하기 어려운 점, #16 치아(상악 우측 제1대구치)는 피신청인 병원에서 발치를 하였지만 2012년 △월 △일 ☆☆병원에서 진료를 받을 때까지도 그 잔존 치근이 남아 있었던 점 등을 인정할 수 있는 바, 이 사건의 경우 최선의 조치를 취하여야 할 주의의무를 부담하는 피신청인이 신청인의 기대에 반하여 환자의 치료에 전력을 다하지 아니하여 그 치료에 충분하고도 최선의 조치를 다하지 못하였고, 그 위반의 정도가 수인한도를 넘어설 만큼 현저하게 불성실한 진료를 행한 것으로 봄이 상당하다.

② 인과관계

신청인이 이미 만성 치주질환을 가진 상태에서 피신청인 병원에 내원한 점, 신청인의 과거 병력 상 경부 관련 부종, 통증이 있었던 점, 발치 및 임플란트 시술일로부터 20여 일이 경과한 후에 턱관절부위 등의 통증을 호소한 점, 그리고 통상 임플란트 시술 후 어느 정도의 통증이 수반되는 점 등에 비추어, 신청인의 증상은 그 원인을 특정하기가 어려운 것으로 판단되며, 설사 연관성이 있다 하더라도 피신청인의 치료는 통상적인 범위 내에서 적절하게 시술된 것으로 판단된다.

③ 결론

이상의 사정을 종합하면, 피신청인은 이 사건 의료사고로 인하여 신청인이 입은 손해를 배상할 책임이 있다 할 것이다.

(3) 손해배상책임의 범위

① 위자료

최선의 조치를 취하여야 할 주의의무를 부담하는 피신청인이 신청인의 기대에 반하여 환자의 치료에 전력을 다하지 아니하여 그 치료에 충분하고도 최선의 조치를 다하지 못하였고, 그 위반의 정도가 수인한도를 넘어설 만큼 현저하게 불성실한 진료를 행한 것으로 봄이 상당한 바, 잘못된 진료행위로 인하여 신청인이 입은 정신적 고통에 대한 위자료로 금 7,000,000원을 배상할 책임이 있다 사료된다.

② 결론

위의 여러 사항들을 참작하면 피신청인의 신청인에 대한 손해배상책임은 금 7,000,000원 정도로 추산된다.

4) 처리결과

조정결정(조정 불성립)

당사자들은 감정결과를 확인하고 조정부의 쟁점 및 피신청인이 불성실한 진료를 행한 여러 사정이 있는 점, 분쟁을 원만하게 해결하여 당사자들의 정신적 고통을 덜어 줄 필요성이 높은 점, 이 사건 진료행위의 전 과정, 진료비용의 액수, 신청인의 나이와 건강상태 등 조정절차에 나타난 모든 사정을 종합적으로 고려하여, 피신청인이 신청인에게 손해배상금을 지급하고 분쟁을 해소하는 것이 적절하다는 설명을 들었다. 그러나 당사자 사이에 합의가 이루어지지 않아 조정부는 다음과 같이 조정결정을 하였음에도 불구하고 조정이 성립하지 않았다. 피신청인은 신청인에게 금 7,000,000원을 지급한다. 신청인은 이 사건 진료행위에 관하여 향후 어떠한 이의도 제기하지 아니한다.

3. 보철치료 후 턱관절장애 발생

(대한치과의사협회 회원고충위: 2015)

1) 신청 사유

현재 환자에 대한 적절한 보상금에 대해 문의드립니다. 환자는 만 55세 여자 환자로 2014년 ○월 ○일 초진 시 구강검사 결과 #47 치관 보철물 천공을 보여 보철물을 제거하고 치아를 적절히 삭제한 후 보철물을 다시 제작하여 2014년 △월 △일 임시 접착하였습니다. 그러나 2014년 □월 □일 개구제한 및 저작근의 압통이 발생하여 약물치료와 물리치료를 시행하였습니다. 증상이 호전되지 않고 2014년 □월 □일 우측 턱관절장애를 의심하고 상급 의료기관으로 환자를 의뢰하였습니다. 이후 00 치과 의원과 치과대학병원을 오가며 물리치료 및 약처방을 받았으나 증상이 호전되지 않아서 2014년 ○월 ○일부터 △월 △일까지 #47 치통으로 인한 연관통을 의심하고 환자에게 잘 설명한 후 근관치료를 시행하였습니다. 2014년 □월 □일 하악골 하연과 측두부 통증을 호소하여 다른 대학병원으로 의뢰한 후 담당 전문의와 전화 통화를 하면서 향후 치료계획에 대해 의논하였습니다. 이후 대학병원에서 의도적재식술을 시행한 후 재보철치료가 완료되었습니다. 환자는 이후 치료비와 위자료 등 보상을 요구하였습니다. 오랫동안 편측저작으로 인해 상악 좌측도 불편하여 대학병원에 진료가 예약되어 있고 그동안 치료비는 400만 원 정도(영수증은 확인하지 않았고 환자의 구술에 의함) 지출하였고 장기간 치료로 인해 발생한 정신적 고통, 시간 및 앞으로 있게 될 후유증을 고려하여 1,500만 이상(치료비 제외)을 요구하고 있습니다. 이러한 경우 적절한 보상액은 어느 정도가 합리적일까 궁금해서 회원고충처리위원회를 찾았습니다. 좋은 답변 기다리겠습니다. 치과의사 배상책임보험은 미가입 상태입니다.

2) 처리결과

(1) 55세 여자 환자에서 #47 보철치료 후 보철물을 임시로 접착하고 4일 만에 턱관절에 이상 증상들이 발생

하여 1차 치료를 해 보다가 상급 의료기관으로 전원하였다. 약물 및 물리치료 후에도 호전되지 않아 재평가 후 #47 치수질환이 의심되어 1차 근관치료를 시행하였고 이후에도 통증이 지속되어 타 대학병원 치과에서 의도적재식술과 재보철치료 후 모든 증상이 해소되었다. 환자는 그동안 치료비 400만 원과 위자료 1천5백만 원도 요구하는 바, 해당 회원께 "① 치과치료 시 턱관절장애 발생에 대해서는 기본적으로 치과 책임이 없는 것이며 ② 2012년 5월 17일 보철, 임플란트-교합문제-턱관절장애-현대해상-채무부존재소송이 고등법원에서 치과의사가 승소한 판례"도 송부해 드렸다. 그러나 해당 회원이 배상책임보험 미가입 상태라서 현대해상 도움을 받기 힘든 상태가 심히 우려된다.

⑵ 2012년 5월 17일 보철, 임플란트-교합문제-턱관절장애-현대해상-채무부존재소송이 고등법원에서 치과의사가 승소한 판례의 주요 내용(서울고등법원 2011나60956 채무부존재 확인(본소)-치과의사 및 현대해상 측 vs 2011나 60973(반소)-57세 남자 환자 5천8백만 원 손해배상 청구에 대한 2심 판결 결과) "해당 치과에서 시행된 통상적인 치과치료는 과실이 아니다"라는 대학병원 신체감정서가 채택된 듯하며, 통상 치과치료 때문에 턱관절장애가 발생한다기보다는 "원래 턱관절의 상태가 안 좋은데 증상이 없던 무증상의 턱관절장애가 치과치료 과정 중 턱관절에 무리가 가면서 증상이 발생한 것"으로 판단된다는 의견이 법원 판결에 반영된 것으로 생각된다.

3) 필자의 Comment

치과치료가 턱관절장애의 주원인은 아니다. 그러나 치과치료 자체가 입을 많이 벌리고 오랜 시간 치료가 진행되기 때문에 턱관절에 무리가 가는 것은 사실이다. 그러나 무증상 턱관절장애 환자 혹은 건강한 환자들이 치과치료 후 턱관절장애 증상이 발생할 가능성은 매우 높으며 증상이 발생할 경우 치과의사에게 문제를 제기할 것이다. 차라리 현재 턱관절장애 치료를 받고 있거나 환자가 자신의 턱관절 상태가 좋지 않다는 것을 잘 알고 있는 경우엔 치과치료 후 턱관절장애 증상이 발생해도 환자들이 큰 문제를 제기하지 않는다. 턱관절장애는 대부분 가역적인 자기한정적 장애(self-limiting disorder)이기 때문에 증상을 완화시키기 위한 보존적 치료를 시행하고 환자에게 원인과 치료방법 및 경과를 상세히 설명하면 큰 문제가 없다. 그러나 치과의사가 사전 설명을 하지 않았거나 턱관절장애에 대한 개념이 부족하여 적절히 대처하지 못할 경우엔 일정 정도의 책임을 질 수밖에 없다.

모든 합병증과 의료분쟁은 예방이 가장 중요하다. 모든 치과치료를 시행하기 전에 반드시 턱관절의 상태를 간략히 평가하고 치과치료 중 혹은 치과치료 후 턱관절장애가 발생하는 경우가 매우 많다는 점을 환자에게 설명하고 의무기록지에 근거를 남겨야 한다.

4. 스케일링 시 턱관절탈구

(대한치과의사협회 회원고충위; 2015)

1) 신청 사유

2015년 ○월 ○일 건강보험 스케일링만 받으러 온 50대 초반 여자 환자와 관련된 내용입니다. 오후 4-5시에 내원했으며, 턱이 빠진 적이 있다며 조심해서 스케일링을 해달라고 요청했습니다. 치과위생사가 스케일링을 시작했는데 10분 정도 지나서 턱관절탈구가 발생하였습니다. 치과 원장이 정복술을 여러 번 시도하였는데 정복되지 않았으며 근처 치과병원 구강내과로 전원하였지만 여기서도 정복이 실패하였습니다. 다른 대학병원 응급실을 방문한 후 턱관절탈구가 정복되었고 관련 진료비가 약 20여만 원 정도 발생하였습니다. 환자는 탈구된 후 10시간 이상 경과하여 정복이 어려울 수 있고 실패할 경우 전신마취하에서 시술이 진행될 수도 있다는 얘기를 들었다고 하였습니다. 환자는 치과병원 2만 4천 원 + 대학병원 22만 5천 원 정도의 영수증(총 25만 원 정도)을 가지고 와서 전액 지불해 달라고 합니다. 이에 어떻게 하는 것이 나을지요? 치과의사 배상책임보험은 몇 년 전부터 가입돼 있으며, 사고 접수하여 배상보험금이 지급될 경우 치과의사 본인 부담금은 100만 원이라고 합니다.

2) 처리결과

(1) 치협 고충위에서 현대해상과도 상의한 후, 해당 회원께 "환자가 본인의 내재적 소인을 사전에 얘기하지 않았고 치과 측에서 무리하게 스케일링 진료를 진행(오랜 시간 동안 장시간 입을 벌린 상태로 스케일링을 시행)하지 않은 경우"라면 치과 측은 무과실일 수도 있습니다. 그러나 환자가 사전에 턱관절탈구가 발생한 경험이 있다고 고지했음에도 불구하고 별다른 주의 없이 스케일링을 하다가 턱이 빠졌다면 치과측의 과실이 일부 인정될 수도 있음을 설명하였습니다.

(2) 결국 환자 측에서도 본인이 턱이 자주 탈구된다는 것을 잘 알고 있었으므로 25만 원 치료비 나온 것에 대해서 서로 양보하여 60% 치과 측에서 부담하는 것으로 합의서 작성하고 종결되었다.

3) 필자의 Comment

역시 턱관절장애와 관련된 사전 설명이 치료를 시작하기 전에 잘 안 되어 있었다면 치과의사는 책임을 피할 수 없다. 턱관절탈구가 발생한 후 이루어진 후속 조치는 매우 적절했던 것으로 판단된다. 턱관절탈구는 쉽게 정복될 수도 있지만 그렇지 않을 경우 시간이 경과하면서 주변 근육들의 경련과 수축이 발생하고 통증이 심해지면서 도수 정복이 실패할 수도 있다. 이런 경우엔 의식하진정법 혹은 전신마취하에서 정복술이 시행되기도 한다.

본 증례에서는 총 치료비의 60%를 치과측에서 부담하는 것으로 합의된 것은 치과의사 입장에서는 다행이라고 봐야 한다. 이와 같은 사례가 의료분쟁으로 진행되어 민사소송이 진행된다면 치과의사의 잘못이 전혀 없더라도 환자가 겪은 고통과 불편감을 고려하여 위자료를 지급하라고 판결나는 경우가 매우 많다.

5. 환자 보건소 민원 및 형사고소 사례

2003년부터 2008년 ○월 ○일까지 29세 여자 환자가 턱관절, 치아교정 및 일부 보철치료를 하던 중 턱관절이 나빠졌다고 주장하면서 환자 보호자가 관할 보건소에 민원을 제기하여 치과의사를 괴롭힌 사건이 발생하였다. 원만한 해결이 불가능하였기 때문에 소비자보호원이나 소송을 통해 결정나는 대로 해결하자고 권유하여도 보건소에만 계속 민원을 제기하였고 해결되지 않자 형사소송을 제기하였다(대한치과의사협회 회원고충처리위원회; 2011).

1) 보건소 질의 사항 및 답변

(1) 진료비 청구 내역서 요청

내역서 첨부하여 보냅니다.

(2) 고가의 외제약 복용을 권한 사실여부 및 치료 효과 여부

환자는 퇴행성 턱관절질환과 소화불량이 존재하고 있어서 혈액순환개선제인 오메가3와 유산균 소화를 돕는 건강식품을 처방하였고, 이러한 것은 이미 대중들이 일반적으로 쓰는 건강식품입니다. 본인의 동의를 거쳐 환자가 구입한 건강식품 내용은 아래와 같습니다.

MIC-ZPA 오메가3, THCL, Caprin, Myces유산균, 오메가3 총 381,800원

(3) 치아교정을 위해서 생니 3개 발치에 대한 진료소견

환자의 14번, 24번, 38번 3개의 치아를 발치하였습니다. 상악에 2개의 소구치를 발치한 것은 이미 초기 내원 시 하악에 소구치 2개가 상실되어 있었기 때문에 환자 동의하에 발치하였고 다른 한 개는 사랑니로서 교정치료 전에 일반적으로 발치하는 경우가 많습니다.

(4) 치과치료 후 발생한 부작용의 책임을 회피하기 위하여 타 치과에서의 진료를 권유했다는 주장에 대한 답변

환자는 치료를 모두 하겠다고 카드 결제를 했음에도 불구하고 단지 가격이 비싸다는 이유로 타 치과로 간다고 해서 이미 결제한 금액을 환불하고 서로가 원만한 합의를 한 후 치료 중단 합의서를 작성하였으며, 다른 치과로 가서 치료를 받는 경우에 치아교정이나 턱관절 관련 부작용은 본인이 감수하고 민형사상 이의를 제기하지 않고 이러한 사실을 인터넷이나 다른 기관에 유포하지 않겠다고 자필 서명을 했음에도 불구하고, 다른 기관에 민원을 제기하였습니다.

(5) 턱관절 치료를 명목으로 카이로프랙틱 치료 및 추나요법 치료를 병행하여 척추치료까지 시행하여 목관절에 이상이 생겼고, 경추가 휘어지고 얼굴 비대칭이 발생하는 등 장애가 발생하였다는 주장에 대한 답변

환자는 처음 내원 시 목이 일자이고 척추측만증이 있으며, 골반 비대칭, 허리 4, 5번 디스크 공간이 좁아져 있어서 허리 통증이 존재하고 있었으며 좌측 턱은 퇴행성 변화가 이미 존재하는 상태였습니다. 환자가 주장하는 경추, 척추가 휘어졌다는 것과 얼굴 비대칭이 본 치과에서 시행된 잘못된 치료라는 주장은 전혀 근거가 없습니다.

(6) 치과의 최종 의견

환자는 여러 번에 걸쳐서 예약시간을 지키지 않았고 이로 인하여 적절한 치료가 되지 않았으며 환자 본인이 여러 번 넘어지거나 부딪히는 사고를 많이 당했습니다. 증상이 개선되지 않고 환자가 계속 불편감을 느끼는 것은 잦은 사고와 기왕증으로 인한 것으로 생각되며 정형외과에서도 다른 부위 치료를 받았으나 효과가 없어서 중단한 병력이 있습니다. 기왕증은 정기적인 검진 및 치료가 가장 최선이라고 생각합니다.

2) 처리결과

5년여에 걸쳐 턱관절, 치아교정, 보철치료를 하였으며 치과 측에서 소비자보호원이나 소송을 통하여 해결하자고 권유해도 보건소에 계속 민원을 제기하는 것에 대해 해당 회원께 "뚜렷이 진료의 잘못을 지적하기 어려우므로 보건소 질의에 대한 치협 회신 내용 및 환자의 추이를 보면서 대응하도록" 조언해 드렸으며, 보건소 민원으로 해결되지 않자, 2008년 △월 △일 진료과실로 형사고소한 것에 대해서는 해당 회원에게 변호사 선임 후 적절히 대처하는 것이 최선의 방법이라고 조언하였다.

3) 필자의 Comment

치과치료 후 턱관절장애가 발생한 것에 대해 항의하거나 배상을 요구하는 경우가 종종 발생한다. 의료분쟁은 예방이 가장 중요하며 환자 초진 시 세밀한 임상검사와 병력 청취 및 과거력 조사가 중요하다. 과거력에서 턱관절장애 치료를 받은 병력이 있거나 임상검사 시 관절잡음, 개구장애 혹은 통증 등의 증상이 있는 경우, 치과치료 중 불가피하게 생길 수밖에 없는 장시간의 개구나 저작근의 과도한 긴장 등에 의해 현재의 상황이 악화될 수 있음을 충분히 사전 경고하고 진료에 임해야 한다. 턱관절장애가 없는 정상 환자 혹은 잠재적 환자들에 대해서도 치과치료 후 턱관절장애가 발생할 수 있다는 점을 설명하고 의무기록지에 기록해 둬야 한다.

치과치료 후 턱관절장애 증상이 발생하면 다른 질환들과 감별진단을 잘 해야 한다. 간혹 치아 우식증, 치아 균열, 치주염, 신경통, 종양, 감염 등이 턱관절장애와 혼동될 수 있다.

턱관절장애가 발생하면 보존적 치료를 통해 대부분 해결할 수 있다. 따라서 모든 치과의사들은 턱관절장애의 병인론과 진단, 치료법을 숙지하고 있어야 한다.

건강 보조 식품을 권유한 것 자체는 문제가 없다. 그러나 건강 보조 식품이 퇴행성질환, 턱관절장애 등에 치료 효과가 있다고 전혀 검증되지 않았다. 따라서 이러한 식품을 치과에 비치하고 판매하였다면 문제가 될 소지가 있다. 즉 환자가 충분히 이해하고 동의했다는 근거를 남긴 상태에서 판매해야 하며 절대로 환자에게 강매의 느낌을 갖도록 해선 안 된다. 이러한 식품을 "외부에서 구입해서 복용하는 것은 나쁘지 않다"라는 방식으로 설명하는 것이 좋다.

환자 측에서 치과의사를 형사고소할 경우엔 초기에 변호사를 선임하여 적극적으로 대처해야 한다. 형사소송은 절대로 치과의사 개인이 해결할 수 없다.

CHAPTER

4

필자의 턱관절 관련 논문

TOUGH CASES 치과진료 후 발생하는 볼치 아픈 증례들

악관절 질환환자에 대한 초기 치료의 효과

상담 및 투약

EFFECT OF INITIAL CONSERVATIVE TREATMENT OF TMD PATIENTS : COUNSELLING AND MEDICATION

김영균, 김현태, 김인수

대한치과의사협회 | 대한치과의사협회지 | 대한치과의사협회지 Vol.38 No.6 | 2000.06 | 549 - 557 (9 pages)
SCOPUS, KCI등재후보

⌂ 〉 대한악안면성형재건외과학회 〉 대한악안면성형재건외과학회지 〉 22권 3호

증례보고 : 악관절 골연골종 - 증례보고

Case Reports : Osteochondroma of TMJ - A Case Report

김영균(Young Kyun Kim), 조창욱(Chang Uk Cho), 김현태(Hyoun Tae Kim)

- 발행기관 : 대한악안면성형재건외과학회
- 발행년도 : 2000
- 간행물 : 대한악안면성형재건외과학회지, 22권 3호
- 페이지 : pp.360-363 (총 4 페이지)

TOUGH CASES

대구지지 · Vol. 27, No. 4, 2001

하악골 골절 환자들의 악관절 상태 평가: 일차보고
관절내시경적 검사, 조직형태학적 및 관절활액 분석

김영균 · 김현태 · 이도훈¹ · 최윤정¹ · 정 훈*

대진의료재단 분당제생병원 구강악안면외과, 임상병리과¹, 진단병리과¹, 대한악관절 연구소*

Abstract

ANALYSIS OF TMJ STATUS IN THE PATIENTS WITH MANDIBULAR FRACTURES: PRELIMINARY STUDY ARTHROSCOPIC EXAMINATION, HISTOMORPHOLOGY AND JOINT FLUID ANALYSIS

Young-Kyun Kim. DDS. MSD. PhD., Hyoun-Tae Kim. DDS. MSD. PhD., Do-Hoon Lee. MD. PhD.¹
Yoon-Jung Choi. MD. PhD.¹, Hoon Chung. DDS. MSD. PhD.*

Dept. of Oral & Maxillofacial Surgery, Dept. of Clinical Pathology¹

Dept. of Diagnostic Pathology¹, Pundang Jesaeng Hospital, DMC, Korean TMJ Research Institute

The purpose of this study is to validate the potential etiologic factors for temporomandibular disorder(TMD). TMJ arthroscopic examination was performed in upper joint compartment of 32 joints from 20 patients with mandibular fractures. Synovial fluid was collected from the upper joint space during pumping manipulation with normal saline. Cytologic smearing and histomorphologic exam of synovial fluid were performed in 15 joints. Prostaglandin E_2(PGE$_2$) concentration was measured in 11 joints. Leukotriene B$_4$(LTB$_4$) concentration was measured in 8 joints. There were several arthroscopic variables such as ecchymosis, fibrillation, and adhesion. Histomorphologic exam showed a variety of findings such as bloody smears, cellular cluster, degenerated cells and cartilage, undifferentiated crystal. Mean PGE$_2$ concentrations were 316.5 pg/ml. Mean LTB4 concentrations were 45.9pg/ml.

This study demonstrated a variety of findings on inflammatory and degenerative changes of TMJ. Because acute trauma such as mandibular fracture is a major etiologic factor in cartilage degradation and biochemical and intraarticular pathology, clinicians must identify and address TMJ signs and symptoms during follow-up periods in the long term.

Key words : TMD, Arthroscopy, Histomorphology, PGE$_2$, LTB$_4$, Acute trauma

학술저널

악관절 장애 환자의 치료 유형분석

Analysis of Treatment Pattern of Temporomandibular Disorder

김영균

대한치과의사협회 | 대한치과의사협회지 | 대한치과의사협회지 Vol.39 No.1 | 2001.01 | 54 - 61 (8 pages)

SCOPUS, KCI등재후보

Maxillofacial Plastic and Reconstructive Surgery

Volume 27 Issue 1 / Pages.55-65 / 2005 / 2288-8101(pISSN) / 2288-8586(eISSN)

Korean Association of Maxillofacial Plastic and Reconstructive Surgeons (대한악안면성형재건외과학회)

CLINICAL STUDY OF TEMPOROMANDIBULAR JOINT OPEN SURGERY

측두하악관절 관혈적 수술에 관한 임상적 연구

Shim, Cheong-Hwan (Dept. of Oral & Maxillofacial Surgery, Section of Dentistry, Seoul National University Bundang Hospital) ;
Kim, Young-Kyun 🔍 (Dept. of Oral & Maxillofacial Surgery, Section of Dentistry, Seoul National University Bundang Hospital) ;
Yun, Pil-Young (Dept. of Oral & Maxillofacial Surgery, Section of Dentistry, Seoul National University Bundang Hospital)
심정환 (분당서울대학교병원 치과 구강악안면외과) ; 김영균 🔍 (분당서울대학교병원 치과 구강악안면외과) ; 윤필영 (분당서울대학교병원 치과 구강악안면외과)

Published : 2005.01.31

PDF   KSCI

Abstract

Most patients with temporomandibular disorder can be treated conservatively. However, open TMJ surgery can be needed in some patients. We analysed the patients with TMD which open surgery has performed since 1998. Open surgery was carried out in 8 patients. Age ranged from 22 to 61 years, with a mean of 42.8years. All patients were male. Final diagnosis was obtained based upon clinical, radiographic and operative finding as follows; habitual luxation, bony ankylosis, traumatic arthritis, disc displacement with destructive change, disc displacement and adhesion. Etiologic factors included trauma(4), infection(2), and unknown(2). Open surgery included arthroplasty with either of condylectomy, eminectomy, meniscoplasty, capsurrohaphy. All patients were recovered uneventfully without severe complications. Some mouth opening limitation and mouth opening deviation remained. Postoperative aggressive physical therapy and careful follow up were performed. In conclusion, open TMJ surgery must be considered in organic disease such as ankylosis, tumor and TMD without favorable recovery after long-term conservative therapy.

Keywords

Temporomandibular disorder; Open surgery

대구외지 2005;31:532-535

하악골 골절 환자의 치료시 상관절강 세정술의 유용성 평가

김영균* · 윤필영* · 김지홍**

*분당서울대학교병원 치과 구강악안면외과, **대진의료재단 분당제생병원 치과 구강악안면외과

Abstract (J. Kor. Oral Maxillofac. Surg. 2005;31:532-535)

EVALUATION OF EFFICACY OF TMJ ARTHROCENTESIS IN THE PATIENTS WITH MANDIBULAR FRACTURE

Young-Kyun Kim*, Pil-Young Yun*, Ji-Hong Kim**

*Dept. of Oral & Maxillofacial Surgery, Section of Dentistry, Seoul National University Bundang Hospital
**Dept. of Oral & Maxillofacial Surgery, Section of Dentistry, Bundang Jesaeng General Hospital, Daejin Medical Center

The objective of this study is assessment of the efficacy of upper joint space arthrocentesis on prevention of TMJ injury from patient with mantibular fractures. We divided the patients into two groups, one which consist of 24 patients who are taken arthrocentesis while open reduction of mandibular fracture, the other which consist of 27 patients without arthrocentesis from Jan 1999 to Dec 2001. We measured maximum mouth opening, excursive movement range respectively one week, one month, three months later after operation. The patients were instructed to mark on 10 cm VAS for evaluation of TMJ pain during resting, mouth opening, and mastication. We evaluated the signs and symptoms of temporomandibular disorder clinically and radiographically 6 months later. The result of this study is that there is a reduction of pain and increase of range of mandibular motion in both groups but in patients with arthrocentesis there is relatively reduction of pain and increase of range of mandibular motion compared with control group. On the points of 6 months later, temporomandibular disorder occurred in 4 patients (16.7%) in group with arthrocentesis and 13 patients (47.1%) in control group.

In conclusion, we think that supplemental therapy such as arthrocentesis is helpful for the recovery of jaw function and prevention of the development of temporomandibular disorder after facial trauma.

Key words: Arthrocentesis, Mandibular fracture

Clinical Trial   > J Oral Maxillofac Surg. 2005 Nov;63(11):1576-83. doi: 10.1016/j.joms.2005.05.318.

The role of facial trauma as a possible etiologic factor in temporomandibular joint disorder

Pil-Young Yun [1], Young-Kyun Kim

Affiliations + expand
PMID: 16243173   DOI: 10.1016/j.joms.2005.05.318

Abstract

Purpose: Facial trauma has been suggested as a possible etiologic factor of temporomandibular joint disorder. However, there is little information on the role of macrotrauma. The main purpose of this study was to validate facial trauma as a potential etiologic factor for temporomandibular joint (TMJ) disorder. Multidirectional approaches were applied for the evaluation of the changes of TMJ after TMJ macrotrauma.

Patients and methods: Analysis of TMJ status including arthroscopic examination, histomorphologic examination, and synovial fluid biochemical analysis were performed on the patients with mandibular fractures. Additionally, the efficacy of arthrocentesis for the patients of mandibular fracture was evaluated from the functional point of view.

Results: In arthroscopic examinations, evidence of synovitis with variable degrees was found. The representative findings are fibrillation and ecchymosis. On histomorphologic examination, bloody smear, degenerated cells and cartilage, inflammatory cells, and crystal were observed. In biochemical analysis, considerable amounts of prostaglandin E(2) and leukotriene B(4) were detected in the synovial fluid of the patients.

Conclusion: The inflammatory and degenerative changes of TMJ can develop after facial trauma. Trauma can be a possible etiologic factor in cartilage degeneration, and biochemical and intra-articular pathology. Clinicians should recognize the etiologic importance of macrotrauma, and long-term evaluation of the TMJ as well as adequate treatment is required for patients with facial trauma.

J. Kor. Oral Maxillofac. Surg. Vol. 32 No. 1, 2006

Preliminary study on the effect of inflamed TMJ synovial fluid on the intracellular calcium concentration and differential expression of iNOS and COX-2 in human immortalized chondrocyte C28/I2

Eun-Ah Choi[1], Dong-Geun Lee[2], Chang-Hoon Chae[3], Young-Il Chang[1],
Young-Ju Park[3], Young-Kyun Kim[4]

[1]Department of Orthodontics, College of Dentistry, Seoul National University,
[2]Department of Orthodontics, Section of Dentistry, Seoul National University Bundang Hospital,
[3]Department of Oral and Maxillofacial Surgery, College of Medicine, Hallym University,
[4]Department of Oral & Maxillofacial Surgery, Section of Dentistry, Seoul National University Bundang Hospital

Abstract

Objective. The objective of this study was to examine the hypothesis that inflammatory synovial fluid from TMJ internal derangement initiates a transient increase in intracellular calcium concentration ($[Ca^{2+}]i$) in chondrocytes and the induced Ca2+ signaling affects iNOS/COX-2 gene expression patterns following exposure to inflamed synovial fluid.

Materials and Methods. Two female adult patients with symptoms of TMD who agreed to participate in the study were selected for this study. Immortalized human juvenile costal chondrocyte C-28/I2 was grown to 80% confluency and synovial fluids from two patients were added respectively to culture media for 24 hours at the concentration of 100ng/10ml. Confocal laser scanning microscope (CLSM) was used to examine changes of intracellular calcium concentration ($[Ca^{2+}]i$). RT-PCR was performed to identify the expression profile of IL-1α, iNOS, COX-2.

Results. Increased $[Ca^{2+}]i$ was observed in chondrocytes subjected to inflamed synovial fluid compared to control cultures and in respective cultures exposed to inflamed synovial fluids from each patient. IL-1β, COX-2 mRNA were detected. However, in neither case iNOS mRNA was expressed. IL-1α, COX-2, and iNOS mRNA were expressed in control culture.

Conclusion. Our results show that immortalized chondrocytes cultured with inflamed synovial fluids from patients diagnosed as disc displacement without reduction and limitation in mouth opening showed increased calcium concentration and expression of COX-2 while inhibiting the production of iNOS, which in turn could adversely affect the chondrocytes in at least short term by hindering physiologic role of NO against inflammatory cascades. These findings suggest that inflamed synovial fluid may differentially regulate the transcriptomes of relevant inflammatory mediators, especially iNOS/COX-2 axis in chondrocytes through adjusting calcium transients.

Key words
Chondrocyte, Synovial fluid, Internal derangement, Confocal laser scanning microscope

학술저널

연골세포의 세포내 칼슘이온 농도와 iNOS, COX-2 차등발현에 염증성 측두하악관절 활막액이 미치는 영향에 관한 예비연구

Preliminary study on the effect of inflamed TMJ synovial fluid on the intracellular calcium concentration and differential expression of iNOS and COX-2 in human immortalized chondrocyte C28/I2

오류제보하기 >

이동근, 채창훈, 김영균, 최은아

인용하기

대한구강악안면외과학회 | 대한구강악안면외과학회지 | 대한구강악안면외과학회지 제32권 제1호 2006
36 - 41 (6 pages) | KCI등재

턱관절질환 치료시 hyaluronic acid의 사용

심정환[1, 3], 김영균[1, 3], 윤필영[1], 정훈[2, 3]
분당서울대학교 구강악안면외과[1], 정훈치과[2], 사단법인 대한턱관절연구회[3]

Use of Hyaluronic Acid in the Treatment of TMD

Cheong-Hwan Shim[1, 3], Young Kyun Kim[1, 3], Pil-Young Yun[1], Hoon Chung[2, 3]

Dept. of Oral and Maxillofacial Surgery, Section of Dentistry,
Seoul National University Pundang Hospital[1]
Chung Hoon dental practice clinic[2]
Korea Society for TMJ Corporation[3]

Hyaluronic acid has cartilage regeneration, analgesic effect, lubricant effect, and little side effect. Sato et al suggested that hyaluronic acid injection into the superior joint space of TMJ is a selective method in the treatment of disc displacement without reduction. The author performed this study for the evaluation of the availability of hyaluronic acid in the treatment of Temporomandibular disorder.

From July 2003 to March 2004, hyaluronic acid injection therapy was performed in total 12 patients with mouth opening limitation[8], joint pain[2], severe noise[2], popping sound. Female was 11, male1. Age ranged from 14 to 74 years old, with a mean of 33. Treatment duration ranged from 1 to 4 months, with a mean of 2.5. Hyaluronic acid was injected 2~5 times every 2 weeks in 6 patients, Hyhaluronic acid injection and splint therapy were performed in 4 patients. Eight patients with a chief complaint of mouth opening limitation had a mean mouth opening of 23.8mm. After treatment, mean mouth opening was increased to 35.6mm, TMJ arthrocentesis was performed in 2 patients which mouth opening was not improved after hyaluronic acid injection therapy. However, mouth opening was not improved in one patient. Four patients with chief complaints of pain and popping sound had a complete recovery after treatment.

In conclusion, hyaluronic acid can be effective in the treatment of TMD, however, the additional study such as comparative study with splint therapy and long-term follow up study are necessary in the future.

Ket word: Hyaluronic acid injection, Temporomandibular disorder, Splint therapy, Arthrocentesis

측두하악관절장애의 치료목표 및 치료결과: 단기간 추적관찰 보고

윤필영, 김영균

분당서울대학교병원치과 구강악안면외과

The Objects and Results of Temporomandibular Joint Disorder: Short -term Follow-up Report

Pil-Young Yun, Young-Kyun Kim

Department of Oral & Maxillofacial surgery, Seoul National University Bundang Hospital

There have been many controversial opinions about definition, classification, etiology, pathogenesis, treatment and prognosis of temporomandibular joint disorder. However, every opinion is indefinite, so it is difficult to choose appropriate treatment modality. And there are many clinicians who have tendencies to stick to opinions of themselves.

This study was designed to suggest the object of treatment of temporomandibular joint disorder on the base of the evaluation of the patients who visited Department of Dentisitry, Seoul National University Bundang Hospital from June 2003 to August 2003.

Multidisciplinary approach is very important in the treatment of the patients suffering from temporomandibular joint disorders. Clinicians should not persist on single modality of treatment. Symptomatic and palliative treatment is very helpful for elimination of pain and improved mouth opening. Combination therapy of conservative and semi-surgical treatment is recommended. The priority of treatment of temporomandibular joint disorder should be focussed on relieving the patient's pain and symptomatic distress. Periodic follow-up and careful counseling are very important in the patients with temporomandibular joint disorder.

Key words: temporomandibular joint disorder, etiology, multidisciplinary approach, combination therapy

턱관절장애의 병인론, 상담 및 투약

김영균

분당서울대학교병원 치과 구강악안면외과

Abstract

Pathogenesis, Counseling and Medication of Temporomandibular Joint Disorder

Young-Kyun Kim, DDS, PhD.

Dept. of Oral and Maxillofacial Surgery, Section of Dentistry,
Seoul National University Bundang Hospital

The anatomical structures of TMJ are complicated and the etiologic factors of TMJ disorders are multifactorial, which make it difficult to diagnose the TMJ problems. Initial reversible treatment such as counseling and medication is very important. Of course counseling and medication are not definitive treatment, however, these types of treatment have several advantages in that the pain and anxiety of the patient can be relieved. Supplemental physical therapy and splint therapy can be available and the effectiveness of treatment may be elevated. In case severe signs and symptoms continued, TMJ arthrocentesis, arthroscopic lavage and lysis or open joint surgery can be needed.

TOUGH CASES

턱관절 질환 환자의 진단시 골스캔의 유용성 분석

심정환[1, 2], 김범수[1], 임재형[1], 윤필영[1], 김영균[1, 2]
분당서울대병원 치과 구강악안면외과[1],
사단법인 대한 턱관절 연구회[2]

Abstract

Analysis of the availability of bone scans in the diagnosis of temporomandibular joint diseases

Cheong-Hwan Shim[1, 2], Bum-Soo Kim[1], Jea-Hyung Yim[1],
Pil-Young Yun[1], Young-Kyun Kim[1, 2]

Dept. of Oral and Maxillofacial Surgery, Section of Dentistry, Seoul National University Bundang Hospital[1]
Korean society for Temporomandibular Joint Corporation[2]

The anatomical complexity of temporomandibular joint (TMJ) and the multifactorial etiology of TMJ problems make it difficult to diagnose the temporomandibular joint disease (TMD) correctly. There are several diagnostic imaging tools for TMJ evaluation including computed tomography (CT) and magnetic resonance imaging (MRI). Though more information will be obtained than plain radiography, those special imaging tools require relatively high cost. Bone scan has not been frequently used in the diagnosis of TMD as compared with panorama radiography. Bone scan has the potential to detect active bone remodeling change, whereas traditional radiography might show normal structures or past morphologic changes.

The purpose of this study was to evaluate the availability of bone scan for correct diagnosis of TMD.

The patients who visited Seoul National University Bundang Hospital with TMJ problems from Jan. 2005 to Sep. 2005 were selected in this study.

There were 23 female patients and 3 male patients. The age of patients ranged from 14 to 79 years (mean 35.6). The chief complaints were detected as pain on chewing (7 cases), pain on mouth opening (6 cases), mouth opening limitation (3 cases) and locking (2 cases). Osteophyte (11 cases), concavity (11 cases), normal (3 cases) and flattening (2 cases) were observed in panorama radiography, whereas all uptake in bone scan. Some of them with clinical symptom such as tenderness showed uptake in bone scan but normal in panorama radiography, which make it possible to diagnose TMD overlooked in standard panoramic view.

The fact that TMD might be overlooked in clinical and radiographic examinations, and the availability of bone scan were reported in this study.

Key word; temporomandibular joint disorder, panoramic view, bone scan.

측두하악관절에 발생한 활액성 연골종증: 증례 보고

임재형[1], 김범수[1], 손대일[1], 윤필영[1], 김영균[1, 2]
분당서울대병원 치과 구강악안면외과[1], 사단법인 대한 턱관절협회[2]

Abstract

Synovial chondromatosis in the temporomandibular joint
: A case report

Jae-Hyung Im[1], Bum-Soo Kim[1], Dae-Il Son[1], Pil-Young Yun[1], Young-Kyun Kim[1,2]
*Dept. of Oral and Maxillofacial Surgery, Section of Dentistry, Seoul National
University Bundang Hospital[2]
Korea Society for TMJ Corporation[2]*

Synovial chondromatosis is a benign non-neoplastic disorder developed in joints, and its etiology has not known yet. It has been reported that synovial chondromatosis is likely to happen in larger joints such as knee, hip and shoulder, However, the synovial chondromatosis of the temporomandibular joint(TMJ) has been rarely reported in the literatures. Synovial chondromatosis is characterized by cartilaginous or osteocartilaginous nodules in the connective tissue of the synovial membrane in the joint space. Some of these nodules were separated from the synovial membrane, and then become loose bodies. Most of the patients had symptoms such as periarticular swelling, pain, limitation of joint motion and crepitus, but some of them were asymptomatic.

As mentioned earlier, the symptoms of this disorder are similar to other temporomandibular joint disorders. For this reason, its diagnosis would be delayed.

Is is generally accepted that computed tomography(CT) and magnetic resonance imaging(MRI) are more available to diagnose the synovial chondromatosis of TMJ than plain radiographs, and surgical approach combined with physical therapy is recommended to treat this disorder.

In this report, the authors presented the case of synovial chondromatosis in the TMJ and discussed diagnosis, pathogenesis, treatment and prognosis based on our clinical experience.

Key words: synovial chondromatosis, synovial membrane, temporomandibular joint

턱관절장애 치료시 턱관절 내시경의 유용성 분석

김영균, 이효정 _ 분당서울대학교병원 치과

━━━

교신저자 : **김영균**
경기도 성남시 분당구 구미동 300 분당서울대학교병원 치과 구강악안면외과
Tel : 031-787-7541, 010-3079-7541

*Corresponding author : Young-Kyun Kim, D.D.S, PhD.
Dept. of Oral and Maxillofacial Surgery, Section of Dentistry, Seoul National University Bundang Hospital
Tel : 82-31-787-7541

Temporomandibular Joint Corp

Vol 3 No 1, 2007

턱관절장애 치료시
턱관절 내시경의 유용성
분석

Analysis of the availability of arthroscopy in the patients with TMD

━━━● Abstract

Analysis of the availability of arthroscopy in the patients with TMD

Young-Kyun Kim, D.D.S, PhD, Hyo-Jung Lee, D.D.S.
Section of Dentistry, Seoul National University Bundang Hospital

Nowaday, the number of TMD patients who visit the clinic are increasing and might be there are so many patients if include the symptomless patients. Dentist who is in charge of diagnosis and treatment of TMD should know about the function, anatomy and physiology of the TMJ and treat the patient with various diagnosis and treatment.

The TMJ arthroscopy is valuable method, which combines diagnosis and treatment, and it can provide the direct observation of the inside of the joint. The proper use of this method may induce good result of treatment and be a great help to the study of the TMD.

The purpose of this study is evaluation of the availability of the arthroscopic exam and lavage which are performed to the patient who did not show the symptomatic improvement after conservative treatment. From January 1999 to January 2002, it have been performed to 23 patients (male 9, female 14) and average age of the patients is 32 (from 16 to 61). Performing arthroscopic observation under general anesthesia, we recorded the direct impressions and thoroughly lavage the upper joint space with normal saline. Pre-operative mouth opening length and clinical symptom were recorded. Current pain, state of meal, and state of difficulty in normal life were comparatively evaluated by 10cm VAS between pre-operative state and final follow-up state. Follow-up periods were from 1 month to 30 months and the averages were 5 months. The symptoms of the patients were improved in the most cases but the discomforts on the TMJ area were still maintained.

Key words: TMD, arthroscopic exam, lavage

턱관절장애 환자의 진단 시 체열검사의 유용성 분석

김영균, 윤필영, 이효정 _ 분당서울대학교병원 치과

교신저자 : **김영균**
경기도 성남시 분당구 구미동 300 분당서울대학교병원 치과 구강악안면외과

*Corresponding author : Young-Kyun Kim, D.D, PhD.
Dept, of Oral and Maxillofacial Surgery, Section of Dentistry, Seoul National University Bundang Hospital
Tel : 82-31-787-7541 Fax : 82-31-787-4068 E-mail : kyk0505@freechal.com

Temporomandibular Joint Corp.

Vol 3 No 1, 2007

턱관절장애 환자의 진단 시
체열검사의 유용성 분석

Analysis of the availability of thermography in the diagnosis of temporomandibular disorders

● Abstract

Analysis of the availability of thermography in the diagnosis of temporomandibular disorders

Young-Kyun Kim, D.D, PhD, Pil-Young Yun, D.D.S, PhD, Hyo-Jung Lee, D.D.S.
Section of Dentistry, Seoul National University Bundang Hospital

Digital infrared thermography imaging(DITI) is a diagnostic method providing information about normal and abnormal functioning of the sensory and sympathetic nervous systems, vascular dysfunction, local inflammatory processes. We evaluated the availability of DITI as objective diagnostic tools for signs and symptoms of TMD including pain. The overall diagnostic sensitivity of TMD was 54% and lower than that of the other diagnostic method. However, the diagnostic sensitivity of acute stage of TMD was increased,

Key words : DITI, acute, TMD

턱관절장애 환자의 상관절강에서 채취한 활막에 관한 조직학적 연구

김영균 _ 분당서울대학교병원 치과 구강악안면외과

교신저자 : 김영균

경기도 성남시 분당구 구미동 300 분당서울대학교병원 치과 구강악안면외과
TEL : 031-787-7541

*Corresponding author : Young-Kyun Kim, D.D.S, PhD.
Dept. of Oral & Maxillofacial Surgery, Section of Dentistry, Seoul National University Bundang Hospital.
TEL : +82-31-787-7541, E-mail : kyk0505@freechal.com

Temporomandibular Joint Corp

Vol 3 No 2, 2007

턱관절장애 환자의
상관절강에서 채취한
활막에 관한 조직학적 연구

Histologic study about the synovial membranes taken in the superior joint space of the patients with temporomandibular disorder

Histologic study about the synovial membranes taken in the superior joint space of the patients with temporomandibular disorder

Young-Kyun Kim, D.D.S, PhD.
Dept. of Oral & Maxillofacial Surgery, Section of Dentistry, Seoul National University Bundang Hospital.

Temporomandibular joint arthroscopic lavage and lysis were performed in 18 patients with temporomandibular disorder between Jan 1999 and Dec 2002. During the arthroscopic exam, endoscopic biopsy of synovial membrane in the upper joint space was performed via second cannula using biopsy forcep. Biopsy specimen was fixed in 10% formalin solution and delivered to the department of pathology for light microscopic examination. Clinical diagnosis was not associated with arthroscopic synovitis index. Gynther's grading of vascularization and inflammatory cell infiltration was not consistent with the clinical diagnosis and arthroscopic synovitis index. Most pathologic diagnosis showed the increased fibrous tissue. Fatty tissue and calcification were observed in many specimens. Mild chronic inflammation was observed in 3 cases.

I guessed that there is a possibility of fibrous adhesion and osteoarthritis in the patients with chronic temporomandibular disorder.

Key words : Gynther's grading, synovitis, fibrous adhesion, osteoarthritis

〈종설〉 이갈이, 사각턱과 턱관절장애 환자의 보존적 치료와 외과적인 치료의 선별법

김영균 _ 분당서울대학교병원 치과 구강악안면외과

교신저자 : **김영균**
경기도 성남시 분당구 구미동 300 분당서울대학교병원 치과 구강악안면외과
TEL : 031-787-2780

*Corresponding author : **Young-Kyun Kim**, D.D.S. PhD.
Dept. of Oral & Maxillofacial Surgery, Section of Dentistry, Seoul National University Bundang Hospital.
TEL : +82-31-787-2780 E-mail : kyk0505@freechal.com

Temporomandibular Joint Corp

Vol 3 No 2, 2007

이갈이, 사각턱과 턱관절장
애 환자의 보존적 치료와
외과적인 치료의 선별법

Selection of Conservative and Surgical Treatment of the Patients with Bruxism, Angle Hyperplasia and Temporomandibular Disorder

●━ Abstract

Selection of Conservative and Surgical Treatment of the Patients with Bruxism, Angle Hyperplasia and Temporomandibular Disorder

Young-Kyun Kim, D.D.S. PhD.
Dept. of Oral & Maxillofacial Surgery, Section of Dentistry, Seoul National University Bundang Hospital

We should understand the accurate diagnosis and indication and establish the treatment plan to select the conservative or surgical treatment of the patients with bruxism, angle hyperplasia and/or temporomandibular disorder(TMD). Preferentially we should perform the conservative treatment. It is undesirable to initial irreversible surgical treatment. And also it is undesirable to insist upon the long-term unresponsive conservative treatment. The existence of TMD should be confirmed before the orthodontic and/or orthognathic surgery. If TMD be existed, peferentially TMD should be managed.

임프란트 치료와 연관된 턱관절장애의 치료:증례연구

김영균, 윤필영
분당서울대학교병원 치과 구강악안면외과

교신저자 : 김영균
경기도 성남시 분당구 구미동 300 분당서울대학교병원 치과 구강악안면외과
TEL : 031-787-7541

*Corresponding author : Young-Kyun Kim, D.D.S, PhD.
Dept. of Oral & Maxillofacial Surgery, Section of Dentistry, Seoul National University Bundang Hospital,
TEL : +82-31-787-7541, E-mail : kyk0505@freechal.com

—● Abstract

Treatment of Temporomandibular Disorder associated with Implant Therapy: Caes series

Young-Kyun Kim, D.D.S, PhD, Pil-Young Yun, D.D.S, PhD,
Dept. of Oral and Maxillofacial Surgery, Section of Dentistry,
Seoul National University Bundang Hospital, Seongnam, Korea

In the patients who are healthy or asymptomatic patients with potential temporomandibular disorder(TMD), symptoms can be produced after long period of dental treatment such as implant therapy. Preoperative TMD can be aggravated during the implant therapy. In these cases, there are some risks of medicolegal problem. All patients with the plan to do implant therapy should get initial TMJ examination. The dentists have to have thorough knowledge of the pathogenesis and management of TMD. The dentists should explain about the possibility of TMD during or after implant therapy to the patients.

Key words: TMD, implant

턱관절 개방 수술 접근법

김종화, 김영균

분당 서울대학교 병원 치과 구강악안면외과

──────

교신저자 : 김영균

경기도 성남시 분당구 구미동 300

분당서울대학교병원 치과 구강악안면외과

*Corresponding author : Young-Kyun Kim, D.D.S, PhD,
Dept, of Oral and Maxillofacial Surgery, Section of Dentistry Seoul National University Bundang Hospital
TEL : 82-31-787-7541   Mobile : 82-31-787-4098   E-mail : kyk0505@freechal.com

→ Abstract

Open Surgical Approach of
Temporomandibular Joint

Jong-Hwa Kim, D.D.S, Young-Kyun Kim, D.D.S, PhD,
Dept, of Oral and Maxillofacial Surgery, Section of Dentistry Seoul National University Bundang Hospital

The purpose of this report is to describe the surgical approach to temporomandibular joint(TMJ) with clinical photography. Endaural approach, meniscoplasty and eminectomy were performed successfully in this case.

Key words: surgical approach, TMJ

치료하기 힘든 턱관절장애 치료 프로토콜

김영균

분당서울대학교병원 치과 구강악안면외과

교신저자 : 김영균

경기도 성남시 분당구 구미동 300

분당서울대학교병원 치과 구강악안면외과

*Corresponding author : Young-Kyun Kim, D.D.S, PhD.

Dept. of Oral and Maxillofacial Surgery, Section of Dentistry Seoul National University Bundang Hospital

TEL : 82-31-787-7541   Mobile : 82-31-787-4068   E-mail : kyk0326@freechal.com

턱관절 장애 증상의 발현에 관여하는 에스트로겐 수용체 α (ERα) 유전자의 다형성에 관한 연구

김범수, 김영균, 윤필영

분당서울대학교병원 치과 구강악안면외과

교신저자 : 김영균

경기도 성남시 분당구 구미동 300

분당서울대학교병원 치과 구강악안면외과

*Corresponding author : Young-Kyun Kim, D.D.S, PhD.

Dept. of Oral and Maxillofacial Surgery, Section of Dentistry Seoul National University Bundang Hospital

TEL : 82-31-787-7541   Mobile : 82-31-787-4068   E-mail : kyk0326@freechal.com

이 논문은 분당서울대학교병원 일반 연구비(02-2006-033)에 의해 지원되었음.

The Effects of Estrogen Receptor α Polymorphism on the Prevalence of Symptomatic Temporomandibular Joint Disorders (TMD)

Bum-Soo Kim, D.D.S, MSD, Young-Kyun Kim, D.D.S, PHD, Pil-Young Yun, D.D.S, PHD.

Dept. of Oral and Maxillofacial Surgery, Section of Dentistry, Seoul National University Bundang Hospital

Objective: The aim of this study is to identify any association between variants of the polymorphic estrogen receptor gene and various symptoms of TMD disorder including pain in the TMJ and masticatory muscles, joint crepitus, limited range of jaw movement, and bone changes in the condylar head.

Method: 74 patients with TMD disorder were selected according to the RDC-TMD (Research Diagnostic Criteria for Temporomandibular Joint Disorder) for the study group. 64 patients without TMD disorder were selected as the controls.

Genomic DNA was extracted from the epithelial layer of buccal mucosa. After amplification by PCR, direct haplotyping was conducted in order to study the RFLP (Restriction Fragment Length Polymorphism) of PvuII and XbaI for the alpha estrogen receptor. Genomic prevalence in each of the symptom categories were analyzed using chi-square test.

Results: The haplotypes PX, Px, and px constituted 32.0%, 10.9%, and 58.1% of the total alpha estrogen receptor alleles respectively in the study group. The haplotype Px was found to be relatively more prevalent in subjects who had limited mouth opening limitation and the haplotype PX was most prevalent in those patients with condylar head bone changes. Neither of these observations carried statistical significance.

Conclusion: Although certain symptoms of TMD disorder were found to have a relatively higher prevalence of one form or another of the estrogen receptor allele, no haplotype was confirmed to be a significant marker of TMD disorder risk.

Supported by grant no 03-2006-038 from the SNUBH Research Fund

악교정 수술 후 측두하악 관절의 변화에 대한 임상적 연구

안지연[1], 김종완[1], 윤필영[2], 김범수[2], 김영균[2]
분당서울대학교병원 치과교정과[1], 구강악안면외과[2]

교신저자 : **김영균**
경기도 성남시 분당구 구미동 300 분당서울대학교병원 치과

*Corresponding author : Young-Kyun Kim
Dept. of Oral & Maxillofacial Surgery, Section of Dentstry, Seoul National University Bundang Hospital
300 Gumi-Dong, Bundang-Gu, Sungnam-Si, Gyunggi-Do, 110-749, Korea
Tel : 82-31-787-7541 Fax:+82-31-787-4068 E-mail : kyk0505@snubh.org

→ Abstract

• **목적** : 술전·후로 촬영된 자기공명영상(Magnetic Resonance Imaging; MRI)을 통해 악교정 수술이 측두하악 관절(Temporomandibular Joint; TMJ)에 미치는 영향을 밝히고자 한다.

• **대상 및 방법** : 본 연구는 2004년 6월부터 2006년 12월 사이에 분당서울대학교병원 구강악안면외과에서 하악 전돌증을 주소로 양측 하악지 시상 분할 골절단술(Bilateral Sagittal Split Ramus Osteotomy; BSSRO)을 시행한 환자들 중 악교정 수술 직전과 술후 3개월 경과 시점에 자기공명영상을 채득한 23명의 환자와 그들의 양측 측두하악 관절을 대상으로 하였다. 대상자의 연령은 평균 22.09±3.65세였으며 남자 10명, 여자 13명이다. 각 환자의 개구 및 폐구시 양측 악관절 시상면 영상을 바탕으로 관절 원판의 위치 변화, 악관절 내장증의 단계 변화 및 하악 후퇴량과 관절 원판 위치 변화의 상관 관계를 분석하였다. 통계적 분석법으로는 대응표본 T 검정(paired-samples T test)과 McNemar-Bowker 검정(McNemar-Bowker test), 그리고 Pearson 상관분석(Pearson correlation analysis)이 적용되었다. 단, 유의 수준은 0.05 미만이다.

• **결과** : 개구시 하악 과두와 관절 원판 사이의 거리는 악교정 수술을 기점으로 평균 0.70±1.30mm가 유의하게 증가하였음을 확인할 수 있었다($p<0.01$). 반면 폐구시 관절 원판의 위치는 변하지 않았다. 악관절 내장증의 단계 변화를 분석한 결과, 역시 유의한 변화를 인정할 수 없었다. 비록 몇몇 증례에서 그 단계가 개선되거나 악화되는 양상을 보이기는 하지만 악교정 수술은 내장증의 단계에 영향을 미치지 않는 것으로 분석되었다. 마지막으로 악교정 수술시 하악의 후퇴량과 관절 원판의 위치 변화 사이에는 상관 관계가 없는 것으로 나타났다.

• **결론** : 비록 술전·후 자기공명영상에서 개구시 관절 원판의 위치가 유의한 변화를 보이는 것으로 확인되었으나 악교정 수술은 측두하악 관절에 영향을 미치지 않는 것으로 추정된다.

학술저널

치과치료와 턱관절장애의 연관성에 관한 연구

The Relationship between Dental Treatment and Temporomandibular Disorder

김영균(분당서울대학교병원), 이용인(분당서울대학교병원)

대한치과의사협회 | 대한치과의사협회지 | 대한치과의사협회지 Vol.46 No.5 | 2008.05 | 308 - 314 (7 pages)

SCOPUS, KCI등재후보

The risk of temporomandibular joint disorder (TMD) can be increased during dental treatment due to excessive mouth opening and change of occlusion. The aim of this study is to find the relationship between dental treatment and TMD in the patients who developed TMD after dental treatment.

The subjects of this study were 21 patients, who developed TMD after dental treatment and were treated with active TMD therapy in Seoul National University Bundang Hospital from June 2003 to February 2007. The subjects were examined with preceding dental treatment, synptom, diagnosis, treatment method of TMD and prognosis of TMD.

The obtained results were as follows.

1. Preceding dental treatments were: Implant treatment, 14 cases: Tooth extraction, 3 cases and others.

2. TMD Symptoms were: Pain on TMJ. 12 cases: sound on TMJ, 3 cases: Mouth opening limitation, Headache and others.

3. Diagnoses of TMD were: Synovitis and/or capsulitis, 10 cases: 8 cases of Internal derangement and others.

4. Most TMD were treated by stabilization splint.

5. Prognoses of TMD were: Improvement, 6 cases: sustained 11 cases.

In conclusion, the risk of TMD is increased during implant treatment. Prognoses of TMD after dental treatment were bad. It might be that these patients were non-cooperative and have distrust of dental treatment. Because the overloading on TMJ is possible in dental treatment of patients with underlying TMD. prior explanation and knowledge of TMJ treatment are very important in these cases.

턱관절장애의 연구진단기준을 이용한 역학적 연구; 예비보고

임재형 · 김영균 · 윤필영

분당서울대학교병원 치과 구강악안면외과

Abstract (J. Kor. Oral Maxillofac. Surg. 2008:34:187-195)

THE EPIDEMIOLOGIC STUDY OF THE PATIENTS WITH TEMPOROMANDIBULAR JOINT DISORDERS, USING RESEARCH DIAGNOSTIC CRITERIA FOR TMD (RDC/TMD): PRELIMINARY REPORT

Jae-Hyung Im, Young-Kyun Kim, Pil-Young Yun

Dept. of Oral and Maxillofacial Surgery, Section of Dentistry, Seoul National University Bundang Hospital

Purpose: This epidemiologic research was carried out to investigate the degree and aspects of symptoms of patients suffered from TMD using RDC/TMD.

Subjects and Methods: Subjects were the patients who had visited to SNUBH dental clinic from Jan. 2005 to Dec. 2005, and total 117 patients were included (M: 22, F:95). The signs and symptoms of physical, psychological and behavioral factors were retrospectively evaluated by questionnaires in the RDC/TMD. The patients were examined through clinical and radiological method, and diagnosed by same investigator. They were divided into 3 groups such as osteoarthritis group (group 1), internal derangement (group 2), myofascial pain dysfunction syndrome group (MPDS, group 3). In addition, in patient with complex diagnosis they were divided into subgroups in detail (ex. group 1+group 2). In the questionnaire, several items were selected to calculate the graded pain score (grade 0~IV), depression and vegetative symptoms, nonspecific physical symptoms(pain items included) and nonspecific physical symptoms(pain items excluded) in each group.

Results: As a result of classification by diagnostic criteria of this study, the patients were distributed to 45% of group 1, 47% of group 2, 8% of group 3 in this study. In younger patients (under 25-year old, n=40), group 2 was occupied 57% (n=23) and group 1 was 35%, group 3 was 8%, while group 1 was occupied 75% in elderly-patients (over 40-year old, n=28) in present study (group 2: 21%, group 3: 4%). In the analysis of depression and vegetative symptoms, majority of patients in Group 2 were included in 'normal', and in Group 3 it appeared to have larger proportion of 'moderate' & 'severe' than others. According to nonspecific physical symptoms, there have been tendencies of higher ratio of 'severe' in patients with MPDS. In graded pain score, more than half (58%) of subjects were included in grade 0 and low disability (Grade I and II), and 27% were revealed high disability (grade III, IV).

Key words: RDC/TMD, Osteoarthritis, Internal derangement, Myofascial pain dysfunction

대구외지 2008;34:113-118

악관절환자에서 Synovial fluid에 대한 단백질체 분석에 관한 연구

변은선¹ · 김태우¹ · 김상균² · 박태일² · 박준우² · 윤필영³ · 김영균³ · 채창훈⁴

¹서울대학교 치과대학 교정학교실, ²한림대학교 의과대학 구강악안면외과학교실,
³분당서울대학교병원 치과 구강악안면외과, ⁴나노큐어텍 나노-바이오 퓨전 부설연구소

Abstract (J. Kor. Oral Maxillofac. Surg. 2008:34:113-118)

THE ANALYSIS OF SYNOVIAL FLUID BY PROTEOMICS FROM TMD

Eun-Sun Byun¹, Tae-Woo Kim¹, Sang-Gyun Kim², Tae-Il Park², Jun-Woo Park², Pil-Young Yun³,
Young-Kyun Kim³, Chang-Hoon Chae⁴

¹Dept. of Orthodontics, College of Dentistry, Seoul National University

²Dept. of Oral and Maxillofacial Surgery, College of Medicine, Hallym University

³Department of Oral and Maxillofacial Surgery, Section of Dentistry, Seoul National University Bundang Hospital

⁴Institute of Nano-Bio Fusion Technology, NanoCureTech Inc.

Temporomandibular joint disorder (TMD) can induce severe pain but, its pathogenic mechanisms remain poorly understood. In this study, we analyzed proteomes of human synovial fluid in the superior joint space in the patients with TMD, which is obtained during the treatment arthrocentesis. We've got this result that one of the spots was consistently down-regulated in synovial fluid of patients with TMD from analysis of protein pattern. Its molecular weight was estimated to be 33 kDa. Synoviolin was identified in our proteomics analysis of LC/MS/MS. This protein was recently reported as one of the proteins that might affect rheumatoid arthritis (RA). Synoviolin that might be associated with RA was detected in synovial fluid of patients with TMD.

We can conclude that synoviolin might be involved not only in the pathogenesis of RA but also in TMD. In result, synoviolin might be involved in the pathogenesis of TMD and can be candidates as new therapeutic targets of TMD or early detection biomarkers.

Key words: Temporomandibular joint disorder (TMD), Proteomics, Synoviolin

대한악안면성형재건외과학회지: Vol. 31, No. 5, 2009

외상과 턱관절 장애 연관성에 관한 연구

김영균 · 윤필영 · 안민석 · 김재승¹

분당서울대학교병원 치과 구강악안면외과, ¹건국대학교병원 치과 구강악안면외과

Abstract

THE RELATIONSHIP BETWEEN TRAUMA AND TEMPOROMANDIBULAR JOINT DISORDER

Young-Kyun Kim , Pil-Young Yun, Min-Seok Ahn, Jae-Seun Kim¹

Dept. of Oral & Maxillofacial Surgery, Section of Dentistry, Seoul National University Bundang Hospital, Korea

¹Dept. of Oral & Maxillofacial Surgery, Konkuk University Medical Center

Objective : Trauma has been a controversial issue although it has been considered to be a major factor for the temporomandibular disorder(TMD). We evaluated the relationship between macrotrauma or microtrauma and TMD.

Methods : This study was performed in patients with TMD undergoing treatment at SNUBH from October 2006 to January 2007. Sixty one male patients and 166 female patients(total 227) were included and the average age was 34 years(ranging from 14 to 85 years). We investigated the possible etiologic factors, diagnosis and treatment with the review of medical records and radiography. Chronic pain, depression, somatic score(including pain item), somatic score(excluding pain item) were evaluated on the basis of diagnostic index from the Research Diagnostic Criteria on TMD.

Results : Eighteen patients(7.9%) out of 227 patients suffered from TMD as a result of macrotrauma. Ninety four(41.4%) patients had microtrauma and six patients(2.6%) had both macro- and microtrauma(etiologic factor). The main symptoms included pain, joint noise and mouth opening limitation while the other symptoms were headache and tinnitus. The patients had suffered from TMD for average 41 weeks(ranging from 1 to 480 weeks). 116 patients took splint as a major treatment.

As a prognosis, 19 patients(8.4%) recovered completely, 26(11.0%) had improvement and 181(80%) had persistent symptoms. 1 patient(0.4%) underwent an arthroplasty. Diagnostic index from RDC chart showed that macrotrauma was the highest score(except depression score) among the other etiologic factors.

Conclusion : This study showed that macro- and microtrauma can be considered to be the major etiologic factors of TMD, which also affect the chronic, depression and somatic discomfort.

Key words : Macrotrauma, Microtrauma, TMD

Maxillofacial Plastic and Reconstructive Surgery

Volume 31 Issue 5 / Pages.375-380 / 2009 / 2288-8101(pISSN) / 2288-8586(eISSN)

Korean Association of Maxillofacial Plastic and Reconstructive Surgeons (대한악안면성형재건외과학회)

THE RELATIONSHIP BETWEEN TRAUMA AND TEMPOROMANDIBULAR JOINT DISORDER

외상과 턱관절 장애 연관성에 관한 연구

Kim, Young-Kyun (Dept. of Oral & Maxillofalcial Surgery, Section of Dentistry, Seoul National University Bundang Hospital) ;
Yun, Pil-Young (Dept. of Oral & Maxillofalcial Surgery, Section of Dentistry, Seoul National University Bundang Hospital) ;
Ahn, Min-Seok (Dept. of Oral & Maxillofalcial Surgery, Section of Dentistry, Seoul National University Bundang Hospital) ;
Kim, Jae-Seun (Dept. of Oral & Maxillofalcial Surgery, Konkuk University Medical Center)
김영균 (분당서울대학교병원 치과 구강악안면외과) ; 윤필영 (분당서울대학교병원 치과 구강악안면외과) ; 안민석 (분당서울대학교병원 치과 구강악안면외과) ;
김재승 (건국대학교병원 치과 구강악안면외과)

Published : 2009.09.30

PDF KSCI

Abstract

Objective : Trauma has been a controversial issue although it has been considered to be a major factor for the temporomandibular disorder(TMD). We evaluated the relationship between macrotrauma or microtrauma and TMD. Methods : This study was performed in patients with TMD undergoing treatment at SNUBH from October 2006 to January 2007. Sixty one male patients and 166 female patients(total 227) were included and the average age was 34 years(ranging from 14 to 85 years). We investigated the possible etiologic factors, diagnosis and treatment with the review of medical records and radiography. Chronic pain, depression, somatic score(including pain item), somatic score(excluding pain item) were evaluated on the basis of diagnostic index from the Research Diagnostic Criteria on TMD. Results : Eighteen patients(7.9%) out of 227 patients suffered from TMD as a result of macrotrauma. Ninety four(41.4%) patients had microtrauma and six patients(2.6%) had both macro- and microtrauma(etiologic factor). The main symptoms included pain, joint noise and mouth opening limitation while the other symptoms were headache and tinnitus. The patients had suffered from TMD for average 41 weeks (ranging from 1 to 480 weeks). 116 patients took splint as a major treatment. As a prognosis, 19 patients(8.4%) recovered completely. 26(11.0%) had improvement and 181(80%) had persistent symptoms. 1 patient(0.4%) underwent an arthroplasty. Diagnostic index from RDC chart showed that macrotrauma was the highest score(except depression score) among the other etiologic factors. Conclusion : This study showed that macro- and microtrauma can be considered to be the major etiologic factors of TMD, which also affect the chronic, depression and somatic discomfort.

Keywords

Macrotrauma; Microtrauma; TMD

편측성 측두하악관절장애 환자에서 골스캔을 이용한 교합안정장치 치료효과 예측
Prediction of Splint Therapy Efficacy Using Bone Scan in Patients with Unilateral Temporoman dibular Disorder

Nuclear Medicine and Molecular Imaging 2009년 43권 2호 p.143 ~ 149
이상미, 김영균, 윤필영, 이원우, 김상은,
➕ 소속 상세정보
KMID : 1148920090430020143

Abstract

Purpose: It is not known whether bone scan is useful for the prediction of the prognosis of patients with temporomandibular disorders (TMD). The aim of the present study was to identify useful prognostic markers on bone scan for the pre-therapeutic assessment of patients with unilateral TMD.

Materials and Methods: Between January 2005 and July 2007, 55 patients (M:F=9:46; mean age, 34.7±14.1 y) with unilateral TMD that underwent a pre-therapeutic bone scan were enrolled. Uptake of Tc-99m HDP in each temporomandibular joint (TMJ) was quantitated using a 13X13 pixel-square region-of-interest over TMJ and parietal skull area as background. TMJ uptake ratios and asymmetric indices were calculated. TMD patients were classified as improved or not improved and the bone scan findings associated with each group were investigated.

Results: Forty-six patients were improved, whereas 9 patients were not improved. There was no significant difference between the two groups of patients regarding the TMJ uptake ratio of the involved joint, the TMJ uptake ratio of the non-involved joint, and the asymmetric index (p>0.05). However, in a subgroup analysis, the patients with an increased uptake of Tc-99m HDP at the disease-involved TMJ, by visual assessment, could be easily identified by the asymmetric index; the patients that improved had a higher asymmetric index than the patients that did not improve (1.32±0.35 vs. 1.08±0.04, p=0.023),

Conclusion: The Tc-99m HDP bone scan may help predict the prognosis of patients with unilateral TMD after splint therapy when the TMD-involved joint reveals increased uptake by visual assessment.

키워드

Bone scan;temporomandibular joint;temporomandibular disorder

Journal of TMJ and Sports Dentistry

Vol 1 No 1, 2010

TMD RDC chart를 이용한
턱관절장애 환자 치료 후
주관적증상 변화에 대한 평가

The Evaluation of Subjective Symptoms of the Patients with TMD using TMD RDC chart after Treatment

Young Kyun Kim, DDS, PhD, Min Jung Kwon, DDS, PhD,
Dept. of Oral & Maxillofacial Surgery, Section of Dentistry,
Seoul National University Bundang Hospital

Abstract

OBJECIVE : The aim of this study was to evaluate subjective clinical assessment of on treatment progress in TMD patients improved considerably using TMD RDC chart.

METHODS : For 54 patients(male:female=10:40), the average age was 29.9 years old. Patients were classified into 3 groups based on clinical record, bone scan, radiographic record. : internal derangement, osteoarthritis, myofacial pain dysfunction syndrome.

RESULT: Mean treatment period was 10.2 months. We compared 5 indexes of initial RDC chart with final RDC chart. : chronic point, depression score, nonspecific physical symptoms included pain items, nonspecific physical symptoms excluded pain items, functional limitation concerned to mandible movement. For each index, 35.2%(n=19), 31.5%(n=17), 35.2%(n=19), 29.6%(n=16), 44.4%(n=24) of patients showed improvement, 48.1%(n=26), 48.1%(n=26), 42.6%(n=23), 51.9%(n=28), 22.2%(n=12) of each index had no change. In case of splint therapy only(n=38), improvement was observed in 34.2%(n=13), 31.6%(n=12), 39.5%(n=15), 31.6%(n=12), 52.6%(n=20) of each index. In case of splint therapy with hyaluronic acid injection(n=13), improvement was examined in 30.8% at every 5 indexes.

CONCLUSION : Symptoms of TMD patients can be improved considerably by counseling, medication, physical therapy, splint therapy, hyaluronic acid injection. However, subjective discomfort could be last after the symptom is subsided.

Keyword : TMD, RDC, subjective discomfort

Journal of TMJ and Sports Dentistry

Vol 1 No 2, 2010

스프린트를 이용한 턱관절장
애 환자의 치료 성적평가:
TMD RDC Axis II 분석

Evaluation of the Results of Splint Therapy in the Patients with Temporomandibular Disorder: TMD RDC Axis II Analysis

Young-Kyun Kim, D.D.S. PhD., Ji-Hun Park, D.D.S.
Department of Oral and Maxillofacial Surgery, Section of Dentistry
Seoul National University Bundang Hospital

Abstract

The objective of this study is to analyze and compare TMD RDC(research diagnostic criteria) charts recorded by patients with TMD at the beginning and the end of the splint treatment. TMD RDC chart Axis II recorded by patients who underwent splint therapy from March 2006 to June 2009 at Seoul National University Bundang Hospital was analyzed. TMD was subdivided into internal derangement, osteoarthritis and myofascial pain dysfunction syndrome. Fourty one patients(male 9, female 32) were treated by stabilization splint. There was significant difference in indexes correlated to pain such as characteristic pain intensity, non-specific physical symptoms(include pain). Indexes connected to depression also indicated decreases after splint therapy but didn't show statistically significant difference.

Keyword : depression, pain, splint, TMD RDC Axis II

> J Oral Maxillofac Surg. 2010 Dec;68(12):2975-9. doi: 10.1016/j.joms.2010.02.023. Epub 2010 Jul 24.

The effects of estrogen receptor α polymorphism on the prevalence of symptomatic temporomandibular disorders

Bum-Soo Kim [1], Young-Kyun Kim, Pil-Young Yun, Eunha Lee, Jihyun Bae

Affiliations + expand
PMID: 20656393   DOI: 10.1016/j.joms.2010.02.023

Abstract

Purpose: The aim of this study is to identify any association between variants of the polymorphic estrogen receptor gene and various symptoms of temporomandibular disorder (TMD) including pain in the temporomandibular joint and masticatory muscles, joint crepitus, limited range of jaw movement, and bone changes in the condylar head.

Patients and methods: Seventy-four patients with TMD were selected according to the Research Diagnostic Criteria for TMD for the study group. Sixty-four patients without TMD were selected as the control group. Genomic DNA was extracted from the epithelial layer of buccal mucosa. After amplification by polymerase chain reaction, direct haplotyping was undertaken to study the restriction fragment length polymorphism of PvuII and XbaI for the α estrogen receptor. Genomic prevalences in each of the symptom categories were analyzed by use of the χ(2) test.

Results: The haplotypes PX, Px, and px constituted 23.0%, 18.9%, and 58.1%, respectively, of the total α estrogen receptor alleles in the study group. The haplotype Px was found to be relatively more prevalent in subjects who had mouth opening limitation, and the haplotype PX was more prevalent in those patients with condylar head bone changes. However, neither of these observations carried statistical significance.

Conclusion: Although certain symptoms of TMD were found to have a relatively higher prevalence of one form or another of the estrogen receptor allele, no haplotype was confirmed to be a significant marker of TMD risk.

▶ 사단법인 대한턱관절협회 학회지 || 2011 2권 1호 : 1 ~ 10

외상성 턱관절장애 환자의 치료 및 스프린트 적용

김영균 //

분당서울대학교병원, 서울대학교 치의학전문대학원 치과 구강악안면외과

사단법인 대한턱관절협회 학회지 || 2011 2권 1호 : 1 ~ 10

Splint Application and Treatment of the Patients with Traumatic Temporomandibular Disorder

Young-Kyun Kim //

Department of Oral and Maxillofacial Surgery, Section of Dentistry, Seoul National University Bundang Hospital, School of Dentistry, Seoul National University

Macro- or microtrauma is a main etiologic factor of temporomandibular disorde(TMD)r. Acurate diagnosis and multidisciplinary therapy are very important for traumatic TMD. First conservative treatment such as counseling, medication, physical therapy and splint therapy should be performed. Stabilization splint is the first choice. If there were no response to conservative therapy, semisurgical treatment such as joint injection, arthrocentesis and arthroscopy should be considered.

Keyword : semisurgical treatment, stabilization splint, traumatic TMD

Journal of TMJ and Sports Dentistry

Vol 2 No 2, 2011

원인불명의 하악과두
흡수증의 임상증상

Clinical Signs and Symptoms of Idiopathic Condylar Resorption

Nam-Ki Lee[1], D.D.S, M.S.D., Young-Kyun Kim[2], D.D.S., PhD, Ji-Young Lee[2], D.D.S.

Department of Orthodontics, Department of Oral and Maxillofacial Surgery, Section of dentistry,
Seoul National University Bundang Hospital

Abstract

Objective: The idiopathic condylar resorption is known as the condition that mandibular condyle partially resorb with unknown origin. The aim of this study is to investigate the degree and aspects of symptoms of patients with idiopathic condylar resorption using clinical and radiographic examination and RDC/TMD axis II.

Material and Methods: The analysis was performed for patients who was diagnosed as idiopathic condylar resorption during period from june 2005 to September 2009 in dentistry of Seoul National University Bundang Hospital(Male 5, female 23). The average age was 19.3 years. The patients with traumatic history in TMJ or that with medical history as rheumatic disease were excluded. Retrospective analysis of dental chart, radiographic imaging, bone scan and RDC/TMD axis II was carried out.

Result and conclusion: As a result of bone scan, 89 % of patients showed abnormally increased uptake of isotope in both or one condyle. 35.8% of patients showed loss of condyle cortical outline in radiographic image and 25% patients showed shortening of ascending ramus. 57% of patients had mouth opening limitation history and 82% suffered from TMJ sound. 50% of patients revealed that they had headache. In analysis of depression and vegetative symptoms, 71.4% of patients was included in normal group and 10.7% in moderate group, 17.9% in severe group. According to nonspecific physical symptoms, normal group has large portion(pain included: 53.5%, pain excluded: 50%). In graded pain score, majority group of patients(86%) was included in lower disability.(grade 0,I,II)

Key words : Idiopathic condylar resorption, RDC/TMD

Journal of TMJ and Sports Dentistry

Vol 2 No 2, 2011

턱관절장애로 오진된
익돌하악간극 감염:
증례보고

Pterygomandibular space infection which mimicking temporomandibular disorders: A case report

Young-Kyun Kim, D.D.S, PhD,
Department of Oral and Maxillofacial Surgery, Section of Dentistry,
Seoul National University Bundang Hospital

Abstract

30-year-olad male patient suffering from trismus and pain without extraoral swelling was referred from private dentistry under the diagnosis of TMD which was developed after extraction of 3rd molar. At initial exam, parapharyngeal swelling, submandibular tenderness and 5-mm mouth opening were observed. CT showed narrowing of nasopharynx. I diagnosed pterygomandibular space infection and performed incision and drainage and antibiotic medication. His signs and symptoms were eliminated after 10 days. When we diagnose TMD after oral surgery, we must keep in mind the possibility of the inapparent presence of some unseen infection.

Key words : pterygomandibular space infection, TMD

CHAPTER 4

Journal of TMJ and Sports Dentistry

Vol 3 No 2, 2012

치과 임프란트와
턱관절장애의 연관성에
관한 후향적 임상연구

Retrospective study about the correlation with dental implant therapy and temporomandibular disorder

Ji-Young Yun, D.D.S.,MSD., Pil-Young Yun, D.D.S., PhD, Young-Kyun Kim, D.D.S. PhD.
Department of Oral and Maxillofacial Surgery, Section of Dentistry,
Seoul National University Bundang Hospital, Korea
School of Dentistry, Seoul National University

Abstract

Purpose: This study sought to evaluate the risk factors that cause temporomandibular disorder(TMD) after implant surgery.

Methods: This study targeted 46 patients who had newly complained of TMDs after implant therapy or had experienced TMDs even before the implant surgery at Seoul National University Bundang Hospital from April 2004 to January 2012.

Results: A total of 8 out of 9 patients classified under the asymptomatic "adaptive" group complained of TMDs after implant therapy. Evaluating radiographic images of condyles as a patient's factor is a simple way of defining the asymptomatic "adaptive" group, even though it is not enough to understand the group fully. In the case of implant factors, the complicated surgical steps are significantly related to the occurrence of post-operative TMDs. The pre-existing status of TMJ before dental treatments could be an important factor in determining the success of TMD treatments

Conclusions: Obviously, we should not overlook patients' pre-operative temporomandibular joint status before implant surgery. Through adequate evaluation of TMJ status, we can inform the patients of the possibility of TMD development.

Key words : implant, TMD

Comparative Study   > J Craniomaxillofac Surg. 2012 Dec;40(8):e337-41.

doi: 10.1016/j.jcms.2012.02.002. Epub 2012 Mar 16.

Analysis of the cytokine profiles of the synovial fluid in a normal temporomandibular joint: preliminary study

Young-Kyun Kim [1], Su-Gwan Kim, Bum-Soo Kim, Jeong-Yun Lee, Pil-Young Yun, Ji-Hyun Bae, Ji-Su Oh, Jong-Mo Ahn, Jae-Sung Kim, Sook-Young Lee

Affiliations + expand

PMID: 22425498   DOI: 10.1016/j.jcms.2012.02.002

Abstract

The purpose of this study was to compare the cytokine profiles of the synovial fluid from the temporomandibular joint (TMJ) spaces of normal individuals and temporomandibular disorder (TMD) patients. Thirty-four patients with planned orthognathic surgery did not present abnormalities of the TMJ on magnetic resonance images and radiographs and did not show the symptoms identified by the Research Diagnostic Criteria for TMD (RDC-TMD); as a result, they were assigned to the control group. Twenty-two patients who sought treatment for TMD during the same period were assigned to the TMD group. Synovial fluid was collected from superior TMJ spaces, and cytokine expression was analysed by an enzyme-linked immunosorbent assay (ELISA). Significant differences were tested using Fisher's exact test (p<0.05). Granulocyte Macrophage Colony stimulating Factor (GM-CSF), interferon (INF), interleukin (IL)-1β, IL-2, IL-6, IL-8, IL-10 and tumour necrosis factor (TNF)-α were detected in the TMD group, whereas no cytokines were detected in the control group. The most prevalent cytokines in the TMD group were IL-1β, IL-6 and GM-CSF. IL-4 and IL-5 were not detected in either the TMD group or in the control group. None of the cytokines that were detected in patients with TMD were found in the articular spaces of normal individuals.

TOUGH CASES

Comparative Study   > J Craniomaxillofac Surg. 2012 Jun;40(4):366-72.
doi: 10.1016/j.jcms.2011.05.018. Epub 2011 Jul 13.

Clinical survey of the patients with temporomandibular joint disorders, using Research Diagnostic Criteria (Axis II) for TMD: preliminary study

Young-Kyun Kim [1], Su-Gwan Kim, Jae-Hyung Im, Pil-Young Yun

Affiliations + expand

PMID: 21745749   DOI: 10.1016/j.jcms.2011.05.018

Abstract

Purpose: The purpose of this study was to investigate the nonspecific physical and psychological symptoms in patients who suffered from temporomandibular joint disorder (TMD) using the Research Diagnosis Criteria (Axis II) for TMD diagnosis (RDC/TMD).

Study design: A total of 317 patients were included (M: 75, F: 242). The signs and symptoms of physical, psychological and behavioral factors were evaluated using questionnaires in the RDC/TMD. The patients were examined through clinical and radiological method and diagnosed by the same investigator. Patients were divided into 3 different groups such as: the osteoarthritis group (group 1), the internal derangement (group 2) and the myofascial pain dysfunction syndrome group (MPDS, group 3).

Results: In the analysis of depression and vegetative symptoms, patients in the internal derangement group revealed a high ratio of 'normal'. In patients with MPDS, they appeared to suffer highly. According to nonspecific physical symptoms, there have been tendencies of a higher ratio of 'severe' patients with MPDS. In subjects aged 25 years or younger, the internal derangement group was the greatest, while the osteoarthritis group was the greatest for subjects over 40-years old. In the evaluation of depression and vegetative symptoms, the internal derangement group showed a relative normal value while the MPDS group showed a serious extent in comparison.

Conclusion: According to the result of this study, MPDS group showed more severe depressive and nonspecific physical symptoms than internal derangement group. When making TMD diagnosis and treatment, it is thought to be important to analyze psychometric properties and nonspecific physical symptoms.

▶ 사단법인 대한턱관절협회 학회지 || 2011 2권 2호 : 1 ~ 12

스포츠와 턱관절 손상

김영균 //

분당서울대학교병원 치과 구강악안면외과

사단법인 대한턱관절협회 학회지 || 2011 2권 2호 : 1 ~ 12

Sports and Temporomandibular Joint Injury

Young-Kyun Kim //

Department of Oral and Maxillofacial Surgery, Section of Dentistry, Seoul National University Bundang Hospital

Most sports can cause a variety of injuries around head, orofacial tissue and temporomandibular joint. Some injuries are vere severe according to the types of sports. However, most players and related persons such coach and team doctor are unconcerned with protective device such as mouth guard. Systematic education should be performed to all sports players and related persons about the prevention of severe sports-related injury and importance of protective devices.

Keyword : Key words : sports, injury, protective device

Journal of TMJ and Sports Dentistry

Vol 3 No 1, 2012

전신마취 하에서 시행한
턱관절 탈구 정복술:
증례보고

Manual Reduction of Temporomandibular Joint Dislocation under General Anesthesia: Case reports.

Young-Kyun Kim, D.D.S., PhD.
Department of Oral and Maxillofacial Surgery, Section of Dentistry
Seoul National University Bundang Hospital

Abstract

In chronic temporomandibular joint(TMJ) dislocated cases, manual reduction was performed successfully under general anesthesia. Hyaluronic acid was injected into the superior joint space and short-term intermaxillary fixation using wire was performed.

Key words : TMJ dislocated, manual reduction, general anesthesia

Journal of TMJ and Sports Dentistry

Vol 4 No 1, 2013

Bitestrip®을 이용한
구강악습관 평가

Evaluation of Oral Parafunction using Bitestrip®

Young-Kyun Kim, Sung-Beom Kim, Ki-Young Lee

Department of Oral and Maxillofacial Surgery, Section of Dentistry, Seoul national University Bundang Hospital

Abstract

Purpose. Parafunctional habit that makes muscles near temporomandibular joint move too much abnormally like sleep bruxism, clenching, can be major factor of temporomandibular disorder(TMD), injury of teeth, and failure of implants.

The objective of this study is to analyze the distribution of parafunctional habit during sleep of patients who visited clinic for TMD and implant installation and to look into the efficiency of Bitestrip as a screener of TMD by tracing the prognosis of the treatment of stabilization splint for treatment of TMD, using Bitestrip

Material and Method. Ninety four patients with TMD who took Bitestrip from September, 2010 to July, 2011 were the targets of this study. The average of age was 33.70±13.87 year(15 to 67). The patients complained several symptoms of TMD like pain in TMJ, limited opening of mandible and noise in jaws when they masticate food and they also had some parafunctional habits (eg. bruxism and clenching). The degree of parafunctional habit was investigated by evaluation the activity of masseter muscle during sleep before treatment. The patients who had symptoms of TMD, implant treatment, and orthodontic treatment history were classified by 4 grades. The prognosis of patients who were took the treatment of stabilization splint was evaluated by re-investigation using Bitestrip® at the end of the treatment.

Results. Among patients who complained symptoms of TMD, 66% showed severe grade. Among patients who had implant installation, 67% showed severe grade and among patients who had orthodontic treatment history, 92% showed severe grade. Among the patients who were took the treatment of stabilization splint, 44% improved more than 1 grade and 50% recorded same grade and 6% got worse more than 1 grade.

Conclusions: The patients who had TMD symptoms should be treated carefully when they have implant installation and orthodontic treatment. Bitestrip can be used as an available diagnostic tool for the evaluation of TMD treatment prognosis.

Keywords : TMD, Bitestrip, parafunctional habit, sleep bruxism, implant, orthodontic

CHAPTER 4

> J Korean Assoc Oral Maxillofac Surg. 2013 Oct;39(5):231-7. doi: 10.5125/jkaoms.2013.39.5.231.
Epub 2013 Oct 22.

Evaluation of Korean teenagers with temporomandibular joint disorders

Ji-Young Lee [1], Young-Kyun Kim [1], Su-Gwan Kim [2], Pil-Young Yun [1]

Affiliations + expand

PMID: 24471050   PMCID: PMC3858142   DOI: 10.5125/jkaoms.2013.39.5.231
Free PMC article

Abstract

Objectives: This study aims to evaluate the severity and pattern of symptoms exhibited by teenage Korean temporomandibular disorder (TMD) patients.

Materials and methods: Among patients with an association of TMDs, teenage patients (11-19 years) who answered the questionnaire on the research diagnostic criteria for TMD (RDC/TMD) were recruited.

Results: The ratio of patients who visited our clinic with a chief complaint of clicking sound (34.5%) or temporomandibular pain (36.6%) at the initial diagnosis (examination) was the highest. In the evaluation of the depression index, 75.8% of the subjects were normal, 12.9% were moderate, and 11.3% were severe. With regard to non-specific physical symptoms (including pain), 66.5% of the subjects were normal, 17.0% were moderate, and 16.5% were severe. Concerning non-specific physical symptoms (excluding pain), 70.6% of the subjects were normal, 14.4% were moderate, and 15.0% were severe. In terms of the graded chronic pain score, high disability (grade III, IV) was found in 9.3% of the subjects.

Conclusion: Among teenage TMD patients, a portion have clinical symptoms and experience severe psychological pressure; hence requiring attention and treatment, as well as understanding the psychological pressure and appropriate treatments for dysfunction.

Keywords: Teenager; Temporomandibular joint disorders.

Vol 4 No 2, 2013

습관적 턱관절 탈구의 외과적
치료 : 증례 보고

Surgical treatment of Temporomandibular joint habitual luxation : case report.

Surgical treatment of Temporomandibular joint habitual luxation : case report.

Jeong-Kui Ku, D.D.S., Young-Kyun Kim, D.D.S., PhD., Pil-Young Yun, D.D.S., PhD.,
Sung-Beom Kim, D.D.S
Department of Oral and Maxillofacial Surgery, Section of Dentistry
Seoul National University Bundang Hospital

Abstract

In 2-cases of temporomandibular joint(TMJ) habitual luxation, open temporomandibular joint surgery was perfomed successfully under general anesthesia. Eminectomy and meniscoplasty were performed and successful results were obtained.

Keywords : Eminectomy, meniscoplasty, TMJ habitual luxation, TMJ open surgery.

> J Craniomaxillofac Surg. 2013 Jul;41(5):e83-6. doi: 10.1016/j.jcms.2012.11.015. Epub 2013 Jan 18.

Temporomandibular joint and psychosocial evaluation of patients after orthognathic surgery: a preliminary study

Young-Kyun Kim [1], Su-Gwan Kim, Jong-Hwa Kim, Pil-Young Yun, Ji-Su Oh

Affiliations + expand

PMID: 23333493   DOI: 10.1016/j.jcms.2012.11.015

Abstract

Purpose: The purpose of this study was to evaluate the psychological and psychosocial status of patients prior to and after orthognathic surgery.

Materials and methods: Twenty-two patients (13 males and 9 females) who underwent orthognathic surgery were examined in this study. The bilateral sagittal split ramus osteotomy (BSSRO) group included 10 patients, and the Le Fort I osteotomy and BSSRO group included 12 patients. We continued RDC/TMD Axis II research for 12 patients who had preoperative temporomandibular joint disorder (TMD). The RDC/TMD Axis II charts were recorded preoperatively and 6 months after surgery. The Wilcoxon signed rank test was used for statistical analysis.

Results: Overall, there was no significant difference between the preoperative and 6-month postoperative depression indices. The non-specific physical symptoms score (NPS) with pain score decreased significantly (p < 0.05), but the NPS without pain score decreased insignificantly. In terms of the graded pain score for the preoperative group, 75.0% of the patients were in the low disability group, whereas 25.0% were in the high disability group. In contrast, patients in the postoperative group only fell into the low disability group (p < 0.05).

Conclusion: The RDC/TMD Axis II was developed to diagnose TMD, but we believe the RDC/TMD Axis II can help to establish postoperative treatment plans by evaluating a patient's psychological and psychosocial state.

Journal of TMJ and Sports Dentistry

Vol 5 No 1, 2014

이명과 턱관절 장애

Tinnitus and Temporomandibular Disorder

Tinnitus and Temporomandibular Disorder

Young-Kyun Kim

Department of Oral and Maxillofacial Surgery, Section of Dentistry, Seoul National University Bundang Hospital

Abstract

There were few literatures about the relationship between tinnitus and temporomandibular disorder(TMD)s. Some authors suggested the relationship between TMD and ear symptoms. If tinnitus were developed simultaneously with TMD signs and symptoms, tinnitus can be improved by TMD therapy. Dentists do not treat the tinnitus. However, if tinnitus is associated with TMD, cooperative management between dentists and otolaryngosists can be effective for the treatment of tinnitus.

Key words: tinnitus, temporomandibular disorder

Journal of TMJ and Sports Dentistry

Vol 5 No 2, 2014

TMD/RDC Axis II를 이용한
관절강 주사요법, 턱관절내시경 및
관혈적 턱관절 수술을 시행 받은
턱관절장애 환자들의 임상평가

Clinical evaluation of the patients with temporomandibular disorder which were performed by joint injection, arthroscopy and open joint surgery using TMD/RDC Axis II

Moon-Jung Jang, D.D.S., Jeong-Kui Ku, D.D.S., Young-Kyun Kim, D.D.S., PhD
Department of Oral and Maxillofacial Surgery, Section of dentistry,
Seoul National University Bundang Hospital

Abstract

Purpose: The aim of the study was to evaluate effect of joint injection, arthroscopy and open joint surgery for the treatment of temporomandibular disorder (TMD) using temporomandibular disorder/research diagnostic criteria (TMD/RDC) axis II.

Materials and methods: Subjects were the 31 patients who suffered TMD. Patients were classified into 3 group based on treatment: joint injection (dexamethasone, hyaluronic acid), arthroscopy, open joint surgery. The average age was 37.4±18.3 years. Patients were asked to fill out questionnaires in RDC/TMD before treatment and after end of treatment. The depression and vegetative symptoms, nonspecific physical symptoms (pain item included, pain item excluded), graded pain score, characteristic pain intensity were analyzed. Wilcoxon signed rank test was used for statistical analysis.

Results: In comparison between pre and post operative result, 18% in depression index, 18% in nonspecific physical symptoms, 41% graded pain score was improved after joint injection. 33% in depression index, 22% in nonspecific physical symptoms, 44% graded pain score was improved after arthroscopy. 60% in depression index, 60% in nonspecific physical symptoms, 60% graded pain score was improved after open joint surgery. The depression index of open joint surgery was lower than pre-operative and there is significant difference (P<0.05). There was no significant difference in other items.

Conclusion: TMD patients who did not respond simple treatment like joint injection or arthroscopy can be improved after open joint surgery. In the case of open joint surgery, TMD/RDC index score was more improved and significant decrease of depression index was observed.

Keywords : temporomandibular disorder, research diagnostic criteria

Journal of TMJ and Sports Dentistry

Vol 5 No 1, 2014

턱관절강직증으로 인한
개구제한 환자의
임플란트 치료: 증례 보고

Implant Therapy of the TMJ Ankylosis Patient with Mouth Opening Limitation : A Case report

Sang-Hoon Lee, D.D.S. Young-Kyun Kim, D.D.S., PhD.

Dept. of Oral and Maxillofacial Surgery, Section of Dentistry,
Seoul National University Bundang Hospital, Seongnam, Korea

Abstract

Temporomandibular joint (TMJ) ankylosis can cause inability to open mouth, facial asymmetry, and difficulties to perform the dental treatment such as implant therapy.

In this case report, mouth opening limitation and severe alveolar bone atrophy of anterior part due to post-traumatic true TMJ ankylosis was succesfully treated with TMJ arthroplasty and adequate supportive therapy followed by aveolar bone graft and implant placement.

Keywords : TMJ Ankylosis, implant, mouth open restriction

EDITORIAL

http://dx.doi.org/10.5125/jkaoms.2014.40.1.1
pISSN 2234-7550 · eISSN 2234-5930

Type of intractable temporomandibular disorder and treatment protocols

Young-Kyun Kim, D.D.S., Ph.D.
Editor-in-Chief of JKAOMS

Department of Oral and Maxillofacial Surgery, Section of Dentistry, Seoul National University Bundang Hospital, Seongnam, Korea

KCI후보

원저 : 턱얼굴 외상이 턱관절에 미치는 영향 평가: 임상 및 핵의학적 평가

Original Articles : Evaluation of effects of maxillofacial trauma to temporomandibular joint: Clinical and scintigraphic test

김성범 (Sung Beom Kim) , 윤필영 (Pil Young Yun) , 김영균 (Young Kyun Kim)

• 발행기관 : 조선대학교 치의학연구원(구 조선대학교 구강생물학연구소)
• 간행물 : Oral Biology Research (OBR) 39권2호
• 간행물구분 : 연속간행물
• 발행년월 : 2015년 09월
• 페이지 : 105-109(5pages)

기관 미인증

〉 Radiology. 2016 Sep;280(3):890-6. doi: 10.1148/radiol.2016152294. Epub 2016 Mar 31.

Maximum Standardized Uptake Value of (99m)Tc Hydroxymethylene Diphosphonate SPECT/CT for the Evaluation of Temporomandibular Joint Disorder

Min Seok Suh [1], Won Woo Lee [1], Young-Kyun Kim [1], Pil-Young Yun [1], Sang Eun Kim [1]

Affiliations + expand
PMID: 27035060   DOI: 10.1148/radiol.2016152294

Abstract

Purpose To evaluate the diagnostic accuracy of the quantitative parameter standardized uptake value (SUV) at single photon emission computed tomography (SPECT)/computed tomography (CT) for the evaluation of temporomandibular joint (TMJ) disorder (TMD). Materials and Methods This study was approved by the institutional review board, and the need for informed consent was waived. Forty-four TMJs in 22 patients with TMD (five men and 17 women; mean age ± standard deviation, 30.0 years ± 12.1) were evaluated. The patients underwent planar bone scintigraphy and SPECT/CT 3-4 hours after injection of technetium 99m hydroxymethylene diphosphonate. The planar scintigraphy parameter of relative ratio (RR) and SPECT/CT parameters mean SUV (SUVmean) and maximum SUV (SUVmax) were compared for the visual assessment of TMD on planar scintigraphy images and for the presence of TMJ arthralgia. Group comparisons, receiver operating characteristic analysis, and Pearson correlation analysis were conducted. Results SUVmax gradually increased from normal (2.82 ± 0.73) to mild or moderately abnormal (3.56 ± 0.76, P < .05) and then to severely abnormal (4.86 ± 1.25, P < .05). However, RR and SUVmean did not vary significantly according to visual grade (P > .05). On the other hand, SUVmax was significantly greater in arthralgic TMJs (4.15 ± 1.11) than in nonarthralgic TMJs (2.97 ± 0.75, P < .001), as was SUVmean (1.63 ± 0.42 vs 1.30 ± 0.31, respectively; P = .005). However, there was no significant difference in RR (3.61 ± 0.57 vs 3.76 ± 0.68, P = .45). In receiver operating characteristic curve analyses for arthralgic TMJ, SUVmax had the greatest area under the curve (area of 0.815). Conclusion SUVmax derived from bone SPECT/CT may be useful for the evaluation of TMD. (©) RSNA, 2016 Online supplemental material is available for this article.

Kim et al. Maxillofacial Plastic and Reconstructive Surgery (2016) 38:5
DOI 10.1186/s40902-016-0051-7

Maxillofacial Plastic and Reconstructive Surgery
a SpringerOpen Journal

RESEARCH   **Open Access**

A clinical evaluation of botulinum toxin-A injections in the temporomandibular disorder treatment

Hyun-Suk Kim[1], Pil-Young Yun[1] and Young-Kyun Kim[1,2*]

Abstract

Background: This study clinically evaluated the effect of botulinum toxin type A (BTX-A) in the temporomandibular disorder (TMD) treatment using Research Diagnostic Criteria for Temporomandibular Disorders (RDC/TMD).

Methods: A total of 21 TMD patients were recruited to be treated with BTX-A injections on the bilateral masseter and temporalis muscles and were followed up by an oral and maxillofacial surgeon highly experienced in the TMD treatment. For each patient, diagnostic data gathering were conducted according to the RDC/TMD. Characteristic pain intensity, disability points, chronic pain grade, depression index, and grade of nonspecific physical symptoms were evaluated. Wilcoxon signed-rank test was applied for statistical analysis.

Results: The results showed that more than half of the participants (85.7 %) had parafunctional oral habits such as bruxism or clenching. In comparison between pre- and post-treatment results, graded pain score, characteristic pain intensity, disability points, chronic pain grade, and grade of nonspecific physical symptoms showed statistically significant differences after the BTX-A injection therapy (p < 0.05). Most patients experienced collective decrease in clinical manifestations of TMD including pain relief and improved masticatory functions after the treatment.

Conclusions: Within the limitation of our study, BTX-A injections in masticatory musculatures of TMD patients could be considered as a useful option for controlling complex TMD and helping its associated symptoms.

Keywords: Botulinum toxin type A, Temporomandibular disorder, Research diagnostic criteria for temporomandibular disorder

> Clin Radiol. 2018 Apr;73(4):414.e7-414.e13. doi: 10.1016/j.crad.2017.11.008. Epub 2017 Dec 6.

18 F-NaF PET/CT for the evaluation of temporomandibular joint disorder

M S Suh [1], S H Park [1], Y-K Kim [2], P-Y Yun [3], W W Lee [4]

Affiliations + expand
PMID: 29223613   DOI: 10.1016/j.crad.2017.11.008

Abstract

Aim: To investigate the usefulness of a quantitative parameter (maximum standardised uptake value [SUVmax]) of ^{18}F-sodium fluoride (NaF) positron-emission tomography (PET)/computed tomography (CT) for the evaluation of temporomandibular joint (TMJ) disorder (TMD).

Materials and methods: Seventy-six TMD patients (male: female=14:62, age=40.3±17.1 years, bilateral: unilateral=40:36) with 152 TMJs were enrolled. The ^{18}F-NaF PET/CT parameter (SUVmax) was compared with the presence of TMJ arthralgia (arthralgic=86, non-arthralgic=66) and clinical subtypes based on the Research Diagnostic Criteria for TMD Axis I (TMD osteoarthritis=49, non-TMD osteoarthritis=67, and asymptomatic TMJ=36). Splint therapy was applied to 48 patients for 6 months without considering ^{18}F-NaF PET/CT findings. Post-splint therapy ^{18}F-NaF PET/CT was performed in 32 patients and clinical responses to the therapy were classified into improvement (n=33), no change (n=10), or aggravation (n=7) for 50 TMJs excluding asymptomatic TMJs (n=14).

Results: SUVmax was significantly greater in arthralgic TMJs than in non-arthralgic TMJs (6.62±3.56 versus 4.32±1.53, p<0.0001). SUVmax was also significantly greater in TMD osteoarthritis (6.75±3.85) than in non-TMD osteoarthritis (5.21±2.70) and asymptomatic TMJs (4.86±1.99; p=0.0386). After splint therapy, SUVmax was significantly increased in aggravated TMJs (from 7.80±3.72 to 11.00±5.74, p=0.0156), whereas no significant change in SUVmax was observed in improved (from 6.16±2.68 to 6.09±2.60, p=0.4915) and unchanged (from 6.46±4.19 to 6.77±4.32, p=0.3223) TMJs.

Conclusions: ^{18}F-NaF PET/CT is a useful imaging tool for TMD evaluation because SUVmax showed a fair diagnostic performance for arthralgic TMJ and TMD osteoarthritis, and a correlation with the therapeutic response.

INVITED REVIEW ARTICLE

https://doi.org/10.5125/jkaoms.2017.43.6.363
pISSN 2234-7550 · eISSN 2234-5930

Association between headache and temporomandibular disorder

Amira Mokhtar Abouelhuda, Hyun-Seok Kim, Sang-Yun Kim, Young-Kyun Kim

Department of Oral and Maxillofacial Surgery, Section of Dentistry, Seoul National University Bundang Hospital, Seongnam, Korea

Abstract (J Korean Assoc Oral Maxillofac Surg 2017;43:363-367)

Headaches are one of the most common conditions associated with temporomandibular disorder (TMD). In the present paper, we evaluated the relationship between headache and TMD, determined whether headache influences the symptoms of TMD, and reported two cases of TMD accompanied by headache. Our practical experience and a review of the literature suggested that headache increases the frequency and intensity of pain parameters, thus complicating dysfunctional diseases in both diagnostic and treatment phases. Therefore, early and multidisciplinary treatment of TMD is necessary to avoid the overlap of painful events that could result in pain chronicity.

Key words: Headache, Temporomandibular joint disorders

[paper submitted 2017. 8. 1 / accepted 2017. 8. 6]

CASE REPORT

J Korean Dent Sci. 2018;11(1):21-31
https://doi.org/10.5856/JKDS.2018.11.1.21
ISSN 2005-4742

Temporomandibular Joint Disorder and Occlusal Changes: Case Reports

Young-Kyun Kim[1,2]

[1]Department of Oral and Maxillofacial Surgery, Section of Dentistry, Seoul National University Bundang Hospital, Seongnam, [2]Department of Dentistry and Dental Research Institute, School of Dentistry, Seoul National University, Seoul, Korea

Occlusion may change spontaneously but dental treatment or trauma in the patients with temporomandibular disorders (TMDs) may also alter occlusion. This report presents three cases displaying occlusal changes. Review of literature emphasizes the significance of TMD treatment. Conservative treatment modalities such as counseling, medication, physical therapy and splint therapy may be selected as initial treatment options. Irreversible or invasive treatment, such as orthodontic, prosthodontic, and occlusal adjustment should not be attempted early. In case there is no response to conservative treatment, joint injection, muscle injection, arthrocentesis or arthroscopic surgery might be performed.

Key Words: Occlusal change; Temporomandibular disorder; Temporomandibular joint disorders

ORAL
BIOLOGY
RESEARCH

Oral Biol Res 2018;42(3):140-146
https://doi.org/10.21851/obr.42.03.201809.140

Original Article

Clinical study of the patients with intractable temporomandibular disorders intervened with psychologic problems

Dong-Woo Kang[1], Young-Kyun Kim[1,2]*

[1]Department of Oral and Maxillofacial Surgery, Section of Dentistry, Seoul National University Bundang Hospital, Seongnam, Korea
[2]Department of Dentistry and Dental Research Institute, School of Dentistry, Seoul National University, Seoul, Korea

This study was carried out to evaluate the clinical treatment and prognosis of patients with the refractory temporomandibular disorder (TMD) with mental problems. The study included 27 patients with the TMD with mental problems from the Seoul National University Bundang Hospital, South Korea, between June 2003 and December 2016 (8 males, 19 females, mean age 40.9 years). Diagnosis of TMD disorder was made based on history, clinical examination, RDC/TMD chart, and radiologic examination (panorama, T-M panorama, CT, scintigraphy, MRI). RDC/TMD Axis II was used to discriminate between the presence and absence of a mental problem. The age, sex, chief complaint, diagnosis, treatment method, duration and prognosis of the patients were analyzed and the progress of treatment was analyzed using RDC/TMD Axis II. The number of female patients was higher than that of male patients (19 females, 8 males) and the majorities (51.9%) of them were middle-aged patients (over 40 years). Treatment methods selectively included taking medications such as analgesics and antidepressants, splint devices, physical therapy, TMJ injection, botulinum injection, trigger point anesthesia injection, arthrocentesis, and arthroscopy. Co-treatment was done in departments of neuropsychiatry, rehabilitation medicine, neurology, and anesthesiology, if necessary. The mean duration of treatment was 38.8 months. Improvement in prognosis was observed in 17 cases, no difference was noted in 7 cases and the worse prognosis was observed in 3 cases. When active psychosocial support and psychiatric treatment in addition to TMJ treatment were performed, patients with refractory TMJ disorders and mental problems exhibited favorable prognosis.

Key Words: Temporomandibular disorder, Research diagnostic criteria for temporomandibular disorders, Psychotic disorders

INVITED REVIEW ARTICLE

https://doi.org/10.5125/jkaoms.2018.44.2.43
pISSN 2234-7550 · eISSN 2234-5930

Non-invasive different modalities of treatment for temporomandibular disorders: review of literature

Amira Mokhtar Abouelhuda[1,2], Ahmad Khalifa khalifa[2], Young-Kyun Kim[1], Salah Abdelftah Hegazy[2]
[1]Department of Oral and Maxillofacial Surgery, Section of Dentistry, Seoul National University Bundang Hospital, Seongnam, Korea,
[2]Department of Prosthodontics, Mansoura University Hospital, College of Dentistry, Mansoura University, Mansoura, Egypt

Abstract (J Korean Assoc Oral Maxillofac Surg 2018;44:43-51)

Temporomandibular disorders (TMDs) are diseases that affect the temporomandibular joint and supporting structures. The goal of treatment for TMDs is elimination or reduction of pain and return to normal temporomandibular joint function. Initial treatment for TMDs is non-invasive and conservative, not surgical. Oral and maxillofacial surgeons should fully understand and actively care about non-invasive treatments for TMDs. The purpose of this study is to review the validity and outcomes of non-invasive and surgical treatment modalities for TMDs.

Key words: Temporomandibular disorders, Therapeutics

[paper submitted 2018. 2. 7 / revised 2018. 2. 8 / accepted 2018. 2. 8]

Journal of Korean TMJ
Vol. 9 No. 1, 2018

구강장치를 이용한 비정상적
하악 운동을 가진 환자의
구강연조직 손상 방지 증례보고

구강장치를 이용한 비정상적 하악 운동을 가진 환자의 구강연조직 손상 방지: 증례보고

유한창[1], 윤필영[1], 김영균[1,2]
[1]분당서울대학교병원 치과 구강악안면외과
[2]서울대학교 치의학대학원 치의학연구소

교신저자 : 김 영 균

경기도 성남시 분당구 구미로 173번길
분당서울대학교병원 치과 구강악안면외과

*Corresponding Author : Young-Kyun Kim, DDS, PhD
Professor, Department of Oral and Maxillofacial Surgery, Section of Dentistry, Seoul National University Bundang Hospital,
82 Gumi-ro 173beon-gil, Bundang-gu, Seongnam 13620, Korea
Tel: +82-31-787-7541
Fax: +82-31-787-4068
E-mail: kyk0505@snubh.org

Journal of Korean ()

Vol. 9 No. 1, 2018

구강장치를 이용한 비정상적
하악 운동을 가진 환자의
구강연조직 손상 방지 증례보고

Prevention of oral soft tissue injury using oral appliances in the patients with abnormal jaw movement: case reports

Han-Chang Yu, DDS,[1] Pil-Young Yun, DDS,[1] Young-Kyun Kim, DDS, PhD[1,2]
[1]Department of Oral and Maxillofacial Surgery, Section of Dentistry,
Seoul National University Bundang Hospital, Seongnam, Korea
[2]Department of Dentistry & Dental Research Institute, School of Dentistry,
Seoul National University, Seoul, Korea

Abstract

Neuromuscular system diseases such as Parkinson's disease and Lou Gehrig's disease cause abnormal muscle movement and making mouth opening and closing difficult. As a result, persistent damage to oral soft tissues such as the tongue and buccal mucosa may occur, and in order to prevent serious damage and secondary infection, there are some cases that all remaining teeth were extracted. However, if there are too much residual teeth or implant present, the treatment itself is very invasive and secondary problems may arise due to surgery. Although an oral appliance may be considered as a way to prevent soft tissue damage, dental impression taking may be difficult due to mouth opening limitation or excessive gag reflex. The authors introduce two cases with a review of the literature. It is a case that a device was manufactured by taking an impression under general anesthesia, and a patient who made an oral appliance after making a dental model using an intraoral scanner for a patient who was not able to perform general anesthesia.

Keywords : Oral appliance, Neuromuscular system disease.

CHAPTER 4

Journal ()

> J Craniofac Surg. 2021 Mar 5. doi: 10.1097/SCS.0000000000007578. Online ahead of print.

Analysis of Sagittal Position Changes of the Condyle After Mandibular Setback Surgery Across the Four Different Types of Plating Systems

Jeong-Kui Ku [1], Sun-Kyu Choi, Jung-Gon Lee, Han-Chang Yu, Sang-Yun Kim, Young-Kyun Kim, Yonsoo Shin, Nam-Ki Lee

Affiliations + expand
PMID: 33710053   DOI: 10.1097/SCS.0000000000007578

Abstract

The authors analyzed the three-dimensional postoperative condylar position change across the plating systems. This retrospective study was conducted with the patients who underwent bilateral sagittal split ramus osteotomy with setback surgery. The condylar change was analyzed from preoperative cone-beam computed tomography to postoperative 1 month (T1) and postoperative 6 months (T2) using superimposition software, automatically merging based on the anterior cranial base. The condylar changes during T1 and T2 were analyzed across the four types of plates (4-hole sliding, heart-shaped, 3-hole sliding, and 4-hole conventional) Mean intraclass correlation coefficient values were consistently high for each measurement (>0.850). During T1, the conventional plate had a decreased condylar anterior distance when compared with the 3-hole sliding plate (P = 0.032). During T2, the conventional plate had an increased condylar posterior distance when compared with the 3-hole sliding plate (P = 0.031). Superimposition software based on the anterior cranial base could be available for measurement of condylar position with highly reproducible results. After bilateral sagittal split ramus osteotomy, the 3-hole sliding plate could effectively compensate for the anterior displacement of the condyle compared to other plates.

Lee et al. BMC Oral Health   (2021) 21:182
https://doi.org/10.1186/s12903-021-01550-y

BMC Oral Health

RESEARCH ARTICLE

Open Access

Associations between mandibular torus and types of temporomandibular disorders, and the clinical usefulness of temporary splint for checking bruxism

Hee-Min Lee[1], Dong-Woo Kang[1], Pil-Young Yun[1], Il-hyung Kim[1,2*] and Young-Kyun Kim[1,3*]

Abstract

Background: Occlusal stress from oral parafunctional habits is one of the causes of temporomandibular disorders (TMD) and mandibular torus (MT). Although some studies have investigated the correlation between TMD and MT, understanding of the relationships between types of TMD and MT is insufficient. Therefore, we conducted this study to investigate the associations between presence of MT and TMD types.

Methods: This study included 77 patients diagnosed with TMD who first visited our clinic for TMD between March 2019 and July 2020. Among them, 30 (38.9%) had MT, and 54 (70.1%) had oral parafunction. Parafunctional activity during sleep was confirmed using a temporary splint for checking bruxism (TSCB).

Results: The relationship between prevalence of MT and oral parafunction in TMD patients was not statistically significant ($P = 0.131$), but the odds ratio was relatively high at 2.267. An analysis of TMD type revealed that Type I, which is classified as myalgia of the masticatory muscles, and MT had a significant association ($P = 0.011$). We fabricated a TSCB for 27 patients to wear during sleep and confirmed that 23 (85.2%) had nocturnal bruxism. The TSCB results and presence of MT showed a significant relationship ($P = 0.047$).

Conclusion: Through the results of this study, clinicians may consider the hyperactivity of masticatory muscles in the presence of MT when treating TMD patients. In addition, TSCB has a great diagnostic value as it can be easily manufactured and be useful for discovering pre-existing oral parafunctions that patients are not aware of.

Keywords: Mandibular torus, Temporomandibular disorders, Oral parafunctional habits, Bruxism, Clenching, Splint, Temporary splint for checking bruxism

CHAPTER 4

참고문헌

- 강동완, 부수봉, 강재석. 알기쉬운 TMD의 모든 것. 대한치과의사협회지 2004;42:524–531.
- 강동우, 김영균. 턱관절장애로 인한 청각장애의 치료: 증례보고. 대한치과의사협회지 2019;57:204–212.
- 고명연, 조수현, 안용우. 측두하악장애 환자의 관절음에 대한 보존적 처치의 예후. 대한구강내과학회지 2003;28:91–110.
- 구명희 기자. 20대 여성 '턱관절장애' 유병률 최다. 덴탈아리랑 2021년 3월 22일 제440호.
- 구윤성. 파노라마 및 경두개 방사선 사진과 CBCT 사진에서의 하악 과두 골변화 비교 연구. 대한턱관절협회 대한스포츠치의학회지 2010;1:17–28.
- 구정귀, 김영균, 윤필영, 김성범. 습관적 턱관절 탈구의 외과적 치료: 증례보고. Journal of TMJ and Sports Dentistry 2013;4:1–13.
- 국방부령. 제 757호 징병신체검사 등 검사규칙. 2012:102.
- 김명희, 남동석. 한국인 부정교합자의 측두하악장애(TMD) 유병율과 그 기여요인에 관한 연구. 대한치과교정학회지 1997;27(4):523–538.
- 김법수, 허원실, 정훈. 악관절의 Closed Lock 증례에 대한 Lavage 및 Manipulation법의 치료 성적. 대한구강악안면외과학회지 1997;23:134–144.
- 김병수, 안용우, 고명연, 박준상. 골관절염을 가진 측두하악장애 환자의 치료 전, 후 골스캔과 SPECT의 평가. 대한안면통증구강내과학회지 2005;30:57–67.
- 김영균. 이명과 턱관절장애. Journal of TMJ and Sports Dentistry 2014;5:29–34.
- 김영균. 전신마취하에서 시행한 턱관절 탈구 정복술: 증례보고. Journal of TMJ and Sports Dentistry 2012;3:1–8.
- 김영균. 턱관절장애 환자의 상관절강에서 채취한 활막에 관한 조직학적 연구. 사단법인 대한턱관절협회지 2007;3:78–85.
- 김영균, 김수관, 윤필영, 이남기. 턱관절장애와 수술교정. 대한나래출판사 2018.
- 김영균, 김일형. 치과진료 후 발생하는 골치 아픈 증례들. Tough cases: vol 2. 구강안면통증. 군자출판사. 2021.
- 김영균, 김현태, 김인수. 악관절 질환 환자에 대한 초기 치료의 효과: 상담 및 투약. 대한치과의사협회지 2000;38:549–557.
- 김영균, 윤지영, 윤필영. 치과 임프란트와 턱관절장애의 연관성에 관한 후향적 임상연구. Journal of TMJ and Sports Dentistry 2012;3:39–48.
- 김영균, 윤필영. 임프란트 치료와 연관된 턱관절장애의 치료: 증례연구. 사단법인대한턱관절협회지 2008;4:1–14.
- 김영균, 이용인. 치과치료와 턱관절장애의 연관성에 관한 연구. 대한치과의사협회지 2008;46:308–314.
- 김종원, 여환호. 악관절외상의 진단과 치료. 나래출판사. 1996:62–65.
- 김철훈. 측두 하악 장애의 진단과 치료. 대한치과의사협회지 2012;50:244–255.
- 김태우. Transcranial radiography, tomogram과 MRI를 이용한 측두하악장애 환자의 평가. 대한치과의사협회지 2004;42:84–89.
- 남상건. 통증완화 스테로이드 주사, 6–8주 간격으로 맞으면 괜찮다. https://www.hankookilbo.com/News/Read/202005281129020780.2020–07.02.
- 대한치과의사협회 회원고충처리위원회. 2011 회원고충처리백서 2011:204–207.
- 대한치과의사협회 회원고충위. https://www.kda.or.kr/kdaDental/opening119/result/result05/board_read.kda?board_key=32569&cate_id=05. https://www.kda.or.kr/kdaDental/opening119/result/result05/board_read.kda?board_key=32568&cate_id=05. 2015.
- 박용희, 이상화, 윤현중. 측두하악장애 환자에서 악관절 세정술과 교합 안정 장치를 동반한 치료의 효과. 대한악안면성형재건외과학회지 2010;32:32–36.
- 사단법인 대한턱관절협회 편역: 턱관절증. 나래출판사, 2004, p8
- 서봉직. 스트레스와 구강안면동통. 대한치과의사협회지 1998;36:751–754.
- 안형준. 치과진료 중 발생한 측두하악장애에 대한 관절 가동술 및 운동요법. 대한치과의사협회지 2006;44:719–727.
- 유상일, 김준영, 변수환, 등. 비정복성 관절원판 변위증의 치료에 있어 턱관절 세정술의 효과와 예후인자에 대한 연구. 대한턱관절협회지 2008;4:67–76.
- 이기철. 치주치료시기에 발생한 두통과 턱관절장애 증상의 치료증례. 사단법인 대한턱관절협회지. 2007; 3:134–145.
- 이기철. 보철치료시기에 발생한 턱관절장애 증상의 치료. 대한턱관절협회지 2008;4:43–52.
- 이동주, 김기석. 구강내과 내원환자에 관한 역학조사–충남지역에 대한– 대한구강내과학회지 2006;31:101–111.
- 이상미, 이원우, 윤필영, 등. 편측성 측두하악관절장애 환자에서 bone scan을 이용한 교합안정장치 치료효과 예측. 핵의학 분자영상 2009;43:143–149.
- 이상화. 턱관절협회 임상강좌. 각종 치과 치료와 연관된 턱관절장애의 치료. 악관절을 포함하는 두개저 골수염. 치의신보 2008.2.18. 제1617호:50–51.
- 이혜진, 박준상, 고명연. 측두하악장애 환자의 보존적 치료결과의 예측에 관한 연구. 대한구강내과학회지 2001;26:133–146.

- 전성현, 이수희, 남궁혁 등. 턱관절 치료에 사용되는 약물. Journal of TMJ and Sports Dentistry 2012;3:49–64.
- 전양현. 가장 기본적이고 효율적인 물리치료. 대한치과의사협회지 2004;42:758–764.
- 조상훈. 치과 개원의를 위한 턱관절장애. TMD의 A B C. 대한나래출판사. 2017.
- 조상훈. 턱관절장애 임상검사 – TMJ Chart B. 월간 치과계 2020년 12월호: 100–112.
- 최병갑. Occlusal splint를 이용한 TMD의 해결. 대한치과의사협회지 2004;42:539–545.
- 최재갑. 측두하악관절장애 치료의 새개념. 대한치과의사협회지 2000;38(5):410–414.
- 최희수. 치과보험 경영지침서. 도서출판웰 2017.
- 추미란 옮김. 환자 주도 치유 전략. 현대의학, 다시 치유력을 말하다. 동녘라이프 2019; 63–67.
- 한경수, 이정현, 임현대. 두통 및 경부통의 빈도, 근압통, 수면의 질과 심리적 상태간의 관련성에 대한 연구. 대한구강내과학회지 2002;27:475–485.
- 한국의료분쟁조정중재원. https://www.k-medi.or.kr/lay1/program/S1T118C291/dispute/view.do?seq=263
- 한국의료분쟁조정중재원. https://www.k-medi.or.kr/lay1/program/S1T118C291/dispute/view.do?seq=287
- 허규형. Somatic symptom disorder: 신체증상장애의 이해와 접근. The 61st Congress of Korean Association of Oral & Maxillofacial Surgeons. 2020.8.27–9.4.
- 허윤경, 정재광, 최재갑. 구강작열감질환에 관한 고찰 및 의료분쟁 증례보고. 대한치과의사협회지 2010;48:688–693.
- Abboud WA, Hassin-Baer S, Joachim M, et al. Localized myofascial pain responds better than referring myofascial pain to botulinum toxin injections. Int J Oral Maxillofac Surg 2017;46:1417–1423.
- Aboalnaga AA, Amer NM, Elnahas MO, et al. Malocclusion and temporomandibular disorders: Verification of the Controversy. J Oral Facial Pain Headache. 2019;33:440–450.
- Abubaker AO. TMJ Arthritis. In: Laskin DM, Greene CS, Hylander WL. TMDs. An evidence-based approach to diagnosis and treatment. Quintessence. 2006. p.229–248.
- Abramowicz S, Dolwick MF. 20-year follow-up study of disc repositioning surgery for temporomandibular joint internal derangement. J Oral Maxillofac Surg 2010;68:239–242.
- Al-Abbashi H, Mehta NR, Forgione AG, et al. The effect of vertical dimension and mandibular position on isometric strength of the cervical flexors. Cranio 1999;18:85–92.
- Alexander SR, Moore RN, DuBois LM. Mandibular condyle position: Comparison of articulator mountings and magnetic resonance imaging. Am J Orthod Dentofac Orthop. 1993; 104: 230–239.
- Alkan A, Kilic E. A new approach to arthrocentesis of the temporomandibular joint. Int J Oral Maxillofac Surg 2009;38:85–86.
- Al-Moraissi EA. Arthroscopy versus arthrocentesis in the management of internal derangement of the temporomandibular joint: a systematic review and meta-analysis. Int J Oral Maxillofac Surg 2015;44:104–112.
- Al-Moraissi EA, El-Sharkawy TM, Mounair RM, et al. A systematic review and meta-analysis of the clinical outcomes for various surgical modalities in the management of temporomandibular joint ankylosis. Int J Oral Maxillofac surg 2015;44:470–482.
- Alpaslan C, Bilgihan A, Alpaslan GH, et al. Effect of arthrocentesis and sodium hyaluronate injection on nitrite, nitrate, and thiobarbituric acid-reactive substance levels in the synovial fluid. Oral Surg Oral Radiol Endod 2000;89:686–690.
- Alvarez-Arenal A, Junquera LM, Fernandez JP, et al. Effect of occlusal splint and transcutaneous electric nerve stimulation on the signs and symptoms of temporomandibular disorders in patients with bruxism. J Oral Rehabil 2002;29:858–863.
- Alvarez JD, Rockwell PG. Trigger points: diagnosis and management. Am Fam Phys 2002;65:653–660.
- American Association for Dental Research [Internet]. AADR TMD Policy Statement Revision. Approved by AADR Counsil 3/3/2010 [cited 2012 Sep 10]. Available from: http://www.aadronline.org/i4a/pages/index.cfm?pageid=3465.
- Andrabi SW, Malik AH, Shah AA. Clinical factors affecting the outcome of arthocentesis. J Korean Assoc Oral Maxillofac Surg 2019; 45: 9–14
- Aoki KR. Evidence for anti-nociceptive activity of botulinum toxin type A in pain management. Headache 2003;43:S9–S15.
- Argoff CE. Topical analgesics in the management of acute and chronic pain. Mayo Clin Proc 2013;88:195–205.
- Arnett GW, Tamborello JA. Progressive class II development: Female idiopathic condylar resorption. Oral Maxillofac Surg Clin North Am 1990;2:699–716.
- Atkinson WB, Bates RE. The effects of the angle of the articular eminence on anterior disk displacement. J Prosthet Dent 1983;49:554–555.
- Austin BC, Shupe SM. The role of physical therapy in recovery after temporomandibular joint surgery. J Oral Maxillofac Surg 1993;51:495–498.

- Ayouni I, Chebbi R, Hela Z, et al. Comorbidity between fibromyalgia and temporomandibular disorders: a systematic review. Oral Surg Oral Med Oral Pathol Oral Radiol 2019;128:33–42.
- Bai G, Yang C, Qiu Y, Chen M. Open surgery assisted with arthroscopy to treat synovial chondromatosis of the temporomandibular joint. Int J Oral Maxillofac Surg 2017;46:208–213.
- Bannwart AC, Pozza DH, Franco LL et al. Relationship between orthodontics and temporomandibular disorders: A prospective study. J Oral Facial Pain Headache 2016;30:134–138.
- Bakke M, Petersson A, Wiese M, et al. Bony deviations revealed by cone beam computed tomography of the temporomandibular joint in subjects without ongoing pain. J Oral Facial Pain Headache 2014;28:331–337.
- Bergendal T, Magnusson T. Changes in signs and symptoms of temporomandibular disorders following treatment with implant–supported fixed prostheses: a prospective 3–year follow up. Int J Prosthodont 2000;13:392–398.
- Bernhardt O, Gesch D, Schwahn C, et al. Signs of temporomandibular disorders in tinnitus patients and in a population–based group of volunteers: results of the study of health in Pomerania. J Oral Rehabil 2004;31:311–319.
- Bernhardt O, Mundt T, Welk A, et al. Signs and symptoms of temporomandibular disorders and the incidence of tinnitus. J Oral Rehabil 2011 38; 891–901.
- Bertoli E, de Leeuw R, Schmidt JE, et al. Prevalence and impact of post–traumatic stress disorder symptoms in patients with masticatory muscle or temporomandibular joint pain: Differences and similarities. J Oraofac Pain 2007;21:107–119.
- Bhalang K, Sigurdsson A, Slade GD, Maixner W. Associations among four modalities of experimental pain in women. J Pain 2005;6:604–611.
- Bigger JT, Fleiss JL, Steinman RC, et al. Unstable angina/myocardial infarction/atherosclerosis: RR variability in healthy, middle–aged persons compared with patients with chronic coronary heart disease or recent acute myocardial infarction. Circulation 1995;91:1936–1943.
- Bilici IŞ, Emes Y, Aybar B, et al. Evaluation of the effects of occlusal splint, trigger point injection and arthrocentesis in the treatment of internal derangement patients with myofascial pain disorders. J Craniomaxillofac Surg 2018;46:916–922.
- Bjornland T, Gjaerum AA, Moystad O. Osteoarthritis of the temporomandibular joint: an evaluation of the effects and complications of corticosteroid injections compared with injection with sodium hyaluronate. J Oral Rehabil 2007;34:583–589.
- Bonato LL, Quinelato V, A da R Pinheiro, et al. ESRRB polymorphisms are associated with comorbidity of temporomandibular disorders and rotator cuff disease. Int J Oral Maxillofac Surg 2016;45:323–331.
- Borle RM, Borle SR. Management of oral submucous fibrosis: a conservative approach. J Oral Maxillofac Surg 1991;49:788–791.
- Borodic GE, Acquadro M, Johnson EA. Botulinum toxin therapy for pain and inflammatory disorders: mechanisms and therapeutic effects. Expert Opin Investig Drugs 2001;10:1531–1544.
- Braido GVGD, Campi LB, Jordani PC, et al. Temporomandibular disorder, body pain and systemic diseases: assessing their associations in adolescents. J Appl Oral Sci 2020;28:e20190608.
- Brian F, Marvin S. Relief of tension–type headache symptoms in subjects with temporomandibular disorders treated with botulinum toxin–A. Headache 2002;42:1033–1037.
- Brown DT, Gaudet EL Jr. Outcome measurement for treated and untreated TMD patients using the TMJ scale. Cranio 1994;12:216–222.
- Brown RS, Johnson CD, Fay RM. The misdiagnosis of temporomandibular disorders in lateral pharyngeal space infections. Two case reports. Cranio 1994;12:194–198.
- Buergers R, Kleinjung T, Behr M, Vielsmeier V. Is there a link between tinnitus and temporomandibular disorders? J Prosthet Dent 2014;111:222–7.
- Burgess JA, Dworkin SF. Litigation and post–traumatic TMD: how patients report treatment outcome. J Am Dent Assoc 1993; 124: 105–110.
- Burris JL, Cyders MA, de Leeuw R, et al. Posttraumatic stress disorder symptoms and chronic orofacial pain: An empirical examination of the mutual maintenance model. J Orofac Pain 2009;23:243–252.
- Burris JL, Evans DR, Carlson CR. Psychological correlates of medical comorbidities in patients with temporomandibular disorders. J Am Dent Assoc 2010;141:22–31.
- Cahlin BJ, Dahlstrom L. No effect of glucosamine sulfate on osteoarthritis in the temporomandibular joints–A randomized, controlled, short–term study. Oral Surg Oral Med Oral Pathol Oral Radiol Radiol 2011;112:760–766.
- Cai XY, Yang C, Chen MJ, et al. Arthroscopically guided removal of large solitary synovial chondromatosis from the

temporomandibular joint. Int J Oral Maxillofac Surg 2010;39:1236–1239.

- Candirli C, Yüce S, Cavus UY, et al. Autologous blood injection to the temporomandibular joint: magnetic resonance imaging findings. Imaging Sci Dent 2012;42:13–18.
- Carvajal WA, Laskin DM. Long–term evaluation of arthrocentesis for the treatment of internal derangements of the temporomandibular joint. J Oral Maxillofac Surg 2000;58:852–855.
- Catapano S, Gavagna M, Baldissara S, et al. Pharmacologic therapy of cranio–cervico–mandibular disorders. Review of the literature. Minerva Stomatol 1998;47:265–271.
- Catunda IS, BC do E Vasconcelos, ES de S Andrade, et al. Clinical effects of an avocado–soybean unsaponifiable extract on arthralgia and osteoarthritis of the temporomandibular joint: preliminary study. Int J Oral Maxillofac Surg 2016;45:1015–1022.
- Cavazza S, Bocciolini C, Gasparrini E, et al. Iatrogenic Horner's syndrome. Eur J Ophthalmol 2005;15:504–506.
- Celic R, Panduric J, Dulcic N. Psychologic status in patients with temporomandibular disorders. Int J Prosthodont 2006;19:28–29.
- Cha YH, Kim BJ, Lim JH, et al. Analysis of treatment patterns of temporomandibular disorders. J Korean Assoc Oral Maxillofac Surg 2010;36:520–527.
- Chaudhuri JR, Mridula KR, Keerthi AS, et al. Association between Chlamydia pneumoniae and migraine: A study from a tertiary center in India. J Oral Facial Pain Headache 2016;30:150–155.
- Chen MJ, Yang C, Qiu YT, et al. Local resection of the mass to treat the osteochondroma of the mandibular condyle: indications and different methods with 38–case series. Head Neck 2014;36:273–9
- Chen YJ, Gallo LM, Meier D, et al. Dynamic magnetic resonance imaging technique for the study of the temporomandibular joints. J Orofac Pain 2000;14:65–73.
- Chen YW, Chiu YW, Chen CY, Chuang SK. Botulinum toxin therapy for temporomandibular joint disorders: a systematic review of randomized controlled trials. Int J Oral Maxillofac Surg 2015;44:1018–1026.
- Cho EH, Lee SB, Min BK, et al. An occurrence of TMD in orthodontic patient and its treatment: Case report. Journal of Korean TMJ 2008;4:127–136.
- Cho MC, Huh JK, Hong SW, et al. Inflammatory synovial cyst of the temporomandibular joint: A case report. J Korean Assoc Maxillofac Plast Reconstr Surg 2008;30:292–295.
- Choi JM, Ahn HJ, Choi JG. The effectiveness of TMJ distraction therapy for anterior open bite as consequence of degenerative joint disease. Korean J Oral Med. 2002; 27: 363–70.
- Choi SH, Park BG, Kim JS, et al. A case report of conservative treatment by accurate splint for damaged TMJ during athletic activity. Journal of Korean TMJ 2015;6:25–32.
- Cho SH, Park JS, Ko MY. Immediate effect of low level laser therapy in the temporomandibular joint disorders. 대한구강내과학회지 2003;28:281–294.
- Chole RA, Parker WS. Tinnitus and vertigo in patients with temporomandibular disorder. Arch Otolaryngol Head Neck Surg 1992;118:817–821.
- Chung AR, Kim KS. The effects of electroacupuncture stimulation therapy on the pain threshold of mandibular posterior teeth using LI4(HAP GOK) points. 대한구강내과학회지 1995;20:105–115.
- Chung H, Jung H, Kino K. Differential diagnosis by joint cavity pumping with local anesthetic for pain of temporomandibular joint arthrosis. J Korean Assoc Maxillofac Plast Reconstr Surg 1992;14:146–153.
- Chung JW. The effects of transcutaneous electrical neve stimulation and electroacupuncture stimulation therapy on the current perception threshold of orofacial region. 대한구강내과학회지 1999;24:301–313.
- Chung PY, Lim MT, Chang HP. Effectiveness of platelet–rich plasma injection in patients with temporomandibular joint osteoarthritis: a systematic review and meta–analysis of randomized controlled trials. Oral Surg Oral Med Oral Pathol Endod 2019;127:106–116.
- Ciancaglini R, Testa M, Radaelli G. Association of neck pain with symptoms of temporomandibular dysfunction in the general adult population. Scand J Rehabil Med 1999;31:17–22.
- Cimmino MA, Ferrone C, Cutolo M. Epidemiology of chronic musculoskeletal pain. Best Pract Res Clin Rheumatol 2011;25:173–83.
- Clark GT. A critical evaluation of orthopedic interocclusal appliance therapy: design, theory, and overall effectiveness. J Am Dent Assoc 1984;108:359–364.
- Clark GT. A critical evaluation of orthopedic interocclusal appliance therapy: effectiveness for specific symptoms. J Am Dent

Assoc 1984;108:364–368.

- Clark GT, Baba K, McCreary CP. Predicting the outcome of a physical medicine treatment for temporomandibular disorder patients. J Orofac Pain 2009;23:221–229.
- Clark G, Green E, Dorman M, et al. Craniocervical dysfunction levels in a patient sample from a temporomandibular joint clinic. J Am Dent Assoc 1987;115:251–256.
- Clark G, Simmons M. Occlusal dysesthesia and temporomandibular disorders: is there a link? Alpha Omegan 2003;96:33–9.
- Clark GT, Moody DG, Sanders B. Arthroscopic treatment of temporomandibular joint locking resulting from disc derangement: Two-year results. J Oral Maxillofac Surg 1991;49:157–164.
- Cohen H, Neumann L, Shore M, et al. Autonomic dysfunction in patients with fibromyalgia: application of powder spectral analysis of heart rate variability. Semin Arthritis Rheum 2000;29:217–227.
- Cohen SG, Quinn PD. Facial trismus and myofascial pain associated with infections and malignant disease. Oral Surg Oral Med Oral Pathol 1988;65:538–544.
- Collier BD, Carrera GF, Messer EJ, et al. Internal derangement of the temporomandibular joint: detection by single-photon emission computed tomography. Work in progress. Radiology 1983;149:557–561.
- Connelly ST, Myung J, Gupta R, et al. Clinical outcomes of Botox injections for chronic temporomandibular disorders: do we understand how Botox works on muscle, pain, and the brain? Int J Oral Maxillofac Surg 2017;46:322–332.
- Costen JB. A syndrome of ear and sinus symptoms dependent upon disturbed function of the temporomandibular joint. Ann Otol Rhinol Laryngol 1934;43:1–15.
- Coutinho A, Fenyo-Pereira M, Dib LL, et al. The role of SPECT/CT with 99m Tc-MDP image fusion to diagnose temporomandibular dysfunction. Oral Surg Oral Med Oral Pathol Oral Radiol Endod 2006;101:224–230.
- Craane B, Dijkstra PU, Stapperts K, et al. Randomized controlled trial on physical therapy for TMJ closed lock. J Dent Res 2012;91:364–369.
- Daelen B, Thorwirth V, Koch A. Treatment of recurrent dislocation of the tmporomandibular joint with type A botolinum toxin. Int J Oral Maxillofac Surg. 1997;26:458–460.
- Davies SJ, Al-ani Z. Treatment of temporomandibular disorder in a viola player—A case report. Dental Update 2007; 34:181–184.
- DeBar LL, Vuckovic N, Schneider J, Ritenbaugh C. Use of complementary and alternative medicine for temporomandibular disorders. J Orofac Pain 2003;17:224–236.
- De Boever JA, Keersmaekers K. Trauma in patients with temporomandibular disorders: frequency and treatment outcome. J Oral Rehabil 1996;23:91–96.
- de Bont LGM, Dijkgraaf LC, Stegenga B. Epidemiology and natural progression of articular temporomandibular disorders. Oral Surg Oral Med Oral Pathol Oral Radiol Endod 1997;83:72–76.
- de Felício CM, Melchior Mde O, Ferreira CL, Da Silva MA. Otologic symptoms of temporomandibular disorder and effect of orofacial myofunctional therapy. Cranio 2008;26:118–25.
- De la Torre Canales G, Bonjardim LR, Poluha RL, et al. Correlation between physical and psychosocial findings in a population of temporomandibular disorder patients. Int J Prosthodont 2020;33:155–159.
- Delcanho R. Screening for temporomandibular disorders in dental practice. Australian Dent J 1994;39:222–227.
- De Leeuw R. Orofacial pain: guidelines for assessment, diagnosis and management. 4th ed. Chicago: Quintessence Pub. 2008.
- De Leeuw R, Albuquerque RJ, Anderson AH, Carlson CR. Influence of estrogen on brain activation during stimulation with painful heat. J Oral Maxillofac Surg 2006;64:158–166.
- De Leeuw R, Albuquerque R, Okeson J, et al. The contribution of neuroimaging techniques to the understanding of supraspinal pain circuits: implications for orofacial pain. Oral Surg Oral Med Oral Pathol Oral Radiol Endod 2005;100:301–314.
- De Leeuw R, Bertoli E, Schmidt JE, et al. Prevalence of post-traumatic stress disorder symptoms in orofacial pain patients. Oral Surg Oral Med Oral Pathol Oral Radiol Endod 2005;99:558–568.
- De Leeuw R, Bertoli E, Schmidt JE, et al. Prevalence of traumatic stressors in patients with temporomandibular disorders. J Oral Maxillofac Surg 2005;63:42–50.
- De Leeuw R, Klasser GD. Orofacial Pain. Guidelines for assessment, diagnosis, and management. Quintessence Pub Co. 2018.
- Dellemijn PL, Fields HL. Do benzodiazepines have a role in chronic pain management? Pain 1994;57:137–152.

- Desai B, Alkandari N, Laskin DM. How accurate is information about diagnosis and management of temporomandibular disorders on dentist websites? Oral Surg Oral Med Oral Pathol Oral Radiol 2016;122:306-309.
- de Souza RF, Lovato da Silva CH, Nasser M, et al. Interventions for the management of temporomandibular joint osteoarthritis. Cochrane Database Syst Rev 2012;(4):CD007261.
- De Wijer A, Steenks M, Bosman F, et al. Symptoms of the stomatognathic system in temporomandibular and cervical spine disorders. J Oral Rehabil 1996;23:733-741.
- Dias IM, deF Cordeiro PC, Devito KL, et al. Evaluation of temporomandibular joint disc displacement as a risk factor for osteoarthrosis. Int J Oral Maxillofac Surg 2016;45:313-317.
- Diatchenko L, Slade GD, Nackley AG, et al. Genetic basis for individual variations in pain perception and the development of a chronic pain condition. Hum Mol Genet 2005;14:135-143.
- Dijkgraaf L, Spijkervet FKL, de Bont LGM. Arthroscopic findings in osteoarthritis temporomandibular joints. J Oral Maxillofac Surg 1999;57:255-268.
- Dijkgraaf LC, Liem RS, de Bont LG. Ultrastructural characteristics of the synovial membrane in osteoarthritic temporomandibular joints. J Oral Maxillofac Surg. 1997;55:1269-1279.
- Dijkgraaf LC, Liem RSB, van der Weele LT, et al. Correlation between arthroscopically observed changes and synovial light microscopic findings in osteoarthritic temporomandibular joints. Int J Oral Maxillofac Surg 1999;28:83-89.
- Dimitroulis G. A review of 56 cases of chronic closed lock treated with temporomandibular joint arthroscopy. J Oral Maxillofac Surg 2002;60:519-524.
- Dimitroulis G. Temporomandibular joint surgery: What does it mean to the dental practitioner? Austral Dent J 2011;56:257-264.
- Dionne RA. Pharmacologic treatments for temporomandibular disorders. Oral Surg Oral Med Oral Pathol Oral Radiol Endod 1997;83:134-142.
- Doepel M, Nilner M, Ekberg E, et al. Headache: Short- and long-term effectiveness of a prefabricated appliance compared to a stabilization appliance. Acta Odont Scand. 2011;69:129-136.
- Dolwick MF. Disc preservation surgery for the treatment of internal derangements of the temporomandibular joint. J Oral Maxillofac Surg 2001;59:1047-1050.
- Dolwick MF. Temporomandibular joint surgery for internal derangement. Dent Clin North Am 2007;51:195-208.
- Dolwick MF, Dimitroulis G. Is there a role for temporomandibular joint surgery? Br J Oral Maxillofac Surg 1994;32:307-313.
- Donlon WC, Truta MP, Eversole LR. A modified auriculotemporal nerve block for regional anesthesia of the temporomandibular joint. J Oral Maxillofac Surg 1984;42:544-545.
- Draukas CB, Lindee C, Carlsson GE. Occlusion and mandibular dysfunction: A clinical study of patients referred for functional distrubances of the masticatory system. J Prosthet Dent 1985;53:402-406.
- Drum RK, Fornadley JA, Schnapf DJ. Malignant lesions presenting as symptoms of craniomandibular dysfunction. J Orofac Pain 1993;7:294-198.
- Ducatman B, Scheithauer BW, Piepgras DG, et al. Malignant peripheral nerve sheath tumors. A clinicopathologic study of 120 cases. Cancer 1986;57:2006-2021.
- Dun MJ, Benza R, Moan D, et al. Temporomandibular joint condylectomy: a technique and postoperative follow-up. Oral Surg Oral Med Oral Pathol 1981;51:363-374.
- Dworkin SF, Burgess JA. Orofacial pain of psychogenic origin: current concepts and classification. J Am Dent Assoc 1987;115:565-571.
- Dworkin SF, Huggins KH, LeResche L, et al. Epidemilogy of signs and symptoms of temporomandibular disorders: clinical signs in cases and controls. J Am Dent Assoc 1990;120:273-281.
- Dworkin SF, Sherman J, Mancl L, et al. Reliability, validity, and clinical utility of the research diagnostic criteria for Temporomandibular Disorders Axis II Scales: depression, nos-specific physical symptoms, and graded chronic pain. J Orofac Pain 2002;16:207-220.
- Elsharkawy TM, Ali NM. Evaluation of acupuncture and occlusal splint therapy in the treatment of temporomandibular joint disorders. Egypt Dent J 1995;41:1227-1232.
- Emshoff R, Brandlmaier I, Bertram S, Rudisch A. Risk factors for temporomandibular joint pain in patients with disc displacement without reduction-a magnetic resonance imaging study. J Oral Rehabil 2003;30:537-543.
- Emshoff R, Puffer P, Strobl H, et al. Effect of temporomandibular joint arthrocentesis on synovial fluid mediator level of tumor necrosis factor-alpha: implications for treatment outcome. Int J Oral Maxillofac Surg 2000;29:176-182.

- Emshoff R, Rudisch A. Are internal derangement and osteoarthrosis linked to changes in clinical outcome measures of arthrocentesis of the temporomandibular joint? J Oral Maxillofac Surg 2003;61:1162-1167; Discussion .1167-1170.
- Emshoff R, Rudisch A. Determining predictor variables for treatment outcomes of arthrocentesis and hydraulic distention of the temporomandibular joint. J Oral Maxillofac Surg 2004;62:816-823.
- Emshoff R, Rudisch A, Bosch R. Prognostic indicators of the outcome of arthrocentesis: a short-term follow-up study. Oral Surg Oral Med Oral Pathol Oral Radiol Endod 2003;96:12-18.
- Engström AL, Wänman A, Johansson A, et al. Juvenile arthritis and development of symptoms of temporomandibular disorders: a 15-year prospective cohort study. J Orofac Pain 2007; 21: 120-6.
- Epstein JB, Rea A, Chahal O. The use of bone scintigraphy in temporomandibular joint disorders. Oral Dis 2002;8:47-53.
- Escoda-Francolí J, Vázquez-Delgado E, Gay-Escoda C. Scientific evidence on the usefulness of intraarticular hyaluronic acid injection in the management of temporomandibular dysfunction. Med Oral Patol Oral Cir Bucal 2010;15:e644-e648.
- Fader KW, Grummons DC, Maijer R, et al. Pressurized infusion of sodium hyaluronate for closed lock of the temporomandibular joint. Part I. A case study. Cranio 1993;11:68-72.
- Farina R, Pintor F, Perez J, et al. Low condylectomy as the sole treatment for active condylar hyperplasia: facial, occlusal and skeletal changes. An observational study. Int J Oral Maxillofac Surg 2015;44:217-225.
- Ferguson JW, Luyk NH, Parr NC. A potential role for costochondral grafting in adults with mandibular condylar destruction secondary to rheumatoid arthritis-a case report. J Craniomaxillofac Surg 1993;21:15-18.
- Fernandes PRB, de Vasconsellos HA, Okeson JP, et al. The anatomical relationship between the position of the auriculotemporal nerve and mandibular condyle. J Craniomand Pract 2003;21(3):165-171.
- Fernandex Sanroman J, Fernandez Ferro M, Costal Lopez A, et al. Does injection of plasma rich in growth factors after temporomandibular joint arthroscopy improve outcomes in patients with Wilkes stage IV internal derangement? A randomized prospective clinical study. Int J Oral Maxillofac Surg 2016;45:828-835.
- Fernández-de-las-Peñas C, Cuadrado ML, Arendt-Nielsen L, et al. Myofascial trigger points and sensitization: an updated pain model for tension-type headache. Cephalalgia 2007;27:383-393.
- Ferrando M, Andreu Y, Galdon MJ, et al. Psychological variables and temporomandibular disorders: distress, coping, and personality. Oral Surg Oral Med Oral Pathol Oral Radiol Endod 2004;98:153-160.
- Ferrari R, Schrader H, Obelieniene D. Prevalence of temporomandibular disorders associated with whiplash injury in Lithuania. Oral Surg Oral Med Oral Pathol Oral Radiol Endod 1999;87:653-657.
- Ferrario VF, Sforza C, Tartaglia GM, et al. Immediate effect of a stabilization splint on masticatory muscle activity in temporomandibular disorder patients. J Oral Rehabil 2002;29:810-815.
- Figueroba SR, Franco GCN, Omar NF, et al. Dependence of cytokine levels on the sex of experimental animals: a pilot study on the effect of oestrogen in the temporomandibular joint synovial tissues. Int J Oral Maxillofac Surg 2015;44:1368-1375.
- Fillingim RB, Ohrbach R, Greenspan JD, et al. Psychological factors associated with development of TMD: the OPPERA prospective cohort study. J Pain 2013;14(12 Suppl): T75-90.
- Fischer DJ, Mueller BA, Critchlow CW, et al. The association of temporomandibular disorder pain with history of head and neck injury in adolescents. J Orofac Pain 2006;20:191-198.
- Fouda AAH. No evidence on the effectiveness of oral splints for the management of temporomandibular joint dysfunction pain in both short and long-term follow-up systematic reviews and meta-analysis studies. J Korean Assoc Oral Maxillofac Surg 2020;46:87-98.
- Franks AST. Masticatory muscle hyperactivity and temporomandibular joint dysfunction. J Prosthet Dent 1965;15:1122-1131.
- Freeman M, Croft A, Rossignol, et al. A review and methodological critique of the literature refuting whiplash syndrome. Spine 1999;24:86-96.
- Freihofer HPM. Restricted opening of the mouth with an extra-articular cause in children. J Craniomaxillofac Surg 1991;19:289-298.
- Freund B, Schwartz M, Symington JM. The use of botulinum toxin for the treatment of temporomandibular disorders: preliminary findings. J Oral Maxillofac Surg 1999;57:916-920.
- Freund BJ, Schwartz M. Relief of tension-type headache symptoms in subjects with temporomandibular disorders treated with botulinum toxin-A. Headache 2002;42:1033-1037.
- Fricton JR, Kroening R, Haley D, Siegert R. Myofascial pain syndrome of the head and neck: a review of clinical characteristics of 164 patients. Oral Surg Oral Med Oral Pathol 1985;60:615-623

- Fricton JR, Look JO, Schiffman E, et al. Long-term study of temporomandibular joint surgery with alloplastic implants compared with nonimplant surgery and nonsurgical rehabilitation for painful temporomandibular joint disc displacement. J Oral Maxillofac Surg 2002;60:1400-1411.
- Frost DE, Kendell BD. The use of arthrocentesis for treatment of temporomandibular joint disorders. J Oral Maxillofac Surg 1999;57:583-587.
- Fu K, Ma X, Zhang Z. Tumor necrosis factor in synovial fluid of patients with temporomandibular disorders. J Oral Maxillofac Surg 1995;53:424-426.
- Fu KY, Chen HM, Zhi-Peng Sun ZP, et al. Long-term efficacy of botulinum toxin type A for the treatment of habitual dislocation of the temporomandibular joint. Brit J Oral Maxillofac Surg 2010;48:281-284.
- Ganzberg S. Pain management part II: Pharmacologic management of chronic orofacial pain. Anesthe Prog 2010;57:114-118.
- Gavish A, Halachmi M, Winocur E, et al. Oral habits and their association with signs and symptoms of temporomandibular disorders in adolescent girls. J Oral Rehabil 2000;27:22-32.
- Gavish A, Winocur E, Ventura YS, et al. Effect of stabilization splint therapy on pain during chewing in patients suffering from myofascial pain. J Oral Rehabil 2002;29:1181-1186.
- Glaros AG, Burton E. Parafunctional clenching, pain, and effort in temporomandibular disorders. J Behavioral Med 2004;27:91-100.
- Glaros AG, Williams K, Lausten L. The role of parafunctions, emotions and stress in predicting facial pain/ J Am Dent Assoc 2005;136:451-458.
- Goiato MC, da Silva EV, de Medeiros RA, et al. Are intra-articular injections of hyaluronic acid effective for the treatment of temporomandibular disorders? A systematic review. Int J Oral Maxillofac Surg 2016;45:1531-1537.
- Goldberg MB, Mock D, Ichise M, et al. Neuropsychologic deficits and clinical features of posttraumatic temporomandibular disorders. J Orofac Pain 1996;10:126-140.
- Goldstein BH. Temporomandibular disorders: A review of current understanding. Oral Surg Oral Med Oral Pathol Oral Radiol Endod 1999;88:379-385.
- Gonzalez-Garcia R. The current role and the future of minimmally invasive temporomandibular joint surgery. Oral Maxillofac Surg Clin North Am 2015;27:69-84.
- Gonzalex-Garcia R, Rodriguez-Campo FJ, Escorial-Hernandez V, et al. Complications of temporomandibular joint rthroscopy: A retrospective abalytic study of 670 arthroscopic procedures. J Oral Maxillofac Surg 2006;64:1587-1591.
- González-García R, Rodríguez-Campo FJ, Monje F, et al. Operative versus simple arthroscopic surgery for chronic closed lock of the temporomandibular joint: a clinical study of 344 arthroscopic procedures. Int J Oral Maxillofac Surg 2008;37:790-796.
- Goss AN, Bosanquet AG. The arthroscopic appearance of acute temporomandibular joint trauma. J Oral Maxillofac Surg 1990;48:780-783.
- Goss AN, Bosanquet AG, Tideman H. The accuracy of temporomandibular joint arthroscopy. J Craniomaxillofac Surg 1987;15(2):99-102.
- Goudot P, Jaquinet AR, Richter M. Upper airway compression after arthroscopy of the temporomandibular joint. Int J Oral Maxillofac Surg 1999;28:419-420.
- Goyal M, Sidhu SS: A massive osteochodroma of the mandibular condyle. Br J Oral Maxillofac Surg 1992;30:66-68.
- Green JG, Wood JM, Davis LF. Asystole after inadvertent intubation of the orbit. J Oral Maxillofac Surg 1987;55:856-859.
- Grushka M, Ching VW, Epstein JB et al. Radiographic and clinical features of temporomandibular dysfunction in patients following indirect trauma: A retrospective study. Oral Surg Oral Med Oral Pathol Oral Radiol Endod 2007;104:772-780.
- Guarda-Nardini L, Cadorin C, Frizziero A, et al. Interrelationship between temporomandibular joint osteoarthritis (OA) and cervical spine pain: Effects of intra-articular injection with hyaluronic acid. Cranio 2017;35:276-282.
- Guarda-Nardini L, Manfredini D, Salamone M, et al. Efficacy of botulinum toxin in treating myofascial pain in bruxers: A controlled placebo pilot study. Cranio 2008;26:126-135.
- Guarda-Nardini L, Piccotti F, Ferronato G, Manfredini D. Synovial chondromatosis of the temporomandibular joint: a case description with systematic literature review. Int J Oral Maxillofac Surg 2010;39:745-755.
- Guarda-Nardini L, Stifano M, Brombin C, et al. A one-year case series of arthrocentesis with hyaluronic acid injections for temporomandibular joint osteoarthritis. Oral Surg Oral Med Oral Pathol Oral Radiol Endod 2007;103:e14-e22.
- Gunson MJ, Arnett GW, Milam SB. Pathophysiology and pharmacologic control of osseous mandibular condylar resorption. J

Oral Maxillofac Surg 2012;70:1918–1934.

- Hackney FL, Van Sickkels JE, Nummikoski PV. Condylar displacement and temporomandibular joint dysfunction following bilateral sagittal split osteotomy and rigid fixation. J Oral Maxillofac Surg 1989;47:223–227.
- Haketa T, Kino K, Takaoka M, et al. Randomized clinical study of conservative treatment for temporomandibular disorders anterior disc displacement without reduction. Journal of Korean TMJ 2006;2:88–95.
- Hall DH. The role of discectomy for treating internal derangements of the temporomandibular joint. Oral Maxillofac Clin North Am 1994;6:287–294.
- Hall HD, Nickerson JW, McKenna SL. Modified condylotomy for treatment of the painful joint with reducing disc. J Oral Maxillofac Surg 1993;51:133–142.
- Hamada Y, Kondoh T, Holmlund AB, et al. Influence of arthroscopically observed fibrous adhesions before and after joint irrigation on clinical outcome in patients with chronic closed lock of the temporomandibular joint. Int J Oral Maxillofac Surg 2005;34:727–732.
- Hamada Y, Kondoh T, Holmlund AB, et al. One-year clinical course following visually guided irrigation for chronic closed lock of the temporomandibular joint. Oral Surg Oral Med Oral Pathol Oral Radiol Endod 2006;101:170–174.
- Hamada Y, Kondoh T, Kamei K, et al. Disc mobility and arthroscopic condition of the temporomandibular joint associated with long-term mandibular discontinuity. J Oral Maxillofac Surg 2001;59:1002–1005.
- Hameed M. Small round cell tumors of bone. Arch Pathol Laboratory Med 2007;131:192–204
- Hammerle CH, Wagner D, Bragger U, et al: Threshold of tactile sensitivity perceived with dental endosseous implants and natural teeth. Clin Oral Implants Res 1995; 6: 83–90.
- Han DH. The association between temporomandibular disorders and suicide ideation in a representative sample of the south Korean population. J Oral Facial Pain Headache 2014;28:338–345.
- Handelman CS, Greene CS. Progressive/idiopathic sagittal condylar resorption: an orthodontic perspective. Semin Orthod 2013;19:55–70.
- Hao J, Zhao C, Cao S, et al. Electric acupuncture treatment of peripheral nerve injury. J Tradit Chin Med 1995;15:114–117.
- Harris SA, Rood JP, Testa HJ. Post-traumatic changes of the temporomandibular joint by bone scintigraphy. Int J Oral Maxillofac Surg 1988;17:173–176.
- Hatch JP, Rugh JD, Sakai S, et al. Is use of exogenous estrogen associated with temporomandibular signs and symptoms? J Sam Dent Assoc 2001;132:319–326
- Hawkins J, Durham PL. Prolonged jaw opening promotes nociception and enhanced cytokine expression. J Oral Facial Pain Headache 2016;30:34–41.
- He Y, Huang T, Zhang Y, et al. Application of a computer-assisted surgical naviagation system in temporomandibular joint ankyloses surgery: a retrospective study. Int J Oral Maxillofac Surg 2017;46:189–197.
- Hendler BH, Gateno J, Mooar P, et al. Holmium:YAG laser arthroscopy of the temporomandibular joint. J Oral Maxillofac Surg 1992;50:931–934.
- Henry CH. Bacteria associated with reactive arthritis and the temporomandibular joint. AAOMS Oral Abstract Session 1999;51–52.
- Henry CH, Hudson AP, Gerard HC, et al. Identification of chlamydia trachomatis in the human temporomandibular joint. J Oral Maxillofac Surg 1999;57:683–688.
- Henry CH, Hughes C, Hudson A, et al. Identification of bacteria associated with reactive arthritis in the human temporomandibular joint. Int J Oral Maxillofac Surg 1999;28(Suppl 1):19.
- Herman CR, Schiffman EL, Look JO, Rindal DB. The effectiveness of adding pharmacologic treatment with clonazepam or cyclobenzaprine to patient education and self-care for the treatment of jaw pain upon awakening: A randomized clinical trial. J Orofac Pain 2002;16:64–70.
- Hersek N, Canay S, Caner B, et al. Bone SPECT imaging of patients with internal derangement of temporomandibular joint before and after splint therapy. Oral Surg Oral Med Oral Pathol Oral Radiol Endod 2002;94:576–580.
- Hilgenberg PB, Saldanha ADD, Cunha CO et al. Temporomandibular disorders, otologic symptoms and depression levels in tinnitus patients. J Oral Rehabil 2012;39:239–244.
- Hirsch C, John MT, Drangsholt MT, et al. Relationship between overbite/overjet and clicking or crepitus of the temporomandibular joint. J Orofac Pain 2005;19:218–225.
- Holmlund AB, Axelsson S, Gynther GW. A comparison of discectomy and arthroscopic lysis and lavage for the treatment of

chronic closed lock of the temporomandibular joint: A randomized outcome study. J Oral Maxillofac Surg 2001;59:972–977.

- Holmlund A, Hellsing G, Axelsson S. The temporomandibular joint: A comparison of clinical and arthroscopic findings. J Prosthet Dent 1989;62:61–65.

- Holmlund AB, Gynther GW, Reinholt FP. Surgical treatment of osteochondroma of the mandibular condyle in the adult. A 5-year follow-up. Int J Oral Maxillofac Surg 2004;33:549–553.

- Honda K, Yasukawa Y, Fujiwara M, et al. Causes of persistent joint pain after arthrocentesis of temporomandibular joint. J Oral Maxillofac Surg 2011;69:2311–2315.

- Hong JW, Chung HK. An epidemiological study on temporomandibular disorders in young adult females. J Korean Assoc Oral Maxillofac Surg 1993;19:540–554.

- House LR. Temporomandibular joint surgery: Results of a 14-year joint implant study. Laryngoscope 1984;94:534–538.

- https://www.k-medi.or.kr/lay1/program/S1T118C291/dispute/view.do?seq=287

- Huang GJ, LeResche L, Critchlow CW, et al. Risk factors for diagnostic subgroups of painful temporomandibular disorders(TMD). J Dent Res 2002;81:284–288.

- Huang GJ, Rue TC. Third-molar extraction as a risk factor for temporomandibular disorder. J Am Dent Assoc 2006;137:1547–1554.

- Huang Q, Opstelten D, Samman N, et al. Experimentally induced unilateral tooth loss: Expression of thpe II collagen in temporomandibular joint cartilage. J Oral maxillofac Surg 2003;61:1054–1060.

- Huber NU, Hall EH. A comparison of the signs of temporomandibular joint dysfunction and occlusal discrepancies in a symptom-free population of men and women. Oral Surg Oral Med Oral Pathol 1990;70:180–183.

- Huddleston Slater JJR, Lobbezoo F, Onland-Moret NC, et al. Anterior disc displacement with reduction and symptomatic hypermobility in the human temporomandibular joint: Prevalence rates and risk factors in children and teenagers. J Orofac Pain 2007;21:55–62.

- Huh YK, Jeong JG, Choi JG. Temporomandibular joint disorder and occlusal changes: occlusal changes following prosthetic and orthodontic treatments. Seoul: Well Publisher; 2013. p. 9–49.

- Huntley TA, Wiesenfeld D. Delayed diagnosis of the cause of facial pain in patients with neoplastic disease: A report of eight cases. J Oral Maxillofac Surg. 1994;52:81–85.

- Hyun YO, Kang CH, Noh YH, et al. Clinical study of arthrocentesis-cases of closed lock. J Korean Assoc Maxillofac Plast Reconstr Surg 2001;23:70–76.

- Indresano AT. Surgical arthroscopy as the preferred treatment for internal derangements of the temporomandibular joint. J Oral Maxillofac Surg 2001;59:308–312.

- Isacsson G, Isberg A, Johansson AS, et al. Internal derangement of the TMJ: Radiographic and histologic changes associated with severe pain. J Oral Maxillofac Surg 1986;44:771–778.

- Ishida Y, Kurita K, Ogi N, et al. Primary treatment for osteoarthritis of the temporomandibular joint by combination therapy of arthrocentesis, mouth opening exercises, and a non-steroidal anti-inflammatory drug regimen. Asian J Oral Maxillofac Surg 2003;15:14–18

- Isidor F: Technical and biological complications related to occlusal loading. Forum Implantologicum. 2007; 3: 120–125.

- Israel HA. The use of arthroscopic surgery for treatment of temporomandibular joint disorders. J Oral Maxillofac Surg 1999;57:579–582.

- Israel HA, Diamond B, Saed-Nejad F, et al. The relationship between parafunctional masticatory activity and arthroscopically diagnosed temporomandibular joint pathology. J Oral Maxillofac Surg 1999;57:1034–1039.

- Israel HA, Diamond B, Saed-Nejad F, Ratcliffe A. Osteoarthritis and synovitis as major pathoses of the temporomandibular joint: Comparison of clinical diagnosis with arthroscopic morphology. J Oral Maxillofac Surg 1998;56:1023–1028.

- Israel HA, Langevin CJ, Singer MD, et al. The relationship between temporomandibular joint synovitis and adhesions: pathogenic mechanisms and clinical implications for surgical management. J Oral Maxillofac Surg 2006;64:1066–1074.

- Iturriaga V, Bornhardt T, Manterola C, et al. Effect of hyaluronic acid on the regulation of inflammatory mediators in osteoarthritis of the temporomandibular joint: a systematic review. Int J Oral Maxillofac Surg 2017;46:590–595.

- Ivask O, Leibur E, Akermann S, et al. Intramuscular botulinum toxin injection additional to arthrocentesis in the management of temporomandibular joint pain. Oral Surg Oral Med Oral Pathol Oral Radiol 2016;122:99–106.

- Jacobs R, van Steenberghe D. Comparison between implant-supported prostheses and teeth regarding passive threshold level. Int J Oral Maxillofac Implants. 1993; 8: 549–554.

- Jagger RG. Mandibular manipulation of anterior disc displacement witout reduction. J Oral Rehabil 1991;18:497–500.

- Jang DH, Ahn HJ, Park JS, et al. A study on clinical validity of bone scan to evaluate the TMD patients. 대한구강내과학회지 2002;27:181–188.

- Jayachandran S, Khobre P. Efficacy of Bromelain along with Trypsin, Rutoside Trihydrate Enzymes and Diclofenac Sodium Combination Therapy for the treatment of TMJ Osteoarthritis – A Randomised Clinical Trial. J Clin Diagn Res. 2017;11(6):ZC09–ZC11.

- Jee YJ, Song HC, Kim EK. The relationship between etiologic factors and stress in temporomandibular disorder patients by heart rate variability test. J Korean Dent Assoc 2005;43:416–427.

- Ji H, Li J, Shao J, et al. Histopathologic comparison of condylar hyperplasia and condylar osteochondroma by using different staining methods. Oral Surg Oral Med Oral Pathol Oral Radiol 2017;123:320–329.

- Jiang XW, Zhang Y, Yang SK, et al. Efficacy of salvianolic acid B combined with Triamcinolone acetonide in the treatment of oral submucous fibrosis. Oral Surg Oral Med Oral Pathol Oral Radiol 2013;115:339–344.

- Johansson A, Unell L, Carlsson GE, et al. Gender difference in symptoms related to temporomandibular disorders in a population of 50–year–old subjects. J Orofac Pain 2003;17:29–35.

- Johansson A, Unell L, Carlsson GE, et al. Risk factors associated with symptoms of temporomandibular disorders in a population of 50– and 60–year–old subjects. J Oral Rehabil 2006;33:473–481.

- John MT, Reißmann DR, Schierz O, et al. Oral health–related quality of life in patients with temporomandibular disorders. J Orofac Pain 2007;21:46–54.

- Jones DA, Rollman GB, Brooke RI. The cortisol response to psychological stress in temporomandibular dysfunction. Pain 1997;72:171–182.

- Jones JK, Van Sickels JE. A preliminary report of arthroscopic findings following acute condylar trauma. J Oral Maxillofac Surg 1991;49:55–60.

- Joss CU, Vassalli IM. Stability after bilateral sagittal split osteotomy advancement surgery with rigid internal fixation: a systematic review. J Oral Maxillofac Surg 2009;67:301–313.

- Joyce PR, Bushnell JA, Oakley–Browne MA, et al. The epidemiology of panic symptomatology and agoraphobic avoidance. Compr Psychiatry 1989;30:303–312.

- Ju HJ, Lee ES, Jeon SB, et al. The evaluation of simultaneous BSSRO and gap arthroplasty for improving occlusion and mandibular hypomobility resulted from condylar fractures: A case report. Journal of TMJ and Sports Dentistry 2010;1:43–52.

- Jung HD, Kim SY, Park HS, et al. Orthognathic surgery and temporomandibular joint symptoms. Maxillofac Plast Reconstr Surg 2015;37(1):14.

- Kaban LB, Perrott DH, Fiher K. A protocol for management of temporomandibular joint ankyloses. J Oral Maxillofac Surg 1990;48:1145–1151.

- Kai S, Kai H, Tabata O, et al. Long–term outcomes of nonsurgical treatment in nonreducing anteriorly displaced disk of the temporomandibular joint. Oral Surg Oral Med Oral Pathol Oral Radiol Endod 1998;85:258–267.

- Kamisaka M, Tatani H, Kuboki T, et al. Four–year longitudinal course of TMD symptoms in an adult population and the estimation of risk factors in relation to symptoms. J Orofac Pain 2000;14:224–232.

- Kaneyama K, Segami N, Nishimura M, et al. The ideal lavage volume for removing bradykinin, interleukin–6, and protein from temporomandibular joint by arthrocentesis. J Oral Maxillofac Surg 20004;62:657–661.

- Kang DW, Kim YK. Clinical study of the patients with intractable temporomandibular disorders intervened with psychologic problems. Oral Biol Res 2018;42:140–146.

- Kang HJ, Hwang DS, Kim YD, et al. Clinical study on the etiology, differential diagnosis and treatment of trismus. J Korean Assoc Oral Maxillofac Surg 2006;32:544–558.

- Kavarana NM, Bhathena HM. Surgery for severe trismus in submucous fibrosis. Brit J Plast Surg 1987;40:407–409.

- Khalifeh M, Mehta K, Varguise N, et al. Botulinum toxin type A for the treatment of head and neck chronic myofascial pain syndrome: A systematic review and meta–analysis. J Am Dent Assoc 2016;147:959–973.e1.

- Kilic SC, Gungormus M. Is dextrose prolotherapy superior to placebo for the treatment of temporomandibular joint hypermobility? A randomized clinical trial. Int J Oral Maxillofac Surg 2016;45:813–819.

- Kim CH, Hwang HS, Sin SH. The study of the predictors in arthrocentesis and lavage of temporomandibular joint disorder: Retrospective evaluation of anterior disc displacement without reduction. J Korean Assoc Oral Maxillofac Surg 2003;29:392–396.

- Kim HS, Yun PY, Kim YK. A clinical evaluation of botulinum toxin-A injections in the temporomandibular disorder treatment. Maxillofac Plast Reconstr Surg 2016;38:1-5.
- Kim HW, Shin SS, Kim JS, et al. Evaluation of clinical methods in the diagnosis of temporomandibular joint disorders: A comparison study with magnetic resonance imaging. J Korean Assoc Oral Maxillofac Surg 2007;33:367-374.
- Kim JJ. The effect of intra-articular injection of hyaluronic acid after arthrocentesis in treatment of internal derangements of the TMJ. J Korean Assoc Oral Maxillofac Surg 2006;32:453-457.
- Kim JH, Kim YK, Kim SG, et al. Effectiveness of bone scans in the diagnosis of osteoarthritis of the temporomandibular joint. Dentomaxillofac Radiol 2012;41: 224-229.
- Kim JH, Kim YK, Lee DH, et al. Synovial fluid cell counts of the superior joint space of the patients with mandibular fractures. J Korean Assoc Maxillofac Plast Reconstr Surg 2004;26:396-400.
- Kim SB, Rhee GJ. Clinical and psychosomatic analysis of the temporomandibular disorder patient. J Korean Assoc Oral Maxillofac Surg 1992;18:60-72.
- Kim SB, Yun PY, Kim YK. Evaluation of effects of maxillofacial trauma to temporomandibular joint: Clinical and scintigraphic test. Oral Biology Research 2015;39:105-109.
- Kim SM, Yeo HH, Kim SG. A study on the effect of electroacupunctures stimulation therapy. J Korean Assoc Oral Maxillofac Surg 1998;24:205-307.
- Kim YK. Type of intractable temporomandibular disorder and treatment protocols. J Korean Assoc Oral Maxillofac Surg 2014;40:1-2.
- Kim YK. Analysis of treatment pattern of temporomandibular disorder. J Korean Dent Assoc 2001;39:54-61.
- Kim YK. Tinnitus and Temporomandibular disorder. Journal of TMJ and Sports Dentistry 2014;5:29-34.
- Kim YK, Im JH, Chung H, et al. Clinical application of ultrathin arthroscopy in the temporomandibular joint for treatment of closed lock patients. J Oral Maxillofac Surg 2009;67:1039-1045.
- Kim YK, Kim HT, Kim IS. Effect of initial conservative treatment of TMD patients: Counselling and medication. J Korean Dent Assoc 2000;38:549-557.
- Kim YK, Kim HT, Lee DH, et al. Analysis of TNJ status in the patients with mandibular fractures: Preliminary study arthroscopic examination, histomorphology and joint fluid analysis. J Korean Assoc Oral Maxillofac Surg 2001;27:308-313.
- Kim YK, Kim SG, Im JH, et al. Clinical survey of the patients with temporomandibular joint disorders, using Research Diagnostic Criteria (Axis II) for TMD: Preliminary study. J Craniomaxillofac Surg 2012;40:366-372.
- Kim YK, Kim SG, Kim BS, et al. Analysis of the cytokine profiles of the synovial fluid in a normal temporomandibular joint: Preliminary study. J Craniomaxillofac Surg 2012;40:337-341.
- Kim YK, Kim SG, Kim JH, et al. Temporomandibular joint and psychosocial evaluation of patients after orthognathic surgery: a preliminary study. J Craniomaxillofac Surg. 2013;41:83-86.
- Kim YK, Lee SW, Chung SC. Clinical effect on the patient with orofacial pain through electro-acupuncture stimulation therapy(EAST). 대한구강내과학회지 2000;25:109-116.
- Kim YK, Yun PY, Kim JH. Evaluation of efficacy of TMJ arthrocentesis in the patients with mandibular fracture. J Korean Assoc Oral Maxillofac Surg 2005;31:532-535.
- Klasser GD, Greene CS. Oral appliances in the management of temporomandibular disorders. Oral Surg Oral Med Oral Pathol Oral Radiol Endod 2009;107:212-223.
- Klobas L, Tegelberg A, Axelsson S. Symptoms and signs of temporomandibular disorders in individuals with chronic whiplash-associated disorders. Swed Dent J 2004;28:29-36.
- Kniffin TC, Danaher RJ, Westlund KN, et al. Persistent neuropathic pain influences persistence behavior in rats. J Oral Facial Pain 2015;29:183-192
- Ko MY, Cho SH, Ahn YW. Prognosis of conservative therapy on the TMD patients with noise. 대한구강내과학 회지 2003;28:91-110.
- Koh KJ, Lis T, Petersson A, et al. Relationship between clinical and magnetic resonance imaging diagnoses and findings in degenerative and inflammatory temporomandibular joint diseases: A systematic literature review. J Orofac Pain 2009;23:123-139.
- Koole R, Steeks MH, Witkamp TD, et al: Osteochondroma of the mandibular condyle: A case report. Int J Oral Maxillofac Surg 1996;25:203-205.
- Kopp S, Åkerman S, Nilner M. Short-term effects of intra-articular sodium hyaluronate, glucocorticoid, and saline injections on

rheumatoid arthritis of the temporomandibular joint. J Craniomandib Disord 1991;5:231–238.

- Kopp S, Wenneberg B, Haraldson T, et al. The short-term effect of intra-articular injections of sodium hyaluronate and corticosteroid on temporomandibular joint pain and dysfunction. J Oral Maxillofac Surg 1985;43:429–435.
- Korkmaz YT, Altintas NY, Korkmaz FM, et al. Is Hyaluronic acid Injection Effective for the Treatment of Temporomandibular Joint Disc Displacement With Reduction? J Oral Maxillofac Surg 2016;74:1728–1740.
- Koslin MG. Advanced arthroscopic surgery. Oral Maxillofac Surg Clin North Am 2006;18:329–343.
- Krasnow AZ, Collier BD, Kneeland JB, et al. Comparison of high-resolution MRI and SPECT bone scintigraphy for noninvasive imaging of the temporomandibular joint. J Nucl Med 1987;28:1268–1274.
- Krogstad BS, Jokstad A, Dahl BL, et al. The reporting of pain, somatic complaints, and anxiety in a group of patients with TMD before and 2 years after tereatment: sex differences. J Orofac Pain 1996;10:263–269.
- Kropmans TJ, Dijkstra PU, Stegenga B. Therapeutic outcome assessment in permanent temporomandibular joint disc displacement. J Oral Rehabil 1999;26:357–363.
- Kudoh K, Kudoh T, Tsuru K, et al. A case of tophaceous pseudogout of the temporomandibular joint extending to the base of the skull. Int J Oral Maxillofac Surg 2017;46:355–359.
- Kurtoglu C, Hayri Gur O, Kurkcu M, et al. Effect of botulinum toxin-A in myofascial pain patients with or without functional disc displacement. J Oral Maxillofac Surg 2008;66:1644–1651.
- Kreutz RS, Sanders B. Bilateral coronoid hyperplasia resulting in severe limitation of mandibular movement. Oral Surg Oral Med Oral Pathol 1985;60:482–484.
- Ku JK, Kim YK, Yun PY. Effectiveness of temporomandibular joint disorder follow-up using bone scans. J Korean Dent Sci 2015;8:1–9.
- Kubota E, Imamura H, Kubota T. Interleukin 1ß and stromelysin activity of synovial fluid as possible markers of osteoarthritis in the temporomandibular joint. J Oral Maxillofac Surg 1997;55:20–27.
- Kumar P, Singh V, Agrawal A, et al. Incremental increase in percentage mouth opening after coronoidectomy in temporomandibular joint ankylosis. Int J Oral Maxillofac Surg 2015;44:859–863.
- Kurita K, Ishida Y, Maki I, et al. Primary treatment for TMJ osteoarthritis: A combination therapy of arthrocentesis, range of motion exercises and NSAID. Int J Oral Maxillofac Surg 1999;28:97–98.
- Kurita K, Mukaida Y, Ogi N, Toyama M. Closed reduction of chronic bilateral temporomandibular joint dislocation. A case report. Int J Oral Maxillofac Surg. 1996;25:422–423.
- Kurita K, Ogi N, Miyamoto K, et al. Diagnostic evaluation of an ultrathin 15,000 fiberoptic arthroscope: Comparison of arthroscopic and histologic findings in a sheep model. J Oral Maxillofac Surg 2005;63:319–322.
- Kurita K, Ogi N, Toyama I, et al. Single-channel thin-fiber and Nd:YAG laser temporomandibular joint arthroscope: development and preliminary clinical findings. Int J Oral Maxillofac Surg 1997;26:414–418.
- Kurita H, Chen Z, Uehara S, et al. Comparison of imaging follow-up between joints with arthroscopic surgery (Lysis and lavage) and those with nonsurgical treatment. J Oral Maxillofac Surg 2007;65:1309–1314.
- Kurita H, Kurashina K, Ohtshka A. Efficacy of a mandibular manipulation technique in reducing the permanently displaced temporomandibular joint disc. J Oral Maxillofac Surg 1999;57:784–788.
- Kurita H, Kurashina K, Baba H, et al. Evaluation of disk capture with a splint repositioning appliance. Oral Surg Oral Med Oral Pathol Oral Radiol Endod 1998;85:377–380.
- Kurita H, Kurashina K, Ohtsuka A, et al. Change of position of the temporomandibular joint disk with insertion of a disk-repositioning appliance. Oral Surg Oral Med Oral Pathol Oral Radiol Endod 1998;85:142–145.
- Kuttenberger JJ, Hardt N. Long-term results following miniplate eminoplasty for the treatment of recurrent dislocation and habitual luxation of the temporomandibular joint. Int J Oral Maxillofac Surg 2003;32:474–479.
- Lal DR, Su WT. Wolden SL, Results of multimodal treatment for desmoplastic small round cell tumors. 2005;40:251–255.
- Landzberg G, El-Rabbany M, Klasser GD, et al. Temporomandibular disorders and whiplash injury: a narrative review. Oral Surg Oral Med Oral Pathol Oral Radiol 2017;124:37–46.
- Larsman P, Kadefors R, Sandsjo L. Psychosocial work conditions, perceived stress, perceived muscular tension, and neck/shoulder symptoms among medical secretaries. Int Arch Occup Environ Health 2013;86:57–63.
- Larheim TA, Westesson PL, Hicks DG, et al. Osteonecrosis of the temporomandibular joint: Correlation of magnetic resonance imaging and history. J Oral Maxillofac Surg 1999;57:888–898.
- Laskin DM. Etiology of the pain-dysfunction syndrome. J Am Dent Assoc 1969;79:147–153.

- Laskin DM. Surgical management of diseases of the temporomandibular joint. In: Hayward J (ed). Oral Surgery. Springfield, IL: Thomas, 1976:173–190.
- Laskin DM. Indications and limitations of TMJ surgery. In: Laskin DM, Greene CS, Hylander WL. TMDs. An evidence–based approach to diagnosis and treatment. Chicago: Quintessence books, 2006: 415–416.
- Lee BK. Evidence–based practice in the treatment of temporomandibular disorders. J Korean Assoc Oral Maxillofac Surg 2012;38:263.
- Lee GC, Choi JH, Yoon GH, et al. Cases report of conservative treatment for idiopathic condylar resorption. Journal of TMJ and Sports Dentistry 2012;3:1–10.
- Lee GC, Shin WH, Park S, Heo HA. Treatment of head and neck area pain by multidisciplinary approach with template. J Korean Dent Sci 2012;5:68–76.
- Lee JY, Kim YK, Kim SG, et al. Evaluation of Korean teenagers with temporomandibular joint disorders. J Korean Assoc Oral Maxillofac Surg 2013;39:232–237.
- Lee SH, Yoon HJ. MRI findings of patients with temporomandibular joint internal derangement: before and after performance of arthrocentesis and stabilization splint. J Oral Maxillofac Surg 2009;67:314–317.
- Lee SM, Lee WW, Yun PY, et al. Prediction of splint therapy efficacy using bone scan in patiehts with unilateral temporomandibular disorder. Nucl Med Mol Imaging 2009;43:143–149.
- Lee YJ, Lee KM, Auh QS. MRI–based assessment of masticatory muscle changes in TMD patients after whiplash injury. J Clin Med 2021;10:1404.
- Lello GE, Makek M. Traumatic myositis ossificans in masticatory muscles. J Maxillofac Surg 1986;14:231–237.
- Levitt SR, McKinney MW. Validating the TMJ scale in a national sample of 10,000 patients: demographic and epidemiologic characteristics. J Orofac Pain 1994;8:25–35.
- Levitt SR, McKinnery MW, Willis WA. Measuring the impact of a dental practice on TM disorder symptoms. J Craniomandib Pract 1993;11:211–216.
- Limonadi FM, McCartney S, Burchiel KJ. Design of an artificial neural network for diagnosis of facial pain syndromes. Stereotact Funct Neurosurg 2006;84:212–220.
- List T, Axelsson S. Management of TMD. Evidence from systematic reviews and meta–analyses. J Oral Rehabil 2010;37:430–451.
- Lu Q, Xu J, Liu H. Association between Chlamidia pneumoniae IgG antibodies and migraine. J Headache Pain 2009;10:121–124.
- Lund B, Weiner CK, Benchimol D, et al. Osteochondroma of the glenoid fossa–report of two cases with sudden onset of symptoms. Int J Oral Maxillofac Surg 2014;43:1473–1476.
- Lundeen TF, Scruggs RR, MdKinney MW, et al. TMD symptomology among denture patients. J Craniomandib Disord Facial Oral Pain 1990;4:40–46.
- Lindqvist C, Jokinen J, Paukku P, et al. Adaptation of autogenous costochondral grafts used for temporomandibular joint reconstruction: A long–term clinical and radiologic follow–up. J Oral Maxillofac Surg 1988;46:465–470.
- Macfarlane TV, Gray RJM, Kincey J, et al. Factors associated with the temporomandibular disorder, pain dysfunction syndrome(PDS): Manchester case–control study. Oral Dis 2001;7:321–330.
- Magni G. The use of antidepressants in the treatment of chronic pain. A review of the current evidence. Drugs 1991;42:730–748.
- Magnusson C, Nilsson M, Magnusson T. Degenerative changes in human temporomandibular joints in relation to occlusal support. Acta Odontol Scand 2010;68:305–311.
- Maini K, Dua A. Temporomandibular Joint Syndrome. In: StatPearls [Internet]. Treasure Island (FL): StatPearls Publishing; 2021 Jan. 2020 Nov 17.
- Manfredini D, Bonnini S, Arboretti R, et al. Temporomandibular joint osteoarthritis: an open label trial of 76 patients treated with arthrocentesis plus hyaluronic acid injections. Int J Oral Maxillofac Surg 2009;38:827–834.
- Manfredini D, Marini M, Pavan C, et al. Psychosocial profiles of painful TMD patients. J Oral Rehabil 2009;36:193–198.
- Manfredini D, Piccotti F, Guarda–Nardini L. Hyaluronic acid In the Treatment of TMJ Disorders: A Systematic Review of the Literature. Cranio 2010;28:166–176.
- Manfredini D, Winocur E, Ahlberg J, et al. Psychosocial impairment in temporomandibular disorders patients. RDC/TMD axis II findings from a multicentre study. J Dent 2010;38:765–772.

- Martin-Granizo R, Sanchez JJ, Jourquera M, Ortega L. Synovial chondromatosis of the temporomandibular joint: a clinical, radiological and histological study. Med Oral Patol Oral Cir Bucal 2005;10:272-276.
- Martin MD, Wilson KJ, Ross BK, et al. Intubation risk factors for temporomandibular joint/facial pain. Anesthe Prog 2007;54:109-114.
- Martinez-Perez D, Ruiz-Espiga PG. Recurrent temporomandibular joint dislocation treated with botulinum toxin: Report of 3 cases. J Oral Maxillofac Surg 2004;62:244-246.
- Martini G, Martini M, Carano A. MRI study of a physiotherapeutic protocol in anterior disc displacement without reduction. Cranio 1996;14:216-224.
- Matarasso A. The oculocardiac reflex in blepharoplasty surgery. Plast Reconstr Surg 1989;83:243-250.
- Matukas VJ, Lachner J. The use of autologous auricular cartilage for temporomandibular joint disc replacement: a preliminary report. J Oral Maxillofac Surg 1990;48:348-353.
- McCain JP, De La Rua H. Principles and practice of operative arthroscopy of the human temporomandibular joint. Oral Maxillofac Clin North Am 1989;1:135-152.
- McCain JP, Podrasky AE, Zabiegalski NA. Arthroscopic disc repositioning and suturing: a preliminary report. J Oral Maxillofac Surg 1992;50:568-573.
- McKinney MW, Londeen TF, Turner SP, et al. Chronic TM disorder and non-TM disorder pain: a comparison of behavioral and psychological characteristics. Cranio 1990;8:40-46.
- McNamara JA, Seligman DA, Okeson JP. Occlusion, orthodontic treatment, and temporomandibular disorders: A review. J Orofac Pain 1995;9:73-90.
- McNeill C. History and evolution of TMD concepts. Oral Surg Oral Med Oral Pathol Oral Radiol Endod 1997;83:51-60.
- Melzack R. Prolonged relief of pain by brief, intense transcutaneous somatic stimulation. Pain 1975;1:357-373.
- Miller VJ, Bodner L. The long-term effect of oromaxillofacial trauma on the function of the temporomandibular joint. J Oral Rehabil 1999;26:749-751.
- Milam SB. Pathophysiology and epidemiology of the TMJ. J Musculoskel Neuron Interact 2003;3:382-390.
- Minagi S, Nozaki S, Sato T, et al. A manipulation technique for treatment of anterior disk displacement without reduction. J Prosthet Dent 1991;65:686-691.
- Mishra KD, Gatchel RJ, Gardea MA. The relative efficacy of three cognitive-Behavioral treatment approaches to temporomandibular disorders. J Behavioral Medicine 2000;23:293-309.
- Mittal N, Goyal M, Sardana D, et al. Outcomes of surgical management of TMJ ankylosis: A systematic review and meta-analysis. J Craniomaxillofac Surg 2019;47:1120-1133.
- Miyake R, Ohkubo R, Takehara J, et al. Oral parafunctions and association with symptoms of temporomandibular disorders in Japanese university students. J Oral Rehabil 2004;31:518-523.
- Moffat M. Physical therapy for TMD. Oral Surg Oral Med Oral Pathol Oral Radiol Endod 1997;84:3.
- Mohlin B, Axelsson S, Paulin G, et al. TMD in relation to malocclusion and orthodontic treatment: a systematic review. Angle Orthodont 2007;77:542-548.
- Molina OF, dos Santos J Jr, Nelson SJ, et al. Prevalence of modalities of headaches and bruxism among patients with craniomandibular disorder. Cranio 1997;15:314-325.
- Montgomery MT, Gordon SM, Van Sickels JE, et al. Changes in signs and symptoms following temporomandibular joint disc repositioning surgery. J Oral Maxillofac Surg 1992;50:320-328.
- Montgomery MT, van Sickels JE, Harms SE, et al. Arthroscopic TMJ surgery: Effects on signs, symptoms, and disc position. J Oral Maxillofacv Surg 1989;47:1263-1271.
- Montgomery MT, Van Sickles JE, Harms SE. Success of temporomandibular joint arthroscopy in disk displacement with and without reduction. Oral Surg Oral Med Oral Pathol 1991;71:651-659.
- Mongini F. Condylar remodeling after occlusal therapy. J Prosthet Dent 1980;43:568-577.
- Moon CW, Kim SG. Effect of Sodium hyaluronate in treating temporomandibular joint disorders. J Korean Assoc Oral Maxillofac Surg 2006;28:262-267.
- Moses JJ, Toper DC. A functional approach to the treatment of temporomandibular joint internal derangement. J Craniomandib Disord 1991;5:19-27.
- Mujakpeuro HR, Watson M, Morrison R, Macfariane TV. Pharmacological interventions for pain in patients with temporomandibular disorders. Cochrane Database Syst Rev 2010;(10):CD004715.

- Murakami K, Matsuki M, Iizuka T. Recapturing the persistent anteriorly displaced disk by mandibular manipulation after pumping and hydraulic pressure to the upper joint cavity of the temporomandibular joint. J Cranioman Pract 1987;5:18–24.
- Murakami KI, Matshki M, Iizuka T, et al. Diagnostic arthroscopy of the TMJ: Differential diagnoses in patients with limited jaw opening. Cranio 1986;4:117–126.
- Murakami KI, Segami N, Moriya Y, et al. Correlation between pain and dysfunction and intra–articular adhesions in patients with internal derangement of the temporomandibular joint. J Oral Maxillofac Surg 1992;50:705–708.
- Murakami KI, Segami N, Okamoto M, et al. Outcome of arthroscopic surgery for internal derangement of the temporomandibular joint: long term results covering 10 years. J Craniomaxillofac Surg 2000;5:264–271.
- Murakami KI, Tsuboi Y, Bessho K, et al. Outcome of arthroscopic surgery to the temporomandibular joint correlates with stage of internal derangement: five–year follow–up study. Brit J Oral Maxillofac Surg 1998;36:30–34.
- Muto T, Kawakami J, Kanazawa M, et al. Development and histologic characteristics of synovitis induced by trauma in the rat temporomandibular joint. Int J Oral Maxillofac Surg 1998;27:470–475.
- Myoung SW, Park JU. Analysis of the clinical symptoms and the temporomandibular joint disk by magnetic resonance imaging after conservative treatment with anterior repositioning splint. J Korean Assoc Maxillofac Plast Reconstr Surg 2006;28:136–142.
- Nadershah M, Mehra P. Orthognathic surgery in the presence of temporomandibular dysfunction: what happens next? Oral Maxillofac Surg Clin North Am 2015;27:11–26.
- Nagamatsu–Sakaguchi C, Minakuchi H, Clark GT, et al. Relationship between the frequency of sleep bruxism and the prevalence of signs and symptoms of temporomandibular disorders in an adolescent population. Int J Prosthodont 2008;1:292–298.
- Nagori SA, Jose A, Chowdhury SKR, et al. Is splint therapy required after arthrocentesis to improve outcome in the management of temporomandibular joint disorders? A systematic review and meta–analysis. Oral Surg Oral Med Oral Pathol Oral Radiol 2019;127:97–105.
- Nakagawa Y, Ishii H, Shimoda S, Ishibashi K. Pseudogout of the temporomandibular joint. A case report. Int J Oral Maxillofac Surg 1999;28:26–28.
- Nelson SJ, Nowlin TP, Boeselt B. Consideration of linear and angular values of maximum mandibular opening. Compendium 1992;13:362–366.
- Ness GM, Laskin DM. Global doctor opinion versus a patient questionnaire for the outcome assessment of treated temporomandibular disorder patients. J Oral Maxillofac Surg 2012;70:1531–1533.
- Nguyen P, Mohamed SE, Gardiner D, Salinas T. A randomized double–blind clinical trial of the effect of Chondroitin sulfate and glucosamine hydrochloride on temporomandibular joint disorders: A pilot study. Cranio 2001;19:130–139.
- Nishimura M, Segami N, Kaneyama K, et al. Comparison of cytokine level in synovial fluid between sucessful and unsuccessful cases in arthrocentesis of the temporomandibular joint. J Oral Maxillofac Surg 2004;62:284–287.
- Nitzan DW. Arthrocentesis for management of severe closed lock of the temporomandibular joint. Oral Maxillofac Surg Clin North America 1994;6:245–257.
- Nitzan DW. The process of lubrication impairment and its involvement in temporomandibular joint disc displacement: A theoretical concept. J Oral Maxillofac Surg 2001;59:36–45.
- Nitzan DW. Temporomandibular joint "open lock" versus condylar dislocation: signs and symptoms, imaging, treatment, and pathgogenesis. J Oral Maxillofac Surg 2002;60:506–511.
- Nitzan DW. 'Friction and adhesive forces'—Possible underlying causes for temporomandibular joint internal derangement. Cells Tissues Organs 2003;174:6–16.
- Nitzan DW, Dolwick F. An alternative explanation for the genesis of closed–lock symptoms in the internal derangement process. J Oral Maxillofac Surg 1991;49:810–815.
- Nitzan DW, Dolwick F, Martinez GA. Temporomandibular joint arthrocentesis: A simplified treatment for severe, limited mouth opening. J Oral Maxillofac Surg 1991;49:1163–1167.
- Nitzan DW, Mahler Y, Simkin A. Intra–articular pressure measurements in patients with suddenly developing, severely limited mouth opening. J Oral Maxillofac Surg 1992;50:1038–1042.
- Nitzan DW, Marmary Y. The "Anchored disc phenomenon": A proposed etiology for sudden–onset, severe, and persistent closed lock of the temporomandibular joint. J Oral Maxillofac Surg 1997;55:797–802.
- Nitzan DW, Price A. The use of arthrocentesis for the treatment of osteoarthritic temporomandibular joints. J Oral Maxillofac Surg 2001;59:1154–1159.

- Nitzan DW, Samson B, Beher H. Long-term outcome of arthrocentesis for sudden-onset, persistent, severe closed lock of the temporomandibular joint. J Oral Maxillofac Surg 1997;55:151–157.
- Ogi N, Nagao T, Toyama M, et al. Chronic dental infections mimicking temporomandibular disorders. Aust Dent J 2002;47:63–65.
- Ohlmann B, Rammelsberg P, Henschel V, et al. Prediction of TMJ arthralgia according to clinical diagnosis and MRI findings. Int J Prosthodont 2006;19:333–338.
- Ohnuki T, Fukuda M, Iino M, et al. Magnetic resonance evaluation of the disk before and after arthroscopic surgery for temporomandibular joint disorders. Oral Surg Oral Med Oral Pathol Oral Radiol Endod. 2003; 96:141–148.
- Ohrbach R, Turner JA, Sherman JJ, et al. The research diagnostic criteria for temporomandibular disorders. IV: Evaluation of psychometric properties of the Axis II measures. J Orofac Pain 2010;24:48–62.
- Ok SM, Jeong SH, Ahn YW, et al. Effect of stabilization splint therapy on glenoid fossa remodeling in temporomandibular joint osteoarthritis. J Prosthodont Res 2016;60:301–307.
- Oksana I, Edvitar L, Stephanie A, et al. Intramuscular botulinum toxin injection additional to arthrocentesis in the management of temporomandibular joint pain. Oral Surg Oral Med Oral Pathol Oral Radiol 2016;122:e99–e106.
- Okeson JP. Bell's orofacial pains: the clinical management of orofacial pain. 6th ed. Chicago: Quintessence Pub. 2004.
- Okeson JP. Management of temporomandibular disorders and occlusion, ed 6. St. Louis: Mosby. 2008.
- Okeson JP: Management of temporomandibular disorders and occlusion. 8th edition. 2019.
- Olesen J. The international classification of headache disorders: 2nd ed. Cephalalgia 2004;24:24–160.
- Olsen-Bergem H, Kristoffersen AK, Bjornland T et al. Juvenile idiopathic arthritis and rheumatoid arthritis: bacterial diversity in temporomandibular joint synovial fluid in comparison with immunological and clinical findings. Int J Oral Maxillofac Surg 2016;45:318–322.
- Onder E, Bulvari I, Merkezi S. Clinical evaluation of intraarticular sodium hyaluronate injection on temporomandibular joint disc displacement. 2014 AAOMS poster 16: 69.
- Onder ME, Tuz HH, Kocyigit D, et al. Long-term results of arthrocentesis in degenerative temporomandibular disorders. Oral Surg Oral Med Oral Pathol Oral Radiol Endod 2009;107:1–5.
- Paegle DI, Holmlund AB, Ostlund MR, et al. The occurrence of antibodies against Chlamydia species in patients with monoarthritis and chronic closed lock of the temporomandibular joint. J Oral Maxillofac Surg 2004;62:435–439.
- Park MH, Chung DY, Kim CM, et al. Total TMJ replacement as another implant in maxillofacial area: part II-surgical technique. J Dent Res 2015;34:56–59.
- Park YH, Lee SH, Yoon HJ. An effect of combination with arthrocentesis and stabilization splint treatment on temporomandibular joint disorder patients. J Korean Assoc Maxillofac Plast Reconstr Surg 2010;32:32–36.
- Parker WS, Chole RA. Tinnitus, vertigo, and temporomandibular disorders. Am J Orthod Dentofac Orthop 1995; 107:153–8.
- Pastore GP, Goulart DR, Pastore PR, Prati AJ. Removal of a Solitary Synovial Chondromatosis of the Temporomandibular Joint Using Arthroscopy. J Craniofac Surg 2016;27:967–969.
- Patel AA, Lerner MZ, Blitzer A. Incobotulinumtoxin A injection for temporomandibular joint disorder. Ann Otol Rhinol Laryngol 2017; 126:328–333.
- Pekkan G, Aksoy S, Hekimoglu C, Oghan F. Comparative audiometric evaluation of temporomandibular disorder patients with otological symptoms. J Craniomaxillofac Surg 2010;38:231–234.
- Pettengill CA, Reisner-Keller L. The use of tricyclic antidepressants for the control of chronic orofacial pain. Cranio 1997;15:53–56.
- Peyrot H, Montoriol PF, Beziat JL. Synovial chondromatosis of the temporomandibular joint: CT and MRI findings. Diagnostic and Interventional Imaging 2014;95: 613–614.
- Plesh O, Gansky SA, Curtis DA, et al. The relationship between chronic facial pain and a history of trauma and surgery. Oral Surg Oral Med Oral Pathol Oral Radiol Endod 1999;88:16–21.
- Politis C, Stoelinga PJW, Gerritsen GW, et al. Long-term results of surgical intervention on the temporomandibular joint. J Craniomand Pract 1989;7:319–330.
- Prael FR. Limitation of mandibular movement due to bilateral mandibular coronoid process enlargement. J Oral Maxillofac Surg 1984;42:534–536.
- Precious DS, Skulsky FG. Cardiac dysrhythmias complicating maxillofacial surgery. Int J Oral Maxillofac Surg 1990;19:279–282.
- Pullinger AG. The significance of condyle position in normal and abnormal temporomandibular joint dysfunction. In Clark GT(ed). Perspectives in temporomandibular disorders. Chicago: Quintessence. 1987.

- Pullinger AG, Monteiro AA. History factors associated with symptoms of temporomandibular disorders. J Oral Rahabil 1988;15:117–124.
- Pullinger AG, Seligman DA. Trauma history in diagnostic groups of temporomandibular disorders. Oral Surg Oral Med Oral Pathol 1991;71:529–534.
- Pupo YM, Pantoja LLQ, Veiga FF, et al. Diagnostic validity of clinical protocols to assess temporomandibular disk displacement disorders: a meta-analysis. Oral Surg Oral Med Oral Pathol Oral Radiol 2016;122:572–586.
- Quinn JH, Stover JD. Arthroscopic management of temporomandibular joint disc perforations and associated advanced chondromalacia by discoplasty and abrasion arthroplasty: A supplemental report. J Oral Maxillofac Surg 1998;56:1237–1239.
- Quinn P. Pain management in the multiply operated temporomandibular joint patients. J Oral Maxillofac Surg 2000;58:12–13.
- Rajan R, Reddy NVV, Potturi A, et al. Gap arthroplasty of temporomandibular joint ankylosis by transoral access: a case series. Int J Oral Maxillofac Surg 2014;43:1468–1472.
- Rajwanshi A, Srinivas R, Upasana G. Malignant small round cell tumors. J Cytol 2009;26:1–10.
- Rao PK. Efficacy of alpha lipoic acid in adjunct with intralesional steroids and hyaluronidase in the management of oral submucous fibrosis. J Cancer Res Ther 2010;6:508–510.
- Refai H, Altahhan O, Elsharkawy R. The Efficacy of Dextrose Prolotherapy for Temporomandibular Joint Hypermobility: A Preliminary Prospective, Randomized, Double-Blind, Placebo-Controlled Clinical Trial. J Oral Maxillofac Surg 2011;69:2962–2970.
- Reissmann DR, John MT, Seedorf H, et al. Temporomandibular disorder pain is related to the general disposition to be anxious. J Oral Facial Pain Headache 2014;28:322–330.
- Roberts RS, Best JA, Shapiro RD. Trigeminocardiac reflex during temporomandibular joint arthroscopy: Report of a case. J Oral Maxillofac Surg 1999;57:854–856.
- Roberts C, Katzberg RW, Tallents RH et al. Clinical predictability of internal derangements of the temporomandibular joint. Oral Surg Oral Med Oral Pathol 1991;71:412–414.
- Roberts CA, Tallents RH, Katzberg RW et al. Clinical and arthrographic evaluation of the location of temporomandibular joint pain. Oral Surg Oral Med Oral Pathol 1987;64:6–8.
- Rocabado M. Physical therapy and dentistry: An overview. J Craniomandib Pract 1983;1:46–49.
- Rootkin-Gray VF, Fryer L, Robinson PD. 'Mice' in the joint. Br J Oral Maxillofac Surg 2003;41:199–200.
- Rossetti LMN, Rossetti PHO, Conti PCR, et al. Association between sleep bruxism and temporomandibular disorders: A polysomnographic pilot study. J Craniomandib Pract 2008;26:16–24.
- Rosted P. The use of acupuncture in dentistry: a review of the scientific validity of published papers. Oral Dis 1998;4:100–104.
- Rosted P, Bundgaard M, Pedersen AML. The use of acupuncture in the treatment of temporomandibular dysfunction—an audit. Acupunct Med 2006;24:16–22.
- Rubinstein B, Axelsson A, Carlsson GE. Prevalence of signs and symptoms of craniomandibular disorders in tinnitus patients. J Craniomandib Disord 1990;4:186–192.
- Saito T, Yamada H, Nakaoka K, et al. Risk factors for the poor clinical outcome of visually guided temporomandibular joint irrigation in patients with chronic closed lock. Asian J Oral Maxillofac Surg 2010;22:133–137.
- Saldanha AD, Hilgenberg PB, Pinto LM, Conti PC. Are Temporomandibular Disorders and Tinnitus Associated? Cranio 2012;30:166–171.
- Salins PC. New perspectives in the management of craniomandibular ankyloses. Int J Oral Maxillofac Surg 2000;29:337–340.
- Salins PC. Soft and hard tissue correction of facial deformity associated with bilateral temporomandibular joint ankyloses. Int J Oral Maxillofac Surg 1998;27:422–424.
- Sano T, Westesson PL, Larheim TA et al. The association of temporomandibular joint pain with abnormal bone marrow in the mandibular condyle. J Oral Maxillofac Surg 2000;58:254–257.
- Sanroman JF, Lopez AC, Badiola IA, et al. Indications of arthroscopy in the treatment of synovial chondromatosis of the temporomandibular joint: report of 5 new cases. J Oral Maxillofac Surg 2008;66:1694–1699.
- Sarlani E, Nikitakis NG, Papadimitriou JC, Ord RA. Synchronous occurrence of ipsilateral synovial chondromatosis of the temporomandibular joint and pleomorphic adenoma of the parotid gland. Oral Surg Oral Med Oral Pathol 2004;98:69–75.
- Sato S, Goto S, Kasahara H, et al. Effect of pumping with injection of sodium hyaluronate and the other factors related to outcome in patients with non-reducing disk displacement of the temporomandibular joint. Int J Oral Maxillofac Surg 2001;30:194–198.

- Sato S, Goto S, Nasu F, et al. Natural course of disc displacement with reduction of the temporomandibular joint: Changes in clinical signs and symptoms. J Oral Maxillofac Surg 2003;61:32–34.
- Sato S, Kawamura H. Evaluation of mouth opening exercise after pumping of the temporomandibular joint in patients with nonreducing disc displacement. J Oral Maxillofac Surg 2008;66:436–440.
- Sato S, Kawamura H, Nagasaka H, et al. The natural course of anterior disc displacement without reduction in the temporomandibular joint: Follow-up at 6, 12, and 18 months. J Oral Maxillofac Surg 1997;55:234–238.
- Sato F, Kino K, Sugisaki M, et al. Teeth contacting habit as a contributing factor to chronic pain in patients with temporomandibular disorders. J Med Dent Sci 2006;53:103–109.
- Sato S, Nasu F, Motegi K. Natural course of nonreducing disc displacement of the temporomandibular joint: Changes in chewing movement and masticatory efficiency. J Oral Maxillofac Surg 2002;60:867–872.
- Sato S, Ohta M, Ohki H, et al. Effect of lavage with injection of sodium hyaluronate for patients with nonreducing disk displacement of the temporomandibular joint. Oral Surg Oral Med Oral Pathol Oral Radiol Endod 1997;84:241–244.
- Sato S, Sakamoto M, Kawamura H, et al. Disc position and morphology in patients with nonreducing disc displacement treated by injection of sodium hyaluronate. Int J Oral Maxillofac Surg 1999;28:253–257.
- Sato J, Segami N, Nishimura M, et al. Clinical evaluation of arthroscopic eminoplasty of the temporomandibular joint: comparative study with conventional open eminectomy. Oral Surg Oral Med Oral pathol Oral Radiol Endod 2003;95:390–395.
- Sato S, Takahashi K, Kawamura H, et al. The natural course of nonreducing disk displacement of the temporomandibular joint: changes in condylar mobility and radiographic alterations at one-year follow up. Int J Oral Maxillofac Surg 1998;27:173–177.
- Schellhas KP, Wilkes CH, Fritts HM, et al. MR of osteochondritis dissecans and avascular necrosis of the mandibular condyle. ARJ Am J Roentgenol 1989;152:551–560.
- Schiffman EL, Look JO, Hodges JS, et al. Randomized effectiveness study of four therapeutic strategies for TMJ closed lock. J Dent Res 2007;86:58–63.
- Schiffman E, Ohrbach R, Truelove E, et al. Diagnostic criteria for temporomandibular disorders (DC/TMD) for clinical and research applications: Recommendations of the international RDC/TMD consortium network and orofacial pain special interest group. J Oral Facial Pain Headache 2014;28:6–27.
- Schmidt BL, Pogrel A, Necoechea M, et al. The distribution of the auriculotemporal nerve around the temporomandibular joint. Oral Surg Oral Med Oral Pathol Oral Radiol Endod 1998;86:165–168.
- Schmitter M, Zahran M, Phu JM, et al. Conservative therapy in patients with anterior disc displacement without reduction using 2 common splints: A randomized clinical trial. J Oral Maxillofac Surg 2005;63:1295–1303.
- Schwartz RA, Greene CS, Laskin DM. Personality characteristics of patients with myofascial paindysfunction (MPD) syndrome unresponsive to conventional therapy. J Dent Res 1979;58:1435–1439.
- Scott DG. Reflex bradycardia in facial surgery. Br J Plast Surg 1989;42:595–597.
- Scrivani SJ, Keith DA, Kaban LB. Temporomandibular disorders. N Engl J Med 2008;359:2693–2705.
- Seki H, Fukuda M, Takahashi T, Iino M. Condylar osteochondroma with complete hearing loss: report of a case. J Oral Maxillofac Surg 2003;61:131–133.
- Sahlstrom LE, Ekberg EC, List T, et al. Lavage treatment of painful jaw movements at disc displacement without reduction. A randomized controlled trial in a short-term perspective. Int J Oral Maxillofac Surg 2013;42:356–363.
- Shargill I, Davies SJ, Al-ani Z. Treatment of temporomandibular disorder in a viola player–A case report. Dent Update 2007;34:181–184.
- Silveira A, Armijo-Olivo S, Gadotti IC, et al. Masticatory and cervical muscle tenderness and pain sensitivity in a remote area in subjects with a temporomandibular disorder and neck disability. J Orofacial Pain 2014;28:138–146.
- Senye M, Mir CF, Morton S, et al. Topical nonsteroidal anti-inflammatory medications for treatment of temporomandibular joint degenerative pain: A systematic review. J Orofac Pain 2012;26:26–32.
- Shephard MK, Macgregor EA, Zakrzewska JM. Orofacial pain: a guide for the headache physician. Headache 2014;54:22–39.
- Shim CH, Kim YK, An CM. Hearing difficulty according to traumatic disk displacement: A case report. J Korean Assoc Maxillofac Plast Reconstr Surg 2002;24:172–175.
- Simon GE, VonKorff M, Piccinelli M, et al. An international study of the relation between somatic symptoms and depression. N Engl J Med 1999;341:1329–1335.
- Sindet-Pedersen S. Intraoral myotomy of the lateral pterygoid muscle for treatment of recurrent dislocation of the mandibular

condyle. J Oral Maxillofac Surg 1988;46:445–449.

- Singer E, Dionne R. A controlled evaluation of Ibuprofen and Diazepam for chronic orofacial muscle pain. J Orofac Pain 1997;11:139–146.

- Singh JA, Noorbaloochi S, MacDonald R, Maxwell LJ. Chondroitin for osteoarthritis. Cochrane Database Syst Rev 2015;1:CD005614.

- Smith P, Mosscrop D, Davies S, et al. The efficacy of acupuncture in the treatment of temporomandibular joint myofascial pain: a randomized controlled trial. J Dent 2007;35:259–267.

- Solberg WK, Woo MW, Houston JB. Prevalence of mandibular dysfunction in young adults. J Am Dent Assoc 1979;98:25–34.

- Sonnesen L, Svensson P. Assessment of pain sensitivity in patients with deep bite and sex- and age-matched controls. J Orofac Pain 2011;25:15–24.

- Sorel B, Piecuch JF. Long-term evaluation following temporomandibular joint arthroscopy with lysis and lavage. Int J Oral Maxillofac Surg 2000;29:259–263.

- Spitzer W, Rettinger G, Sitzmann F. Computerized tomography examination for the detection of positional changes in the temporomandibular joint after ramus osteotomies with screw fixation. J Maxillofac Surg 1984;12:139–142.

- Spitzer WO, Skovron ML, Salmi LR, et al. Scientific monograph of the Quebec Task Force on whiplash-associated disorders: redefining "whiplash" and its management. Spine 1995;20:1–73.

- Stallard RE. Relation of occlusion to temporomandibular joint dysfunction: The periodontic viewpoint. J Am Dent Assoc 1969;79:142–144.

- Stechman-Neto J, Porporatti AL, Porto de Toledo I, et al. Effect of temporomandibular disorder therapy on otologic signs and symptoms: a systematic review. J Oral Rehabil 2016;43:468–479.

- Steed PA, Wexier GB. Temporomandibular disorders-traumatic etiology vs. nontraumatic etiology: a clinical and methodological inquiry into symptomatology and treatment outcomes. Cranio 2001;19:188–194.

- Steiner F, Evans J, Marsh R, et al. Mouth opening and trismus in patients undergoing curative treatment for head and neck cancer. Int J Oral Maxillofac Surg 2015;44:292–296.

- Stern NS. An alternative procedure for repositioning the anteriorly displaced TMJ disk. J Craniomandib Disord 1988;2:13–18.

- Summers RB. The osteotome technique: Part 4—Future site development. Compend Contin Educ Dent 1995;16:1090, 1092 passim; 1094–1096, 1098, quiz 1099.

- Suzuki T, Segami N, Sato J, et al. Accuracy of histologic grading of synovial inflammation in temporomandibular joints with internal derangement using Gynther's system. J Oral Maxillofac Surg 2001;59:498–501.

- Tamaki K, Ishigaki S, Ogawa T, et al. Japan Prosthodontic Society position paper on "occlusal discomfort syndrome". J Prosthodont Res 2016;60:156–66.

- Tamaki K, Wake H, Shimada A, Shibura T. What in the world is occlusal dysesthesia? Its present state and general idea. The Quintessence (Korea) 2011;16:73–78.

- Tanaka E, Iwabe T, Dalla-Bona DA, et al. The effect of experimental cartilage damage and impairment and restoration of synovial lubrication on friction in the temporomandibular joint. J Orofac Pain 2005;19:331–336.

- Tanaka E, Kawai N, van Eijden T, et al. Impulsive compression influences the viscous behavior of procine temporomandibular joint disc. Eur J Oral Sci 2003;111:353–358.

- Tannenbaum H, Bombardier C, Davis P, et al. An evidence-based approach to prescribing nonSteroidal anti-inflammatory drugs. J Rheumatol 2006;33:140–157.

- Tarro A. TMJ arthrocentesis and blunt sweeping of the superior joint space. Int J Oral Maxillofac Surg 1999;28(Suppl 1):97.

- Tarro A. Arthroscopic treatment of TMJ hypermobility with painful chronic dislocation. Int J Oral Maxillofac Surg 1999;28 Suppl 1:14–15.

- Tarro AW. Arthroscopic treatment of anterior disc displacement: A preliminary report. J Oral Maxillofac Surg 1989;47:353–358.

- Tatli U, Benlidayi ME, Ekren O, et al. Comparison of the effectiveness of three different treatment methods for temporomandibular joint disc displacement without reduction. Int J Oral Maxillofac Surg 2017;46:603–609.

- Testaverde L, Perrone A, Caporali L, et al. MR finding in synovial chondromatosis of the temporo-mandibular joint: our experience and review of literature. Eur J Radiol 2011;78:414–418.

- Thie NM, Prasad NG, Major PW. Evaluation of glucosamine sulfate compared to Ibuprofen for the treatment of temporomandibular joint osteoarthritis: A randomized double blind controlled 3 month clinical trial. J Rheumatol 2001;28:1347–1355.

- Thoma KH: Tumor of the mandibular joint. J Oral Surg 1964;22:158

- Tom Thayer ML. The use of acupuncture in dentistry. Dental Update 2007;34:244-250.
- Tollison CD, Kriegel ML. Selected tricyclic antidepressants in the management of chronic benign pain. South Med J 1988;81:562-564.
- Trieger N, Hoffman CH, Rodriguez E. The effect of arthrocentesis of the temporomandibular joint in patients with rheumatoid arthritis. J Oral Maxillofac Surg 1999;57:537-540.
- Troulis MJ, Tayebaty FT, Papadaki M, et al. Condylectomy and costochondral graft reconstruction for treatment of active idiopathic condylar resorption. J Oral Maxillofac Surg 2008;66:65-72.
- Turk DC, Rudy TE, Kubinski JA, et al. Dysfunctional patients with temporomandibular disorders: Evaluating the efficacy of a tailored treatment protocol. J Consulting & Clinical Pathology 1996;64:139-146.
- Tucker MR, Guilford WB, Thomas PM. Versatility of CT scanning for evaluation of mandibular hypomobilities. J Maxillofac Surg 1986;14:89-92.
- Tullberg M, Ernberg M. Long-term effect on tinnitus by treatment of temporomandibular disorders: a two-year follow-up by questionnaire. Acta Odontol Scand 2006;64:89-96.
- Turp JC, Jokstad A, Motschall E, et al. Is there a superiority of multimodal as opposed to simple therapy in patients with temporomandibular disorders? A qualitative systematic review of the literature. Clin Oral Implants Res 2007;18:138-150.
- Turp JC, Motschall E, Schindler HJ, et al. In patients with temporomandibular disorders, do particular interventions influence oral health-related quality of life? A qualitative systematic review of the literature. Clin Oral Implants Res 2007;18:127-137.
- Ulmner M, Kruger-Weiner C, Lund B. Patient-specific factors predicting outcome of temporomandibular joint arthroscopy: a 6-year retrospective study. J Oral Maxillofac Surg 2017;75:1643.e1-1643.e7.
- Vaile JH, Davis P. Topical NSAIDs for musculoskeletal conditions. A review of the literature. Drugs 1998;56:783-799.
- Van den Berg WB. Osteoarthritis year 2010 in review: pathomechanisms. Osteoarthritis Cartilage 2011; 19: 338-41.
- Van der Kwast WA. Surgical management of habitual luxation of the mandible. Int J Oral Surg 1978;7:329-332.
- Vega LG, Gutta R, Louis P. Reoperative temporomandibular joint surgery. Oral Maxillofac Surg Clin North Am 2011;23:119-132.
- Venancio Rde A, Alencar FG Jr, Zamperini C. Botulinum toxin, Lidocaine, and dry-needling injections in patients with myofascial pain and headaches. Cranio 2009;27:46-53.
- Vezeau PJ, Fridrich KL, Vincent SD. Osteochondroma of the mandibular condyle: literature review and report of two atypical cases. J Oral Maxillofac Surg 1995;53:954-963
- Vincent JW. Reduction of luxation of the temporomandibular joint—an extraoral approach. J Prosthet Dent. 1980;44:445-446.
- Von Lindern JJ, Theuerkauf I, Niederhagen B, et al. Synovial chondromatosis of the temporomandibular joint: clinical, diagnostic, and histomorphologic findings. Oral Surg Oral Med Oral Pathol Oral Radiol Endod 2002;94:31-38.
- Vos LM, Huddleston Slater JJR, Stegenga B. Lavage therapy versus nonsurgical therapy for the treatment of arthralgia of the temporomandibular joint: A systematic review of randomized controlled trials. J Orofac Pain 2013;27:171-179.
- Wahlund K, Nilsson IM, Larsson B. Treating temporomandibular disorders in adolescents: A randomized, controlled, sequential comparison of relaxation training and occlusal appliance therapy. J Oral Facial Pain Headache 2015;29:41-50.
- Wang WH, Xu B, Zhang BJ, et al. Temporomandibular joint ankyloses contributing to coronoid process hyperplasia. Int J Oral Maxillofac Surg 2016;45:1229-1233.
- Weller R, Cauvin ER, Bowen IM, et al. Comparison of radiography, scintigraphy and ultrasonography in the diagnosis of a case of temporomandibular joint arthropathy in a horse. Vet Rec 1999;144:377-379.
- Wenneberg B, Kopp S, Gröndahl H. Long-term effect of intra-articular injections of a glucocorticosteroid into the TMJ: a clinical and radiographic 8-year follow-up. J Craniomandibular Disorders 1991;5(1):11-18.
- Widmark G, Dahlström L, Kahnberg KE, Lindvall AM. Diskectomy in temporomandibular joints with internal derangement: A follow-up study. Oral Surg Oral Med Oral Pathol 1997;83:314-320.
- Wiesinger B, Malker H, Englund E, et al. Back pain in relation to musculoskeletal disorders in the jaw-face: A matched case-control study. Pain 2007;131:311-319.
- Wilkes CH. Surgical treatment of internal derangements of the temporomandibular joint. Arch Otolaryngol Head Neck Surg 1991;117:64-75.
- Williams RA, Laskin DM. Arthroscopic examination of examination of experimentally induced pathologic conditions of the rabbit temporomandibular joint. J Oral Surg 1980;38:652-659.
- Wise DP, Ruskin JD. Arthroscopic diagnosis and treatment of temporomandibular joint synovial chondromatosis: report of a case. J Oral Maxillofac Surg 1994;52:90-93.

TOUGH CASES

- Wong WW, Hirose T, Scheithauer BW, et al. Malignant peripheral nerve sheath tumor: analysis of treatment outcome. Int J Radiation Oncol Biol Physics 1998;42:351–360.
- Von Korff M, Ormel J, Keefe FJ, et al. Grading the severity of chronic pain. Pain 1992;50:133–149.
- Wood RH, Wood WA, Welsch M, et al. Physical activity, mental stress, and short-term heart rate variability in patients with ischemic heart disease. J Cardiopulm Rehabil 1998;18:271–276.
- Wright EF. Otologic symptom improvement through TMD therapy. Quintessence Int 2007;38:e564–e571.
- Xu WH, Ma XC, Guo CB, et al. Synovial chondromatosis of the temporomandibular joint with middle cranial fossa extension. Int J Oral Maxillofac Surg 2007;36:652–655.
- Yang G, Baad-Hansen L, Wang K, et al. Somatosensory abnormalities in Chinese patients with painful temporomandibular disorders. J Headache and Pain 2016;17:31.
- Yatani H, Kaneshima T, Kuboki T, et al. Long-term follow-up study on drop-out TMD patients with self-administered questionnaires. J Orofac Pain 1997;11:258–269.
- Ybema A, De Bont LGM, Spijkervet FKL. Arthroscopic cauterization of retrodiscal tissue as a successful minimal invasive therapy in habitual temporomandibular joint luxation. Int J Oral Maxillofac Surg 2013;42:376–379
- Ye YG, Lee SH, Yoon HJ. The relative signal intensity of retrodiscal tissue in TMJ using a T2-weighted MRI. J Korean Assoc Maxillofac Plast Reconstr Surg 2005;27:457–462.
- Yi AN, Han SY, Yun KI. Clinical aspect of arthrocentesis. J Korean Assoc Oral Maxillofac Surg 2000;26:97–104.
- Yoo JH, Kang SH, Baek SH, et al. Effect of explanation of pathogenesis and stress management as primary care of TMJ disorder. J Korean Assoc Oral Maxillofac Surg 2002;28:358–363.
- Yoon HJ, Lee SH, Hur JY, et al. Relationship between stress levels and treatment in patients with temporomandibular disorders. J Korean Assoc Oral Maxillofac Surg 2012;38:326–331.
- Yoon OB. Treatment outcome of mandibular condylar fracture with arthrocentesis and lavage. J Korean Assoc Oral Maxillofac Surg 2002;28:286–289.
- Yoshida H, Fukumura Y, Suzuki S, et al. Simple manipulation therapy for temporomandibular joint internal derangement with closed lock. Asian J Oral Maxillofac Surg 2005;17:256–260.
- Yoshida H, Fukumura Y, Tojyo I, et al. Operation with a single-channel thin-fibre arthroscope in patients with internal derangement of the temporomandibular joint. Brit J Oral Maxillofac Surg 2008;46:313–314.
- You MS, Yang HJ, Hwang SJ. Postoperative functional remodeling of preoperative idiopathic condylar resorption: a case report. J Oral Maxillofac Surg 2011;69:1056–1063.
- Yuasa H, Kurita K. Randomized clinical trial of primary treatment for temporomandibular joint disk displacement without reduction and without osseous changes: A combination of NSAIDs and mouth-opening exercise versus no treatment. Oral Surg Oral Med Oral Pathol Oral Radiol Endod 2001;91:671–675.
- Yun PY, Kim YK. The role of facial trauma as a possible etiologic factor in temporomandibular joint disorder. J Oral Maxillofac Surg 2005;63:1576–1583.
- Yura S, Totsuka Y. Relationship between effectiveness of arthrocentesis under sufficient pressure and conditions of the temporomandibular joint. J Oral Maxillofac Surg 2005;63:225–228.
- Yura S, Totsuka Y, Yoshikawa T, et al. Can arthrocentesis release intracapsular adhesions? Arthroscopic findings before and after irrigation under sufficient hydraulic pressure. J Oral Maxillofac Surg 2003;61:1253–1256.
- Zardeneta G, Milam SB, Schmit JP. Elution of proteins by continuous temporomandibular joint arthrocentesis. Int J Oral Maxillofac Surg 1997;55:709–716.
- Zhang S, Huang D, Liu X, et al. Arthroscopic treatment for intra-articular adhesions of the temporomandibular joint. J Oral Maxillofac Surg 2011;69:2120–2127.
- Zhu S, Wang D, Yin Q, et al. Treatment guidelines for temporomandibular joint ankylosis with secondary dentofacial deformities in adults. J Craniomaxillofac Surg 2013;41:e117–e127.
- Zhuo Z, Cai XY. Radiological follow-up results of untreated anterior disc displacement without reduction in adults. Int J Oral Maxillofac Surg 2016;45:308–312.
- Zide MF, Carlton DM, Kent JN. Rheumatoid disease and related arthropathies. 1. Systemic findings, medical therapy, and pheriphral joint surgery. Oral Surg Oral Med Oral Pathol 1986;61:119–125.
- Ziegler CM, Haag C, Muhling J. Treatment of recurrent temporomandibular joint dislocation with intramuscular botulinum toxin injection. Clin Oral Investg 2003;7:52–55.

용어

| A |

Abfraction 치경부 치아구조물 소실; Loss of tooth structure where the tooth and gum come together. The damage is wedge-shaped or V-shaped and is unrelated to cavities, bacteria, or infection.

Absence epilepsy 소발작 뇌전증, 소발작 간질

Absence seizure 소발작, 실신발작(= Petit mal seizure)

Acute pain 급성 통증

Adams Stokes syndrome 애덤스-스토크스증후군

Adynamia 무력증

Adynamic ileus 무력 장폐쇄증

Agitation 초조

Agranulocytosis 무과립구증

Akathisia 좌불안석증

Algometer 통각계

Allergy 알레르기

Allodynia 이질통, 무해자극통증

Altered sensation 변화된 감각

Alveolar distraction 치조골신장술

Amnesia 건망증, 기억상실증

Anarthria 구음장애

Anastomosis 문합

Anesthesia dolorosa 무감각부위 통증

Anesthesia 마비, 무감각 (=numbness)

Ankylosing spondylitis 강직성척추염

Antagonist 길항제

Anterograde amnesia 전향기억상실증

Anticonvulsant 항경련제

Antidepressant 항우울제

Antiepileptics 항간질약

Antipsychotic drug 항정신병제

Anuresis 요폐

Aphasia 실어증

Arm leaning 팔괴기

ARS (anterior repositioning splint) 전방재위치스플린트

Arthrography 관절조영술

Arthrotomy 관절절개술

Articular eminence 관절융기

Assisted muscle stretching 보조적근육신장

Asterixis 고정자세 불능증

Ataxia 운동실조, 조화운동불능

Atrial fibrillation 심방세동

Atrial flutter 심방조동

Attrition 교모(증)

Atypical facial pain 비정형 안면통

Atypical toothache 비정형 치통

Auriculoventricular block 방실차단

Axon 축삭

Axonotemesis 축삭절단

| B |

Bilaminar tissue 두겹조직, 두층조직

Biliary tract 담도

Biopsychosocial model 생물심리사회모델

Bipolar disorder 양극성 장애

Blister 물집

Blurred vision 시력 불선명, 시력 혼탁, 흐려보임

Botulinum toxin 보툴리눔독소

Bridge 가공의치

Burning mouth syndrome 구강작열감증후군

Burning sensation 작열감

| C |

Canine guidance 견치유도

Cantilever 외팔보, 캔틸레버

Cataract 백내장

Causalgia 작열통

Central sensitization 중추감작, 중추민감화

Cephalometric lateral view (lateral cephalogram) 측모 두부규격방사선사진

Chorda tympani nerve 고실끈신경

Chorea 무도병

Chromatolysis 염색질용해

Chronic pain 만성 통증

Circulatory collapse 순환허탈

Collagenolysis 아교질증, 콜라겐증

Collateral nerve 곁신경

Collateral 곁

Comorbidity 동반질환, 동반질병

Complex regional pain syndrome 복합부위통증증후군

Condylectomy 과두절제술

Condyloplasty 과두성형술

Condylotomy 과두절단술

Confusion 착란

Conjunctival injection 결막충혈

Contracture 구축

Convergence 집합, 수렴

Coronoid process 오훼돌기, 근돌기

Coronoidectomy 오훼돌기절제술

Crack 균열
CR-CO disprepancy 중심위-중심교합 불일치
Cryotherapy 냉동요법
Current perception threshold 전류인지역치

| D |

Deafferentation pain 구심로차단통증
Debridement 괴사조직제거, 데브리망
Deflection 편향
Delusion 망상
Dentoalveolar 치아치조
Depersonalization 이인증
Descending pain inhibitory system impairment 하행통증 억제체계장애
Deviation 편위
Diagnostic anesthesia 진단용 마취
Digastric muscle 악이복근
Digital Infrared Thermographic Imaging (DITI) 적외선체열 검사
Displacement 전위
Dizziness 어지럼증, 현기증
Drowsiness 졸음, 기면
Dynamic tactile test 동적촉각검사
Dysarthria 구음장애
Dysesthesia 불쾌감각
Dysgeusia 미각이상
Dyskinesia 운동이상증
Dystonia 근긴장이상증

| E |

Ecchymosis 반상출혈
Eczema 습진
Effusion 삼출증
Electric pulp test (EPT) 전기치수검사
Electrical acupuncture stimulation therapy (EAST) 전기 침자극요법
Electrogustometry (EGM) 전기미각검사
Electromyography (EMG) 근전도검사
Electrophysiologic 전기생리학
Emergence profile 출현윤곽
Endoneurium 신경내막
Endothelial cell 내피세포
Epineurium 신경외막
Erythema migrans 이동홍반
Erythema multiforme 다형성홍반
Etching 에칭, 부식
Etiology 병인론
Euphoria 다행증, 도취감, 황홀
Exploratory operation 탐색수술
External decompression 외부 감압법

Extrapyramidal 추체외로

| F |

Fascia lata 넙다리근막, 대퇴근막
Fenestration procedure 개창술, 창냄술
Fibrillation 섬유성 연축
Fibroblast 섬유모세포
Fibromyalgia 섬유근육통
Fibrosis 섬유화
Filter paper disk (FPD) test 여지디스크법, 여과지디스크테 스트
Flap 피판
Flatus 방귀
Free radical 자유기
Fungiform papillae 버섯유두

| G |

Glaucoma 녹내장
Glossopharyngeal neuralgia 설인신경통
Glossopharyngeal neuropathic pain 설인신경의 신경병성 통증
Glossopyrosis 혀작열감, 혀화끈감
Gout 통풍
Greater auricular nerve 대이개신경
Grogginess 휘청거림. 비틀거림
Gynecomastia 여성형 유방증

| H |

Hallucination 환각
Healing abutment 치유지대주
Helplessness 무력감
Hepatic porphyria 간성포르피린증
Heterotopic pain 이소성 통증
Hirsutism 다모증
Hollow organ 속이 빈 장기
Hydrodipsomania 구갈(증), 목마름증
Hyperacusis 청각과민
Hyperalgesia, Hyperpathia 통각과민증
Hyperechema 청각과민
Hyperesthesia 감각과민
Hyperexcitability 과다흥분
Hyperoxaluria 고수산뇨증
Hyperplasia 증식, 과형성
Hyperreflexia 반사항진
Hypertrichosis 털과다증
Hypoalgesia, Hypopathia 통각저하증
Hypoesthesia 감각저하
Hypohidrosis 땀감소증, 땀저하증
Hyponatremia 저나트륨혈증
Hypoprothrombinemia 저프로트롬빈혈증

| I |

Idiopathic facial pain 특발성 안면통증
Idiopathic 특발성
Immunosuppressants 면역억제제
Ileus 장폐쇄증
Induration 경결감, 경화
Infraorbital foramen 안와하공
Infraorbital nerve 안와하신경
Intentional partial odontectomy (IPO) 의도적치관절제술
Internal decompression 내부 감압법
Interpositional bone graft 삽입성골이식술
Intima 내막
Iontophoresis 이온삼투요법
Ischemia 허혈
Ischuria 요저류
Isometric exercise 등척성운동
Itching 가려움, 소양증

| J |

Joint stiffness 관절경직, 관절강직
Juvenile arthritis 청소년성 관절염

| K |

Ketosis 케톤증
Kinase 인산화효소, 활성효소
Kyphosis 척추후만증

| L |

Labiomental fold 입술턱주름, 순이주름
Lacrimation 눈물분비
Lactation 유즙분비, 젖분비, 수유
Lactose intolerance 유당불내증
Laryngoscope 후두경
Lavage 세척
Lethargy 졸음증, 기면
Leukopenia 백혈구감소증
Leutrophil 호중구
Lichen planus 편평태선
Linea alba 백선
Lingula 소설, 허돌기
Low level laser therapy (LLLT) 저수준레이저치료
Lupus erythematosus 홍반성낭창
Lysis 용해

| M |

Malformation 기형
Macrocythemia 대적혈구증가증
Macrotrauma 거대외상
Malaise 권태감
Mandible body 하악체

Mandible ramus 하악지
Mania 조증, 조급증
Manipulation 도수조작, 도수교정
Megaloblastic anemia 거대적아구성 빈혈
Mastoid process 유양돌기
Meniscectomy 관절원판절제술
Meniscoplasty 관절원판성형술
Meniscorrhaphy 관절원판정복술
Mental foramen 이공
Mental nerve neuropathy 이신경병변증(= Numb chin syndrome)
Mental nerve 이신경
Mentum 이부
Micrognathia 소악증
Microtrauma 미세외상
Multidisciplinary approach 여러 전문분야적 접근
Multifactorial 다인성
Multiple neuritis 다발성 신경염
Muscle afferent block 근육구심차단술
Muscle conditioning exercise 근육조건화운동
Muscle splinting 보호성 근긴장
Muscular stiffness 근육강직, 근육경직
Myalgia 근육통 (= muscle soreness)
Myasthenia 근무력증
Mydriasis 산동, 동공산대
Myelin 수초
Mylohyoid 악설골
Myoclonia 간대성 근경련
Myofascial pain 근근막통증
Myoglobinuria 미오글로빈뇨증
Myospasm 근육연축, 근육경련

| N |

Narcolepsy 기면증, 발작수면
Negative nitrogen balance 음성질소평형
Nerve anastomosis 신경문합술
Nerve graft 신경이식술
Nerve sheath 신경초
Nerve sprouting 신경발아
Neurapraxia 생리적신경차단
Neurectomy 신경절제술
Neuroleptic malignant syndrome 신경이완제악성증후군
Neurolysis 신경박리술
Neuroma 신경종
Neuromuscular transmission 근신경전달
Neuronal 신경세포성, 신경원성
Neuropathic disorder 신경병성 장애
Neuropathic pain 신경병성 통증, 신경병변성 통증, 신경병증성 통증
Neurotemesis 신경절단

Neurotoxicity 신경독성
Neurotrophic 신경영양
Neutropenia 호중구감소증
Nissl body 니슬소체
Nociceptive 통각수용성, 침해수용성, 침해성
Nondepolarizing muscle relaxant 비탈분극성 근이완제
Non-nociceptive pain 비통각수용성 통증
Numbness 무감각, 마비
Nystagumus 안구진탕

| O |

Ochronosis 갈색증, 흑변증
Orbicularis oculi m. 안륜근
Orbicularis oris m. 구륜근
Orofacial dyskinesia 구강안면 운동이상증
Orofacial pain 구강안면통증
Osteoarthritis 골관절염
Osteoarthrosis 골관절증
Osteochondroma 골연골종
Osteomalacia 골연화증
Osteophyte 골극, 골증식
Osteoradionecrosis 방사선골괴사
Overload 과부하
Oxidative 산화

| P |

Pancytopenia 범혈구감소증
Parafunction 이상기능
Parapharyngeal 인두주위
Paresthesia 감각이상
Paradoxical reaction 역설적 반응
Passive muscle stretching 수동적근육신장
Pathogenesis 발병기전
Perineurium 신경주위막
Petechiae 점상출혈
Phantom pain syndrome 환상통증 증후군
Photophobia 광선공포증
Photosensitivity 광과민성
Placebo effect 위약효과
Polymerization 중합반응
Pore 구멍
Porphyria hepatica 간성포르피린증
Posterior subcapsular cataract 후낭하백내장
Postherpetic neuralgia 포진후신경통
Posttraumatic Stress Disorder 외상후스트레스장애
Pricking 따끔거림
Primary pain 원발성 통증
Primary stability 일차 안정도
Priming 시동, 초회
Prolotherapy 증식요법

Protective cocontraction 보호성 상호수축
Provocation test 유발검사
Pruritus 소양증
Pseudogout 가성통풍
Psoriatic arthritis 건선관절염
Psychogenic pain 심인성 통증
Psychomotor restlessness 정신운동 안절부절증
Pterygomandibular 익돌하악의, 날개하악의
Ptosis 하수증
Purpura 자반증
Purpuric cryopathy 자색반한랭병, 자색반저온병
Purulent exudate 화농성 삼출물

| Q |

Qualitative Sensory Test (QST) 정량적 감각 기능 검사

| R |

Rash 발진
Reciprocal inhibition 상호억제
"Red flap" symptom 치성 원인이 없는 감각이상 증상
Referred pain 연관통
Reflex relaxation 반사이완
Reflex sympathetic dystrophy syndrome 반사 교감신경성
　　위축 증후군
Reinnervation 신경재분포
Relining 첨상, 재이장, 릴라이닝
Resistance exercise 저항운동
Retraction 견인
Retractor 견인기
Retrograde degeneration 퇴행성변성
Rickets 구루병
Root apex 치근단
Rumination 반추, 되새김

| S |

Saucerization 배상형성술
Scab 딱지
Scalene 사각근
Scar 흉터
Schwann's sheath 슈반신경초
Scintigraphy 섬광조영술
Scleroderma 피부경화증
Sclerosis 경화증
Scoliosis 척추측만증
Secondary stability 이차 안정도
Self-limiting 자기한정적
Sensitivity 민감도
Sensitization 감작, 민감화
Sensory Nerve Conduction Velocity (SCV) 감각신경전도
　　속도 검사

Shingles 대상포진 (= herpes zoster)
Sinoatrial block 동방차단
Sinus bradycardia 동서맥
Somatic pain 몸통증
Somatization disorder 신체화장애
    (= Somatoform disorder)
Somatization 신체화
Somatosensory evoked potential (SEP) 체성감각유발전위
    검사
Somnolence 졸음증, 기면
Spasm 연축
Splenius capitus 두판상근
Splint 스플린트
Sprain 염좌
Stabilization splint 안정위스플린트
Stagnation 울체, 정체
Stainless steel 스테인리스스틸
Static tactile test, Static light touch detection 정적촉각검사
Status epilepticus 간질지속상태
Stellate ganglion block (SGB) 성상신경절차단
Sternocleidomastoid muscle 흉쇄유돌근
Stripe disease 선조병
Stylohyoid process 경상설골돌기
Styloid process 경상돌기
Stylomastoid foramen 경유돌공
Subcondylar 과두하, 과두하부
Submucous fibrosis 점막하섬유화증
Superior laryngeal neuralgia 상후두신경통
Supraorbital 안와상
Sural nerve 비복신경
Sweat 발한
Sympathectomy 교감신경절제(술)
Sympathetically maintained pain (SMP) 교감신경성 지속
    통증
Synovial chondromatosis 활액막연골종증

| T |
Tardive dyskinesia 지발성 운동장애
Taut 팽팽한

Tendon 건
Tendon sheath 건초
Thermocoagulation 열응고
Thermography 체열검사
Throbbing 박동성
Thymosis 격앙, 분노
Tinel's sign 티넬 징후
Tingling 저림증
Tinnitus 이명
Toxic epidermal necrolysis 독성표피괴사
Traction 견인
Transcranial view 횡두개상
Transcutaneous electrical nerve stimulation 경피전기신
    경자극
Trapezius muscle 승모근
Traumatic neuroma 외상성 신경종
Tremor 떨림, 진전
Tricyclic antidepressant 삼환계항우울제
Trigeminal neuralgia 삼차신경통
Trigeminal neuropathic pain 삼차신경의 신경병성 통증
Trophic 영양
Two-point discrimination test 이점 식별능 검사

| U |
Undermining 잠식성
Uptake 섭취, 섭취율
Urinary incontinence 요실금
Urticaria 두드러기

| V |
Vapocoolant spray and stretching 기화성냉각제분사신장
Ventricular arrhythmia 심실성 부정맥
Ventricular tachycardia 심실빈맥
Vertigo 현기증, 어지럼증
Visceral pain 내장 통증

| W |
Wallerian degeneration 왈러변성
Whiplash injury 편타손상

재료 및 장비

상품명	성분	제조사
Aclofen	Aceclofenac 100 mg	동아제약
Admira Protect	Voco GmbH	Germany
Ad-Muc Oint.	에드먹연고	멀츠아시아퍼시픽피티이엘티디
All Bond DS	Bisco	USA
Amoclan duo	Amoxicillin hydrate 437.5 mg, potassium clavulanate diluted 106.36 mg	한미약품
Amoclan Duo Tab.	Amoxicillin/clavulanate 500 mg	명문제약
Amoxapen Cap.	Amoxicillin 250 mg	종근당
Andilac-S Cap.	Lactobacillus acidophilus 300 mg	일양약품
Asec	Aceclofenac 100 mg	한미약품
Augmentin Tab. 625 mg	Amoxicillin/Clavulanate 625 mg	일성신약
AutoBT	Autogenous tooth bone graft material, Autogenous demineralized dentin matrix, ADDM	Korea Tooth Bank
Azitops Tab.	Azithromycin 250 mg	일동제약
Baclofen Tab.	Baclofen 10 mg	한독
Beecom	Vitamin B, C	유한양행
Beecomhexa Inj.	Vitamin B 2 ml	유한양행
Bio-Arm		ACE Surgical. Supply Company, Inc. (Brockton, MA, USA)
Bio-Gide		Geistlich (Wolhusen, Switzerland)
BiteStrip		Scientific Laboratory Products Ltd. (Tel Aviv, Israel)
Bone wax		Ethicon Inc. (Somerville, NJ, USA)
Botox		Allergan (USA)
Carol-F Tab.	Ibuprofen 200 mg/Arginine 185 mg	일동제약
Catas Tab.	Diclofenac 50 mg	하나제약
Celebrex	Celecoxib 100 mg	한국화이자제약
Cele V	Celecoxib 200 mg	한림제약
Cervical Cement		GC Corporation (Japan)
Cervitec		Ivoclar-Vivadent (Liechtenstein)
Clanza Tab.	Aceclofenac 100 mg	한국유나이티드제약
CTi mem		Neobiotech
Cymbalta Cap.	Duloxetine 30 mg	한국릴리
Cytotec	Misoprostol 200 ug	한국화이자
Dexamethasone Inj.	Dexamethasone 5 mg/ml	유한양행
Dipental cream	Capsaicin 0.025% 20 g	다림바이오텍

Dysport		Ipsen Ltd (Slough, UK)
Efexor–XR SR Cap.	Venlafaxine 37.5 mg	한국화이자제약
Eglandin	Lipo–PGE1 10 mcg/2 ml	미쓰비시다나베파마코리아
EMLA Cream 5%	Lidocaine 25 mg/g, Prilocaine 25 mg/g	미쓰비시다나베파마코리아
Etravil Tab.	Amitriptyline 10 mg	동화약품
ExFuse		HANS Biomed
Exoperine	Eperisone	한미약품
Flasinyl Tab.	Metronidazole 250 mg	에이치케이이노엔
Fullgram Inj.	Clindacycin 300 mg	삼진제약
Fluor Protector		Ivoclar–Vivadent (Liechtenstein)
Gabatin Cap.	Gabapentin 400 mg	고려제약
Gelfoam		Pfizer (New York, NY, USA)
Gluma Desensitizer		Heraeus (Kulzer, Germany)
Grandpherol	Vitamin E 400 IU	유한양행
Guardix	Hyaluronic acid & sodium carboxymethyl cellulose	Hanmi pharmacy
Hirax Inj.	Hyaluronidase 1,500 IU/mL	한국비엠아이
Hyal prefilled	Sodium hyaluronate 10 mg/mL 주사제	한국비엠아이
Hynarubonplus	Sodium hyaluronate 10 mg/mL 주사제	일동제약
Hyruan	Hyaluronic acid	LG Biosci Co
Ibuprofen Soft Cap.	Ibuprofen 400 mg	유한양행
ICB (Irradiated Cancellous Bone)		Rocky Mountain Tissue Bank (USA), Purgo biologics
Imotun Cap.	Avocado–soya unsaponifiables 300 mg	종근당
InduCera		Oscotec Inc.
Innotox Inj. (현재 사용 중지 약품)	Clostridium botulinum toxin–A 40 Unit/mL	Medytox Inc.
Kamistad–N gel	Chamomilla tinc 185 mg/Lidocaine HCl hydrate 20 mg, 10 g/tube	진양제약
Ketoprofen Inj.	Ketoprofen 100 mg/2 ml	부광약품
Lamiart Tab.	Lamotrigine 25 mg	대웅제약
Lamictal Tab.	Lamotrigine 25 mg	글락소스미스클라인
Lexapro	Escitalopram oxalate	한국룬드벡
Licaneuro Cap.	Pregabalin 75 mg	대원제약
Lioresal	Baclofen	한국노바티스
Lyrica Cap.	Pregabalin 75 mg	한국화이자제약
MBCP, MBCP+	Micro–macro Biphasic Calcium Phosphate	Biomatlante (Vigneux–de–Bretagne, France)
Megaderm		L&C Bio Corp.
Melocox Cap.	Meloxicam 7.5 mg	동아에스티

Mesexin	Methylol cephalexin lysinate 500 mg	한림제약
Methotrexate	Methotrexate 2.5 mg	유한양행
Methycobal	Mecobalamin 0.5 mg	대웅제약
Methylon Tab.	Methylprednisolone 4 mg	알보젠코리아
Microprime		Danville Material Inc. (USA)
Minocure Dental Ointment	Minocycline 20 mg/g	나이벡
Minocline Dental Ointment	Minocycline 20 mg/g	동국제약
MS–COAT		Sun Medical (Japan)
Mu–Terasil	Pure water, Polyvinylpyrrolidone K–90, Calcium chlroride, Potassium sorbate, Propylene glycol, 12 ml/btl	한국푸앤코
Nabuton	Nabumetone, 500 mg tab.	동성제약
Naxen–F Tab.	Naproxen 500 mg	종근당
Naxen–F CR	Naproxen 1,000 mg	종근당
Neurometer		Neurotron Inc. (Baltimore, MD, USA)
Neurontin	Gabapentin 100 mg	한국화이자제약
Newdotop patch, Newdotop Cataplasma		SK Chemicals
Newrica Cap.	Pregabalin 75 mg	동아에스티
Nimotop	Nimodipine	Bayer
Nisolone	Prednisolone 5 mg	국제약품공업
Nitroglycerin Sublingual Tab.	Nitroglycerin 0.6 mg	명문제약
NobelBiocare MK III Groovy		Nobelbiocare (Sweden)
Nobel Speedy Groovy		Nobelbiocare (Sweden)
NOVOSIS BMP–2		CGbio
Nu Gauze		Johnson (Virginia, USA)
Oneplant		Warantec
Oramedy ointment	Triamcinolone 10 g	동국제약
Oropherol soft cap.	Tocopherol 100 mg	신일제약
Orthoblast II		SeaSpine (San Diego, CA, USA)
Ossix Plus		Purgo Dental Biologics, Datum Biotech Ltd. (Telrad Industrial Park, Israel)
Osstell ISQ		Osstell (Gothenburg, Sweden)
OSTEON		GENOSS
Parox Tab.	Paroxetine 20 mg	명인제약
Pedi–Stick		HANS Biomed
Peniramin Tab.	Chlorpheniramine 2 mg	유한양행
Pharma Mecobalamin	Mecobalamin 500 ug	한국파마
Phenytoin Tab.	Phynytoin 100 mg	명인제약

Placentex Injection	PDRN: Polydeoxyribonuceotide	Pharma-Research Products
Pranol	Propranolol	현대약품
Prebalin Cap.	Pregabalin 75 mg	한미약품
Prex	Baclofen	한국유나이티드제약
Prozac Dispersible Tab.	Fluoxetine 20 mg	한국릴리
Procton	Nabumetone	메디카코리아
Prograf	Tacrolimus hydrate	한국아스텔라스제약
Rapi-Plug		Dalim Tissen
Regenaform		Exactech Inc. (Gainesville, FL, USA)
Relafen	Nabumetone	한독약품
Remaix membrane		Metricel GmbH (Herzogenrath, Germany)
Reumel Cap.	Meloxicam 7.5 mg	한림제약
Rheumagel Gel	Ketoprogen 30 mg/g 30 g	한미약품
Rivotril Tab.	Clonazepam 0.5 mg	한국로슈
Ropiva Inj.	Ropivacaine 7.5 mg/mL	한림제약
Seal & Protect		Dentsply (USA)
Sensival Tab.	Nortriltyline 10 mg	일성신약
Sirdarud	Tizanidine	노바티스
Soleton Tab.	Zaltoprofen 80 mg	에이치케이이노엔
Somalgen Tab.	Talniflumate 370 mg	알보젠코리아
Superline		Dentium Co.
Super Seal		Phoenix Dental Inc. (USA)
Suprax Cap.	Cefixime 100 mg	동아에스티
Surgicel		Ethicon Inc. (Somerville, NJ, USA)
Synthyroid Tab.	Levothyroxine 100 μg	부광약품
Tantum Solution	Benzydamine 1.5 mg/mL	삼아제약
Tarivid	Ofloxacin 100 mg	제일약품
Tegretol	Carbamazepine 100 mg	한국노바티스
Terramycin eye oint.	Tetracycline 5 mg/g 3.5 g	한국화이자제약
Therabite		Atos Medical AB (Hörby, Sweden)
Tisseel		Baxter Healthcare (Deerfield, IL, USA)
Topamax Tab.	Topiramate 100 mg	한국얀센
Tramadol HCl Cap.	Tramadol 50 mg	대우제약
Tranexamic Acid Inj.	Tranexamic acid 500 mg	대한약품공업
Transamin Cap.	Tranexamic acid 250 mg	제일약품
Trental SR Tab.	Pentoxifylline 400 mg	한독
Triam Injection	Triamcinolone 40 mg/mL	신풍제약
Trileptal Film Coated Tab. 150 mg	Oxcarbazepine 150 mg	한국노바티스

Trileptal Film Coated Tab. 300 mg	Oxcarbazepine 300 mg	한국노바티스
Trolac Injection	Ketorolac 30 mg	환인제약
Ultracet Tab.	Tramadol 37.5 mg/Acetaminophen 325 mg	한국얀센
Vioxx (2004년 판매 중지됨)	Rofecoxib	
Vitamin D3 BON Injection	Cholecalciferol 5 mg/mL	광동제약
Xerova Solution	Carboxymethylcellulose Sodium 10 mg, D-Sorbitol 30 mg, Calcium Chloride Hydrate 0.15 mg, Dibasic Potassium Phosphate 0.34 mg, Magnesium Chloride 0.05 mg, Potassium Chloride 1.2 mg, Sodium Chloride 0.84 mg/ml, 40 ml/btl	한국콜마
Yucla Tab. 625 mg	Amoxicillin/Clavulanate 625 mg	유한양행

INDEX

기타

6 X 6 X 6 턱근육운동 327

국문

|ㄱ|

가성통풍 324
감별진단 038, 321
감염 038, 321
개구량 315
개방교합 072
거대 관절음 300
거대외상 292
건강 보조 식품 376
견인강선 166
결체조직질환 065
골관절염 279, 300, 306
골관절증 279, 306
골괴사 307
골수강 295
골수염 321, 324
골연골종 048, 212, 215
골절 065
과두걸림 298, 348
과두위축증 261
과두흡수 105
과두흡수증 271, 279
과부하 205
관절가동술 335
관절낭강화술 183
관절원판성형술 183
관절원판 유착증 297
관절융기성형술 183
관절융기절제술 183
관절잡음 300, 309
관혈적 턱관절 수술 355
교정치료 265, 266, 272, 307
교통사고 251, 292
교합검사 309
교합위화감 094
교합이상감각 094
교합지지 295
교합치료 352

구강악습관 146, 154, 291, 292
구강 점막하 섬유화증 244
국소근육통증 304
국소마취제 343
근골격계 질환 095
근근막발통점 343
근근막통증증후군 139
근기억 067
근막통증 305
근육경련 305
근육성 장애 067
근육성 통증 193
근육이완제 166, 331
근육조건화운동 335
근육 촉진 315
근전도 319

|ㄴ|

냉각요법 333
냉각제분사신장요법 337
능동적 운동범위 315

|ㄷ|

다인성 이론 292
단순자극요법 333
도수정복술 166
도수조작 061, 348
동반질환 324
두개저골수염 040
두통 369
등척성운동 335

|ㄹ|

레이저치료 334
류마티스관절염 280, 287

|ㅁ|

마약성 진통제 330
만성통증 135
만성통증척도 124
물리치료 332
미국 구강안면통증학회 303
민감화 139

|ㅂ|

반응성 관절염 297, 306

발통점 주사 346
방사선검사 307
배농관 072
병력 청취 309
병인론 306
보건소 374
보조적근육신장 335
보철치료 352
보톡스 345
보툴리눔독소 116, 149, 344
보호성 상호수축 304
복합자극요법 333
복합치료 354
부정교합 295, 354
부하검사 309
비염증성 관절질환 306
비정복성 관절원판 전방전위 298
비정복성전위 348
비정형 신체증상 038
비정형 치통 145
비특이성 신체증상 125

| ㅅ |
사각턱성형술 366
사각턱축소술 366
산화과정 298
산화 스트레스 292
삼출물 072
삼환항우울제 331
상담 328
상병명 305
섬광조영술 316
섬유근육통 326
섬유성유착 240
섬유성 유착증 189
섬유화 300
세균 296
세척 및 용해술 351
소형금속판 183
수동적근육신장 335
수동적 운동범위 316
수면이갈이 291
수직고경 260
수직골절단술 266
스케일링 373
스테로이드 307, 343
스트레스 037, 038, 113, 129, 143, 291, 296

스플린트 337
습관성탈구 168, 171, 182
신체화 109, 125, 296
신체화증 117, 123, 296

| ㅇ |
악간고정 167
악골운동검사 309, 315
악성말초신경초종양 058
악성원형세포종 062
악정형치료 307
안정위스플린트 105, 260, 337
양악수술 261, 265
에스트로겐 296
연관통 145
연축 167
염발음 300
영양제 332
오훼돌기절제술 362
오훼돌기 증식 065, 321
온열요법 333
외상 065, 321
외상후스트레스장애 324
우울증 125
위약 효과 339
음파촬영술 319
의식하진정법 160
의치 295
이갈이 149, 159
이명 106, 310
이비인후과 052, 109
이온삼투요법 334
이차두통장애 302
이학적 검사 307
익돌하악간극 감염 040, 321
인두주위간극 감염 038
인후주위감염 321
일본턱관절학회 302
임상검사 309

| ㅈ |
자가면역성질환 065
자기공명영상 319
자기한정적 장애 291, 328, 373
자연회복 328
자유기 292
자율신경계 038, 135

INDEX

저작근장애 139, 304
저항검사 309
저항운동 335
전기자극요법 333
전방재위치스플린트 067
전신마취 029, 160, 166, 297
전신질환 297
전체 턱관절재건술 358, 362
정맥혈 295
정신건강의학과 110, 114
정신지체장애 166
정신질환 094
종말감 315
종양 041, 324
주사치료 342
중이염 366
중추매개근육통증 305
중추신경계 296
증식성 병소 134
증식요법 295, 347
진정제 332
진행성 과두흡수증 261

| ㅊ |
채무부존재소송 373
척추측만증 375
청각장애 130
체열검사 319
초음파검사 319
촉진 309
촉진 검사 315
추나요법 375
측두근절단술 166
측두하악관절 290
측두하악장애 290
측인두간극 040
치아 상실 025
침술 334

| ㅋ |
카이로프랙틱 375

| ㅌ |
탄성교합장치 339
턱관절강직증 229, 359
턱관절 개방수술 355
턱관절경 179, 180, 184, 319, 351
턱관절고착해소술 335
턱관절내장증 304
턱관절세정술 349
턱관절장애 290
턱관절탈구 160, 163, 373
턱교정수술 265, 266, 271, 307, 362
통증 309
통증 관련 장애 316
퇴행성관절질환 297, 306
퇴행성 질환 279
특발성 270
특발성 과두흡수증 261, 306
특발성 치아치조통증 145

| ㅍ |
편위 309, 315
편향 309, 315

| ㅎ |
하악골골절 292
하악과두골절 245, 250
하악운동궤적검사 319
하악지시상분할골절단술 266
항우울제 331
핵의학검사 307, 328
혈소판풍부혈장 295, 347
홈케어 326
활액 351
활액막낭 065
활액막낭종 321
활액막연골종증 041, 053, 206
활주운동 297
회전운동 297
후두경 297
흉터 241

영문

|A|
acceleration–deceleration mechanism 251
Acetaminophen 330
active range of movement 315
acupuncture 334
anchored disc phenomenon 297
ankylosing spondylitis 065
anticollagenase agent 271
antidepressants 331
ARS 067, 113
arthrocentesis 349
arthroscopic lavage and lysis 351
arthrotomy 355
articular disorders 303
assisted muscle stretching 335
asymptomatic adaptive 029, 034, 037
avocado–soya 332

|B|
Baclofen 331
bone hook 166
Botox 072, 154
botulinum 344
bruxCheck 095, 149, 152
Bupivacaine 343

|C|
calcium pyrophosphate dehydrate 324
capsulorrhaphy 183
chronic centrally mediated myalgia 305
chronic myositis 305
closed lock 298, 348
comorbidity 324
condyle atrophy 261
condyle resorption 279
coronoidectomy 362
coronoid hyperplasia 321
Corticosteroids 343
Costen 290
counseling 328
COX–1 329
COX–2 329
CPPD arthritis 065
crepitus 300

CT 316
cytokines 321

|D|
DC/TMD 305
deflection 309, 315
degenerative joint disease 279
Depression scale 125
deviation 309, 315
Dextrose 295
disability point 125
disc adhesion 297
disc anterior displacement without reduction 298
disc displacement without reduction 348
Dysport 072, 154

|E|
EAST 334
effusion 072
eminectomy 183
end feel 315
Eperisone 095, 331
estrogen 296, 307

|F|
fibromyalgia 326
fibrous adhesion 189
free radicals 292, 298
FSD 250
future site development 250

|G|
gap arthroplasty 360
Graded Chronic Pain Scale 124

|H|
heat therapy 333
hinge exercise 327
Hyaluronic acid 298, 342
hypermobility 295

|I|
Ibuprofen 329
idiopathic 270
idiopathic condyle resorption 261, 306
Imotun 332
interpositional gap arthroplasty 360

INDEX

iontophoresis 334
isometric exercise 335

| J |
joint mobilization 335
joint noise 309
juvenile idiopathic arthritis 279

| L |
laryngoscope 297
lateral pharyngeal space 040
laser 334
Lidocaine 343, 347
Loading test 309
local muscle soreness 304
loose bodies 057
loose calcified bodies 057

| M |
malignant peripheral nerve sheath tumor 058, 061
malignant schwannoma 061
malignant small round cell tumor 062
malocclusion 295
manipulation 061, 205, 335, 348
manual reduction 166
masticatory muscle disorder 139, 304
miniplate eminoplasty 183
Misoprostol 329
morning joint stiffness 287
mouth opening 315
MRI 221, 307, 319
multidisciplinary approaches 354
multifactorial etiology 292
muscle conditioning exercise 335
muscle memory 067
muscle relaxants 331
muscle splinting 304
myofascial pain 305
myofascial pain dysfunction syndrome 139
myofascial trigger point 343
myospasm 305
myrhaug 182

| N |
Nabumetone 329
Naproxen 330
natural recovery 328

neurofibrosarcoma 061
neurogenic sarcoma 061
night guard 149, 152
nonaxial loading 037
noninflammatory joint disease 306
noninflammatory myalgia 304
nonsteroidal anti-inflammatory drugs 329
NSAIDs 329
nu-gauze 072

| O |
occlusal discomfort syndrome 094
occlusal dysesthesia 094
occlusal neurosis 094
occlusal support 295
Okeson 303
Omnivac 095, 149
open joint surgery 355
Oral Health-Related Quality of Life 290
oral submucous fibrosis 244
osteoarthritis 279, 300, 306
osteoarthrosis 279, 306
osteochondroma 048, 212
overbite 308
overjet 308
oxidation 298
oxidative stress 292

| P |
pain-related disability 316
palpation 309
parapharyngeal infection 321
passive muscle stretching 335
passive range of movement 316
persistent uncomfortable Occlusion 094
phantom Bite Syndrome 094
Phenothiazine 166
phospholipids 298
placebo effect 339
platelet rich plasma 295, 347
Popping 300
Positive Occlusal Awaress 094
Positive Occlusal Sense 094
Posttraumatic Stress Disorder 324
progressive condyle resorption 261
prolotherapy 295, 347
proprioception Dysfunction 094

TOUGH CASES

protective cocontraction 304
PRP 295, 347
pseudogout 065, 324
pterygomandibular space infection 040, 321
pumping 344, 348

| R |
reactive arthritis 297, 306
resistance exercise 335
resistance test 309
rheumatoid arthritis 065
Rocabodo's 6×6 exercises 335
rotational movement 297

| S |
scar 241
scintigraphy 316
scleroderma 065
secondary headache disorders 302
selective COX-2 inhibitor 330
selective Serotonin Norephnephrine Reuptake Inhibitor,
    SSNRI 332
self joint mobilization exercise 328
self-limiting disorder 291, 328, 373
sensitization 139
single photon emission computerized tomography, SPECT
    307
sleep bruxism 291
sliding movement 297
soft splint 087, 113, 339
somatization 296
spasm 167
synovial chondromatosis 041, 053, 206

synovial cyst 065, 321
systemic lupus erythematosus 065

| T |
temporal myotomy 166
temporomandibular disorder 034
temporomandibular dysfunction 033, 034, 037
TENS 334
Tetracycline 271
tinnitus 310
Tizanidine 331
TMJ arthroscopy 319
TMJ Internal derangement 304
Total TMJ reconstruction 358
traction wires 166
Tramadol 331
tricyclic antidepressants 331
trigger point injection 346
trigger point myalgia 305
tumor 041
tumor necrosis factoralpha 321

| U |
unknown risk 037

| V |
Vapocoolant spray and stretching 337

| W |
wear and tear 306
whiplash 251, 292